Tchipayuk
ou le Chemin du Loup

Ronald Lavallée

Tchipayuk

ou
le Chemin du Loup

ROMAN

FRANCE LOISIRS
123, boulevard de Grenelle, Paris

Édition du Club France Loisirs, Paris,
avec l'autorisation des Éditions Albin Michel

© Éditions Albin Michel S.A., 1987

ISBN 2-7242-3767-6

Première partie

LA PLAINE

I

Okaskatano-pisim, la Lune-des-eaux-prises, s'élevait, pâle comme une morte, dans la nuit en bataille. La plaine était houleuse. Les hautes herbes brunes faisaient cliqueter leurs tiges gelées.

L'enfant courait et n'osait regarder derrière lui. Le sentier était étroit. Les herbes l'accrochaient aux jambes et lui battaient la poitrine. Il s'efforçait de fuir sur la pointe des pieds, mais ses mocassins tambourinaient contre le sol. C'était affolant. Les mauvais esprits vivent sous terre. Quand ils entendent marcher sur le toit, ils montent voir.

Askik Mercredi se mit à pleurer.

Il avait six ans, et il était trahi. Sa mère l'avait arraché au sommeil, l'avait planté debout près de la porte qui joignait mal, lui avait passé de force son anorak, et sans le moindre encouragement, avec même un brin d'agacement parce qu'il mettait du temps à trouver ses mocassins d'hiver (l'été il allait nu-pieds), elle l'avait chassé au large.

Comme si un enfant de six ans pouvait affronter les esprits rôdeurs.

Comme s'il n'y avait pas de wetiko.

Le vent lui colla une claque humide dans le dos. Il oublia d'en vouloir à sa mère. De gros nuages viraient à

9

l'argent en s'effilochant devant la lune. Des bouts d'herbe volaient dans la nuit et le frappaient au visage.

Que ferait-il contre le wetiko ?

L'enfant s'arrêta. Le sentier plongeait dans le noir. Une coulée fendait la plaine comme une gerçure. Des saules sifflaient au fond du ravin. Des saules et quoi d'autre encore ? Askik allait et venait sur le bord en poussant des plaintes aiguës, comme un chien inquiet. Puis il fit volte-face. Les jambes en éventail, le visage tordu de peur, il remonta la piste en braillant à pleins poumons. Il ne se souciait plus des remontrances de sa mère. Il n'avait plus qu'une envie : voir apparaître les lueurs rougeâtres des fenêtres de parchemin.

Mais au fond de lui-même, Askik savait qu'il ne pousserait pas jusqu'à la maison. Sa mère exigerait des explications, et pour la première fois l'enfant sentit qu'il aurait honte d'avouer sa peur.

Il ralentit le pas, puis s'arrêta tout à fait. Il revint lourdement au ravin, n'écouta pas les saules, fonça dans la coulée, trébucha de vitesse et, vite comme un moineau, franchit la crête et s'échappa. Il était déjà loin quand il sentit au visage la fraîcheur du bas-fond.

De l'autre côté de la Rouge, des lumières pâlottes perçaient un bosquet. La colonie écossaise. Askik écarquillait les yeux pour démêler les ombres, piste ou prairie selon les bourrasques.

Un abri en bois équarri le surprit à gauche ; il entendit le souffle paisible du bétail. Il y avait des arbres maintenant, à peine discernables le long de la rivière. Une maison tous yeux éteints glissait à sa droite. Une charrette chantait, brancards au vent. Touf, touf, touf, les mocassins d'Askik Mercredi passaient dans les rêves des choses assoupies. Les biens des hommes dorment comme leurs maîtres. Seules les herbes et les lunes sauvages remuent la nuit.

Deux ornières tracées creux recoupaient le sentier : le chemin de la colonie. Askik repêcha avec inquiétude les directives de sa mère : « La grande maison de pierre, passé trois rues, à gauche, avec des fenêtres

10

comme de l'eau. » C'était désespérant ! Il mêlait tout !
Il ne trouverait pas la maison, il s'égarerait à coup sûr,
et c'était la faute de sa mère. Il était trop jeune pour
voyager seul.

Les ornières filaient droit devant comme des sillons
bleus. L'herbe était rasée court. Il y avait certainement
des vaches dans les parages. Une vache rassure toujours, mais l'enfant n'en voyait nulle part.

Le sentier prenait à droite, vers la rivière, à travers les
bois sombres. L'enfant hésita, mais suivit. Le plancher
de la forêt tombait longuement vers l'eau. Les mocassins dérapaient sur des feuilles mi-gelées. Des bourrasques passaient comme des torrents dans les hautes
branches. Après un dernier coude abrupt du sentier, il
déboucha sur une cabane trapue qui faisait le gros dos
contre la rivière. Les murs de la maison étaient pleins, il
n'y avait pas de fenêtre. Les rondins écaillés couraient
sans interruption d'un bout à l'autre du logis.

Quel genre d'homme vit dans une maison sans fenêtres ?

Une porte grinça. Quelque chose sortait ! Askik
poussa un cri de terreur. Il recula, se cogna à un arbre,
voulut reprendre le sentier mais se trompa de voie. Il
fonça le long de la rivière, trébucha, et tomba dans un
sec éclatement de branches.

« Qui est là ? » lança une voix méfiante.

Askik se ramassa en ménageant ses mains égratignées. Il avait honte et n'osait se montrer.

— Y a-tu quelqu'un là, demanda la voix devenue
inquiète.

— *Éhé,* dit Askik d'une voix piteuse. *Nina,* c'est moi.

— Moi ? Qui ça ? Mais montrez-vous don'. Où êtes-
vous ?

Le vieillard se tenait dans l'entrée de sa maison, la
moitié du corps rougie par le foyer, l'autre engloutie
par la noirceur.

— *Astam outa !* Avance !

— J' m'en vas à Saint-Boniface, fit l'enfant, mais il
n'y croyait plus. Les maisons de pierre ne pouvaient

11

être qu'à une distance incalculable de cette rivière perdue.

— La ville ? A cette heure ? Les bourgeois dorment. Vas-tu les réveiller ?

— Maman veut le prêtre...

Le vieillard lui mit la main derrière la tête et le fit entrer. Vue de l'intérieur, la cabane ressemblait comme une sœur à la maison d'Askik. Un foyer de pierres rondes, un plancher de sol, une malle faisant office de chaise, un lit de planches avec une grosse couverte rouge. Mais pas de robe de bison près du feu.

— Y a pas d'enfants icitte ? demanda Askik, tout étonné.

— Non, mon bonhomme, caqueta le vieillard. Il enfilait un lourd manteau de peau, assez graisseux. Le vieillard étudiait le garçon du coin de l'œil. Il avait été élevé dans les anciens principes et tenait pour péché de s'enquérir des affaires d'autrui. N'importe. Les bébés ne vont pas quérir le prêtre la nuit sans raison.

— *Astam !*

Le vieillard crocheta soigneusement la porte derrière l'enfant. La lune avait tendu la rivière d'un bleu-gris vitreux. Le vieillard fit trois longues foulées, se pencha prestement, et détacha une barque. Askik était resté près de la hutte.

— Amène-toé, voyons !

L'enfant grimpa dans la barque. Il n'était jamais monté sur l'eau et craignait que le vieillard ne le lance seul. Mais l'homme dégagea l'esquif d'un vigoureux coup de botte et, bondissant à sa place, empoigna la perche. Debout, projeté contre le ciel turbulent, il paraissait grand comme un arbre. Quand une rafale fouetta l'eau et fit osciller le *tsiman*, Askik n'eut pas peur.

— Elle s'appelle comment la rivière ?

— La Seine.

— Elle traverse la Rouge là-bas ? fit le garçon en montrant du doigt où il avait laissé la grande rivière.

— Elle se jette dedans. Elle ne la traverse pas.

Le nez de la barque glissait sur la vase. Un sentier venait jusqu'à l'eau.

— Prends ce chemin, dit le passeur, ça mène à la ville. Quand tu y seras, cherche une maison de pierre à côté de la cathédrale. Attends ! T'as déjà vu la cathédrale ?... Me semblait pas. C'est une grosse bâtisse avec une bosse sur le toit. Quand t'auras le prêtre, reviens. Je vous ferai repasser. C'est compris, garçon ?

L'enfant fit signe que oui et gravit rapidement le raidillon. Le bois, moins épais de ce côté de la rivière, donnait presque aussitôt sur la plaine. Drôle de plaine. Les herbes étaient coupées court comme de frêles piquets. Askik eut peur pour ses mocassins ; sa mère ne badinait pas là-dessus. Les Métis ont donné à leurs mocassins le nom de « grimaceux », à cause du dessin de la couture. Askik croyait que c'était une allusion à la mine qu'avait sa mère en les fabriquant.

Askik fila sous les bras grêles d'une croix, franchit un rang de peupliers, et se retrouva parmi les premières maisons de la colonie. Il chercha partout la cathédrale ; il n'y avait que des huttes semblables à la sienne, mais si nombreuses qu'Askik en fut bouleversé. Y avait-il tant d'hommes sur terre ?

Il arriva à une place venteuse bordée d'érables. Des volées de poussière et de feuilles prenaient la rue en enfilade : Askik en eut plein les yeux. Quand il les rouvrit, il vit un miracle. La lune, en sortant des nuages, illuminait progressivement les murs blanchis de la cathédrale qui émergeait de la nuit comme un navire qu'on renfloue, ses vitres rutilant, sa toiture lançant des reflets sobres et bleus. L'enfant entendit un susurrement. Il se retourna, vit une haie desséchée et, derrière, une grande maison. Elle était de pierre.

Il gravit sans enthousiasme les marches de bois et, n'ayant jamais vu de heurtoir, frappa du poing. Il cogna longtemps, longtemps. Il se remit à pleurer de froid et de sommeil en pensant qu'on se souciait bien peu des petits garçons, et qu'on le laisserait jusqu'au matin sur le perron. La cour était un damier grouillant

13

de lumière et d'ombre. L'enfant frappa plus fort, y ajouta même de faibles supplications, mais rien n'y fit. Ses coups s'étouffaient dans les couloirs obscurs et ne dérangeaient pas les dormeurs de la maison.

Enfin, une lueur pointa à la fenêtre : elle vacilla, fit semblant de s'en aller, grossit jusqu'à devenir éclatante, et lui révéla une chose horrible. Il n'y avait pas de parchemin à la fenêtre : un visage cireux et fluide le fixait de derrière une boule de feu. Askik, qui ne connaissait ni la vitre ni les lampes à huile, voulut s'enfuir. Mais la grande porte cliquetait et bâillait. Une femme titane était plantée sur le seuil, une lampe au poing. Elle était en robe de nuit, portait le châle, la mine renfrognée. Elle coulait un regard noir sur l'intrus : le petit visage brun, tracé de larmes, les yeux de lapin apeuré, et les cheveux de jais la mirent hors d'elle. S'être levée de grande nuit pour ça !

— Qu'est-ce que tu veux ? aboya-t-elle.

N'importe, Askik lui était reconnaissant d'avoir pris une figure à peu près humaine.

— Je veux... le prêtre.

— Le prêtre ? Lequel ? C'est la maison de l'évêque icitte. C'est le palais é-pis-co-pal. Elle le prononça en rejetant légèrement la tête, comme pour mieux goûter à la majesté des lieux. Elle était fière de sa position, et de son vocabulaire.

— Y a plus d'un prêtre icitte ! ajouta-t-elle.

Askik n'avait pas prévu cette éventualité. Il se fâcha.

— Maman veut le prêtre ! glapit-il comme s'il était inconcevable qu'on pût résister à un ordre de sa maman.

Elle lui claqua la porte au nez. La lumière s'éloigna, et pendant un très long moment les remarquables fenêtres demeurèrent sombres et glacées comme la Seine. Puis la lumière revint, accompagnée cette fois d'une voix mâle. La porte s'ouvrit, un bras tendu de noir en ressortit, et Askik se retrouva comme par enchantement dans une pièce aux murs blancs et lisses. Où étaient les rondins ?

Il y avait un plancher de bois reluisant, un tapis de couleur, des gravures aux murs, des meubles recouverts de tissus et de cuir, et par-dessus tout, la merveilleuse lampe à huile, posée négligemment sur un guéridon poli, et qui jetait jusque dans les coins une lumière étincelante.

La ménagère traquait l'enfant d'un regard homicide, mais Askik ne s'occupait plus d'elle. Tout ce qui l'entourait était neuf et ravissant. Le vestibule de l'évêché l'avait ébloui.

— Un vra p'tit savage qui a jamais rien vu ! railla la ménagère.

— Madame Berthier, je vous en prie. Le prêtre avait la voix plus mûre que le visage. Asseyez-vous là, fit-il à l'enfant, et patientez un moment.

L'enfant tourna un regard interrogateur vers la ménagère qui traduisit.

— *Apé !* Assieds-toi. *Kéyam apé !* Reste tranquille.

Askik, obéissant, se hissa précautionneusement sur une chaise à tissu vert et à pieds de chien. La ménagère, humiliée, demeura au garde-à-vous, mais elle ne put réprimer un mouvement d'horreur à la pensée des poux que charriait probablement l'enfant. Pour ne rien dire de l'anorak en peau de daim qui laisserait une odeur de lard fumé au fauteuil.

Le prêtre revint avec une pelisse de laine et, se penchant sur l'enfant intimidé, demanda s'il venait le quérir pour un malade.

— *Ahkoséo nimouchoum,* répondit Askik.

Le prêtre se retourna vers la ménagère.

— Son grand-père est malade. Un païen, plus que probable.

Le prêtre s'enroulait une écharpe autour du cou et semblait ne pas écouter. La ménagère, qui regrettait ses sautes d'humeur sans pouvoir les dompter, voulut l'aider ; elle mit tant d'ardeur à serrer l'écharpe que le prêtre dut l'écarter, pour ne pas être étouffé. Elle tenta de se racheter par les paroles.

— C'est tout de même de valeur de sortir la nuit

15

pour des mourants qui mettent jamais le pied à l'église. Pi connaissez-vous seulement le chemin, mon bon abbé ? Attendez don' le jour. Les vieux ne crèvent jamais du premier coup.

— Si l'enfant est arrivé jusqu'ici, madame, c'est qu'il connaît le chemin.

— Lui ? cria la ménagère, mais c't' un bébé ! Et elle ajouta un gémissement tremblotant où perçait la certitude de n'être pas aimée.

Le prêtre lança ses dernières directives du perron.

— Laissez une chandelle et des allumettes à l'entrée. Puis éteignez et remontez vous coucher. Déjeuner à l'heure habituelle, madame Berthier.

La ménagère referma la porte en grommelant que de toute façon, ce n'était pas le jouvenceau qui altérerait l'horaire de monseigneur.

Ils allaient à grands pas dans le village endormi, deux ombres ployées contre le vent, la petite allant devant, la grande venant après. Askik avait lâché la main du prêtre. Puisqu'il était le guide, il irait en tête. A sa grande surprise, il retrouva facilement son chemin. Les maisons, les peupliers, la croix et le pré se déroulaient à point nommé, dociles comme des enfants bien élevés. En fait, Askik ne se trompa qu'une seule fois, à l'entrée des bois, mais le prêtre trouvait que c'était tout naturel, qu'on ne voyait rien, et que la piste ne pouvait être loin. Et comme de fait, Askik la découvrit presque aussitôt.

Arrivé au bord de l'eau, le prêtre héla le passeur. Pendant la courte traversée, les deux adultes échangèrent des politesses. Askik, trop occupé à se rappeler la prochaine moitié du trajet, n'écouta pas. L'eût-il fait, il aurait appris que son compagnon se nommait Teillet. L'abbé Charles Teillet.

Le vieillard leur indiqua une voie plus directe que celle empruntée par Askik à sa venue. Le prêtre s'assura du passage de retour, puis grimpa la côte à la suite de l'enfant.

La plaine veillait. Quand Askik y mit le pied, le vent

chargea le front des arbres. Les feuilles sèches crépitaient comme de la mitraille. Les branches s'entrechoquaient furieusement. Pris de doute, Askik se retourna pour s'assurer que le prêtre n'était pas loin, et rentra en plein dedans. L'enfant recula vivement et, tout honteux, reprit son chemin.

La piste se fit plus herbeuse. Puis elle disparut. Le prêtre marchait d'un pas égal et soufflait à peine. Sans le bruissement de sa soutane, l'enfant se serait cru seul.

Ils virent enfin la lueur tachetée d'un parchemin ; puis une cabane dans une cour de terre battue, un tonneau, un panier éventré, une porte en planches qui laissait passer la lumière. Askik tira le loquet et, sans un regard pour le visiteur, s'engouffra dans la demeure. Le prêtre, plus cérémonieux, retira son bonnet, et attendit que la mère vienne le recevoir à la porte. Près du feu, un vieillard était assis par terre, mal accoté contre un gros coffre. La tête renversée, la bouche entrouverte, il gargouillait.

Au ciel, les nuages se resserraient. *Okaskatano-pisim* fit un dernier clin d'œil à la plaine, et se voila pour la nuit.

II

La ménagère avait dit vrai. Le vieux n'était pas prêt à lever le camp. Il avait fait à ses quatre volontés sur terre et n'avait rien à gagner au change. La vie l'avait choyé, il s'y cramponnait.

Tant de résolution ne mena à rien. Six jours après l'extrême-onction, la mort le happa au petit jour, à l'heure même où il s'autorisait un léger assoupissement après sa nuit de vigilance.

Anita Mercredi prit un air vaguement endeuillé, mais elle était bien débarrassée. Elle ne manquait pas de respect envers ses aînés. Au contraire, elle avait soigné correctement son beau-père, avait supporté pareillement ses colères séniles et ses flambées de sensualité. Mais le vieux avait fait son temps.

Pour la toilette du mort, Anita recruta sa voisine. Madame Gingras amena son fils de six ans qui s'en alla rejoindre les deux enfants Mercredi, chassés de la maison par l'exigeant cadavre.

C'était un de ces éphémères après-midi d'hiver, quand le ciel va de gris clair à gris sombre, du jour à la nuit, sans faire de frais. Une épaisse couche de neige recouvrait le sol, mais comme le gel n'avait pas encore pris, les enfants avaient les pieds trempés. D'abord, ils avaient improvisé quelques jeux. Puis ils s'étaient chamaillés d'ennui et, dégoûtés enfin, avaient pris le parti d'attendre près du cercueil en bois blanc qu'on avait campé contre le mur. Il commençait à faire froid lorsque la voisine, corpulente et forte, vint saisir la boîte à bras-le-corps.

— Jouez! fit-elle. Et en cognant le cercueil contre les montants de la porte, elle rentra prestement. Être mort entre ses mains ne pouvait être de tout repos.

Les enfants désobéirent, et restèrent collés aux rondins de la maison, les mains derrière le dos. Quelques instants plus tard, ils s'entendirent appeler. Le vieux, enseveli dans une robe de bison, reposait sagement dans sa caisse. La voisine commandait.

— *Kina,* toi! dit-elle à Askik, prends l'aut' boutte avec ta mère!

Askik et sa mère, moins costauds que leurs voisins, avaient hérité des pieds. Ils eurent quand même du mal à soulever le cercueil. Mère et fils, en passant la porte étroite, se meurtrirent les coudes et les mains au chambranle.

Ils déposèrent le cercueil sur des billots au nord de la maison.

— Il se gardera mieux dehors, avait déclaré la voisine, qui s'empressa de rejoindre sa demeure. Anita Mercredi ne l'avait pas remerciée. Elles avaient l'une et l'autre des enfants à mettre au monde, et des morts à expédier dans l'autre. Les services qu'elles se rendaient étaient à charge de revanche, toujours.

18

Anita mit en voie le souper. Elle pensait goûter à la satisfaction d'une méchante tâche accomplie, mais un doute la tourmentait. Les anciens ne faisaient jamais sortir un mort par la porte. C'était inviter le malheur à entrer, disaient-ils. Dans les camps d'été, rien de plus simple : on relevait un pan du tipi, et le cadavre glissait par-dessous. Mais dans une maison de bois, c'est moins aisé. Il aurait fallu passer le mort par la fenêtre, comme elle l'avait vu faire à sa grand-mère. Mais la coutume se perdait, raisonna Anita, et personne ne s'en portait plus mal.

Elle faisait fondre des éclats de pemmican dans de l'eau bouillante. Elle maniait le couteau comme une hache, détachant des copeaux de viande sèche et les envoyant au fond du chaudron d'un mouvement sec du poignet. La purée brune crachotait grassement. Ce n'était pas du pemmican de première qualité. Il avait été cueilli trop tard dans la saison. Mais la chasse était mauvaise : il fallait abattre les animaux quand on les trouvait. Leur viande était tranchée en lanières, séchée, pulvérisée, délayée dans de la graisse chaude, coulée dans des sacs de peau, et laissée à refroidir. Avec le temps, la mixture prenait la consistance d'un pain de savon et pouvait se garder indéfiniment.

Anita retira la marmite, mit au feu le canard en fonte (elle raffolait de thé), et versa le pemmican fumant dans trois rudes écuelles flanquées de cuillères de bois. Les Mercredi ne vivaient pas richement.

Les enfants avaient eu tout un après-midi de désœuvrement pour s'agacer l'appétit. Ils s'attaquèrent à leurs plats comme de jeunes chiens de traîneau, aspirant bruyamment la sauce brûlante et mâchant le *bannoc* à bouche ouverte. La mère rêvait. Moyennant une réserve adéquate de thé sucré, elle pouvait passer des heures à s'entretenir avec elle-même, à haute voix ou en pensée. Elle fixait un mur (jamais la fenêtre, elle craignait d'y voir une ombre), et débattait inlassablement des épisodes de sa vie. Elle ne se figurait jamais belle, ou riche, ou considérée. Son sort lui semblait bien assez intéressant.

Ce soir-là, Anita songeait à la Mort. Elle avait grand peur des revenants, des *tchipayuk*. Quand un homme meurt, son âme le quitte par la nuque et rôde sur terre pendant quatre jours. S'il est satisfait des funérailles que lui font ses parents, il entre au paradis par le Chemin du Loup, la piste d'étoiles qui traverse le firmament. Mais si les derniers honneurs sont négligés, ou si le trépassé a mauvais caractère, il peut demeurer sur terre. Il fait la nuit des bruits lugubres : un sanglot d'enfant contre les murs de la maison, des coups de pioche par une nuit de gel, ou le cri d'un charretier sur une route déserte. Les *tchipayuk*, disait-on, ne peuvent rien contre les vivants. Mais Anita n'en était pas convaincue. Elle frissonnait à la seule idée d'entendre un revenant.

Et pourtant, la peureuse n'eut pas une seule pensée pour le cadavre qui gisait à l'extérieur de ses murs. Celui-là ne l'inquiétait pas. Elle était quitte envers le beau-père. Se fût-il présenté à la porte dans sa robe de bison que la bru l'aurait rabroué et renvoyé à sa boîte, tant elle avait l'habitude de le gourmander. Les vieillards gâteux ne font pas de bons revenants.

Il n'y avait pas d'horloges dans la maison ; Anita sut que la journée était terminée lorsque le sommeil dévoya ses pensées. Le feu s'éteignait doucement. Les enfants s'étaient entortillés dans des robes de bison qui sentaient la fumée de bois, et dormaient. La terre devant le foyer était plate et chaude : on n'y résistait pas longtemps. Anita serra le thé, à regret, dans la grande malle qui servait, entre autres choses, de garde-manger. Elle fit son chemin vers l'unique lit de la maison. Les couvertures étaient rabattues pour permettre à la paillasse d'absorber le plus de chaleur possible. Elle fit grincer les lattes de bois en se couchant. Elle s'enfonça jusqu'au nez sous la fourrure de bison et somnolait déjà quand ses yeux s'ouvrirent tout grands d'effroi. Elle n'avait jamais passé de nuit dans une maison sans homme, et s'en avisait tout à coup. Pour la première fois, elle regretta le beau-père, étendu comme elle de l'autre côté du mur. Elle sentit qu'il ne lui restait plus qu'une seule chance de sommeil : fermer les yeux, et faire comme si de rien n'était.

Mais une force fatale l'amenait à se tourner vers la fenêtre. Il y aurait sûrement une ombre monstrueuse, et s'il n'y en avait pas, elle serait obligée de veiller jusqu'à l'aube de peur qu'il n'en vienne. Elle se terra sous la couverture pour ne pas regarder, mais sa peur redoubla pour être aveugle. Elle crut entendre remuer l'air à quelques pas du lit. Elle attendait d'un moment à l'autre le cri sanglant qui l'introduirait de plain-pied dans les fables d'horreur des conteurs métis.

Anita rejeta la couverture et jeta un regard panique vers la fenêtre. Le parchemin formait un carré gris dans le mur noir. Le vent faisait craquer les jointures de la maison. Les peupliers soufflaient au-dessus du toit. Anita, tremblante et en sueur, se recala dans le lit. Elle attendit longtemps le sommeil.

III

En entrant pour la première fois dans l'église, Askik lança un « Oh ! » si abasourdi que les assistants durent étouffer des rires. Une femme marmotta qu'on s'était déplacé pour des païens. Anita l'entendit, Askik non. Autant la cabane des Mercredi était étriquée et sombre, autant la cathédrale lui paraissait vaste, et blanche, et lumineuse. Les planchers glacés du chœur reflétaient des cierges. Des lettres d'or surplombaient l'autel. Les bancs sous les fenêtres avaient des reflets bleus.

Anita hésita à l'entrée de la grande allée. Elle était en retard. Le cercueil était à l'avant de l'église, les cierges étaient allumés. Une flaque de neige fondue se formait autour de ses bottes et la tourmentait. Sur un plancher de sol, un peu d'eau ne tire pas à conséquence, mais ici...

Un géant en manteau de loup se leva dans les premiers bancs et lui fit signe d'avancer. Profondément reconnaissante, Anita dévala l'allée, Askik en remorque, et rentra prestement dans le banc de son beau-frère. Raoul Mercredi habitait Saint-Boniface, ce qui lui valait, parmi les siens, d'être considéré en homme sophistiqué. La cathédrale et le fort lui étaient familiers. Il ne rechignait pas à l'occasion de faire profiter de cette expérience un parent fruste, mais il aimait que ce dernier marque beaucoup de gratitude. Anita le combla.

A genoux, serré négligemment entre les deux adultes, à moitié suffoqué par les poils de loup de l'oncle, Askik fulminait. Il ne voyait plus rien de l'église. C'est à peine s'il pouvait distinguer les lettres de la voûte en rejetant très loin la tête. Mais cette position lui brouillait vite la vue. Ses aînés priaient et ne s'occupaient plus de lui. L'enfant s'ingénia, par dépit, à trouver laid son oncle : la tête et la nuque comme une bûche, la mâchoire musclée et fortement teintée de bleu, Raoul Mercredi avait l'air d'un traiteur à poigne qui ne ferme pas les yeux au pesage. C'était très exactement l'air qu'il avait voulu se donner. Vingt-cinq ans de traite chez les Indiens avaient fait de lui un homme dur, riche, et profondément méfiant. Contrairement à la moyenne de ses compatriotes, il avait le sens de l'épargne et du placement. Alors que ses anciens compagnons s'usaient encore dans les portages, lui vivait en maître dans la colonie. Il avait de la fortune. Il plaisait aux femmes, et parlait d'égal à égal avec les Anglais de la Compagnie. Voilà ce qui s'appelle veiller à ses affaires.

Askik n'avait pas l'habitude d'être à genoux. Il se mit debout sur l'agenouilloir. Il voyait mieux ainsi. Le cercueil flanqué de cierges se trouvait à quelques pas de lui. Un brocart noir à fils d'argent recouvrait la boîte d'épinette blanche.

Askik allait pousser plus loin son inspection de l'église quand l'oncle — sans desceller les paupières, sans rater une syllabe de son Ave — abattit la main sur l'épaule du petit et le remit à genoux.

La foule se leva. Le prêtre venait d'entrer. Askik s'indigna de voir tout le monde prendre la position qui lui avait été interdite un moment plus tôt.

Ce qu'il vit le bouleversa. Une créature resplendissante dans des vêtements scintillants entonnait des airs essoufflants, tournait le dos à l'assistance, se retournait, lui tendait les bras, se signait, et se cachait le visage contre la nappe étincelante de l'autel. Deux garçons bardés de dentelle, les mains jointes et les visages roses, se tenaient de part et d'autre de l'apparition. L'un d'eux avait les cheveux rouges ; ce miracle acheva de stupéfier Askik. C'en était trop. Il jeta un regard anxieux vers l'oncle : impassible. Sa mère ne témoignait pas plus d'émotion. Mouchoum... était à sa place. Tous, vivants et mort, se comportaient comme s'il n'y avait que du naturel dans cette vision.

Et puis, l'indescriptible se reproduisit. Sans un signe de l'apparition, sans que personne ait crié « Apik! », la foule plia de la taille et se tassa docilement dans les bancs. Askik dut renouer connaissance avec la fourrure de l'oncle. Il se résignait à ne plus voir que des têtes de fidèles quand brusquement, près du plafond, l'homme-apparition sortit d'un énorme gobelet de bois ouvragé. On avait ici de curieuses manières.

A présent, le prêtre parlait d'une voix normale, et l'enfant le reconnut. C'était son compagnon de l'autre nuit, l'abbé Teillet. D'abord, Askik ressentit un vaste orgueil d'être lié d'amitié avec un homme si extraordinaire. Puis il regretta que l'apparition ne fût après tout qu'un homme à côtoyer et guider.

Le prêtre parla longuement. Askik entendait mieux le cri que le français et se lassa vite. L'apparition faite homme descendit du gobelet. La cérémonie se poursuivit selon ses lois secrètes. Pour Askik, la messe se résumait à ceci : il ne voyait rien assis, il était mal à genoux, et se tenir debout lui donnait froid aux pieds. On chauffait peu la cathédrale en semaine, tout juste de quoi chasser le givre. L'haleine des répondants montait avec l'encens.

Les cierges prenaient de l'importance. Le vent avait tiré un rideau de neige sur tout le pays. Il n'entrait plus dans l'église qu'une lumière anémique qui blanchissait les fenêtres et s'éteignait dans les voûtes.

Le mort sortit par une porte latérale, non par superstition, mais parce qu'on ouvrait rarement les grandes portes l'hiver.

« Je vous salue, Marie, pleine de grâce... » Quand il arrivait au « Sainte Marie, mère de Dieu... », le prêtre s'appliquait le foulard au visage et laissait continuer la foule. Le froid subit avait cristallisé la neige fondante. L'air était plein de grains de glace qui cuisaient la peau et crépitaient contre le cercueil. L'abbé Teillet souriait amèrement derrière son foulard. Un jour, à Trois-Rivières, il avait dit à ses confrères séminaristes qui se piquaient de souffrir durement du froid : « Nous avons les soutanes trop minces et les salles trop vastes ! » Priez d'être épargnés par la Rivière Rouge ! grommela-t-il en pensée.

Les porteurs, en arrivant à la fosse, s'étaient mis à discuter entre eux. L'abbé Teillet approcha et vit que le trou était à moitié rempli de neige. Les autres, en atteignant la tombe, s'informaient sur la cause du retard et, en l'apprenant, poussaient des plaintes acerbes. Des pelles étaient fichées dans le remblai de terre : deux petits-neveux du mort s'en emparèrent et se laissèrent tomber dans la fosse. Quelqu'un suggéra de déposer le cercueil à même la neige, qui ne pouvait être bien profonde. Mais le bedeau s'y opposa, craignant de voir la tombe s'affaisser au printemps. D'ailleurs, les pelleteurs allaient vite. Ils soulevaient une moyenne tempête de neige à eux seuls. Quelques minutes encore, et la tombe était remise en état. Le cercueil flotta un moment au-dessus du vide, puis sombra, tandis que chantaient les cordes dans les mitaines. La boîte rendit un son creux en touchant le fond. L'abbé Teillet fit vite : ses ouailles souffraient. Il referma énergiquement le missel et fit signe aux petits-neveux. S'étant réchauffés à vider la tombe, ils se mirent gaiement à la remplir. Le cercueil résonna sous l'avalanche de mottes gelées, puis se tut. Dans le temps de dire, un monticule s'était formé au-dessus du défunt. La foule s'égailla comme feuilles au vent. « Que Dieu ait son âme. Il n'a rien à nous reprocher. »

La tempête s'était déclarée pour de bon. Il n'était plus question qu'Askik et sa mère regagnent leur demeure. L'oncle dut leur offrir le gîte. Les deux adultes et l'enfant longèrent à grands pas le chemin de la rivière, et passé le couvent des Sœurs grises, virèrent à l'intérieur des terres. Raoul Mercredi habitait une maison en bois équarri « pièce sur pièce », à la mode du pays. Le bâtiment avait été allongé à deux reprises, à mesure qu'avait grandi la fortune du maître. Les dépendances — graineries, entrepôts et sous-sols à pemmican — présentaient le même aspect solide et neuf. Mais l'intérieur en disait plus long que le dehors. La plupart de ces bâtisses étaient vides, et c'était encore un signe de richesse. Leur contenu de denrées et de fournitures avait été expédié par canot aux postes de traite de l'Athabaska, avant l'embâcle. Ancien agent de comptoir, passé fournisseur et contrebandier, Raoul Mercredi avait conservé des liens payants avec la Compagnie de la baie d'Hudson. Il approvisionnait ses postes, elle payait comptant. Il violait le monopole de la Compagnie en vendant des fourrures aux Américains, elle fermait les yeux et profitait de son influence sur les Métis. Cette communauté d'intérêts, cet excellent arrangement avaient fait de Mercredi un homme riche. Il venait de commander de nouvelles charrettes pour faire au printemps la plus importante récolte de fourrures de sa carrière. Il ne douta pas un instant que le bison serait au rendez-vous.

IV

La tempête s'essouffla avant minuit. Au matin, un brouillard effaça le village et givra les arbres.

Askik avançait sur le chemin de la rivière en frissonnant, les yeux fixés sur la terre durement ravinée qui le précédait de quelques pas dans la brume. La rivière geignait : la glace se formait. Parfois, la nouvelle croûte claquait sec, comme un coup de revolver qui roule et se répercute.

L'austère couvent des Sœurs grises se matérialisa au bord du chemin. Un son de cloche arriva de l'intérieur.

Askik était distrait. Il mit le pied dans une fondrière à moitié gelée. La glace céda, l'eau froide s'infiltra par les coutures fatiguées du mocassin. L'enfant sautilla un moment, puis reprit sa marche. C'est sa mère qui serait contente.

La brume avait aplati la cathédrale. Vue du chemin, il n'en restait qu'une silhouette bleue, plate comme une carte.

L'enfant quitta le chemin, traversa la cour d'église, passa devant les tombes de pierre, et vint aux croix de bois.

Une ombre humaine se déplaçait dans le brouillard. Askik se cacha derrière un arbre. L'ombre allait et venait entre les croix en se pliant jusqu'au sol à tous les deux pas. Une Naturelle, pensa Askik en voyant la couverture écarlate qui enveloppait la femme de la tête jusqu'aux pieds. Elle cueillait des ramilles que la tempête avait éparpillées sur la neige. Lorsqu'elle avait les mains pleines de branches, elle les portait sur une tombe fraîche où grésillait un feu modeste. Elle grondait la flamme à mi-voix, et reprenait sa cueillette. Ses mouvements effacés, les regards furtifs lancés dans toutes les directions, respiraient la culpabilité. Se sentant observée, la femme leva farouchement la tête et vit le garçon l'épiant de derrière un arbre. Askik reconnut sa mère.

Elle lui fit signe d'avancer. Le petit feu sur la tombe sifflait et fumait dans ses tiges mouillées. Quand l'enfant fut à la portée d'un murmure, Anita lui souffla :

— C'est pour aider Mouchoum à voir clair dans son voyage.

— Y est pas encore parti ?

— Ça fait pas quatre jours. Après-demain, juste après le lever du soleil, à l'heure où y est mort, il partira. Il prendra le Chemin du Loup et montera au ciel.

— Mais *tandé* Mouchoum ? Où est-il ?

Anita haussa les épaules et fit un mouvement vague de la main. Le défunt rôdait, en attendant le moment où son âme s'élèverait de terre.

— Tu peux lui parler ? demanda l'enfant qui avait surpris les gronderies de sa mère.

— Je lui demandais de ne pas traîner, de s'en aller tout de suite au ciel, parce qu'on l'a ben soigné, ben enterré.

— Pi qu'est-ce qui arrive si Mouchoum veut pas s'en aller ?

Anita se tut. Il ne manquait plus que cela. Elle vit le mocassin détrempé de l'enfant et se mit à fouiller dans les plis de sa robe. Elle en retira un minuscule sachet de cuir, saisit son fils par le menton, et lui renversa la tête. Levant la main, elle fit pleuvoir sur l'enfant une poudre brune et sèche comme du vieux tabac. Askik clignait des yeux et réprimait une envie d'éternuer. Au-dessus de sa mère, il vit une touffe de cheveux blancs qui pendait à une branche. Des cheveux de Mouchoum.

En glanant sous les arbres, mère et fils trouvèrent de quoi alimenter les flammes pendant une petite heure encore. Enfin, elle annonça qu'il était temps de partir. Le bedeau, disait-elle, pouvait les surprendre et les dénoncer aux prêtres.

Askik sentit ses joues chauffer. Ce qu'ils faisaient était donc mal ? Le vestibule de l'évêché, la cathédrale, et la messe, toute cette merveilleuse clarté lui revinrent à l'esprit avec une désespérante acuité. Il en voulut à sa mère de l'avoir placé en travers des prêtres. Il trouva monstrueux de désobéir à des êtres si manifestement supérieurs.

Anita serra autour d'elle la couverte rouge, don de sa belle-sœur (qui avait plus de cœur que le mari, soit dit en passant), et appela Askik. Mais lui, muet et buté, traîna loin derrière sa mère tant qu'ils ne furent pas sortis de Saint-Boniface.

V

La chasse d'automne fut mauvaise. On voyait revenir de longues files de charrettes à moitié vides. Un peu moins nombreuses toutefois qu'au départ. De plus en plus de familles métisses ne revenaient plus du large. Elles hivernaient dans les grands coteaux boisés, sur la frontière américaine, où le gibier était encore abondant.

Le bison disparaissait, et les Métis ne s'en doutaient pas encore. Il y avait eu des années maigres par le passé, et les troupeaux étaient revenus plus forts que jamais. Certains Métis croyaient, comme les Indiens, que les bisons jaillissent de terre au printemps, comme les fleurs et les sources. Certaines années, il en vient moins. Voilà tout. En se rabattant sur les terrains de chasse les plus sûrs, les hivernants pensaient franchir un mauvais moment, en attendant le regain des troupeaux. En fait, ils s'acharnaient sur les restes effarouchés d'une espèce à peu près épuisée.

Mais les trains de charrettes ne ramenaient pas que de la viande. Des meutes de loups affamés les suivaient jusqu'aux portes de la colonie. Les loups tournaient autour des fermes, dévoraient le bétail, et obligeaient les hommes à une vigilance harassante.

Insensible à ces misères, Askik allait à l'école. Son passage en ville avait été noté. Au lendemain des obsèques, un frère enseignant s'était présenté chez les Mercredi, et après de terses explications sur la nécessité d'une instruction, était reparti avec le fils aîné. Askik s'habitua vite aux murs blanchis du collège, les lampes et les vitres perdirent bientôt toute emprise sur lui. Mais il allait demeurer pendant plusieurs mois dans une sorte d'ébahissement devant son instituteur, Étienne Prosy.

Pâle, gringalet, les dents troubles et la vue basse, Prosy avait l'air, à côté des chasseurs métis, de ces plantes étiolées qu'on découvre sous les vieilles bottes de foin. Il était un célibataire vierge couvant un romantisme exacerbé. Il aimait, en pleine leçon, s'accouder rêveusement au rebord de la fenêtre, et promener au-dehors un regard à faire languir une jument. Malheureusement, le corps ne valait pas le sentiment. La fenêtre était si basse, et M. Prosy si grand, qu'il devait, pour prendre sa pose préférée, se plier en deux, et projeter vers le plafond son derrière anguleux. Personne dans la classe ne riait. Les élèves métis, qui ne connaissaient ni Chateaubriand, ni Vigny, qui ne rêvaient que de chasse et de guerre, avaient pour leur professeur la politesse grave et tranquille de leurs pères. Ils ne partageaient pas les goûts de l'instituteur, et retenaient peu de choses de ses leçons. Pas un seul d'entre eux ne contestait la valeur de la littérature ou de l'histoire, mais il y en avait bien peu pour s'y intéresser. Askik, pourtant, faisait partie de cette minorité.

Un changement s'était fait en lui. Il avait les yeux et la tête remplis de chiffres et d'images saintes. Il n'espérait pas encore rejoindre le camp des prêtres et des instituteurs ; il se complaisait seulement dans leur ombre, brûlant de les servir, ne pouvant souffrir la moindre incartade à leur volonté. Prosy même prenait à ses yeux stature de jeune dieu. Et l'instituteur, trop heureux de trouver un disciple dans ce pays d'hommes à poigne, versait sur l'enfant son trop-plein de lui-même. Il lui enseignait les rudiments du grec et n'y donnait pas suite, le réprimandait plus durement que les autres parce qu'il lui faisait un plus large don de son temps, et le retenait après la classe pour lui lire de la poésie. Il glissait ses propres vers entre deux poèmes fastidieux pour voir si l'enfant s'illuminerait soudain, frappé par leur puissance. Mais le visage du petit demeurait impassible. Askik écoutait studieusement les vers. Il était vaguement conscient de la rime, mais ne trouvait aucun charme à ce parler cahotant. Il ne se reprochait pas d'aimer médiocrement la poésie : il avait accepté d'entrée de jeu qu'elle lui demeurerait fermée. Les choses élevées, pensait-il, dépasseraient toujours son entendement. Dans ces cas, raisonnait l'enfant métis, il suffisait de garder un silence respectueux.

Il suffisait à Prosy qu'on l'écoute. Presque toujours, il retenait son élève trop tard. Askik voyait venir le soir par la fenêtre et, malgré toute sa déférence pour la poésie, s'agitait nerveusement jusqu'à ce que Prosy le libère, avec un sourire magnanime mais déçu.

Askik rentrait en courant. Sa mère n'aimait pas se retrouver seule à la tombée de la nuit. Le chemin s'était raccourci depuis son premier voyage à la ville. Il connaissait par cœur les fermes qui jalonnaient la route, ne se trompait plus jamais à l'entrée des bois, et jacassait tout à son aise avec le vieillard de la rivière qui, lui, n'était pas plus loquace qu'à la première rencontre.

Mais de l'autre côté de la Seine, la plaine attendait. Elle refusait la familiarité. Quand le jour se noircissait à ses immenses confins, elle redevenait ce qu'elle a toujours été : puissante et habitée. Qu'est-ce qu'un enfant sur ses flancs massifs, sous l'abîme des cieux ? Askik filait sur la piste comme un acrobate sur une corde, ne regardant ni de côté ni en haut, tandis qu'autour de lui s'éveillait le monde antique.

La nuit, il s'étonnait de voir les murs de la maison résister aux esprits et aux vents. Car même sa demeure n'était plus un refuge. Anita, plus superstitieuse que jamais, s'en rapportait de plus en plus à son fils. Soit qu'elle le vît comme successeur du grand-père, soit qu'elle le crût doté d'une autorité nouvelle depuis son entrée à l'école, elle s'était mise à lui confier ses craintes secrètes et à exiger des rassurances. Le cri d'un renard, le craquement d'un arbre, une flambée dans la cheminée devenaient pour elle les envoyés d'un monde invisible.

— Penses-tu que c't' un mort ? demandait-elle les yeux grands comme des soucoupes, et le fils, pour ne pas être lui-même effrayé, répondait avec une science toute neuve que ce ne l'était probablement pas. La nuit, tandis que ronflait la mère, le maître de six ans veillait, les oreilles aux aguets.

A Saint-Boniface, il était en sécurité. Les pièces propres et rectilignes du collège étaient parfaitement vides. Les âmes n'y traînaient pas. Quand Askik songeait au wetiko, c'est de l'autre côté de la rivière qu'il le voyait, accroupi dans les sous-bois à épier son retour d'école. Il était inconcevable que le démon cannibale pût mettre le pied sur la terre des prêtres. A Saint-Boniface bien sûr, il y avait des anges et des démons ; mais des puissances combien plus évoluées que les spectres du vieux monde !

Ainsi, il s'établissait dans l'existence d'Askik une dichotomie parfaite. Comme un voyageur qui va et vient entre deux États hostiles et qui passe sous silence les affaires qu'il mène des deux côtés de la frontière, Askik franchissait tous les matins la limite entre le primitif et le nouveau. Il ne parlait ni de *tchipayuk* à Saint-Boniface, ni de poésie à sa mère. Il eût été ridiculisé dans les deux cas, car lui seul voyait s'affronter la plaine et la ville.

Vendredi. Askik Mercredi avait filé avec sa mine habituelle de lapin piégé. Étienne Prosy demeura seul. L'après-midi tournait vite à la nuit. Le poêle, installé au-devant de la classe et muni d'un tuyau qui faisait la longueur de la pièce pour mieux répartir la chaleur, ne ronflait plus. L'instituteur n'eut pas à prendre son manteau ; il le portait depuis plusieurs heures déjà. Il quitta la salle refroidie, ferma la porte sans serrure, et se tint un moment sur le perron recouvert. Ce perron, surélevé d'une bonne dizaine de marches et façonné en tourelle, émerveillait les enfants des plaines qui raffolent de toute élévation, si modeste soit-elle. Du haut des marches, Prosy se penchait sur la colonie comme un juge sur un accusé. Par malheur, il n'était pas d'humeur clémente. Les immeubles bas sur les berges plates de la rivière, les toits noirs contre le blanc-gris unanime de la plaine et du ciel l'exaspéraient. Fallait-il manquer d'imagination pour vivre dans un lieu pareil !

Le poète emmitouflé partit d'un pas lourd. La neige craquait sous ses pas. Le froid faisait mal. Moins mal cependant que la vue des cabanes sales et des étendues gelées. Que faisait-il si loin de tout ce qui compte ? D'autres pouvaient fonder leur vie intérieure sur des villes gracieuses, des campagnes vertes, des ruisseaux proprement gazouillants. Mais la Rivière Rouge n'avait même pas l'avantage d'être rustique. Les environs étaient fades, la population tout autant. Les Métis, pensait Prosy, ressemblaient à leur apathique rivière : indolents et malpropres.

Il traversa au petit trot la cour de l'évêché, franchit les marches en deux bonds, et s'enfonça dans l'immeuble où régnait une chaleur relative. Il habitait l'évêché de force. Les chambres à louer à Saint-Boniface étaient rares. Le vestibule était parfaitement sombre, parfaitement silencieux, à l'exception d'un faible remuement d'assiettes venant de la cuisine.

Prosy se dirigeait vers sa chambre lorsqu'il tomba sur l'économe, le révérend père Gervais, armé d'un imposant registre à reliure verte. Le petit clerc arrivait tout juste à la poitrine de l'instituteur. Le fixant à travers ses verres épais, il lui lança d'une voix pointue :

— Monsieur Prosy nous fait l'honneur d'arriver à l'heure pour le souper ?

Prosy s'étira sur toute sa grandeur, qui était longue.

— Quel dommage que monsieur ne mette pas la même assiduité à fréquenter les saints offices, continua le clerc.

— Mon travail, vous le savez, me retient dans ma chambre.

32

— Ah oui, votre travail. A ce propos je me permets de vous faire remarquer que vous avez encore brûlé trois bougies la nuit dernière.

Prosy détourna les yeux vers la fenêtre et laissa flotter sur ses lèvres un sourire dédaigneux.

C'en était trop pour le clerc qui suffoquait depuis des semaines sous la morgue de l'instituteur.

— Voyez ici, cria-t-il en ouvrant son grand livre sur des colonnes de chiffres. Depuis le mois de septembre vous avez consommé pour quinze livres de cire ! La chapelle n'en prend pas davantage ! Trouvez-vous cela raisonnable ?

Il fourra le registre sous le nez de l'instituteur. Ses mains tremblaient, mais il avait le regard victorieux du procureur qui dévoile une pièce damnante. Ce regard ulcéra Prosy, qui se laissa gagner par l'énervement. Il s'était promis de ne plus se chamailler avec l'indigne économe, mais l'autre continuait :

— Bien entendu, monsieur ne peut souffrir la présence de simples religieux. Monsieur doit s'enfermer chez lui à brûler des chandelles alors que monseigneur lui-même passe la soirée dans la salle commune.

Le trait perça jusqu'au cœur. Prosy tenait à sa solitude comme à la vie. Sans ces moments passés avec lui-même dans le royaume de la pensée, il n'avait plus la moindre chance de se soustraire à la folie. D'ailleurs, il détestait toute forme de promiscuité. Cette habitude qu'avaient les pères de digérer en groupe après le dîner lui faisait horreur. Penser que l'économe pourrait l'astreindre à cet exercice le rendit furieux. Son menton se mit à trembloter.

— Mon père, commença-t-il d'une voix étranglée, je vous rappelle que je suis un employé de votre ordre. Je n'en suis pas membre. Vous ne pouvez exiger que je participe à votre vie communautaire. Je ne suis pas religieux...

— Dieu fait bien les choses.

Prosy étouffait. La présomption de ce clerc grisâtre ! Ses doigts se crispèrent : il eut du mal à ne pas les enfoncer dans la gorge blême de son adversaire.

— Monsieur, riposta Prosy, en omettant exprès l'humiliant « mon père », prenez ces airs si vous le jugez bon avec les simples Métis qui ne sont pas à même de percer votre perfide hypocrisie. Mais ne me parlez pas, je vous prie, de Dieu. Du Dieu qui interdit le commerce avec Mammon...

Le clerc excédé glapissait :

— Ce n'est pas vrai ! Ce n'est pas vrai ! Vous ne me ferez pas la leçon ! Qui est honnête dans les petites choses le sera dans les grandes ! Voilà ce que dit l'Évangile ! Libre penseur ! Franc-maçon !

— Pharisien !

Leurs cris amenèrent la ménagère au pas de charge. Elle manquait de distractions, pauvre femme. Mais elle se préparait à jouir si fort de l'altercation que les deux hommes eurent honte et se séparèrent. La ménagère, frustrée, s'en retourna à son four en s'essuyant les mains au tablier.

Une fois dans sa chambre, Prosy se jeta à la fenêtre pour offrir au zéphyr son front brûlant. Mais les battants étaient si fermement cimentés par le gel qu'il dut s'élancer au lieu sur le lit. Les yeux tournés vers le plafond, la tête gisant sur un bras replié, il se mit en passe d'avoir une fièvre nerveuse. Les artistes éprouvés sont sujets aux fièvres nerveuses.

Malheureusement, Prosy était plus robuste qu'il n'en donnait l'air. Quand sonna l'heure du dîner, la fièvre n'ayant pas fait de progrès sensible, l'instituteur descendit souper.

VI

Askik claquait un fouet imaginaire au-dessus de huit chiens imaginaires. Son traîneau glissait à toute allure dans la neige fraîche. Les grelots des harnais carillonnaient dans la plaine.

Yé ! fit-il en amorçant le tournant qui descend vers la

Seine, et *Châ!* lorsqu'il déboucha sur la cabane du vieux batelier. Il planta les pieds entre les patins du traîneau, et laissant là les chiens à glapir et sonner, s'en alla frapper à la porte de la cabane.

— Qui est là ? répondit le traverseur.

— *Nina!* renvoya l'enfant étonné. Askik! Je veux passer.

— Alors passe, garçon. La glace est faite.

La porte demeurait fermée. Askik ne comprenait pas.

— Monsieur Laurendeau! *Nénatawé* à l'école !

— Qui t'en empêche ? A droite de la barque, la glace est bonne.

L'enfant se rendit au bord de l'eau. La barque était renversée sur des rondins et prenait de la neige sur le ventre. Des traces d'homme s'éloignaient sur la rivière. Askik osa quelques pas méfiants. La neige crissait comme du vieux cuir, mais tenait bon. Il avança un peu plus et se retourna.

Comme le bord était déjà loin ! S'il enfonçait ! Mais il n'était plus temps de se raviser. Revenir était aussi risqué que d'avancer. Ne posant qu'un pied à la fois — pour être le plus léger possible —, Askik poussa jusqu'au milieu de la rivière où le vent avait déblayé un rond de glace bleu ardoise. De grosses bulles blanches se déplaçaient sous cette inquiétante lucarne. Askik la traversa en levant haut les pieds, comme une oie dans la neige.

Une fois monté sur la berge, il leva le bras, l'abattit avec un « *Ouiskâche!* » résonnant, et relança le traîneau à travers la forêt. L'équipage traversa au vol la mince bande d'arbres ; les chiens surgissaient dans la plaine comme douze diables en fuite, ventre à terre et les museaux tendus vers Saint-Boniface, lorsque Askik se retrouva nez à nez avec un étranger. Les chiens et les grelots s'envolèrent comme par magie.

L'homme était court, mal vêtu, mal rasé. Ses mocassins étaient rapiécés. Sa tuque de laine bariolée s'effilochait par plaques. Il y avait des taches à son manteau bleu. La ceinture était décolorée. Il se pencha pourtant sur l'enfant avec une familiarité qu'il voulait rassurante.

— Tiens ! Un courrier de la Compagnie ! En as-tu loin encore à faire, monhomme ?

Il montrait des dents jaunes et clairsemées. Il avait l'accent canadien des prêtres, mais ne leur ressemblait en rien.

— D'où viens-tu, bonhomme ? Du Bourbon ?

Pas de réponse.

— De plus loin ? De la Rabaska alors ?

L'enfant fit oui de la tête pour ne pas l'offusquer.

— De la Rabaska ? Je le savais ben ! Ha ! Ha ! Farces à part, mon grand, tu viens d'où comme ça ?

En pointant de la mitaine, Askik montra l'autre côté de la rivière.

— Là-bas ? Y a pas grand monde là-bas. J' doé connaître ton père, bonhomme. Voyons, le grand, qu'est-ce que tu paries que je connais ton père, hein ? Gages-tu ton traîneau ? Non ? Il s'appellerait pas Jérôme Mercredi ton père ?

Askik eut un mouvement de surprise, bien malgré lui.

— Aha ! s'exclama l'étranger. Ben oui ! C'est Jérôme Mercredi ton père ! Pi lui aussi est courrier de la Compagnie, hein ?

L'étranger avait mis un genou à terre et tenait l'enfant solidement par les épaules.

— Sais-tu qui je suis moé ? fit-il en secouant doucement le garçon. Urbain Lafortune. Tu te souviendras de ce nom-là. Tu diras à ta mère ce soér que t'as rencontré Urbain Lafortune, et qu'il lui fait dire que son homme sera rentré pour la Saint-Jean. T'as ben compris, bonhomme ? Ton père sera là pour le premier tour de chasse. Hé garçon, t'as compris ?

Askik fit oui de la tête. L'homme se redressa en lui donnant une claque dans le dos.

— Ha ! Un vrâ p'tit Métchiffe ! Pas plus parlant qu'une bûche !

Askik s'était éloigné de quelques pas quand l'étranger lui lança d'une voix plus dure :

— Hé garçon ! Ton père c'est ben Jérôme Mercredi, pas vrâ ?

L'enfant lui redonna énergiquement de la tête et s'enfuit. L'étranger le suivit longtemps du regard, comme s'il lui restait un doute, puis il disparut sous les arbres.

La cour d'école était déserte. Askik arrivait après l'heure. Il gravit rapidement les marches de la tourelle, franchit une première porte, et se trouva dans le vestiaire. Il accrocha son anorak de cuir parmi les manteaux d'étoffe — il était un des derniers élèves à s'habiller à l'indienne, ce qui l'humiliait beaucoup — et s'engagea dans le couloir qui séparait les deux salles de classe. La porte de la sienne était entrouverte. Il voyait les têtes courbées des élèves, il entendait la voix cassante de maître Prosy. Askik se colla contre le mur. Il ne s'était jamais présenté en retard. Quand cela arrivait aux autres, et cela leur arrivait souvent, ils entraient avec nonchalance, s'excusaient si Prosy l'exigeait, et s'asseyaient mine de rien sous ses remontrances. Tout cela, Askik en était incapable. L'orgueil et la timidité lui coupaient les jambes. Pourtant, il ne pouvait rester dans le couloir. L'instituteur de la classe des grands pouvait sortir et le surprendre. Allait-il rentrer chez lui, prétendre qu'il avait été malade ? Sa mère n'en aurait cure. Il délibérait encore quand la porte s'ouvrit toute grande. Prosy, haut comme une tour, se tenait à contrejour dans l'encadrure.

— Monsieur Mercredi, lorsqu'on veut tromper son instituteur, on évite de passer sous ses fenêtres !

Il saisit le garçon par l'oreille, le traîna tout grimaçant dans la classe, et le déposa rudement sur son banc. Les élèves s'étaient retournés et suivaient la scène avec intérêt. Quelques-uns ricanaient.

— La ponctualité, messieurs ! criait Prosy. La ponctualité ! Le garant du succès est une vie bien réglée. Faire aux mêmes heures les mêmes tâches, voilà ce qui avance un homme ! Quittez une fois pour toutes cette indolence héréditaire qui ne produit rien, ne mène à

37

rien, ne vaut rien ! Que diront de vous vos futurs
employeurs si le matin vous n'êtes pas à l'œuvre avec
les autres ? Qui voudra de lambins et de tire-au-flanc ?

Tassé sur son banc, le visage écarlate, Askik ravalait
des sanglots de rage et d'indignation. Il acceptait sans
mot dire les brimades et les railleries. Mais jamais
encore on n'avait mis la main sur lui. Aucun autre élève
n'avait été ainsi disgracié. L'injure était d'autant plus
brûlante qu'elle recelait une trahison. Si l'instituteur
l'avait malmené, c'est qu'Askik était le seul à lui vouer
une sorte de fidélité. Il était le seul dont Prosy n'avait
rien à craindre. Quand sonna midi, Askik sortit avec les
autres, sans s'attarder auprès du professeur, comme il
en avait pris l'habitude.

VII

Askik apprit à compter les heures. L'hiver n'en parut
que plus long. Il apprit à redouter l'heure du lever, à
espionner la course du soleil par les fenêtres de l'école,
et à étirer ses soirées. Il apprit que la vie est divisée en
heures de travail déplaisantes et mornes, et en heures
de loisir, à chérir et prolonger. Il guettait l'approche du
dimanche pendant les six autres jours de la semaine.
Lorsque arrivait enfin sa journée de congé, il la commençait tôt.

Depuis son entrée au collège, il allait à la messe. Les
pères l'exigeaient. La route, toujours la même, paraissait
plus gaie lorsqu'elle ne menait pas au collège. Il entrait
à Saint-Boniface sous un ciel embrasé et saluait l'église
sortant de l'ombre. Il aimait ses portes lourdes, l'odeur
de cire et d'encens qui flottait dans le vestibule glacé, le
petit poêle situé à l'arrière où il faisait bon se chauffer
les mains. A huit heures, quand le soleil de janvier
pointait tout juste derrière les maisons, la messe commençait. La nef obscure où brillaient des cierges s'illuminait progressivement tout au long de la cérémonie.

Quand tout baignait dans une lumière blanche et légère, il était temps de rentrer. Askik ne priait pas. Il ne donnait pas la réponse au prêtre. Dieu pour lui était un silence pénétrant où le cliquetis des burettes et le frottement des pieds prenaient une résonance solennelle.

Un matin, en revenant de la messe, il vit des chevreuils à la sortie des bois. Un grand mâle ne portant plus qu'une corne se tenait à l'écart de quatre femelles. Le petit groupe tourna lentement dans la plaine scintillante et regagna tranquillement la ligne bleue des arbres.

Quand Askik poussait la porte de la maison, il entendait la voix de sa mère qui lui ordonnait de fermer vite pour ne pas laisser entrer le froid.

L'intérieur de la maison était sombre : l'unique fenêtre de parchemin donnait une lumière jaune et épaisse. Cela sentait la fumée et le pot de chambre.

Presque toujours, la famille déjeunait de sagamité, une purée de maïs et de graisse de porc. Sinon, on se contentait de bannoc. Les os, les croûtes et la couenne aboutissaient dans un coin de la cabane. Lorsque le tas devenait encombrant, Askik le transportait dans la coulée. Les renards et les coyotes prenaient ce qu'ils voulaient, les eaux printanières emportaient le reste.

Nourri et réchauffé, Askik reprenait l'anorak qu'il avait mis à chauffer devant le feu et quittait la maison. Il suivait une trace battue dans la neige qui le menait à travers les peupliers, jusqu'à la coulée, où le vent avait élevé des falaises de neige. A quelques pieds du bord, Askik avait creusé un trou large et profond, l'avait recouvert de branchages et de neige, en ne laissant qu'une petite ouverture au centre pour assurer l'aération. Il s'était ainsi fait une demeure ronde, parfaitement invisible de la surface, et dont l'unique entrée, qui donnait dans la coulée, pouvait être scellée en son absence avec des blocs de neige. En apportant des tisons de la maison, Askik pouvait allumer un feu minuscule, de la force d'une bougie. C'était suffisant pour illuminer sa demeure et la tenir moyennement chaude. Il avait appris à ses dépens qu'une flamme plus importante recouvrait ses murs de glace, et rendait le refuge inhabitable. Il avait tracé sur les murs des dessins de fenêtres pointues, comme à l'église. Lorsqu'il y avait du feu, ces croisées ressortaient en lignes sombres sur la neige chatoyante.

C'est dans cette retraite qu'Askik passait ses dimanches. Il sortait dans la coulée cueillir des ramilles et des roseaux ; il revenait dans sa cachette se réchauffer et rêver. Il suivait le clair-obscur des flammes sur les parois et songeait au jour où il ne serait plus enfant, quand il habiterait une grande maison blanche, quand la vie lui paraîtrait droite, et propre, et lumineuse.

La nuit venue, tandis qu'Askik dormait, d'autres dans la colonie rêvaient, à leur manière, d'une vie meilleure.

Raoul Mercredi repassait en tête les profits à tirer de la prochaine chasse et s'offrait, de vive satisfaction, un verre de rhum.

Étienne Prosy mouchetait farouchement une chandelle et recopiait son dernier poème pour un ami journaliste qui ne lui avait rien demandé.

Anita rêvait d'Anita.

VIII

H.B.C. « *Here before Christ* », disaient les employés de la Grande Compagnie. La boutade avait du vrai : sur les côtes inhospitalières de la baie d'Hudson, le commerce avait précédé la foi. Le drapeau écarlate aux initiales blanches pendait comme gelé sur les murs trapus de York Factory, l'ancien fort Bourbon des Français. Il faisait quarante-trois sous zéro, mais comme le temps était ensoleillé et les vents calmes, le facteur avait ordonné aux hommes de sortir prendre de l'exercice. Des fusils avaient été distribués aux meilleurs tireurs dans l'espoir de manger autre chose que du poisson fumé. Ainsi, le fort était à peu près désert tandis que ses hommes couraient la taïga.

Jérôme Mercredi, mieux avisé, avait découvert un feu robuste dans le magasin principal et, avec l'air d'un homme qui s'installe pour la journée, s'était campé sur une chaise, les pieds sur la grille du foyer, la pipe entre les dents.

Un commis orcadien avait approché sa table de travail du feu et faisait ses comptes avec une mauvaise grâce éclatante. Le Métis n'y prêta pas attention : il tenait orcadien et taciturne pour synonymes.

Mercredi avait l'âme en paix. Il venait de franchir en un temps record les forêts entre Ile à la Crosse et York Factory. Un froid terrible l'avait surpris à trois jours de la côte. Il avait cessé de dormir, obligé de se lever toutes les dix minutes pour rétablir sa circulation. Il s'alimentait le jour de viande dégelée sous les aisselles et de thé à base de neige fondue. A deux jours de la côte, en pleine nuit, il avait été réveillé par un tumulte d'aboiements : un ours polaire, vieux et efflanqué, avait flairé les chiens de traîne sous la neige. Mercredi avait planté une balle dans la cuisse de l'ours, qui s'était enfui. Mais il avait dû mettre à mort son chien de tête, son meilleur, éventré par un coup de griffes.

N'importe. Le troisième mardi de février, journée qu'on allait noter comme la plus froide de l'année, Jérôme Mercredi entra comme une bourrasque à York Factory. Les employés avaient eu du mal à masquer leur stupéfaction. Le facteur du poste, enrubanné de laine malgré le feu dans son bureau, avait sifflé d'admiration en recevant les comptes et les commandes des lointains postes de l'Athabaska.

— Quel diable vous êtes, Mehkoueдé, avait-il prononcé dans son français laborieux.

Du coup, le Métis s'était senti remboursé pour les périls et les gelures. Le facteur avait rempli sa blague à tabac, avait ordonné qu'on le nourrisse et qu'on lui trouve un lit. Les magasins avaient avancé mocassins, balles et poudre à fusil. La procure avait versé son salaire.

Mercredi s'étirait délicieusement les jambes, pénétré jusqu'aux os par la bienfaisante chaleur des flammes. Le magasin sentait le goudron, le chanvre, le cuir et le thé. La fumée de sa pipe s'élevait par volutes gracieuses et odorantes. Ses paupières se fermaient pendant de longs moments. Parfois, l'heureux Métis se donnait la peine d'écouter : le grattement de la plume du commis, un rire au-dehors, les crépitements des bûches embrasées. D'autres fois, il rêvait de la chasse qu'il avait résolu de faire au printemps. Tant qu'il était en forêt, la perspective de vivre en plaine d'une chasse plaisante et d'une contrebande sans risque avait un charme irrésistible. Mais à présent, il hésitait, il pesait le pour et le contre. La vie du courrier était dure : au printemps les glaces piégées, en été les moustiques, en hiver le gel, les blizzards, et le silence sans fin. Les courriers s'éteignaient jeunes, d'usure ou d'alcool frelaté, quand ils ne se faisaient pas tuer dans des rixes, ou ne mouraient pas de gel après s'être oubliés, par une nuit d'ivresse, à quelques pas du fort. Certains avaient le bon sens d'y échapper, tel Urbain Lafortune, que Mercredi s'était promis d'imiter. Mais la chose ne lui paraissait plus si simple.

Combien de Métis de la Rivière Rouge pouvaient entrer tête haute dans le bureau d'un facteur et partager son tabac ? Y avait-il un autre métier au monde qui offrît la satisfaction de sillonner des contrées sauvages en arborant les couleurs de la Grande Compagnie ?

« Pense ben à ton affaire », se disait Mercredi en contemplant les flammes. A la cérémonie de baptême de son fils, quand le prêtre avait demandé la profession du père et que Mercredi avait répondu : « Courrier de la Compagnie de la baie d'Hudson », le curé même avait levé les yeux du registre avec un air de curiosité admirative. Le courrier de la Compagnie était entouré d'une aura surhumaine. Dans l'imagerie populaire, il n'était pas loin des esprits rôdeurs, volant à travers l'arrière-pays, nulle part et partout, frère des loups. Jérôme Mercredi tenait à cette image. Il la polissait avec soin. Il portait un bonnet de loup foncé, un manteau de daim lui tombant jusqu'aux mollets et, fantaisie bien à lui, une ceinture fléchée noire comme nuit. On le reconnaissait dans tous les postes des Terres hautes. Mercredi le Diable! Ha!

Clac! L'Orcadien avait refermé son registre et en ouvrait un autre avec la même délicatesse. Il visait le Métis d'un regard de sainte indignation ; la fainéantise des races brunes lui inspirait une profonde répugnance. Mercredi bâilla plus largement que nécessaire, claqua deux fois de la langue, et se laissa couler dans sa chaise avec un « Umfff! » de béate satisfaction. Murmurant un peu plus haut et un peu plus vite, le commis se remit à l'œuvre en vouant le Métis à tous les diables celtiques.

« Du drôle de monde quand même », pensa Mercredi en scrutant son voisin. La Compagnie recrutait son personnel dans les Orcades depuis si longtemps que ses habitants en étaient venus à se considérer comme des employés héréditaires, privilège qu'ils n'entendaient partager avec personne. Les Orcadiens étaient durs à la tâche, tenaces, et sobres : la Compagnie avait vu juste en les choisissant. Mais à présent, elle cherchait ailleurs. Les villages orcadiens s'étaient concertés pour faire monter les salaires : Londres n'avait guère apprécié. La Compagnie s'appuyait de plus en plus sur les Métis, infiniment moins sobres, mais autrement plus accommodants. Tandis que l'Orcadien se cramponnait peureusement à la côte et économisait chaque ha'penny en vue de l'inévitable retour dans ses îles bénies, le Métis parcourait tout le Nord-Ouest pour moitié le salaire et dilapidait son argent dans les magasins de la Compagnie.

Mercredi se leva pour se délier les muscles. Se dirigeant sans hâte vers la fenêtre, il jeta les yeux dans la cour. La Compagnie avait l'art de rendre à tous ses postes un air de parenté. Mêmes immeubles cossus, mêmes murs, mêmes mâts. Deux gentlemen portant pelisses et chapeaux de castor faisaient les cents pas, bras dessus-dessous. L'un d'eux, en passant toutes les deux minutes devant le même canon, lui donnait une petite tape familière comme pour gagner son amitié contre les hordes sauvages qui se tapissaient dans la taïga environnante.

— Ouais ben, j' cré que je vais aller m'étendre, soupira Mercredi en se retournant vers le commis besogneux : *I teenk I go sleep now!*

Tous les chardons d'Écosse auraient pu tenir dans le regard du commis. Il était au-delà des jurons. Il laissait monter en lui la résignation divine. Puisqu'il y avait si peu de justice sur terre, vienne le Jugement ! L'espoir de voir roussir le Métis papiste fit revenir un semblant de sourire aux lèvres pâles de l'Orcadien. Pour bien enfoncer le sang-mêlé dans la voie de la damnation il roucoula, mielleux :

— *By all means. Why don't you do that?*

« Il n'y a pas à dire, pensa Mercredi, c'est du drôle de monde. » Et d'un pas philosophique, il s'en alla retrouver le lit moelleux que lui avait décerné le facteur. Un facteur en or !

Par bonheur, Mercredi s'éveilla avant le souper. Il passa amoureusement les doigts dans ses cheveux, refit une natte, se lissa douillettement les moustaches, et s'en alla partager avec les autres son bonheur de bel homme.

Quelle déception ! La salle à dîner était glacée, malgré les boulets de canon chauffés à blanc qui pendaient aux fenêtres. Les convives avaient la mine renfrognée : on soupait de poisson. Les chasseurs étaient revenus bredouilles. L'aimable docteur Peterson avait bien vu de loin un ours polaire qui boitait, mais préférant ne pas l'importuner, avait pris le parti de se rendre discret derrière un rocher. Seul de toute l'assemblée, l'excellent docteur trouvait le poisson exquis, et la salle du dernier confort. On le crut légèrement hystérique.

Jérôme Mercredi dînait entre un Anglais silencieux et un Métis écossais qui, par souci de bien se distinguer du Métis français, n'ouvrait la bouche que pour y placer du poisson.

Le repas ne dura pas. Après avoir avalé en silence leur thé tiède, les hommes s'en furent se coucher. La bonne humeur de Mercredi en prit un coup. Il se rappela avec un pincement de cœur les soirées d'été dans les camps de bateliers, quand les Métis oublient leurs journées de peine pour rire, blaguer et giguer à s'en décrocher les côtes.

Mais l'esprit toujours en éveil de Jérôme Mercredi lui fournit le moyen d'agrémenter son séjour au fort, tout en rehaussant son prestige. Demain, aux premières lueurs, avant que l'excellent docteur et compagnie n'aient effarouché tout le pays, il se glisserait dehors, abattrait un ours, et offrirait un festin en l'honneur du facteur.

Mercredi se mit à glousser dans sa tasse. Le facteur l'inviterait à s'asseoir à la tête de la longue table, ferait une brève allocution de remerciement tandis que courrait parmi les convives la rumeur admirative : « *That devil of a Mekhouedé!* »

Les deux gentlemen et le facteur venaient de poser leurs tasses et quittaient la salle. Mercredi les escorta jusqu'à la porte d'un regard paternel, tant et si bien qu'il ne vit pas le premier commis debout à ses côtés.

— Oui, monsieur ? fit-il d'un ton débonnaire. Le premier commis, secrétaire du facteur, était un jeune Anglais aux cheveux blonds et aux joues roses ; Mercredi ne pouvait s'empêcher de l'aimer.

— Monsieur Mehkoudé, vous pahtiwez à l'aube pour Norway House. Nos invités ont de pwessantes wecommandations à faire à l'intendant de ce poste. Vous wecevwez demain la dépaîche.

Mercredi n'en croyait pas ses oreilles.

— Vous pwendwez, *of course,* la ouivièye Hayes. Nous avons quelques ahticles à faire pahvenir à notre agent du lac Oxford...

— Mais monsieur le secrétaire, mon dernier voyage a été très dur. Laissez-moi le temps de souffler !

45

— Je cwâ Mehkoudé, que monsieur le facteur vous a largement wémunewé pour ce voyage. La Compagnie ne vous paie pas à ouien faire. Vous êtes couwié, donc couwez. Hé! hé! hé! C'est un « pun », monsieur Mehkouedé. *A play on words, old boy.* Vous êtes couwié, donc couwez? Ha! Ha! Ha! Vous ne compouenez pas? Attends, je vous explique...

Mercredi explosa.

— Laisse faire des maudites farces plates, garçon! C'est pas toé qui iras te geler les fesses dans la brousse!

Le jeune homme aux joues roses recula d'un pas, visiblement choqué par tant de grossièreté. On lui avait recommandé, à Londres, de traiter les indigènes avec une fermeté bienveillante. Il crut le moment venu de mettre à profit ce conseil.

— *Now that's quite enough Mister McCready! We'll have none of that!* Dwâ-je vous wappeler que vous avez des obligations envê la Compagnie? Qu'il y a même des petites avances qui vous ont été faites et qui, je cwâ, ne sont pas wemboussées? Pah égâ pouh vos services passés, j'oubliwai ce fâcheux incident. Mais je vous pwéviens, Mekhouedé, ne wecommencez plus. C'est méchant. Touès méchant... Vous compouenez?

Dans les yeux du jeune homme très correct, Mercredi lut qu'il n'était après tout qu'un sale Métis, tout juste bon à se faire aller les jambes au service des messieurs en pelisses et chapeaux de castor.

Le premier commis allait franchir la porte lorsqu'il ajouta, avec toute la dignité qu'on peut avoir à vingt-trois ans :

— Je ne cwâ pas outile que cette conversation awive aux oweilles du facteur, ne twouvez-vous pas? Je vous attends demain, à l'aube. *Good night, old boy!*

Mercredi et ses chiens furent prêts bien avant le lever du jour. Vint d'abord le premier commis qui lui remit les dépêches et un « *Good morning old man!* » à servir d'exemple à tous les clubmen de Londres. Arrivèrent ensuite les deux gentlemen, bras dessus-dessous, enchantés de voir un traîneau à chiens et son « *colour-*

ful » conducteur; et enfin, le facteur, venant chercher les deux visiteurs pour le déjeuner. En ramenant les deux messieurs vers sa résidence, le facteur lança distraitement :

— Bonne woute, Mehkouedé !

— Hiâa ! Mâche !

Jérôme Mercredi sortit de York Factory en jurant de ne plus jamais y remettre les pieds.

IX

Anita, qui avait eu peur de se retrouver sans homme, apprit au retour de son mari qu'elle pouvait s'en passer. Jérôme Mercredi était revenu les mains vides, comme à l'accoutumée. Par quelque magie orcadienne, les achats qu'il faisait à la Compagnie dépassaient toujours le salaire qu'il en retirait.

Le surlendemain de son arrivée, Mercredi se rendit au fort Garry pour demander crédit. Le premier tour de chasse approchait et Mercredi n'avait ni charrette, ni bœuf de trait, ni cheval, ni provisions de bouche. Il aurait pu les demander à son frère Raoul, mais il le savait avare et prodigue en reproches.

Askik et son père quittèrent la maison vers midi. La journée était ensoleillée, mais le vent demeurait frisquet. La plaine détrempée sentait la terre et les herbes sauvages. On entendait partout les filets d'eau qui drainaient l'eau de fonte vers la rivière. La coulée, transformée en torrent, se franchissait sur deux troncs d'arbres jetés par-dessus l'eau.

Les Mercredi n'étaient pas seuls à se rendre au fort. Sur les bords de la Rouge, ils virent une petite foule qui attendait le traversier. Le passeur McDougall surchargeait dangereusement son radeau, mais ne fournissait pas à la demande. Batelier en titre de la colonie, il avait été plusieurs fois menacé d'une suspension de permis. Son bac était pourri, sa barque prenait l'eau, il était en boisson sept jours sur sept. Il prétendait n'avoir jamais perdu un client.

Quand vint son tour d'embarquer, Jérôme lui lança, avec la plus belle assurance : « J'ai pas un sou, garçon. J' te paie en revenant ! » et McDougall, d'un air d'ours mal réveillé, lui avait fait signe de monter et de se taire. Les passagers, serrés en carré compact, eurent les pieds à l'eau pendant toute la traversée.

Le bac traversait la Rouge en diagonale, remontant le courant jusqu'à l'embouchure de la rivière Assiniboine. C'est là, au confluent des deux rivières, que s'élevait le fort Garry.

Disposé en quadrilatère, le fort était défendu par une palissade de pierre et de poutres, haute d'une vingtaine de pieds. Des tours trapues s'élevaient aux quatre coins de l'enceinte. Il y avait trois entrées : la principale, au sud, donnait sur les quais de l'Assiniboine et menait aux entrepôts. La porte du Nord, plus coquette, ne s'ouvrait qu'aux gens de qualité. Les visiteurs sans chargement ni galons se dirigeaient habituellement vers la porte de l'Est, ce que firent les Mercredi.

A quelques pas de l'entrée, un petit groupe de femmes et d'enfants se serraient en silence les uns contre les autres. Leurs vêtements de cuir et leurs couvertes de laine étaient noirs de fumée. Ils ne portaient aucune forme d'ornementation, à part les femmes, qui avaient un peu d'ocre dans la raie des cheveux. Quand Askik les fit remarquer à son père, il s'entendit répondre : « Des Chipewyans, descendus de la baie. » D'abord, Askik crut avoir mal compris. Ces êtres timides et pauvres, des Chipewyans ? Quand la mère d'Askik le trouvait insupportable, elle menaçait de le vendre aux Chipewyans qui habitent des mauvaises terres et qui mangent leurs enfants pour ne pas mourir de faim. Askik dévisageait effrontément les enfants muets, et se demandait pourquoi ils ne s'enfuyaient pas de leurs mères en hurlant. Il avait imaginé autrement les Chipewyans.

Derrière les palissades se cachait une autre ville, plus

imposante que Saint-Boniface. Les hauts magasins, les entrepôts et les résidences des employés formaient un nouveau rectangle à l'intérieur du fort.

Il y avait foule, et tous étaient là par un même calcul : s'équiper à crédit en grevant d'avance le produit de la chasse. La Compagnie avait besoin de pemmican pour ses postes de traite éloignés. Les Métis avaient besoin de ses marchandises importées.

Dans le magasin principal, les hommes se pressaient contre un large comptoir qui faisait le tour de la pièce, et qui tenait les clients loin des marchandises. Des commis allaient et venaient entre les rayons et le comptoir, apportaient les biens demandés, faisaient voir, notaient les achats. Dans le coin près de l'entrée, un commis vieillissant faisait la grise mine derrière un guichet de fer. Jérôme Mercredi poussa jusqu'à ce guichet.

— Tiens, bougonna le commis, t'en avais assez d'être courrier, Mercredi ?

— Ben assez ! J'ai pensé...

— Que t' irais à la chasse ?

— Kah !

— Pi comme de raison, il te faut un attirail...

— C'est en plein ça !

— Ouais, ouais. Pi, qu'est-ce qui te faut au juste ?

— Ben... toutte.

— Toutte.

— Une charrette, un bœuf, un cheval, un fusil, de la poudre, des balles, du manger, pi tiens, des couvartes pour la femme et les petits, énuméra Mercredi.

Le commis fit la moue.

— Je te passe la poudre, les balles, du manger... pi tiens, je suis généreux, les couvartes aussi.

Mercredi bondit :

— Ben voyons ! Ça me donne quoi tout ça si j' peux pas me rendre à chasse ? Il faut que tu me passes un cheval !

— Pas de cheval.

— Ben donne-moé la charrette !

— Pas de charrette.

49

Jérôme Mercredi jeta un regard éperdu autour de lui, bondit vers la porte, revint et écrasa le poing sur la tablette du guichet.

— La Compagnie me doit bien ça ! hurla Mercredi.

— La Compagnie ne te doit rien. Ça se peut même que tu lui doives quelque chose. Tu veux que je vérifie ?

Jérôme devint suppliant.

— Tu peux me donner un fusil, c'est pas trop demander.

Le commis fit une moue, comme tiraillé entre sa générosité et ses instincts commerciaux.

— Les fusils sont chers, et la chasse est mauvaise...

— Je te donnerai le prix que tu voudras.

— C'est le même prix pour tout le monde. Bon, le fusil aussi. Je te souhaite de t'en servir.

— Pour ça t'inquiète pas ! Jérôme Mercredi riait comme un enfant tandis que le commis dressait le billet de crédit. On en ramènera de la vache ! s'exclama Jérôme. En masse ! Y en aura pour écœurer tout le monde !

En sortant du magasin Mercredi père fit quelques pas de gigue sur le perron. Il reviendrait chercher sa marchandise plus tard, en charrette. Restait à trouver la charrette.

Père et fils repassèrent la Rouge, gratuitement, et se tournant vers la ferme d'Antoine Gingras, partirent au petit trot. Des bancs de neige poreux survivaient sous les arbres. Des crocus mauves perçaient le plancher de feuilles pourries. Tout en courant, Askik cherchait à voir les corneilles qui croassaient dans un lointain bosquet.

Chemin faisant, Jérôme ruminait son affaire. La location d'une charrette et d'un bœuf lui coûterait bien quatre gros sacs de pemmican, des *taureaux* comme on disait dans le pays. C'était du vol. Une charrette se construisait en une semaine.

Vue de loin, la cour d'Antoine Gingras avait l'air d'un gigantesque barrage de castors tant les brancards, les ridelles et les roues des charrettes s'entremêlaient.

Gingras affrétait des trains de charrette qui marchaient entre la colonie et Saint-Paul aux États-Unis.

Le « Roi de la Charrette » surveillait le ferrage d'un bœuf à l'étable. Petit, bedonnant, le visage rugueux, le chapeau de paille enfoncé jusqu'aux sourcils, il accueillit poliment les Mercredi.

— Je me suis laissé dire que t' étais revenu. Je pouvais pas croire. T'as lâché ta position avec la Compagnie ?

— Y a pas que la Compagnie qui compte. Un homme a des fois envie d'être son maître.

— Pour ça c'est sûr. C'est vot' garçon ?

— Le plus vieux. Y en a un autre à la maison.

— *Pittaw!* Mes félicitations !

— *Kinanaskomitin.* Merci. Mais je viens pour affaire.

— Tiens don' !

— J' compte faire le premier tour. Et j'ai pensé que vous seriez peut-être intéressé à entrer en affaire avec moi.

Gingras piqua de la tête. Précaution inutile : ses pouvoirs de dissimulation étaient entiers, il n'y eut pas l'ombre d'un sourire à ses lèvres. Pourtant, il y avait de quoi se tordre. Jérôme Mercredi proposant d'entrer en association avec le Roi de la Charrette ? Gingras fit semblant de réfléchir.

— Qu'est-ce que j'aurai à contribuer ? demanda-t-il.

— Une charrette et un bœuf.

— T'as un cheval ?

— J' trouverai.

— Bon. Trois taureaux !

— Trois taureaux ! C'est du vol ! Mercredi était éberlué de s'en tirer à si bon compte. Peut-être les affaires de Gingras étaient-elles moins reluisantes qu'on ne le disait. Il s'obstina.

— Deux taureaux, pas plus !

Gingras feignit l'indécision. Pour le seul privilège de crier sur les toits que même les parents de Raoul Mercredi ne pouvaient payer ses taux usuriers, Gingras laissait partir l'équipage pour rien.

— Bon, fit-il d'un air battu, deux taureaux. Tu repasseras demain. J'aurai ce qui te faut.

Mercredi ne doutait plus de faire fortune. Il secoua en riant la main de son associé, qui ne l'invita pas à mouiller l'union.

Restait le cheval.

Un *cayousse* dressé à la chasse au bison sait pénétrer le troupeau, déjouer les charges des bœufs, tout en se rapprochant des vaches grasses. Dans une course au bison, la vie d'un homme ne vaut pas mieux que sa monture.

Mercredi avait beau s'interroger, il ne voyait vraiment pas qui lui prêterait un cheval. Pourtant, comme rien dans ce monde ne se gagne à désespérer, Jérôme Mercredi trouva un air à siffler, allongea les pattes, et se dirigea vers la prochaine ferme.

Cette propriété, moins prospère que celle de Gingras, était par contre mieux ordonnée. La maison en bois rond était assise sur un monticule, à l'épreuve des eaux printanières. Une longue bande de terre noire se déroulait jusqu'à la rivière.

Ce champ était un désappointement. Les chasseurs en ont rarement d'aussi beaux. Et comme de fait, en voyant arriver le maître, Jérôme Mercredi comprit qu'il était sur la terre d'un cultivateur qui laissait aux autres le soin de chasser pour lui.

Les Mercredi reprirent leur marche. Mais le soir n'était plus loin. Persuadé qu'il ne pourrait fermer l'œil de la nuit s'il n'avait pas un équipage complet, Jérôme Mercredi pressa le pas. Il y avait une autre ferme, pas très loin, où il n'était jamais allé, mais où il pouvait fort bien y avoir un cheval de trop.

Quelques minutes plus tard les Mercredi virent un pignon gris à travers les branches, une lueur orangée à la fenêtre de la maison. Askik huma un parfum de neige et de sève. La cour était vide. La porte était close. Jérôme Mercredi frappa avec entrain. On ouvrit.

Une femme vint sur le seuil traînant un enfant nu qui s'était agrippé à sa jambe. La femme était belle, vingt-cinq ans peut-être, une corpulence sans lourdeur, le visage ovale, le teint cuivré, les cheveux noirs et reluisants, les dents blanches et régulières. Mais ses vêtements rapiécés et incolores firent voir à Jérôme Mercredi qu'il était mal tombé à nouveau. Les pauvres n'ont pas de coursiers.

D'autres enfants s'étaient agglutinés à la femme et bouchaient tout à fait l'entrée. Pas un d'entre eux ne semblait posséder un habillement complet.

— *Tansé,* commença Mercredi, le mari est là ?

— Non, y est parti.

— Est-ce qu'on peut l'attendre le garçon pi moé ?

— Y reviendra pas.

— Ah bon...

Mercredi s'éclaircit la voix. Poursuivre était inutile. Il persista quand même.

— C'est que, voyez-vous, j' cherche un cayousse pour la chasse. En auriez-vous à louer ?

La femme ne releva pas l'incongru de la question. Elle balaya seulement du regard les petites têtes qui l'entouraient. Mercredi s'approcha d'elle, s'appuya sur le chambranle de la porte, et en se déhanchant coquettement prit un air moins commercial.

— Y a-tu quelque qui va chasser pour vous c't' été ?

— Non. Elle avait la voix sourde. Elle tenait les yeux baissés mais ne semblait pas troublée.

— Comment vous faites avec tant d'enfants ? Y faut un homme pour faire manger tout ce monde-là. Vous avez de la parenté dans le coin ?

— Non.

Une fillette habillée un peu plus chaudement que les autres apparut de derrière la maison, un fagot de branches aux bras. Elle s'arrêta net en voyant les étrangers, mais ne témoigna pas plus d'émotion que sa mère.

— Donc vous êtes pas d'icitte, continuait Mercredi.

— De Saint-Laurent, répondit la femme.

— Vot' mari aussi ?

— Oui.

— Y est retourné là-bas ?

— J' sais pas.

Askik, resté planté au milieu de la cour, était très gêné. La fillette aux branches ne le quittait pas des yeux. Elle ne lui faisait pas de grimace, ne disait rien, demeurait parfaitement impassible. Elle avait la peau légèrement cendrée, les cheveux couleur de thé au lait, les yeux bruns. Une raie de boue lui barrait la joue. Elle portait une pèlerine grossière qui laissait entrevoir une robe de coton si usée, si mince, que le tissu s'évanouissait tout entier par endroits.

— De quoi vivez-vous ? Jérôme Mercredi ne pensait plus à son cheval. Il se lissait inconsciemment les cheveux de la tempe en se rapprochant de la femme.

Elle ne répondit pas. Mercredi hasarda le grand coup.

— J' pourrais peut-être vous ramener un p'tit peu de quoi de la chasse, hein ? Ça pourrait servir ? Oui ?

— *Ehé.*

Mercredi sourit largement et porta une main à sa moustache. Elle leva les yeux et pour la première fois prit à plein son regard. Elle ne souriait pas mais ne semblait pas non plus mécontente.

— En fait, dit Mercredi, j' repasserai demain, en revenant du fort. J'apporterai un peu de thé. P't-être même du sucre. Ça vous irait ça ?

— Ça serait bon.

— Parfait, parfait. Bon, ben y est tard. J' cré ben qu'on va rentrer chez nous. Viens t'en, garçon.

Askik lança un dernier regard défiant à la fillette en guenilles qui ne le lui rendit pas. Les Mercredi sortirent énergiquement de la cour, en hommes occupés. Quand ils furent un peu plus loin, Jérôme se retourna gaillardement vers la maison qui semblait déjà lui appartenir à moitié. Il eut un choc. La mère, les enfants et la fillette aux branches n'avaient pas bougé d'un muscle et les regardaient toujours dans le silence le plus total. Jérôme leur envoya un petit signe de la main compassé et reprit son chemin en marmottant.

— Du drôle de monde quand même...

Mais l'idée d'y retourner le lendemain lui ramena le sourire. En sifflotant sa gigue préférée, il mit le cap sur la Seine et se félicita de son excellente journée.

Arrivé au bord de la Seine, il lança un « Laurendeau ! Arrive ! » à réveiller les poissons. Le traverseux, qui ne se pressait jamais, et moins encore lorsqu'on le lui demandait, traversa posément la rivière.

— Tu vires ta frippe, Mercredi ?

— Pantoutte, fit Mercredi en riant, j'ai pas une goutte d'alcool dans le corps !

Quand ils furent de l'autre côté de la rivière, le vieux passeur les mena sans mot dire jusqu'à sa cabane. Il dénicha une cruche en terre cuite, la déboucha, la planta sur la malle, et s'assit à l'indienne. Mercredi protesta.

— Je te jure, j' suis pas en boisson ! Mais si tu m'offres à boire, je le fais à ta santé !

Laurendeau prit sa pipe et la bourra méthodiquement. Un homme qui charge sa pipe fait signe qu'il est prêt à écouter. Mercredi lui raconta sa journée par le menu : la traversée de la Rouge aux mains de McDougall, la victoire remportée sur le commis radin, l'affaire proprement honteuse imposée à Gingras et, enfin, l'affaire plus vague conclue avec l'inconnue.

Le récit demanda un certain temps. Quand il fut terminé, Laurendeau vida sa pipe sur le bord de la malle.

— Si j'ai bien compris, conclut-il, t'as pas de cayousse. Si t'as pas de cayousse, comment feras-tu manger ta blonde ?

Mercredi le regarda un moment, l'air bête, et s'avisa qu'effectivement, il n'avait toujours pas de cheval. Il ne l'avait pas oublié, mais le sérieux de la situation lui avait temporairement échappé.

— J' vais en trouver !

— La chasse part après-demain.

— Ben oui, mais y doit ben rester un cheval dans la colonie ! Une pointe de panique se glissait dans sa voix.

Laurendeau prépara une nouvelle pipée et, recourbé confortablement sur lui-même, ajouta d'un air rêveur :

— Paraît qu'Ormidas Choquette s'est fait mal à la chasse c't'après-midi. Un autre qui aurait tiré dessus par accident.

Mais Jérôme Mercredi n'écoutait plus. Il était aux prises avec un problème terrible. Sans cheval, il ne pouvait chasser à son compte. Or, il lui fallait beaucoup de viande pour rembourser ses dettes, nourrir sa famille, celle de l'inconnue, et faire de la contrebande. Il était sur le point de regretter son ancien emploi quand Laurendeau reprit plus haut :

— J' te dis que Choquette s'est fait mal !

— Hein ?

— Choquette pourra pas aller à la chasse !

Mercredi avait déjà franchi le seuil. Il s'arrêta pour crier de dehors :

— Garde le p'tit jusqu'à ce que je revienne ! Y te dérangera pas !

Askik se trouva seul avec le batelier. Celui-ci renâcla bruyamment, cracha et, revenant à sa pipe, grogna :

— Ferme la porte !

De l'autre côté de la rivière, Mercredi courait comme un chevreuil. L'alcool et la sueur lui brouillaient la vue, son cœur battait à se rompre mais il tenait bon. Son arrivée chez les Choquette fut saluée par un tonnerre d'aboiements. Un molosse vint planter ses crocs dans le pantalon de Jérôme Mercredi qui l'envoya rouler dans la nuit. Le chien allait se reprendre quand la porte de la maison s'ouvrit. Mercredi entra. Il proposa d'approvisionner la famille qui en retour lui prêterait son cayousse. Choquette, étendu dans son lit, la cuisse enrubannée de pansements, mit du temps à se décider. Mercredi n'avait pas de réputation bien établie comme chasseur, et ses manières laissaient à désirer. Mais la chasse allait partir. Pressé par sa femme, le blessé finit par accepter.

Ce nouvel accord chargeait Mercredi d'une dette onéreuse : Choquette avait neuf enfants. Mais l'ancien courrier avait fait une journée si proprement merveilleuse qu'il ne doutait plus d'approvisionner tout Saint-Boniface à lui seul.

X

La pluie tombait à n'en plus finir, comme si le ciel s'était ouvert une fois pour toutes. La caravane — deux cents charrettes, six cents hommes, femmes et enfants — était immobilisée dans un bosquet dont il ne restait plus grand-chose. Le bois de chauffage commençait à manquer. Les enfants avaient faim. On les entendait pleurnicher dans des tipis détrempés où s'obstinait la fumée. A l'intérieur, tout était sale et mouillé. Les femmes faisaient bouillir des navets sauvages et des tubercules de roseaux. Les hommes demeuraient assis toute la journée à regarder la plaine par l'entrée dégoulinante de leurs loges de cuir. Parfois, on signalait un début d'éclaircie, généralement à l'ouest, et la nouvelle parcourait le camp comme une onde d'espoir. L'écran de brume et de pluie se retirait un peu, découvrait un arbre ou une butte jusqu'alors invisibles, puis reprenait le terrain cédé et fermait la vue au camp.

Le matin du dixième jour, le Conseil de prairie se réunit comme d'habitude. Ces douze conseillers, chasseurs émérites, élus par leurs congénères, étaient juges et généraux. Ils dirigeaient les activités du camp. Or, depuis quelques jours, ils n'arrivaient pas à s'entendre. Certains voulaient lever le camp, marcher vers la rivière Pembina au nord, où le peuple trouverait du bois pour se chauffer. Les autres, majoritaires, préféraient demeurer sur place, attendre le beau temps, et poursuivre vers le sud à la recherche des grands troupeaux de bisons. Le camp tout entier attendait dans le silence. Le peuple était divisé.

La réunion du Conseil s'éternisait. Vers la fin de l'après-midi, des adolescents postés à l'extérieur de la loge rapportèrent que les chasseurs de Saint-François menaçaient de partir de leur côté. Cette nouvelle opprima un peu plus encore les six cents Métis. Diviser le camp était une chose grave, une entorse à la tradition, une garantie de malheur. Le tabou datait de l'époque des guerres entre Métis et Sioux, lorsque les chasseurs de la Rouge ne s'aventuraient dans les plaines qu'en force suffisante. Les guerres avaient pris fin, les Sioux ayant trop à faire contre les Américains, mais l'interdit subsistait.

Ce même soir, un vent froid brisa la brume. Askik sortit du camp avec d'autres enfants pour chercher du combustible. Normalement, les Métis faisaient brûler du bois de bison, de la bouse sèche. Mais la pluie l'avait rendue inutilisable. Les enfants cherchaient des ossements de bisons, laissés par des chasses antérieures, et dispersés par les loups. Askik n'avait trouvé qu'une seule vertèbre spongieuse lorsqu'il entendit : « Il y a des os là-bas. »

Il se retourna et vit la fillette aux branches. Elle portait la même pèlerine bleue, et n'avait pas l'air plus propre qu'à leur première rencontre. Elle montra du doigt un îlot de bois éloigné et répéta : « Il y a des os là-bas ! » Muet de surprise, Askik la regardait sans répondre. Elle avança avec impatience, fit tomber la vertèbre de sa main et ordonna : « *Astam !* »

Les deux enfants se mirent en marche. Il leur fallut une demi-heure pour gagner le bosquet de peupliers. Cela parut bien loin à Askik qui craignait de voir la brume se refermer. Mais il n'osait l'avouer à sa compagne. Il sentait qu'elle était plus âgée, et surtout plus volontaire que lui. En approchant le bosquet, il vit que l'herbe sous les arbres n'avait pas été foulée, ce qui lui parut étrange. En cherchant dans l'herbe, ils trouvèrent un squelette de bison presque entier. Un animal blessé, sans doute, venu se cacher sous les arbres et qui y avait trouvé la mort.

Tout en se chargeant les bras d'ossements, Askik épiait sa compagne. Quand elle eut le visage détourné du sien, il lui demanda à brûle-pourpoint :

— Quand est-ce que t' es venue icitte ?

— J' suis jamais venue.

— Comment savais-tu qu'il y avait des os ?

— Je savais.

Askik laissa tomber. Il se souvint de leur première rencontre et demanda encore :

— Ta maman est avec toé ?

— Non, je travaille pour les Gauthier.

Askik se tut, impressionné. Il n'avait jamais gagné le moindre chelin et cette fille avait déjà un emploi. Elle travaillait vite, pliée en deux, les bras dans l'herbe jusqu'aux coudes, jetant les os en tas derrière elle. Elle lui demanda sans se relever :

— T' as quel âge ?

— *Tébakop.* Sept.

— Tu vis encore avec tes parents ?

Askik eut honte mais dut avouer qu'il vivait encore en petit garçon.

La fillette releva une brassée d'ossements parfaitement triés et cordés. Quand Askik se redressa, la moitié des os tombèrent à ses pieds. La fillette déposa tranquillement sa charge, refit celle du garçon, et quand tout fut prêt, reprit le chemin du camp. A la sortie du bois, Askik poussa un cri de désespoir.

— *Ahuya !* J' savais bien que c'était trop loin !

La brume s'était refaite. Le jour tombait.

Rien de plus trompeur que le brouillard en plaine. La terre et le ciel se mêlent. Ce qui paraît loin est proche. Ce qui a l'air familier est inconnu. On court de repère en repère, et on n'en reconnaît aucun. Il n'était pas rare que des enfants métis s'égarent dans le brouillard, s'éloignent du camp, et se fassent dévorer par un ours.

— On devrait attendre icitte ! dit Askik. Papa va venir nous chercher !

Mais la fillette s'éloignait d'un pas décidé, le buste droit malgré sa charge d'ossements, les cheveux flottant derrière elle. Askik lui cria :

— C'est pas par là !

Mais elle répondit :

— *Astam !* Viens-t'en !

Une demi-heure plus tard, ils virent les huttes de

peaux et le bosquet ravagé. Une fumée sale planait entre les tipis. La fillette s'arrêta court et se retourna vers Askik.

— Si t'as besoin de *nina,* j' suis dans le troisième tipi du boutte. Mona *nitissinihassounne,* dit-elle en se présentant.

Elle prononça Mounna, à la manière métisse. Askik cligna bêtement des yeux et fit oui de la tête. Elle s'en alla remettre ses os à ses employeurs, la tête haute, la pèlerine battant énergiquement ses jambes sales et nues.

Le lendemain matin, malgré le crachin qui continuait, les chasseurs de Saint-François et Saint-Paul quittèrent le camp. On les regardait partir avec appréhension ou envie, mais tous comprirent qu'une époque était révolue : les anciens auraient évité l'éclatement.

Deux jours plus tard, le soleil se montra. Par à-coups d'abord, puis définitivement. La colonne amoindrie poussa vers le sud-ouest, sur un terrain de plus en plus difficile. Les riches plaines de la Rivière Rouge faisaient place à une terre maigre, qui cachait des cailloux sous une couche de sable. Les chevaux des éclaireurs revenaient du large avec des sabots usés. La plaine n'était plus absolument plate, mais s'élevait dans d'impressionnantes vagues vertes et brunes. Au creux de ces vagues, des mares et marais barraient le chemin et obligeaient à de nombreux détours. L'herbe poussait moins dru et plus court dans ce sol avare : les bœufs et les chevaux mettaient plus de temps à paître.

Des canards nichaient en profusion dans les baissières, mais comme les Métis n'avaient pas de fusils à plombs et ne savaient pas tirer au vol, ils en attrapaient bien peu.

Plus la colonne avançait, plus les collines et buttes prenaient de la hauteur. Certaines avaient même des couronnes de pierre nue. Parfois, au petit matin ou au crépuscule, des antilopes ou des cerfs-mulets venaient se profiler sur les crêtes. Mais les chasseurs n'en ramenaient qu'en petit nombre. Il faut une monture rapide pour prendre ce gibier, et il est impossible d'abattre plus d'une antilope à la fois. De plus, comme la viande prise en chemin devait être répartie entre toutes les loges, il en revenait bien peu à chaque individu. Seul le bison, lourd et lent, pouvait nourrir une telle assemblée. Mais on n'en trouvait pas. Les Cris et les Sauteaux qui accompagnaient les Métis disaient que *Moustous* était rentré sous terre. La nuit, ils faisaient résonner le camp de leurs chants et tambours. Ils imploraient Kitché-Manitou, le Grand Esprit, de ne pas laisser périr ses enfants des plaines.

Car la famine n'était plus loin. Les roseaux et navets ne suffisaient pas. Les pommes de rosier étaient trop rares. Les enfants assommaient parfois un chien de prairie, mais cette chasse demande beaucoup de patience et donne peu de viande.

Il était plus que temps de trouver de la vache sauvage lorsqu'un après-midi, par une chaleur torride qui brouillait la vue comme la pensée, un éclaireur fit irruption au sommet d'une colline, fit tournoyer sa monture écumante, et lança un cri de triomphe.

Ce jeune Loup avait repéré un troupeau de cent bêtes, l'air nerveux, marchant vers l'ouest, à une demi-journée de chevauchée. Le chef métis, Thomas Legardeur, fronça des sourcils au reçu de ce rapport. « C'est pas l'yâb », pensa-t-il. Un troupeau effarouché pouvait aller vite. Pas ses charrettes.

Legardeur attendit jusqu'au soir, malgré l'exaspération croissante des chasseurs. Il espérait des nouvelles des autres éclaireurs. Peut-être le troupeau signalé n'était-il qu'un éclat détaché d'une harde plus importante. Mais le soir venu, quand le dernier Loup fut rentré, Legardeur convoqua le Conseil. Les douze se firent expliquer l'emplacement du troupeau. Les hommes qui connaissaient bien le pays furent appelés et interrogés. Ces chasseurs analphabètes avaient une mémoire visuelle prodigieuse. En assemblant les buttes, bosquets, et ravins, dont se souvenait chaque témoin, le Conseil se fit une idée du pays et formula son plan d'attaque.

La lune était déjà haute, mais le drapeau n'avait pas été baissé. Le camp demeurait aux aguets. Les bœufs avaient été dételés, mais portaient leurs harnais. Les chevaux, abreuvés et nourris légèrement, ne dormaient pas. Enfin, après un temps qui parut interminable, le crieur émergea de la tente de Legardeur et fit connaître à tous les ordres du Conseil.

Les Loups repartaient immédiatement localiser le troupeau. Les chasseurs, disposés en deux groupes, chevaucheraient toute la nuit, pour être en position d'attaque au lever du jour. Les charrettes arriveraient sur les lieux vers midi pour commencer le dépeçage.

Les dix capitaines et leurs soldats galopaient dans tout le camp et criaient aux hommes de se presser. Chez les Mercredi, tout était à l'envers. Le fusil, la selle, et les balles, tout ce fourniment rangé et dorloté depuis des semaines avait trouvé le moyen de se glisser dans les coins les plus inaccessibles de la charrette. Jérôme était hors de lui. Sa femme, énervée, renversait tout et se défendait d'une voix agacée.

— Où est-ce que t' as mis la corne, la mère ?

— J' l'ai pas touchée !

— Pi mon sac à manger, *tandé* ?

— Cherche sous la marmite !

— Sous la marmite ? *Ahuya !* Ç'a-tu de l'allure ?

— C'est toé qui dérange toutte !

— *Nina ? Nina ?*

Un capitaine fit virevolter son cheval à quelques pas de la charrette.

— Mercredi ! Grouille ou on part sans toé !

— Askik ! cria le père, ma gourde !

Le cheval Choquette aplatissait les oreilles d'un air mécontent. Ce fracas l'indisposait. Jérôme monta brutalement en selle, tira sèchement sur une rêne, et disparut avec un « Hiâ ! » assez convaincant. Mais il était piètre cavalier, ayant passé toute sa jeunesse dans des canots et derrière des traînes à chien.

Les premières charrettes s'ébranlaient déjà. Les chasseurs, regroupés à l'extérieur du camp, se faisaient expliquer le plan. Le troupeau, pensait-on, passerait la nuit dans une cuvette qui était délimitée au sud par une coulée et cernée des trois autres côtés par des coteaux. Un premier groupe de chasseurs, sous Lelièvre, franchirait la coulée et remonterait le coteau ouest. Le second, sous Legardeur, dévalerait le coteau nord. Tirer avant le signal était un crime. La loi était connue de tous, mais il n'était pas inutile de la rappeler avant la première course de l'année.

En juin, disent les Métis, le soleil ne dort pas. Il ne fait jamais tout à fait nuit. Les chevaux purent avancer au trot, parfois au petit galop. Il leur arrivait cependant de trébucher sur le sol inégal, ce qui mettait le cheval Choquette de fort mauvaise humeur. Il doublait ces trébuchements de ruades sournoises dans l'espoir de culbuter son cavalier inexpert, piquait de la tête pour lui arracher les rênes, ou expirait bruyamment pour faire glisser la sangle. Mais Jérôme n'ignorait pas les mauvaises intentions de sa monture et demeurait sur ses gardes.

Il regrettait d'avoir passé sa jeunesse en forêt. Il se sentait déclassé. Les Métis étaient les meilleurs cavaliers du monde. Les Américains avaient voulu les engager dans la guerre contre les Sudistes, les Anglais voulaient les envoyer combattre en Afrique australe, un illuminé avait même rêvé de les entraîner au Mexique pour libérer les pauvres. Mercredi était tout triste de ne pas être aussi redoutable que ses voisins.

Après trois heures de chevauchée, le groupe de Lelièvre fit halte. Quelques chevaux se mirent à mordiller l'herbe ; la plupart, fatigués, restaient tête basse et immobiles. Assis sans feu, les hommes allumaient des pipes et supputaient la distance parcourue. La nuit était belle. Un vent cru descendait de *Natakham,* le pays des Eaux. Le ciel était dégagé, les herbes bruissaient agréablement. Les hommes goûtaient au doux plaisir d'être nombreux et puissants dans une nuit immense. Après de brefs palabres à voix basse, ils devinrent silencieux, les visages tournés au vent, les paupières clignant contre la fumée de tabac, les mains serrant rêveusement les fusils. La voûte étoilée chavirait lentement vers l'ouest. Il pouvait rester deux ou trois heures de noirceur.

Lelièvre se leva et ordonna tranquillement : « *Tétapitanne* », à cheval. Le charme ne fut pas rompu. Au contraire, les chevaux semblaient partager la paix de leurs maîtres : ils se laissèrent monter sans hennir ni renâcler. Plus personne ne calculait l'heure ou la distance. Ils étaient entrés dans l'orbite du bison.

Le soleil se levait. Les sturnelles et les pluviers s'appelaient de butte en butte. Une harde d'antilopes apparut un moment sur une crête et s'égailla comme par magie. Y a-t-il plus grand bonheur pour un Métis que de galoper dans la plaine au matin, les mains glacées, les cuisses réchauffées par le cheval, les narines humant l'herbe et le cuir, les yeux grands ouverts sur le large, l'aventure et le péril ?

Ils virent au loin deux coteaux et une ligne de saules qui avait tout l'air d'une coulée. Était-ce l'endroit ? Deux éclaireurs fatigués arrivaient au petit trot. Les buffles, disaient-ils, se trouvaient dans la cuvette, où ils avaient passé la nuit.

Les hommes durent mettre pied à terre pour faire passer la coulée aux chevaux rétifs. Par bonheur, le cheval Choquette ne se fit pas trop prier et Mercredi put conserver bonne figure. Malgré tout, ils eurent de la difficulté à escalader les berges abruptes et molles. Quand ils furent de l'autre côté, Lelièvre piqua droit vers la butte ouest, en se tenant autant que possible dans les creux.

Le soleil était presque jaune quand les hommes de Lelièvre virent les bisons, une petite masse brune sur le tapis vert et jaune de la plaine. Jérôme Mercredi versa de la poudre dans le canon de son fusil, posa la balle et la bourre. Seul le premier coup était bourré. Une fois l'attaque déclenchée, il fallait recharger en selle, ce qui rendait impossible le maniement de la baguette.

Les fusils debout sur les cuisses, les chasseurs étaient

prêts. Mais Lelièvre hésitait. Il avait tiré une longue-vue et scrutait le coteau nord en maugréant dans sa barbe. Où diable était Legardeur ? Chaque moment perdu augmentait le risque d'un accident. Un hennissement de trop, une baguette échappée sur une pierre, un coup de feu accidentel pouvaient effrayer le troupeau et le pousser bien au-delà des chevaux fatigués. Enfin, Lelièvre vit un cavalier, puis deux, puis soixante, qui s'alignaient silencieusement sur le coteau nord. Il rangea son télescope. Quand il vit la ligne lointaine s'ébranler, Lelièvre abattit la main et sa colonne se mit au pas. Il n'y eut pas un murmure sur tout le front des cavaliers. Le silence le plus total était de rigueur. Lelièvre fit des signes menaçants à quelques jeunes qui osaient devancer les autres : ils rentrèrent dans le rang. Quand la colonne fut au pied du coteau, Lelièvre fit prendre le trot à sa monture. Allure que Jérôme Mercredi trouvait pénible parmi toutes. Du coin de l'œil, il voyait le groupe de Legardeur qui avançait de l'autre côté de la cuvette. Il jeta un regard inquiet à son voisin, qui le lui rendit : les hommes de Legardeur allaient-ils atteindre le troupeau en premier ?

Au fond de la cuvette, les vaches et les veaux broutaient encore. Mais un gros mâle, alerté par les vibrations du sol, avait levé le nez. Le vent ne lui apprenait rien. Mais le bison a l'ouïe fine. Secouant sa tête massive, le taureau émit un râle de colère, contourna à demi son troupeau, s'arrêta net, renifla, et repartit à la course. Les autres mâles, qui faisaient cercle autour des vaches et des veaux, commençaient à piaffer et renâcler. Le troupeau tout entier se mit à tourner lentement sur lui-même comme une vaste roue, rugissant et beuglant, puis, soudain, poussa une pointe vers le sud-ouest. Trop tard. Les cavaliers étaient à deux portées de fusil et se rapprochaient vite. Aux plus habiles maintenant !

Jérôme se glissait des balles dans la bouche en prenant soin de ne pas les avaler par accident. Il cherchait partout une vache grasse et laissait au cheval le choix du parcours. Dans ce brouillard de poussière, choisir sa bête était difficile.

Les premiers coups de feu éclatèrent à l'est. « Les salauds nous ont devancés ! », pensa Jérôme. Il vit une lourde vache qui filait à sa droite, la prit en chasse, et faillit rentrer dans un autre cavalier qui avait choisi la même cible. Les bouches pleines de balles, les deux hommes échangèrent des regards courroucés. Mercredi éperonna, poussant droit sur sa vache. Il se glissa entre deux jeunes bœufs qui semblaient ne pas le voir. La poussière était suffocante. Le gras postérieur de la vache approchait toujours. Quand il fut à quelques pieds de la bête, Jérôme baissa le canon de son arme, visa derrière les côtes, et tira. La bisonne s'écroula, bavant le sang. Le cheval Choquette, parfaitement dressé, fit une embardée brutale pour l'éviter, ce que n'avait pas prévu Jérôme. Il se sentit lever de selle. Il tombait ! Son pied droit cherchait l'étrier, son genou glissait sous le ventre du cheval. Il empoigna la crinière, et se cala dans la selle. Il avait failli avaler une balle.

A présent, Jérôme était en plein dans le troupeau. Il voyait des ombres de cavaliers qui fuyaient dans la poussière au-dessus des bosses brunes. Il leva la gueule du fusil, y versa de la poudre, y cracha une balle, tapa la crosse contre la selle pour faire coller la balle mouillée à la poudre, et chercha une autre victime. Une jeune vache fonçait tête basse à sa gauche. Des veaux et des bœufs la séparaient de Mercredi. Il songea un moment à tirer au-dessus de leurs dos, mais sans bourre, c'était risqué. Mieux valait s'approcher. Il manœuvra dans le troupeau, guettant les ouvertures, se faufilant à travers les bêtes. Un grand bœuf lui frôla la jambe de sa corne. Petit à petit, Mercredi se rapprochait de sa cible. Il fallait abattre le canon et tirer en même temps, avant que la balle ne roule trop loin de la poudre. Ah, la belle bisonne ! Jérôme caressait des yeux la toison sablonneuse, voyait palpiter la chair, juste là, derrière les côtes, où la balle pénétrerait. Son doigt se crispa sur la gâchette.

Et la vache disparut. Jérôme mit trop de temps à comprendre. Son cheval plongea dans le vide avec un cri de terreur, et s'écrasa sur les bêtes grouillantes au fond de la coulée. Les beuglements étaient assourdissants. Les berges déchirées s'écroulaient. Les coups de feu claquaient. Jérôme se releva dans un ruisseau bourbeux entouré de pattes et de cornes qui fouaillaient l'air. Une cataracte monstrueuse et brune se déversait par-dessus les berges de la coulée, s'écrasant au sol avec des hans et des craquements. Les bêtes qui se relevaient chargeaient des deux côtés de Mercredi, se ruaient sur la remontée molle, et s'abattaient sous les balles. Quelques-unes seulement parvenaient à franchir la crête. D'autres tournaient au fond de la coulée comme des abeilles enragées, fonçant sur tout ce qui bougeait, éventrant leurs propres veaux.

Le tonnerre des armes et des sabots dura un moment encore. Et soudain, ce fut terminé. Des bêtes râlaient. Une corneille riait. Les saules s'agitaient gaiement. Peu à peu, des hommes étonnés et silencieux s'alignèrent sur la berge au-dessus de Jérôme Mercredi. Jamais, jamais ils n'avaient vu chose pareille !

Les bisons étaient entassés pêle-mêle, leurs épaisses robes brunes maculées de boue grise et de sang. Au milieu des bêtes mortes et mourantes, les bras ballants, un regard hébété dans une face de boue, Jérôme ne bougeait pas plus qu'une image de Daniel parmi les lions. Il avait vu la rentrée sous terre des bisons, la chute des âmes en enfer, et n'était pas encore persuadé d'y avoir survécu. Il était descendu dans le ravin de la mort, et en ressortait sans une égratignure.

Quand les charrettes arrivèrent en début d'après-midi, l'étonnante aventure de Mercredi fit sensation. Mais Anita en comprit vite l'essentiel : son mari n'avait tué qu'une seule vache, le fusil avait été retiré de la vase en deux morceaux, le cheval Choquette avait été rattrapé mais boitait. Cependant, Jérôme ne voulut pas entendre les jérémiades de sa femme ; il était encore tout ébloui par son miracle.

Les hommes avaient commencé le débitage. Ils plaçaient le bison sur les genoux de devant, étendaient les pattes de derrière, enlevaient d'abord la bosse qui est une friandise, puis ouvraient la peau sur tout le long de l'épine dorsale. Les femmes tranchaient la viande en lanières et, de retour au camp, la mettaient à sécher sur des grils de bois vert. Elles allumaient des boucans pour chasser les mouches et accélérer le séchage. Les enfants portaient des gourdes d'eau aux hommes qui ruisselaient de sueur. Quelques-uns mâchaient du cartilage de museau pour éteindre leur soif.

Le soir venu, ils abandonnèrent la coulée. On avait dressé le camp au pied du coteau. Des bosses et des langues rôtissaient sur des feux de bois : les Métis allaient faire grande chaudière.

N'ayant qu'une seule vache à dépecer, Jérôme Mercredi avait passé le gros de l'après-midi à chercher un autre fusil, qu'il acheta pour un quartier de viande. Il ne lui resta donc que les trois quarts de la bête, mais cela lui sembla suffisant pour recevoir à dîner. Il invita deux autres familles, les choisissant parmi les moins fortunées du camp. Oscar Ferland n'avait tué qu'une taure, son fusil ayant explosé au second coup. Un accident fréquent dans ces courses où il fallait charger au jugé. Louison Champagne, jeune homme taciturne et violent accompagné d'une jeune femme et d'un bébé qui n'était pas le sien, était revenu bredouille. Son cheval avait culbuté au tout début de la course. Champagne avait d'abord refusé l'invitation à souper, la croyant motivée par la pitié. Il accepta en apprenant que son hôte avait un plan qui le dédommagerait de sa malchance. En attendant le rôti, les hommes s'étendirent sur leurs couvertures devant le feu et allumèrent leurs pipes de terre blanche.

Askik, pendant ce temps, luttait contre les maringouins au fond de la coulée. Sa mère l'avait envoyé puiser de l'eau pour le souper. Mais d'autres étaient venus avant lui. Les berges plates du ruisseau étaient transformées en bourbier. Impossible d'approcher l'eau sans caler jusqu'aux genoux. Askik dut marcher loin pour trouver de la terre ferme. Le lit de la coulée était encombré de roseaux et de saules. Il y faisait sombre. Tous les dix pas, des carouges s'élevaient en jacassant furieusement, survolaient un moment l'intrus, puis retombaient dans les roseaux lorsqu'il s'était suffisamment éloigné. Les moustiques traçaient des zigzags dans le ciel. Askik avait beau les chasser, les insectes l'attaquaient aux épaules, à la nuque, aux chevilles.

Le sol se raffermissait. La berge prenait un peu de hauteur sur l'eau. L'enfant s'approcha du ruisseau, pensant trouver un promontoire facile d'où remplir sa chaudière. Il se fendait un chemin à travers les roseaux lorsqu'il buta contre un gros corps noir et poilu.

Askik fit un bond en arrière, échappa sa chaudière, et s'enfuit à toutes jambes. Mais le bison était mort. C'était un jeune bœuf, étalé sur le côté. Il n'avait pas été éparé : soit que le chasseur eût trouvé mieux, soit que la bête, blessée, fût venue mourir à part. Les yeux reluisaient encore. La langue bleue et gonflée pointait à travers les dents jaunes. Un peu de sang caillé tachait la lèvre inférieure.

Askik revint lentement sur ses pas, les yeux fixés sur l'animal, prêt à s'enfuir au moindre tressaillement de la queue. Mais le bison était bien mort. Les jambes étaient recroquevillées, en position de course. Les muscles s'étaient durcis sous la peau. Le ventre était distendu.

Askik avait déjà vu des carcasses, entourées d'hommes, maniées, tiraillées, écorchées, débitées. Mais jamais seules. Jamais tranquilles. Jamais si absolument tranquilles. Les muscles grippés le remplissaient d'étonnement. Leur immobilité le fascinait. Comment le bison pouvait-il être si inerte ? Ne restait-il plus rien de sa force ? Même pas de quoi faire frémir un naseau ou battre une oreille ? La vie s'était-elle vidée tout d'un coup ?

Askik contourna le cadavre et submergea son seau de cuir dans l'eau. Il dut s'y reprendre à plusieurs reprises : le cuir mou s'aplatissait à la surface de l'eau. L'enfant retirait un seau aux trois quarts plein quand il vit, de l'autre côté de la coulée, deux yeux brillants qui s'éteignirent aussitôt. Une ombre grise fila vite comme la foudre dans les saules. Le wetiko ? Askik leva les yeux. D'autres formes longues et prestes se glissaient le long de la berge opposée. *Mahikanak!* Des loups! Askik balaya du regard son côté de la coulée. Rien ne bougeait. Emportant le seau, il retraça ses pas en faisant le moins de bruit possible. Il avait rejoint le pied de la berge lorsqu'il entendit derrière lui une suite de grands plouf! Les loups avaient trouvé la carcasse et passaient le ruisseau. Une fois dans la plaine, Askik crut voir de l'autre côté de la coulée des dizaines et des dizaines d'ombres grises qui filaient vers le charnier au fond de la coulée.

Les feux de camp brillaient contre le coteau noir. Askik avançait tant bien que mal, le seau dans les jambes, les bras endoloris. En pénétrant le camp, il crut voir Mona qui travaillait près d'un feu, mais il continua tout droit sans la saluer. Il avait honte de porter si mal son seau.

— Ça t'en a pris du temps! lui cria sa mère en le voyant arriver. Mais lui, ayant mieux à faire, s'en alla retrouver aussitôt son père. Jérôme fumait et buvait avec ses invités. Quand son fils lui annonça qu'il avait trouvé un bison mort et que les trois hommes pouvaient encore l'éparer s'ils faisaient vite, Jérôme Mercredi se rembrunit d'un coup.

— Les Métis ne mangent pas de la charogne, fit-il abruptement.

— Mais y a été tué *anouhsse,* insista Askik.

— Le bœuf se digère mal. T'inquiète pas, mon-homme. On en trouvera de la vache, en masse.

Jérôme se retourna vers ses invités pour reprendre le récit des événements du matin. Mais Askik tenait de plus en plus à son bœuf.

— Mais si t'en trouves pas de bôfflo, dit-il, t' auras celui-là.

Jérôme se fâcha. Allait-il débiter la proie dédaignée par un autre ? Avouer à tous qu'il était incapable d'abattre sa propre viande ?

— Askik, *awasse!*

Jérôme se retourna de nouveau vers Champagne et Ferland.

— Est-ce que Legardeur est Dieu le Père? leur demanda-t-il en cri. Qui a mis les Bourgeois au-dessus de nous? Ils parlent français, ils savent lire, est-ce que ça les rend meilleurs chasseurs? Tant qu'ils mèneront la chasse, ils auront tout, nous n'aurons rien.

Les « bourgeois », dans le langage de la Rivière Rouge, sont ces Métis qui ressemblent le plus aux Blancs, qui envoient leurs enfants à l'école, ne pratiquent qu'une seule religion, et travaillent le sol. Thomas Legardeur était un bourgeois. Jérôme Mercredi ne l'était pas.

— Legardeur n'a pas besoin de bison pour passer l'hiver. Il a de quoi vivre à la maison. Mais nous, qu'allons-nous faire si nous ne trouvons pas de bison? Hmmm? Bouillir de l'écorce? Se sucer les doigts? Ben non, voyons. Nous allons travailler pour monsieur Legardeur. Cela va de soi. Pour des gages de misère, cela va de soi encore. Nous mangerons de la galette et de la neige.

Champagne et Ferland demeuraient impassibles, les paupières mi-closes contre la fumée de leurs pipes. Mercredi leur avait promis un plan. Ils l'attendaient. Le préambule était un peu long, mais les Métis sont patients.

— Du bôfflo, il n'y en a plus, dit enfin Jérôme en étouffant sa voix. Je l'ai compris ce matin dans la coulée. Je ne sais pas comment vous expliquer. Je voyais le bison qui tombait comme la pluie — ça m'a fait un effet, je vous assure — et j'ai entendu... comme une voix qui parlait en dedans de moi. *Ehé,* une voix, qui me disait : « Voici les derniers de la race. Je te les donne. A toi et aux tiens. »

— C'était en cri ou en français? interjeta Ferland.

— En français. Et elle a dit « toi », pas « toé ».

— Ah bon, fit Ferland en s'adossant de nouveau à la charrette, mais ça ne prouvait rien.

71

— Et après ? demanda Champagne.

— Du bison, il n'y en a plus, répéta Mercredi. Il y aura encore des petits troupeaux comme celui d'aujourd'hui. Mais parmi tant de familles, ça ne vaut rien. Il faut faire comme les Indiens du Nord : se morceler en petits groupes.

Et baissant encore plus la voix, Mercredi se pencha vers ses voisins et conclut :

— Suivez-moi. Nous partirons de notre côté. Je vous mènerai à la vache !

Champagne et Ferland échangèrent un regard étonné. Que Mercredi ait eu une vision n'avait rien de surprenant : les meilleurs chasseurs, c'est connu, rêvent leur proie. Mais justement, Mercredi n'était pas un grand chasseur. Pourquoi les *manidos* lui feraient-ils cette grâce ?

— Comment vas-tu trouver la vache ? demanda Ferland.

— J' suis guidé. Ceux qui me suivront mangeront.

— Et les autres ?

Mercredi baissa les yeux et garda le silence. Champagne et Ferland eurent un frisson.

— Comment ça ? souffla Ferland, tous ?

Mercredi gardait le silence.

— Et toi, t'es certain de pouvoir nous mener au bison ? insista Ferland.

Silence. Le temps des explications était passé. Il fallait croire. Champagne croyait. Des allures d'égorgeur ne garantissent pas contre la crédulité.

— Quand est-ce qu'on part ? demanda-t-il.

— Ce n'est pas permis, objecta Ferland.

— Les gens de Saint-François sont bien partis.

— Ils ont suivi leur chef.

— *Pittaw !* Mercredi sera notre chef ! rugit Champagne avec une ferveur qui devait quelque chose au rhum. Le principal intéressé gardait le visage tourné vers le sol. Ferland vacillait.

— Y a pas de presse, dit-il enfin. Il faut laisser mûrir les cerises.

Champagne fit une grimace de colère. Mercredi allait protester mais le rôti était prêt. Les palabres furent suspendus. Les hommes dégainèrent leurs couteaux et se servirent à même la broche, découpant de larges tranches en surface pour laisser rôtir la chair en dessous.

Après le dîner, Anita demanda à Askik de dégraisser des assiettes, mais il grimpa au lieu sur la charrette pour voir les feux du camp. Il y en avait bien une cinquantaine qui teintaient d'orange les tipis et accrochaient à leurs pignons un plafond de fumée. De partout s'élevaient des cris et des rires. Askik ne put y résister. Il dégringola de la charrette, et s'en alla errer dans le camp.

Devant chaque loge, un grand feu chargé de viande illuminait des visages hilares. Les adultes étaient assis en cercle autour du feu. Les petits enfants couraient autour des adultes mais ne s'aventuraient pas plus loin que la lumière des flammes. Les adolescents volaient de loge en loge, surgissant et disparaissant dans le noir, en essayant de se faire peur.

Askik visitait tous les feux. Chacun était une île entourée d'obscurité. Dans les espaces noirs, il y avait des chiens couchés qui rongeaient des os, des perches qui enfargeaient, et des garnements qui préparaient de mauvais coups. Aux abords du camp, à peine visibles, fuyant comme des fantômes, des adolescents languissants attendaient celles qui ne venaient pas. Les grand-mères avaient leurs petites-filles à l'œil.

Il y avait une forte animation chez les Sansregret, la plus grosse famille du camp. Des enfants venus d'autres loges s'étaient joints à leur cercle. Visages bruns et cheveux de jais réfléchissaient les lueurs du feu.

— Est faite de quoi, la lune ? demanda un des plus petits en montrant *Tipiskawi-pisim* du doigt.

— De rien du tout ! éclata un barbu jovial. C'est *Nokoumisse,* la Grand-Mère qui est montée au ciel pour veiller sur nous aut'.

— Voyons don'! protesta une femme en riant, tu veux faire un païen de mon petit?

— La lune, s'essaya un chasseur plus sérieux, est un monde comme celui-ci, mais où le sol est brillant au lieu d'être noir.

— Qu'est-ce qui le fait briller? demanda le même enfant. Le chasseur s'excusa en levant les mains. Un autre offrit une explication.

— Ben moé, je me suis fait dire que la lune est une grosse roche, qui vole dans les airs.

— *Tché!* Hou, hou, hou! Un torrent de rires et de sarcasmes s'écrasa sur la tête du malheureux chasseur.

— T' as déjà vu une roche qui vole?

— Elle vole pas vite!

— C't' une belle roche!

— On va voére si y a un ricochet, cria un jeune farceur qui visa la lune de son fusil.

— Non, non, non! *Tcheskwa!* criaient les autres en feignant la terreur. La balle va nous revenir!

— Mais est faite de quoi la lune? demanda la même petite voix.

— *Mouchoum! Mouchoum!* criait-on pêle-mêle. Est faite de quoi la lune?

Le vieux Simon Sansregret, patriarche de la famille, pencha la tête sur la canne et réfléchit longuement tandis que se faisait le silence.

— La lune? coassa le vieux, la lune... j' sais pas.

— Hiâa! s'esclaffa le barbu qui tenait encore la meilleure explication.

— Pi le soleil, c'est quoi?

— Même chose que la lune?

Et tout le monde éclata de rire. Mais les jeunes n'attendaient plus les réponses et s'interpellaient entre eux.

— T'es déjà venu *outa, Mouchoum*?

— *Isa*, bien sûr qu'y est déjà venu.

— C'était dans le temps de *Koukoum*?

— Où elle est, mémère?

— Au ciel!

— Chez le Vieil Homme !

— Aux Montagnes de Sable !

— Coudon ! interjeta la femme. Vot' Koukoum est au ciel ! C't' une chrétienne !

— *Hé kiyam !* grommela le barbu. C'est du pareil au même.

— Ti Toène y es-tu icitte ? demanda un homme qui passait.

— Cherche du côté des Lépine.

— En voilà un qui ne mourra pas de soif ce soère !

— Tiens, Askik ! lança un chasseur en apercevant le garçon. Est-ce que ton père s'est relevé de son accident ?

— *Ehé !*

— Y s'est pas fait de mal ?

— *Namona,* non ! fit le garçon en se retirant de quelques pas. L'aventure de son père ne lui paraissait pas entièrement glorieuse. Le chasseur continuait.

— C'est ben la plus maudite histoère que j'ai jamais entendue. Tomber dans les vaches pi se relever sans une égratignure !

— Hé, y a mieux que ça ! s'exclama le barbu. J'ai déjà vu un homme écorné par un bœuf, monter trente pieds dans les airs, et partir à courir en frappant la terre !

— Vous vous souvenez du vieux Pitt Simard ? fit un homme âgé à la voix traînante. Pitt est tombé de cheval en plein sur une vache. Y s'est agrippé à son poil, y est resté dessus jusqu'à ce que le troupeau s'en aille, pi il l'a égorgée.

— Y avait faim ! railla un jeune incrédule.

— N'empêche qu'y a pas un jeune aujourd'hui qui ferait de même ! conclut le chasseur âgé.

— C'est pas vrâ ! s'indigna l'adolescent. On est aussi capables que vous aut' !

— Bon, bon, prends pas le mors aux dents.

— Ousquié le vieux Pitt ?

— Enterré à montagne Pimbinâ. Voulait pas d'une cour d'église. Y avait ses idées à lui.

— Y croyait au Manitou ?

75

— Y croyait à rien pantoutte.

— T'en as tué combien de vaches, penses-tu, dans ta vie ?

— Oh, j' sais pas, répondit le chasseur vieillissant. Dans le temps que je travaillais pour l'armée américaine, j'en ai tué pas mal. Mais y en avait plus à tuer.

— Ah y en a autant aujourd'hui, mais ils ne sont plus à la même place.

— Y seraient où ? Y a encore du bofflô dans le bassin de Judith, pi dans les montagnes. Mais quand y en aura pu là, pour moé, y en aura pu nulle part.

— Voyons, voyons ! Y a mille fois plus de bisons que de chasseurs.

— Et chaque chasseur en veut mille. Par-dessus le marché, on s'y prend mal. Au lieu de tuer les vaches à l'automne, quand elles ont fini d'allaiter, on les prend au printemps quand elles sont grosses. Ça fait deux générations qui meurent d'un seul coup.

— Ça s'est toujours fait comme ça !

— Mais ça ne se fera plus longtemps.

Un grincement de violon s'éleva dans la nuit : une gigue mal accordée qui mettait au défi tous les autres musiciens du camp. Du fond des tentes et des charrettes, on sortit d'autres violons, des guitares et des guimbardes, des hochets et des cuillers. Le barbu mouilla une musique à bouche. D'autres chauffaient des tambours sauvages, pour rétrécir les peaux et leur donner plus de résonance.

Dix airs différents s'élevèrent d'un coup. Les danseurs se profilaient contre les flammes. Les groupes se formaient et se reformaient. Les gigues, les battements et les ululements se mêlèrent jusqu'à l'aube. Quand les Métis se décidèrent enfin à se coucher, ce fut au tour de leurs voisins de faire du tapage. Les loups aussi avaient bien mangé. Ils élevèrent un concert si joyeux que les Métis ne purent s'endormir qu'au matin.

Le lendemain, un détachement de cavalerie américaine traversa la coulée et se dirigea vers le camp. Il n'y

avait jamais eu d'accrochage entre les Métis et les soldats, mais les relations demeuraient tendues. Washing-
ton tolérait tout juste la présence d'autochtones « britanniques » sur son territoire.

Les soldats s'arrêtèrent bien au-delà du camp, près
des chevaux métis que gardaient des adolescents. Le
commandant, un jeune lieutenant aux allures impé-
rieuses, poussa sa monture au milieu des coursiers
métis. Pendant ce temps, Legardeur enfourchait son
cheval, pour ne pas être à pied devant l'Américain, et
partait à sa rencontre. Il amenait avec lui Thomas
McKellar, un Métis écossais qui parlait anglais.

— Vos chevaux ? demanda le lieutenant, qui poursuivit son inspection sans attendre de réponse. On en a
volé une trentaine aux Sioux il y a deux jours. Vous êtes
au courant ?

Legardeur se fit traduire la question et répondit
non.

— Vous êtes accompagnés de Cris ? D'Assiniboines ?

— Ils ne sont pas sortis du camp, expliqua Legardeur.

— *Yah, I bet.* Où allez-vous ?

— Vers le sud-ouest.

Le lieutenant s'éleva péniblement dans ses étriers. La
longue chevauchée l'avait rendu d'humeur difficile. Il
s'était remis à douter de son avenir. Le lieutenant
n'était pas de ces fils à papa issus des écoles de l'Est
qui montent en grade sans jamais poser le cul sur plus
mobile qu'un fauteuil pivotant. Il était né dans une
méchante ferme du Vermont, et s'était engagé dans la
cavalerie à l'âge de dix-sept ans. Il avait gravi plus de
grades en cinq ans dans le territoire du Dakota qu'il
n'en aurait touché en quinze sur la côte est. Mais
pour monter encore, pour obtenir une mutation, il
devait garder la paix dans son secteur. Les Sioux
étaient agités, des Corbeaux rôdaient partout, l'arrivée des chasseurs métis ne faisait qu'ajouter à ses
problèmes.

— Pas d'embêtements chez moi, compris ? dit-il à

Legardeur. Les Sioux sont au sud-ouest. Évitez-les. S'ils vous tombent dessus, je devrai intervenir. Et je n'ai pas que ça à faire.

— On les laissera bien tranquilles, sir.

— *Yah sure,* fit l'Américain en tournant sa bride. Il éperonna d'un air fatigué et s'en alla rejoindre ses bluecoats poussiéreux. Le lieutenant n'aimait pas les Métis. A son avis, ils alliaient les défauts des deux races : paresseux comme les Indiens, rapaces comme les Blancs.

— Si les Sioux sont à l'ouest, grommela Legardeur en revenant, nous irons plein sud. Pas la peine de chercher la chicane.

La dernière bataille entre Métis et Sioux avait eu lieu au Grand Coteau en 1851. Depuis, les deux nations vivaient en paix. Il y avait eu des moments chauds — le premier pendu à la Rivière Rouge avait été condamné pour le meurtre d'un ambassadeur sioux — mais la trêve avait duré. Après le massacre des colons blancs au Minnesota en 1862, les Sioux avaient passé la frontière en grand nombre. Une fois dans le Nord-Ouest, ils avaient appris à ménager les autorités britanniques et leurs sujets métis, pour ne pas être déportés. Mais l'entente était fragile. Les Sioux considéraient les sang-mêlés comme des intrus. Les deux nations s'évitaient.

Legardeur réunit le Conseil et suggéra de décamper au plus vite. Le temps était chaud et sec, la viande séchait vite. Dans deux jours, le camp se remettrait en route.

La nouvelle fut bien accueillie dans le camp, mais surtout chez les Mercredi qui avaient grand besoin de viande. Jérôme trépigna de joie et oublia pendant quelques heures son projet de quitter le camp. D'ailleurs, il n'avait pas revu Champagne et Ferland, qui le fuyaient. Une fois revenus de l'effet du rhum, les deux hommes avaient regretté l'emportement de la veille. Ils se préparaient joyeusement à suivre Legardeur.

Ce retour d'optimisme ne dura pas. Dans la langue

des Cris, le sud est *Nimitâ,* Sans-Fin. La caravane s'enfonçait dans la plaine illimitée et ne trouvait pas de bisons. Dans les baissières, l'herbe atteignait la taille d'un homme parce qu'il n'y avait plus de bisons pour la brouter. Sous cette épaisse végétation, le sol ne séchait pas : il s'en élevait des nuées de moustiques. L'ivresse de la première chasse s'évapora comme rosée en juillet. On se remit à grommeler dans les loges. Legardeur, disait-on, avait eu tort de pousser au sud. On se mit à imaginer, puis à raconter la vie facile et grasse des dissidents de Saint-François sur la rivière Pembina, bien qu'on fût sans nouvelles d'eux.

Sentant diminuer l'influence du chef, Jérôme Mercredi devint son critique le plus acerbe. Il ne manquait plus une occasion de crier son mécontentement. Il attirait l'attention. Les chasseurs commençaient à penser comme lui que la chasse en caravane était impraticable, qu'il fallait se diviser en petites unités. D'autant plus que chacun était persuadé de connaître l'emplacement des troupeaux.

Le seul qui admettait ne pas le connaître était Legardeur. Il se vit rapidement abandonné. Le jour, il chevauchait seul devant les capitaines qui ne répondaient plus à ses appels. Le soir, il se recroquevillait au fin fond de son tipi et ne se remuait que pour recevoir les rapports des éclaireurs.

L'air froid et pur entrait à flots sous les pans relevés du tipi. Couché en boule sous sa couverture de laine, Askik sentait plus qu'il ne voyait le ciel s'éclaircir. Un pluvier kildir lança ses premières plaintes, le cheval Choquette se grattait contre la charrette. Un tintement de marmite arrivait de l'autre bout du camp. Dans un moment, il faudrait se lever, grelotter, allumer le feu de bois et de bouse, descendre la tente, préparer le déjeuner, atteler, et se remettre en marche.

Les bruits du camp s'amplifiaient. Les femmes avaient commencé par se reconnaître à mi-voix, elles se hélaient maintenant de loge en loge. Un bœuf demandait de l'eau. Un feu craquait. Un parfum de bois et de fumier brûlé se répandait parmi les tipis. Et enfin, pour détromper ceux qui rêvaient encore à la nuit, le crieur promena sa voix haïssable et rauque dans tout le camp.

— Lève! Lève le monde! Préparez-vous à partir! *Wawéyik!*

Jérôme Mercredi marcha à quatre pattes jusqu'à l'entrée du tipi, rejeta la porte de cuir, sortit en craquant des jointures, et urina en tournant le dos aux voisines. Il soupirait de mâle satisfaction quand il vit se former au bout de son nez une petite nuée blanche. Jérôme leva des yeux étonnés sur la plaine : elle était blanche de givre.

— Sa mère! cria-t-il d'une voix aiguë. *Astam outa!*

Anita passa une tête ébouriffée par l'ouverture du tipi.

— Qu'est-ce qu'il y a?

— Regarde! fit son mari en montrant les coteaux blanchis : l'automne arrive!

Après le déjeuner, Mercredi vit arriver Champagne et Ferland, côte à côte, les mains dans les poches. Ferland prit la parole, et comme d'habitude, Champagne se contenta d'appuyer ses dires par des grognements.

— Ça n'a pas d'allure, commença Ferland. L'été tire à sa fin, on n'a encore rien pris.

— C'est bien ce que je vous disais, dit Jérôme en suçant sur sa pipe de glaise.

— Qu'est-ce qu'on fait?

— On part.

— Quand?

— *Wapahé*, demain.

— As-tu eu un rêve? Sais-tu où est le bison?

— Ça viendra.

Ferland hésitait encore. Il avait espéré des arguments plus convaincants. Mais Champagne, faisant un gros effort sur sa taciturnité habituelle, résuma.

— Ça peut pas durer. On part *wapahé*!

— Bon, soupira Ferland, où est-ce qu'on va?

— Au nord-...est, prononça Mercredi, qui attendit un moment que l'inspiration lui fournisse la direction. Au nord-est, vers la Souris.

— La Souris est au nord-ouest, corrigea timidement Ferland.

— Oui, oui, c'est ça. Je voyais la Souris dans ma tête.

— T' es certain que c'est la Souris que tu vois, pas la Bois-de-Sioux ? La Bois-de-Sioux est au nord-est.

— Penses-tu que je sache pas la différence entre les deux ? On marche au nord-ouest.

— Ah bon...

— Monsieur Gauthier parle de suivre ton père, dit Mona.

Le vent couchait l'herbe et soulevait les cheveux de la jeune fille.

— C'est mauvais, ajoute-t-elle avec indifférence.

Askik et Mona étaient assis au sommet d'une légère butte. Derrière eux, en bas, le camp faisait la sieste du midi. En face, la plaine fuyait avec des bosses et des plis. Askik faisait tourner des brins d'herbe entre le pouce et l'index.

— Y trouveront pas de bôfflo, dit Mona, qui déplaçait des nuages en fermant d'abord un œil, puis l'autre.

— Sais-tu ousquié le bôfflo ? demanda Askik.

— J' sais pas. Mais il faut rester avec les autres pour en trouver.

— Comment tu sais ?

— J' sais.

Askik jeta sa brindille et n'insista pas. Il commençait à s'habituer à cette façon de toujours répondre : « J' sais. »

Mona ferma les deux yeux, mit dehors les nuages, et n'exista plus que pour le vent. L'air tiède sentait encore le givre du matin.

— Me trouves-tu belle ? demanda-t-elle soudain en se tournant vers Askik.

Le garçon la regarda attentivement. Elle avait le

visage rond, presque joufflu, les yeux tirés à l'indienne, la taille un peu forte. Belle ? D'autres l'étaient davantage. Mais comme Askik la trouvait somme toute assez plaisante, et qu'il n'était pas encore à l'âge où coûtent les compliments, il répondit :

— *Ehé,* assez.

— Tu sais, fit-elle, avec sérieux, il faudra que tu m'écoutes si on voyage ensemble.

Askik se rebiffa. Le nombre de gens qui pouvaient se mettre en tête de lui dire quoi faire !

— Pourquoi j' t'écouterais ? T'es pas ma mère !

— J' peux t'aider.

— J'ai pas besoin d'aide, bouda le garçon en arrachant de nouvelles brindilles. Il en voulait à Mona de jouer à l'aînée. Il regrettait de lui avoir dit qu'elle était belle, puisqu'elle en profitait.

— Tu sais, j'ai rêvé à toé hier soir, dit Mona.

— Quoi ?

— T'étais assis dans le noir, commença-t-elle en étouffant la voix, tu avais froid, tu tremblais. Y avait quelque chose derrière toé : j' sais pas quoi, je pouvais pas voir. Mais toé non plus, tu ne voulais pas regarder.

Askik eut une sensation de froid à l'estomac. Il voulut la faire taire.

— *Tché !* C'est un rêve de fille ! railla-t-il. Puis il ajouta, comme l'aurait fait son père : Je m'en sacre ! Mais Mona continuait.

— Je t'ai appelé, j'ai crié ! Mais tu ne voulais pas te lever. Tu avais trop peur.

Askik rougit d'un coup.

— C'est pas vrâ ! J'avais pas peur !

— J'ai voulu t'aider, mais tu voulais pas ! se plaignit la fillette.

— J'ai pas besoin de ton aide ! J' suis pas un bébé !

— J' pleurais, pi j' pleurais, mais tu voulais pas venir !

Askik se leva. La conversation devenait inconvenante. Au loin, les grands garçons riaient en gardant les chevaux. Askik comprit qu'il ne pouvait être vu en compagnie d'une fille. Feignant de s'intéresser à un terrier de blaireau, il dévala la butte à grands pas. Lorsqu'il se retourna, Mona le regardait avec un air de reproche. Alors, un démon inconnu s'empara d'Askik Mercredi qui se sauva en criant :

— Pi c'est pas vrâ que t' es belle !

Il rentra droit au camp. Ses parents ronflaient sous la charrette, à l'abri du soleil. Askik se cacha à l'avant, entre les brancards. Le menton sur les genoux, les yeux fermés dur, il s'efforça de disparaître pour toujours. Après un temps qu'il jugeait suffisant pour disparaître, il ouvrit les yeux et aperçut de nouveau l'herbe, le ciel, les brancards, et le bœuf ruminant aimablement. Allait -il rester petit toute sa vie ? Dans ses rêves de tous les jours, avoir sept ans n'empêchait pas de mener sa vie. Pourquoi la réalité était-elle si différente ? Il se sentait digne de respect et on l'ignorait, capable de gestes exceptionnels et on le maintenait dans des tâches grossières. En rêve, il ne se fâchait jamais : il était juste et généreux parce que estimé de tous. En réalité, tous se prétendaient son maître. Pouvait-on s'étonner s'il se montrait parfois méchant ?

Ce soir-là, Ludger Gauthier, l'employeur de Mona, vint s'asseoir au feu des Mercredi. Gauthier était un gros homme grisonnant, à l'odeur fauve, célèbre pour ses rots incomparables. Il avait neuf enfants, des dettes, et des charrettes qui ne s'emplissaient pas. Gauthier avait entendu parler des visions de Mercredi. Il n'y croyait aucunement, mais il voulait retourner au nord. Il venait s'assurer que c'était bien l'intention du visionnaire. Ferland et Champagne arrivèrent sur ses talons.

Le tipi des Mercredi était vieux, le cuir mince. En se retournant contre le mur, Askik pouvait voir la silhouette des chasseurs réunis dehors autour du feu. Jusqu'à ce moment, il s'était très peu intéressé au projet de son père, mais à présent, il espérait le voir écarté. Il sentait que le rêve de Mona était lié à la trahison qui se préparait, que l'un ne se ferait pas sans l'autre. On peut se moquer d'un rêve le jour, quand on voit venir de loin. Mais quand la nuit se presse autour du feu, un rêve pèse lourd. Pourquoi Mona l'avait-elle vu dans le noir, apeuré et tremblant ?

Askik jeta les yeux par l'entrée du tipi. Un pin solitaire, juché sur une butte, se détachait en plus sombre contre la voûte céleste. Sous ses branches brillait Antarès, aimable géant que la caravane avait jusqu'alors suivi, mais dont les Mercredi se détourneraient au matin.

Si Jérôme comptait partir inaperçu, il faisait erreur. Son bœuf n'était pas attelé que la moitié du Conseil était sur place respirant menaces et malédictions. Jérôme restait calme, vaquant aux préparatifs du départ, et ne donnant pas la réplique. Moïse à la sortie d'Égypte ne pouvait être plus sûr de lui. En fait, Jérôme ne marqua qu'un seul moment de déconvenue, au départ lorsqu'une douzaine de charrettes seulement se joignirent à la sienne. Il avait espéré une suite plus imposante. Mais la colère des chefs avait impressionné. Un Métis est libre d'aller là où il veut, sauf en temps de chasse.

N'importe. Les familles dissidentes sortirent du camp en retraçant leurs pas de la veille. Ils tournaient le dos au sud. Ils allaient vers le pays des Eaux.

Pendant les premières heures de marche, Jérôme demeura silencieux et distant. Il sentait que sa véritable destinée sur terre venait de commencer, que toute sa vie n'avait été qu'un long entraînement en vue de ce moment. Les autres chasseurs se gardaient bien de le déranger, de peur d'interrompre une vision.

Askik faisait route malgré lui avec Mathias Gauthier, fils de Ludger. Le gros Mathias avait deux passions : la lutte et la chasse aux chiens de prairie. La première le tint occupé pendant toute la matinée. Il empoignait Askik par surprise, lui serrait le crâne jusqu'à en avoir lui-même mal au bras, et le libérait avec un râle de triomphe. Mathias connaissait bien d'autres prises, mais aucune ne lui donnait plus de satisfaction. Askik grimaçait de douleur, et se taisait. Quand Mathias le lâchait, il poussait un petit rire amical, comme s'il trouvait la chose très divertissante, mais ajoutait, raisonnable, que cela suffisait. Autant raisonner avec un ours. Le gros Mathias se tenait tranquille un moment, les bras ballants, mine de rien, puis, sans crier gare, ses petits yeux prenaient un éclat spécial, il se ruait sur sa victime, et serrait de toutes ses forces. Askik aurait préféré la compagnie de Mona, qui marchait seule, mais il craignait trop les railleries de Mathias.

Quand la caravane s'arrêta à midi, et que chaque famille se replia sur ses provisions, Askik se crut enfin délivré de son tortionnaire. Mais le gros Mathias avait flairé des chiens de prairie à proximité du camp, et sans autre formalité, leur déclara la guerre. Askik fut conscrit d'office.

Mettre le siège à un village de chiens de prairie demande du savoir-faire. Dans ce domaine, le gros Mathias était une sorte de génie. Il n'avait qu'à regarder l'emplacement des trous pour juger de l'orientation des galeries et de la profondeur des nichoirs. Il avait des instincts de rongeur.

En approchant le village, les garçons entendirent le sifflement aigu d'une sentinelle. Quand ils arrivèrent au premier terrier, il ne restait plus un chien de prairie à la surface.

— Ils sont partis, soupira Askik, en feignant le regret. On reviendra plus tard.

— Ta yeule, fit tranquillement le gros Mathias en s'accroupissant sur ses talons. Il attendit, les yeux grands ouverts sur le village.

Une lumière cuisante tombait du ciel. L'horizon frétillait. Des tourbillons de sable et d'herbes sèches couraient dans la plaine. Les oiseaux se taisaient.

Un jet de poussière gicla d'un terrier. Un chien de prairie, monté à la surface, avait repéré les garçons et s'était retiré précipitamment. Le gros Mathias s'élança à pas de loup, en faisant signe à Askik de le suivre.

— Mets-toi *outa,* lui dit-il. Prends ce bâton. Quand j'
te ferai signe, tape comme le maudit !

Mathias dénicha un lacet de sa poche, glissa trente
pieds plus loin, posa son petit lasso autour d'une entrée
de terrier, et recula précautionneusement en déroulant
sa ficelle. Il se coucha ventre contre terre et, d'une main
impérieuse, ordonna le début de l'offensive.

Askik se mit à taper mollement sur un remblai de terrier en souhaitant aux habitants de voir clair dans la
manœuvre. Mais Mathias lui fit des gros yeux et plia le
bras comme pour écraser un crâne imaginaire. Askik
tapa plus fort. Un petit museau fauve apparut soudain
au creux du terrier, à quelques pouces du lasso. Askik
fit taire son bâton. La bête rentra sous terre. Le gros
Mathias leva des yeux furibonds. Askik se remit à tam-
bouriner : il commençait à en avoir assez.

Sous terre, les coups de bâton couraient dans les
murs, s'enfonçaient dans les nichoirs, résonnaient dans
les galeries. On eût dit qu'un cœur de géant s'était mis à
battre au milieu du village. Les bêtes effrayées se tapissaient au plus creux de leurs gîtes. Une seule, une sentinelle montée trop tôt, tremblait dans un tunnel
d'entrée, à la limite de la lumière. Elle avançait et reculait nerveusement, ses pattes fines effleurant à peine le
sol qui vibrait. Derrière elle, la galerie obscure palpitait
comme un être de chair. Au-dessus d'elle, un rond de
ciel bleu. Elle s'élança. La corde la saisit à la gorge,
vidant son souffle d'un coup. Ses griffes dérapèrent,
elle vit le ciel, le soleil et le sol surgir à sa rencontre. Le
gros Mathias la fit tourner une deuxième fois au bout
de sa corde pour l'écraser contre terre.

Askik s'approcha à contrecœur. Le chien de prairie
était secoué de frissons, une patte noire ruait inutilement. Le pelage brun clair était encroûté de poussière
et de sang. Un œil pendait hors de son orbite.

— On est aussi ben de s'en aller, bougonna Mathias.
Les aut' savent qu'elle est morte. Y monteront plus.

Il dénoua le lacet et jeta la bête au loin.

Trois jours plus tard ils vinrent à un ruisseau bourbeux engorgé de saules. Tandis que les adultes montaient les tentes, les enfants ramassaient du bois pour les feux, et des pierres pour retenir les bordures des tipis. Le gros Mathias pataugeait dans la vase et déterrait des bulbes de roseau. Askik et Mona s'en allèrent en plaine déterrer la pomme blanche.

Askik avait résolu de parler gentiment à Mona, par amitié, et parce que les enfants Gauthier la traitaient avec mépris. Mais la fillette était distraite. Elle l'écoutait à peine et travaillait mal. Levant à tout moment la tête, elle promenait un regard perplexe sur les alentours, comme si elle tentait de reconnaître des lieux déjà vus, mais changés. Relevant son tablier sur une douzaine de navets sauvages, elle rentra à grands pas au camp. En la voyant se faufiler à travers les saules, avec sa robe trop petite et sa démarche de garçon, Askik dut s'avouer que lui aussi la trouvait un peu ridicule.

Le jour s'éteignit avant l'heure. Une pluie froide et fine tomba avec la nuit. Pour la première fois depuis le printemps, on alluma des feux à l'intérieur des tipis. On sentait l'automne dans l'air rafraîchi.

Emmitouflé dans sa robe de bison, les paupières engourdies par la danse des flammes, Askik se demandait quelle place occupait Mona dans le tipi des Gauthier. Elle devait sûrement coucher devant la porte, où il fait froid. Les Gauthier, pensa Askik, étaient de mauvaises gens.

Il ne croyait pas dormir, et rêvait déjà. C'était le matin. Tout le camp était sur pied. Les Gauthier, pourtant, demeuraient invisibles. On avait beau leur crier de se dépêcher, personne chez eux ne remuait. Enfin, le papa d'Askik s'approchait de la loge silencieuse, écartait la porte de cuir, et invitait Askik à y passer la tête. A l'intérieur, dans la pénombre, Askik découvrait les cadavres de la famille tout entière, une douzaine de morts moulés dans leurs couvertures.

Askik se réveilla en sursaut. La pluie tapotait sur les murs de cuir. Ses parents et son petit frère dormaient. Quelques braises reluisaient au centre du tipi. Le garçon décida de veiller jusqu'à l'aube, pour ne plus rêver. Mais il s'assoupit aussitôt.

Le lendemain, Jérôme défit quelques-unes des épingles de bois qui fermaient la porte du tipi, mit la tête dehors, et reçut une douche d'eau froide dans la nuque. Il avait cessé de pleuvoir, mais la tente ruisselait encore. Un plafond bleu-noir pesait sur la plaine. La brise crue repoussa Jérôme à l'intérieur. Il dégagea le feu de ses cendres, y jeta de nouvelles tiges, et ordonna à sa femme d'apprêter une grosse portion de rababout, du pemmican en sauce. Il avait décidé de ne pas lever le camp. Ce serait jour de dégras. Les autres chasseurs ne vinrent même pas aux nouvelles, trop heureux de ne pas s'entendre appeler. Décamper sous la pluie n'est jamais facile.

Après le déjeuner, alors que Jérôme chargeait sa pipe, les Mercredi entendirent des pas à l'extérieur. C'était le gros Mathias, le visage tout illuminé. Son père et lui allaient à la chasse en forêt : ils invitaient les Mercredi à se joindre à eux. Jérôme se remua de mauvaise grâce. Il avait espéré passer la journée au chaud. Mais un chef peut-il laisser partir une chasse sans en être ? Quant à Askik, il ne désirait rien de moins que parcourir les bois mouillés. Mais puisque Mathias accompagnait son père, pouvait-il ne pas suivre le sien ? Ainsi, Mercredi père et fils chaussèrent leurs bottes sauvages en cachant leur dépit. Askik avait cueilli du duvet de roseau pour allumer le feu, mais il en avait trop peu pour bourrer ses mocassins. Il sentit qu'il aurait froid aux pieds.

En approchant la tente des Gauthier, ils virent Mona qui contemplait la plaine, les bras croisés sur la poitrine. Ludger Gauthier sortit de chez lui, là repéra, et l'apostropha durement.

— Hé fifille ! J' te paie pas à rien faire. Rentre ! Aide ta maîtresse !

Mona tressaillit et rentra sans mot dire.

— Elle est à moitié folle, expliqua Gauthier. Elle s'est lamentée toute la nuit en dormant. Une vraie enragée. Mais d'une mère pareille... Bon! fit-il en tournant le nez au vent, j' sens qu'on va faire une bonne chasse!

Les chasseurs longèrent la coulée pendant plus d'un mille. Ils arrivèrent à un coteau que le ruisseau coupait en deux. De l'autre côté, la mince bande de saules s'évasait en une petite forêt de trembles et de chênes à gros glands.

— Pour bien faire, suggéra Gauthier, faudrait avancer des deux côtés de la coulée à la fois. Moé pi le garçon, on traverse de l'autre bord. Vous aut', remontez ce côté-ci.

Jérôme avala dur. Il avait envie de se fâcher, mais ce n'était plus le moment. Ce n'était pas une partie de chasse que Gauthier lui proposait, mais un concours! Or Gauthier était un redoutable chasseur de chevreuils. Jérôme ne fit rien voir.

Ils se séparèrent. Des coups de vent versaient de l'eau froide du haut des arbres. Les sous-bois étaient mouillés. Les Mercredi en eurent tout de suite les jambes et les pieds trempés. Le sol humide leur permettait cependant d'avancer sans bruit.

Jérôme avait fort à faire. Il devait choisir un parcours à travers le rompis, indiquer le bois mort à Askik pour éviter qu'il n'y pose le pied, flairer les changements de vent et scruter le sol pour des traces de bêtes. Il s'immobilisait tous les cinq pas, pour écouter les bruits de la forêt. Au-dessus du bruissement des feuilles, il guettait tout autre son — un pas, un arbuste secoué, le craquement d'une tige — qui eût indiqué la présence du gibier. Il fut bientôt récompensé. Un han! caverneux et rauque arriva des profondeurs de la forêt.

Jérôme fit signe à son fils de se cacher et de ne plus bouger. Askik s'accroupit dans un petit creux, derrière un peuplier. Le père resta figé un moment, scrutant les sous-bois obscurs. Il sortit de sa poche un peu de duvet qu'il libéra dans l'air pour connaître la direction du vent. Puis il avança, de buisson, en talus, en tronc d'arbre, le buste incliné et les genoux pliés, s'enfonçant dans la forêt d'où ne venait plus aucun bruit. Askik le perdit de vue.

Laissé seul, le garçon ne tarda pas à s'ennuyer. Il se laissa divertir un moment par les cimes des trembles qui traçaient des lettres illisibles sur les nuages gris. Il suivait du doigt les crêtes de l'écorce, en arracha même quelques copeaux, pour dénicher des bebittes. Il se mit à dépecer un tronc pourri qui gisait tout près, arrachant le bois pulpeux à pleines mains. Mais c'étaient de médiocres passe-temps. Il était mal à l'aise, accroupi derrière son arbre. Ses cuisses et ses chevilles se fatiguaient. Askik voulut s'agenouiller, mais la mousse était imprégnée d'eau. Il regretta d'avoir émietté le tronc d'arbre qui aurait pu lui servir de siège. Se retournant enfin, il s'adossa tant bien que mal au peuplier, en s'asseyant sur ses talons.

Jérôme, pendant ce temps, était enfoui jusqu'au cou dans une touffe de cornouillers glacés. La tête droite, le corps immobile, il avait l'air d'une outarde aux aguets. Les yeux, cependant, allaient dans toutes les directions, cherchant une proie derrière les arbres noircis de pluie. Il allait reprendre sa démarche de canard lorsqu'il aperçut au loin un papillotement clair. Il fixa toute son attention sur ce bout de bois qui, à première vue, sembla désert. Puis, peu à peu, à mesure que ses yeux se faisaient à la pénombre lointaine, il vit se dégager un chevreuil mâle aux bois imposants. Le chevreuil avait la tête haute. Jérôme se crut repéré. Mais quelques secondes plus tard, le ruminant piqua du nez pour brouter à ras de terre. Jérôme put compter jusqu'à cinq avant que la bête ne relève la tête pour inspecter de nouveau les alentours. Quand l'animal se remit à paître, l'homme arma silencieusement son fusil, se redressa, et avança en comptant. A quatre, il se figea, mais ne chercha plus à se cacher. Le chevreuil leva la tête, dressa les oreilles et, ne percevant aucun mouvement, reprit son repas. Tant qu'il broutait, le chevreuil ne voyait que le sol. Ainsi, petit à petit, Jérôme se rapprochait de sa cible, s'immobilisant toutes les quatre secondes, faisant bien attention de ne jamais croiser le regard de l'animal. Un chevreuil ne peut pas reconnaître un homme immobile, mais, comme toute bête sauvage, craint un regard fixe.

Ce fut long. Quand le chevreuil se tournait vers lui, Mercredi avait du mal à ne pas épauler et tirer. Pourtant, il se retint, jusqu'à se trouver à cinquante pieds de sa cible. Il attendit que l'animal baisse une dernière fois la tête, et le mit en joue. Le fusil mouillé sentait l'acier et la graisse. Le vent tomba. Trois... quatre... cinq. Le chevreuil redressa la tête. Mercredi pressa la détente.

Le clic mou s'étouffa aussitôt dans l'air moite. Le coup avait raté. Le chevreuil s'éleva comme un oiseau, battit deux fois des jambes, et s'envola dans la forêt.

— Cré bâtard de vieux fusil !

Mercredi bondit sur ses pieds, secoua la poudre humide du bassinet, et prêta l'oreille. Le chevreuil faisait un crochet, passait à sa gauche en remontant le ruisseau. Mercredi fit volte-face, courut jusqu'à la première clairière, versa une nouvelle amorce, et mit un genou à terre.

Un éclair fauve jaillit du fourré suivi d'un tonnerre de sabots et de craquements de branches. Askik, sidéré, se retourna, vit en même temps le chevreuil, le fusil, le jet de fumée, et le peuplier qui se déchiquetait au-dessus de sa tête. C'est après seulement qu'il entendit la détonation, lorsqu'il avait déjà la face contre terre.

Quand il releva le nez, le roulement des sabots était déjà loin. Son père, agenouillé dans une petite nuée de fumée, avait la mine bouleversée. Jérôme laissa tomber son fusil, fit quelques pas chancelants, puis s'élança vers Askik en hurlant : « J' t'ai-tu fait mal, mon-homme ? » Il avait l'air si effaré qu'Askik eut honte pour eux deux. Quels chasseurs ! Son père le saisit et se jetant à genoux devant lui, le pressa très fort contre ses tresses noires et humides.

Jérôme n'avait plus envie de chasser. Le coup raté, le

chevreuil faisant demi-tour plutôt que de s'enfuir, l'accident manqué de justesse étaient de sinistres présages. Il y avait de la jonglerie dans l'air. Les geais criaient, malgré le mauvais temps. Un lièvre traversa calmement leur chemin, comme s'ils n'avaient pas été là. Un peuplier, à leur approche, se jeta dans tous les sens, comme pour rompre ses racines et s'arracher à leur présence. Jérôme se souvint que Gauthier avait longtemps séjourné chez les Ojibwés qui savent ensorceler les plantes et les bêtes.

Jérôme avait hâte de retrouver un espace ouvert. Il descendit jusqu'au ruisseau mais l'eau grise venait mourir entre les arbres ; il n'y avait pas de berge praticable.

« Han ! Han ! Han ! » Les cris rauques venaient à présent de l'autre bord de la coulée. Jérôme fit demi-tour.

— *Astam,* monhomme !

Il coupa droit à travers les sous-bois, pour retrouver la plaine au plus vite. La taille des arbres décroissait. La plaine ne pouvait être loin.

— Ahh !

Un objet mou, brun, et chaud avait effleuré Askik à la tempe.

— C'est rien qu'un hibou, monhomme. Vite !

Une épine attrapa Jérôme par une tresse. Il cassa la branche en jurant. L'herbe s'entortillait autour de leurs chevilles et se déchirait avec un son gras. A présent, les peupliers avaient tout juste la taille d'un homme, mais ils semblaient s'étendre à l'infini, comme s'ils avaient eu le temps, depuis le départ des Mercredi, d'envahir la plaine tout entière. Jérôme s'attendait presque à retrouver sa vieille loge de cuir percée de peupliers.

Et puis, soudain, ils virent la plaine à travers les troncs gris-vert. Ils écartèrent ces derniers barreaux, enjambèrent de grandes touffes d'orties, et furent enfin hors des bois. Le ciel pesant et gris leur sembla d'une légèreté, d'une fraîcheur, sans pareilles.

— On n'a rien pris ! lança Jérôme à sa femme avec l'air d'annoncer une excellente nouvelle. L'intérieur du

92

tipi sentait bon le cuir et la graisse frite. Le feu pétillait, le bébé riait.

— Mets la chaudière, sa mère ! J' prendrais ben un peu de thé !

Mais Jérôme n'avait pas fini de chausser des mocassins secs qu'il s'entendait rudement appeler du dehors.

— Mercredi ! Sors un peu, charogne !

Gauthier avait le pantalon plâtré de boue jusqu'aux genoux, les mains égratignées, des barbanes jusque dans la barbe. Seul son fusil, qu'il berçait dans ses bras comme un enfant à l'heure du dodo, avait fière allure. Gauthier en tâtait nerveusement la gâchette.

— T' as pris quelque chose ? demanda-t-il d'un air mauvais.

— *Namona,* répondit Jérôme. Où est-ce que t'étais ?

Mauvaise question. Gauthier explosa. Le canon du fusil fit un bout de chemin vers Mercredi.

— Tu sais sacrement bien où j'étais ! J' courais ton maudit chevreuil !

— Tu l'as attrapé ? s'enquit Jérôme, ingénu.

Mais l'autre se mit à lui hurler dans le nez.

— Fais pas le fin-fin avec moé ! T'es un maudit jongleur ! Tu savais que j'étais meilleur chasseur que toé. C'est pour ça que tu m'as envoyé ton chevreuil d'enfer. Tes visions, tu les prends du diable ! C'est toé qui éloigne le bôfflo ! Avoue-le, charogne ! Tu veux nous faire crever de faim pour avoir nos âmes !

Mercredi, abasourdi, ne trouvait rien à dire. Il ne quittait plus des yeux le gros doigt sale qui frémissait sur la gâchette. Les autres chasseurs arrivaient indolemment, alourdis par une matinée de paresse. Gauthier prit tout le camp à témoin.

— Écoutez-moi bien, le monde ! Jugez-en par vous-mêmes ! Cette truie pi moé, dit-il en désignant Mercredi, on s'est mis d'accord pour faire un brin de chasse...

Et Gauthier raconta aux auditeurs impassibles qu'il avait entendu ahaner un chevreuil, qu'il l'avait traqué silencieusement pendant une demi-heure avant de le repérer dans une clairière. Il avait tiré à cinquante pieds de distance, autant dire à bout portant pour un chasseur de son talent. Mais au lieu de s'écraser raide mort, l'animal s'était enfui. Gauthier l'avait suivi sans difficulté, grâce aux traces de sang qui tachetaient le sol et les feuilles. Il s'irrita en songeant que la viande se gaspillerait, puis s'émerveilla lorsque au bout d'une très longue course il n'avait toujours pas trouvé de cadavre. Mieux, le chevreuil compliquait sa fuite par de longs détours à travers des ronces et des bourbiers où Gauthier calait jusqu'aux genoux. Après une heure de course, crotté, déchiré, pantelant, il retrouva enfin sa victime, au bord d'un marais. L'animal, encore debout, traînait le museau dans la boue. Les yeux étaient cireux, du sang coulait de la bouche, les flancs battaient faiblement. Gauthier allait recharger son fusil mais décida d'économiser une balle. Il avança sur le cerf en dégainant son grand couteau, pestant déjà contre le long voyage de retour qu'il devait faire, chargé de viande.

Et soudain le chevreuil avait levé la tête, les yeux étincelants, les oreilles dressées. Ouvrant la bouche comme pour rire, il s'était élancé comme une flèche.

— Il riait de moé! glapit Gauthier, emporté par l'énervement. Il s'est retourné pour entrer dans le bois, et j'vous jure qu'il n'avait pas une marque sur le corps! Pourtant, je l'ai blessé, et j'ai vu le sang. Regardez! *Kinawapamik!* J'en ai encore sous les ongles!

Ses auditeurs, mal à l'aise, hésitaient au bord de la peur, et disaient que Gauthier avait dû mal voir.

— Écoutez-moé maintenant! cria Mercredi. Ce n'est pas moé qui ai envoyé le chevreuil. Mais je l'ai vu.

Il raconta son aventure par le détail, déclina toute responsabilité, mais s'arrêta juste en deçà de nier qu'il était jongleur. Après tout, quand un chef se ferait craindre un peu...

Quand il eut fini, d'autres chasseurs expliquèrent longuement qu'ils avaient eu de mauvais pressentiments en arrivant à cet endroit. Même ceux qui n'avaient rien soupçonné se découvraient après coup une vague anxiété.

— Y a un *mahtsé-manito,* un mauvais esprit dans ce pays.

— Un revenant. Un vieux Naturel, probable, qui aimait chasser dans le coin.

— Pas forcément. Ça peut être quelque chose dans la terre. Y a des lieux mauvais comme y a du monde mauvais.

— Pour moé, c' t' un avertissement.

— A moins..., interjeta un vieillard, que ça ne soient les Deschamps.

Un silence s'abattit sur le groupe. Tous les Métis connaissaient la légende de la famille Deschamps. Des êtres querelleurs et immoraux. Au cours d'une chasse d'été, les fils Deschamps avaient battu un capitaine. Le lendemain matin, on avait trouvé la famille entière — hommes, femmes, et enfants — morts dans leurs robes de couchage. Leur tipi était soigneusement fermé de l'intérieur. Les cadavres ne portaient pas de blessures. Les décès demeurèrent inexpliqués.

— Comment ça, *Mouchoum,* c'est icitte qu'ils sont morts ?

— Oh, j' dis pas icitte même, répondit le vieillard, mais quelque part dans ce pays. Ils avaient dressé le camp près d'une coulée. C'est mon père qui m' l'a dit. Y était là, lui. Et les Deschamps non plus n'avaient pas de marques aux corps, conclut le vieux. Comme vot' chevreuil.

C'était plus qu'il n'en fallait. Trois minutes plus tard, il était acquis dans toutes les loges que le camp était dressé à l'endroit même où les Deschamps avaient été exterminés. L'un d'eux avait dû prendre la forme d'un chevreuil. On disait aussi que Jérôme Mercredi était un jongleur, ce qui, à la réflexion, n'étonna personne.

En franchissant une crête quelques jours plus tard, les
Métis virent au loin une butte bizarre, semblable à un
cœur d'animal posé à l'envers.

— Le Petit-Cœur !

— Ben non, voyons !

— J' vous dis qu' oui ! Je suis passé icitte tout jeune.
C'est le Petit-Cœur !

— Tu te trompes. Le Petit-Cœur est prêt de la Missouri.

— La Missouri ? C'est-tu possible ?

On tourna les yeux vers Mercredi, qui dédaigna de
répondre. Mais au fond de lui-même, il se sentit
ébranlé. Possible encore que ce fût une erreur. Il ne
manquait pas de buttes aux formes fantasques, et
aucun de ses hommes n'avait encore chassé à l'ouest de
la ligne de partage des eaux. Il n'y avait donc pas de
raison pour que cette butte fût précisément le Petit-
Cœur. Mais en la voyant, assombrie par la distance,
pointue parmi les collines rondes, Mercredi eut un ser-
rement de cœur.

Pendant deux jours entiers, la butte opprima les
Métis. Ils levaient à tout moment les yeux sur elle pour
mesurer leur progrès, et s'exaspéraient de la voir
demeurer lointaine. Quand ils la perdaient de vue, dans
les descentes, ils la retenaient quand même à l'esprit.
Quand ils la retrouvaient sur les hauteurs, elle semblait
n'avoir pas approché d'un pouce. La plaine en cet
endroit roule et pointe comme une couverture secouée
au vent. Les collines fauves qui découpent le ciel en zig-
zag étourdissent et ennuient. Les versants sud, mangés
par l'érosion, brûlés par le soleil, se laissent facilement
gravir. Il n'y pousse qu'une herbe éparse, des yuccas, et
des petits cactus ronds et plats appelés raquettes du
Missouri. Mais les versants nord, mieux protégés du

96

soleil, sont obstrués de frênes, de chênes à gros glands, et d'osier sauvage. La moindre baissière capable d'arrêter l'eau est engorgée de végétation. Avancer dans ce dédale de bosquets, de vallons en cul-de-sac, et de mares mal desséchées demande une patience d'ange. Mais c'étaient les craintes ruminées en secret, plus que les obstacles, qui alourdissaient la marche des Métis. Si la butte était le Petit-Cœur, si la Missouri était proche, et partant si la Rouge était loin, si les neiges étaient précoces, si les enfants prenaient froid, si la butte était vraiment le Petit-Cœur, combien d'entre eux rentreraient de la plaine ?

Jérôme chevauchait à la tête de la colonne tel Legardeur avant lui, absolument seul. Il rêvait aux forêts du Nord, à leur gibier pullulant, à leurs sources claires et froides. Il avait besoin de se blottir au creux d'une forêt ombreuse. Il n'éprouvait qu'indifférence pour la butte jaune et nue qui pesait si lourd sur le cœur de ses compagnons. Il ne comprenait pas leur inquiétude. Si Dieu voulait les sauver, ils vivraient. Sinon, quelle importance ?

Les chevaux s'arrêtèrent sans même qu'on leur tirât la bride. Après un moment de silence, quelqu'un s'offrit pour prononcer la plate évidence.

— Ehé, c'est elle. La Missouri.

Et ce fut tout. Sereine, haute de fond, parsemée d'îlets sablonneux, la Missouri déroulait sa large vallée à travers le paysage, sans se soucier de ce qu'elle pouvait signifier pour la poignée de chasseurs qui la contemplaient. Les Métis ne savaient que penser. Ce qu'ils avaient redouté était prouvé, incontestablement. Ils étaient plus loin encore au sud qu'ils ne l'avaient cru. Ils venaient à peine d'entamer le chemin du retour. Et pourtant, la vallée avait une allure si fraîche, si riante comparée aux plaines écorchées, qu'ils ne purent se refuser un petit moment de bien-être.

La rivière passait dans un lit de sable blanc, bordée de saules et de liards argentés. Un peu plus en retrait, en terre ferme, de vraies forêts de chênes résonnaient de chants d'oiseaux. C'est là que les Métis levèrent leurs tentes, dans un bois herbeux qui descendait par terrasses vers la rivière. Bien qu'ils ne fussent pas mieux approvisionnés qu'au matin, les Métis se laissèrent aller à un sentiment d'abondance. Une rivière et un bois, pour ces chasseurs des plaines, changeaient tout.

Vers la fin de la journée, Jérôme sentit le besoin de se retirer à l'écart pour prier et rêver. L'appel était d'autant plus pressant que ses voisins lui faisaient la grise mine. Il résolut de gravir une butte et de jeûner, comme font les Indiens, jusqu'à ce que Dieu lui prête conseil. Il songea même à faire tout à fait comme les Indiens qui s'infligent des entailles aux bras et aux jambes pour attirer la pitié des esprits, mais cela lui parut excessif. Mercredi appela sa femme.

— Va dire aux autres que je vais passer la nuitte en prière. Et après une pause il ajouta : moé et mon fils. Cette idée inattendue lui plut. Il aimait penser qu'Askik deviendrait un jour un grand chef. Il était temps de l'initier.

— Dis-leur, continua Jérôme, de se lever avant le soleil et d'être prêts à marcher aussitôt que je redescendrai de la butte. Dis-leur que je vais veiller pendant qu'ils dorment.

Anita s'exécuta de mauvais gré. Elle ne goûtait pas son nouveau rôle de femme de prophète. Il lui semblait que les Métisses ricanaient sur son passage. Même les fillettes se moquaient d'elle pour imiter leurs mères. Elle s'en alla quand même de tente en tente annoncer le projet de son mari. Mais elle omit l'ordre d'être sur pied avant l'aube. Elle sentait mieux que Jérôme jusqu'où allait la tolérance de ses voisins.

Ils sortirent du camp sous le regard indifférent des leurs. Pas un seul d'entre les Métis ne doutait de la puissance du rêve. Mais les esprits sont ombrageux. Peut-être Mercredi s'était-il aliéné ses protecteurs par quelque manquement de rite ou de morale.

Le bois s'élevait vers la plaine par grades, comme un escalier géant, chaque marche une étape millénaire dans l'excavation de la vallée. Derrière le bois, une colline abrupte marquait le début de la plaine. Sa base était recouverte d'herbe drue. Le faîte était presque chauve. Les Mercredi arrivèrent au sommet à la tombée du jour. Jérôme choisit une grande pierre plate. Il fit signe à Askik de s'installer quelque peu en retrait, et de veiller. Pour apprendre. Askik déroula sa couverture au pied d'un buisson de « cerises à bôfflo ». Il cueillit quelques poignées de ces baies rouges, excellentes en gelée, mais amères au naturel, pour servir de dessert à sa viande sèche.

La nuit commença. Un vent tiède grimpait les flancs surchauffés de la colline. Jérôme tâchait de se faire pieux. Mais le spectacle de la noirceur envahissant la vallée, les étoiles naissant du haut jusqu'en bas, et le croissant de lune s'allumant à mi-ciel le distrayaient de ses prières.

Il demandait un rêve. Il fermait les yeux, reconstituait le paysage effacé par la nuit et cherchait du bison sur ses collines et dans ses bois. Il n'y en avait pas. Jérôme faisait le vide, laissait se composer un autre paysage, inconnu celui-là, pour voir s'il ne contiendrait pas un troupeau. Toujours rien. Il ouvrit les yeux, les leva aux cieux, et fit une prière plus ardente que la première.

— Il y a longtemps qu'on se promène dans le pays. Et on ne trouve rien. J' comprends pas. Tu donnes à manger aux Naturels et même aux Américains qui sont protestants. Et à nous, Métis catholiques, rien. Nous laisserais-tu crever de faim ? Tu ferais le bonheur de tes ennemis ! Ferais-tu rire de ton église ? Quand tu m'as parlé au fond de la coulée, j'ai pas rechigné. J'ai fait connaître ta volonté aux aut'. Ils ont ri de *nina*. Les conseillers ont voulu me nuire. Pourquoi m'as-tu protégé si c'était pour me perdre en plaine ? Je le savais-tu, moé, qu'on approchait la Missouri ? J' te faisais confiance. Fais-moé voir du bôfflo ! Bon Dieu, t'as mis plus d'étoiles au ciel que d'herbe sur cette butte. Qu'est-ce qu'une dizaine de vaches à côté ?

Un oiseau de nuit aux ailes effilées plongea dans le vallon à la recherche d'insectes volants. Askik suçait méthodiquement des copeaux de viande sèche, les imprégnant de salive pour les ramollir.

— Non, mais que vas-tu faire de ton bôfflo ? priait Jérôme. Le donner aux loups ? Le noyer dans les sloues ? Le faire manger par les moustiques ? Pourquoi l'avoir mis sur terre sinon pour nous nourrir ? Alors pourquoi le cacher ? J' te comprends pas.

Jérôme continua longtemps, interminablement : pleurant, raisonnant, menaçant, de la même manière qu'il s'y prenait avec les commis de magasin. Ennuyez, et vous recevrez. Une bise crue passait à présent sur la colline. L'odeur d'armoise, musquée lorsqu'elle est chaude, devenait aigrelette. La lune baissait. Askik s'était roulé en boule sous l'arbuste et dormait par petits coups. A l'est, le ciel n'était plus tout à fait noir. Jérôme s'étendit sur la grande pierre, parce qu'il avait mal au dos, et que la roche le réchauffait. Le nez dans les étoiles, il marmonnait nerveusement des invocations, accablé de fatigue, mais incapable de dormir. Dormir n'est pas interdit aux personnes en quête d'une vision. Il est même bon de dormir pour se rendre plus disponible aux esprits. Mais ce fouillis d'étoiles pâles irritait Jérôme qui n'y trouvait ni rime ni bon sens.

Et puis tout à coup, il vit son erreur. Comment ne l'avait-il vu plus tôt ? C'était d'une évidence éblouissante ! Ce n'étaient pas des étoiles, mais des collines, des forêts, et des rivières, plus scintillantes et diaphanes que d'habitude, il est vrai, mais tout aussi certaines ! Un merveilleux paysage où chaque herbe luisait comme une luciole ! Mercredi sentit une immense poussée de joie, qui le leva de terre, et le précipita droit comme une flèche vers ces collines aériennes. Incroyable ascension ! Jérôme filait à une vitesse inouïe ! Sa veste — il aurait dû l'attacher — battait au vent, ses belles moustaches étaient collées à ses joues. Il se faufilait entre des buttes, survolait des lacs et des mares, rattrapa une volée de canards lumineux, et vit une rivière si gaie, si étincelante, qu'il voulut tout abandonner — camp, cheval, et femme — pour y passer le restant de ses jours.

— *Tcheskwa!* Arrête ! Mais la rivière passa en un clin d'œil. Il allait toujours plus vite. Le vent sifflait à ses oreilles, ses longues tresses lui tiraillaient la peau du crâne, le bout de son nez commençait à geler. Comme il montait : haut ! haut ! haut ! Il vit un lac. Et près du lac, un bois. Et près du bois, de petits points lumineux qui grossissaient à une vitesse terrible. Car à présent, Jérôme Mercredi décrivait une magnifique courbe à travers l'espace. Façon de dire qu'il fonçait vers le sol.

— Ahiiiii !

Mais au lieu d'éclater en mille morceaux, Jérôme leva le nez au dernier moment, rasant le sol à une vitesse stupéfiante, et vit que les petits points lumineux étaient en fait des bisons.

Mais du bôfflo comme il n'en avait jamais vu. Leurs crinières étaient des amas d'étoiles. Des astres brillaient à la place des yeux et à la pointe des cornes. Leurs queues formaient des constellations. Ces animaux avaient des gestes lents comme les saisons, et pourtant, comme ils étaient puissants et gracieux ! Jérôme les trouva très beaux. Et se sentit très laid. Ses yeux se mouillèrent. Il eut un sanglot d'amour pour ces magnifiques créatures qui l'admettaient dans leur présence.

Lorsque Jérôme revint à lui, couché sur le dos, les yeux grands ouverts sur le ciel, les larmes lui coulaient dans les cheveux. Il pleurait de joie et de nostalgie. Il remercia Dieu et le Bison pour l'honneur qui lui avait été fait. Il fit le vœu de ne plus jamais tuer de bôfflo sans offrande d'expiation. Il demanda de retourner dans le pays merveilleux après sa mort. Il faillit même demander une mort prochaine, mais se ravisa, en pensant qu'il le regretterait peut-être dans quelques heures.

— Askik ! Askik ! On peut redescendre ! Y est temps de partir monhomme !

Le soleil se levait sur les collines rondes et sur le Petit-Cœur lointain. Quand il rentra au camp et trouva les tentes encore dressées, Mercredi eut un moment de colère. Mais il était maintenant si sûr du bison, qu'il laissa dormir son monde, et se recoucha lui-même.

Il s'endormait tout juste lorsqu'il entendit un flac-flac-flac liquide. « On dirait une famille de gros castors », pensa Jérôme en souriant. Un coup de feu retentit. Mercredi s'élança par l'ouverture du tipi, son fusil à la main.

Tout le monde courait vers la rivière. Un bateau-vapeur passait devant le camp, ses aubes tapant méthodiquement l'eau, ses cheminées poussant de vastes plumeaux gris. Les chasseurs métis hurlaient des reproches à une brochette d'Américains qui se prélassaient sur la promenade du bateau. Ces messieurs trompaient la monotonie du voyage en tirant sur tout ce qui bougeait sur les rives. L'un d'eux venait d'abattre un cheval métis, le prenant sans doute pour un bison chauve, ou un élan un peu plus élégant que la moyenne. Le coupable, un dandy en complet vert et melon brun, s'excusa en souriant. Le propriétaire du cheval exigea un dédommagement mais l'autre posa joliment la main à l'oreille et fit mine de ne pas comprendre. A la fin, il ouvrit grand les bras comme pour dire : « Mais mon cher, que voulez-vous que j'y fasse ? »

C'en était trop pour les Métis. Une première décharge chassa les Américains de la passerelle. Enchantés de ce divertissement inattendu, les messieurs prirent position aux fenêtres. Une bataille mobile s'engagea entre les Métis, qui couraient d'arbre en arbre, et le bateau qui fonçait à pleine chaudière vers le fort américain en amont. La cause métisse semblait à peu près perdue. Mais l'énervement, et la nécessité de baisser la tête vinrent à bout du pilote. Le bateau s'immobilisa avec un horrible grincement sur un îlot de sable. Les Métis poussèrent un cri de triomphe. Le pilote fit machine arrière. L'eau bouillonnante devint bourbeuse, le bateau ahanait comme un bœuf fatigué, mais ne bougea pas. Les messieurs ne riaient plus. Le feu roulant des Métis devenait réellement incommodant. Enfin, une nappe blanche apparut à la fenêtre de la salle à dîner et se balança mollement en signe de reddition.

Pendant que les Métis se félicitaient d'être les premiers de leur race à vaincre un bateau, les messieurs se cotisaient. Ils dépêchèrent un garçon noir qui traversa la rivière à la nage, et vint remettre vingt dollars au propriétaire du cheval.

— *Wah! Wey!* s'écrièrent les Métis en voyant l'homme noir sortir de l'eau. Sa couleur les émerveilla tant qu'ils voulurent le garder. Mais le garçon mourait de peur ; ils durent le relâcher.

XII

Ils marchaient, marchaient, de l'aube jusqu'au soir, gourmandant leurs bêtes fatiguées, ne s'arrêtant plus au mi-jour, de peur d'être surpris par l'hiver. Les dernières traces de verdure se retiraient de la plaine. Au-dessus des mares et des roseaux roussis, les canards faisaient des vols d'essai avant de s'élancer définitivement vers le sud. Bien au-dessus d'eux encore, les oies sauvages passaient nuit et jour, leurs grands V perçant indifféremment la grisaille comme le beau temps.

Le pays s'aplanissait. En s'éloignant de la Missouri, la caravane descendait le grand plateau qui sépare les rivières du Nord et du Sud. La plaine, moins accidentée, était plus riche. Les mares et les lacs abondaient. Les éclaireurs scrutaient soigneusement le pourtour de chaque lac car, selon Mercredi, c'est au bord de l'eau que se trouverait le bison.

Jérôme lui-même ne ménageait plus sa peine. En selle au lever du jour, il battait le pays jusqu'à l'heure des feux. Une entente muette était intervenue entre le cheval Choquette et lui. Peut-être la jument avait-elle enfin compris qu'elle ne rentrerait pas à Saint-Boniface sans bison. Elle supprima les ruades et les faux éternuements. Il sembla même à Mercredi que sa monture mettait de l'enthousiasme à franchir les coteaux et contourner les bosquets, comme s'il lui tardait de voir massacrer du bison.

Ainsi Mercredi la prit-elle au sérieux un matin, lorsque, à l'orée d'un petit bois, la jument refusa la direction commandée, renâcla d'un air irascible, et tendit les oreilles. Mercredi l'imita. Après un moment, il entendit au loin le beuglement, mi-râle mi-rugissement, d'un bison mâle en colère. Un frémissement de plaisir courut tout le long de la jument. Elle pointa des oreilles, fit volte-face, et piqua droit vers la caravane. Jérôme faillit se ramasser par terre. Il avait voulu s'approcher du troupeau pour le dénombrer. Mais après tout, la jument avait peut-être raison de chercher des renforts.

Quand les Métis virent arriver le cheval Choquette ventre à terre et son cavalier tout de travers, ils s'attendirent presque à ce que ce soit la jument qui leur annonce la nouvelle. Mais elle laissa faire Mercredi.

— Du bôfflo !
— *Tandé ?* Où ?
— Par là-bas !
— Combien ?
— J' sais pas !
— C'est loin ?
— Pas très.
— Nous voilà bien renseignés !

Les charrettes s'immobilisèrent. Les chasseurs se préparaient avec une noire résolution. Les femmes, les vieillards et les enfants se tenaient à l'écart et se taisaient. Tout cela sentait trop la dernière chance. Askik se rapprocha de Mona qui regardait s'éloigner les chasseurs.

— Est-ce qu'ils vont ramener de la vache ? lui demanda-t-il.
— *Mouats nikoskentenne.* Je ne sais pas.

Ils faillirent tout rater. Un bœuf et deux vaches ruminaient à l'écart du troupeau sur le versant sud d'une colline, à l'abri du vent. Les cavaliers, en franchissant la crête, leur passèrent presque sur le dos. Par bonheur, les bêtes effrayées s'enfuirent en direction opposée du troupeau.

Pour éviter que cela ne se répète, Mercredi passa la bride à son voisin, et gravit les prochains coteaux à pied. Il aperçut bientôt une quarantaine de bisons au repos, près d'un petit lac boisé, tel qu'il l'avait rêvé. Un taureau énorme pourchassait une demi-douzaine de jeune mâles qui s'obstinaient à renifler les femelles. La saison des amours avait commencé. Le taureau n'avait pas aussitôt pris à part un de ces jeunes polissons que les autres se mettaient à tourner autour des vaches, guettant le moment où l'une d'elles entrerait en chaleur.

— Pauv' vieux ! marmotta Mercredi en redescendant la colline. T'as trop de femmes, j' vais t'en enlever quelques-unes !

Les chasseurs avaient mis pied à terre.

— Y sont de l'au' côté de cette butte, murmura Mercredi. A quatre portées de fusil. La plupart sont couchés.

— Mais on a le vent dans le dos, grommela Gauthier. Pour moé, faut entrer dedans au grand galop, avant qu'ils nous sentent.

Tout le monde fit oui de la tête, et Mercredi voulait bien. La ligne des cavaliers fonça sur la colline, sauta la crête, et plongea dans le bassin de l'autre côté. Le taureau, surpris en pleine poursuite d'un rival, se figea, incrédule, puis rugit et se mit à rassembler son troupeau. Les vaches et les veaux se levèrent en soulevant des jets de poussière.

Les chasseurs n'étaient plus qu'à deux portées de fusil, leurs chevaux rattrapaient vite les bisons lourds. Le grand bœuf fit demi-tour, leva la queue, et chargea les chasseurs. Mercredi sentit son âme lui monter à la nuque. Ce monstre brun ne ressemblait en rien à ses bôfflos étoilés ! « Dieu, qu'il ne vienne pas vers moé ! » Mais le taureau fonça sur Gauthier, qui dut sacrifier son coup bourré pour lui planter une balle au-dessus du museau.

Le cheval Choquette faisait des merveilles. La jument

rejoignit les jeunes bœufs qui formaient une première ligne de défense entre les chasseurs et les vaches ; elle choisit d'instinct les animaux les moins farouches et piqua droit entre eux. En se voyant dépassés, les bœufs virèrent abruptement et abandonnèrent les bisonnes à leur sort. Quelques foulées de plus, et la jument se glissait parmi les vaches et les veaux. Les bêtes couraient la tête basse, avec application, comme si courir demandait toute leur attention. Jérôme nota une femelle de bonne taille, la visa derrière les côtes, et tira. Elle s'abattit nettement, le poumon éclaté. Le cheval sélectionna la prochaine victime tandis que Mercredi rechargeait. Il tapait encore la crosse du fusil contre la selle qu'il était déjà temps de faire feu. Une autre bisonne s'écrasa au sol. Avec une balle de moins dans la bouche, Mercredi pouvait adresser quelques encouragements à sa jument.

— *Enwoy mô bôlle ! Tu fô ben cô !*

Les vaches se dispersaient. Impossible de toutes les suivre. Mercredi jeta les yeux sur une jeune bisonne de taille moyenne, ni trop rapide, ni trop éloignée. Il tourna le nez du cheval dans la direction de sa victime, donna un vigoureux coup de talon pour bien indiquer son choix, et se mit à recharger. Le cheval Choquette ne demandait pas tant d'explications. Même sans la colline qui se dressait en face, la jument rattrapait sa proie sans peine. Mais les bisons grimpent mal : Mercredi se trouva aux côtés de sa cible avant d'avoir fini de charger. La jument et la bisonne descendirent l'autre versant, côte à côte, tandis que Mercredi jouait de la corne à poudre.

Soudain, il entendit le galop d'un cheval qui approchait. Un autre chasseur qui voulait sa vache ! Pas question ! Mercredi cracha une balle dans le canon, prit la chance de ne pas tamponner, et baissa l'arme sur la vache. Une balle siffla à ses oreilles.

— Maudit fou ! hurla Mercredi en se retournant vers le chasseur imprudent. Il faillit tomber de selle. Un grand diable brun, à moitié nu sur un hongre pie, rechargeait son arme en grimaçant d'embarras. Un

Sioux ! L'Indien se tenait à gauche et derrière. Mercredi ne pouvait l'atteindre sans se retourner complètement en selle. A d'autres d'essayer ! Il se campa dans les étriers, tira sur les rênes de tout son poids. Le cheval freina avec un cri d'indignation. L'Indien, surpris, continua tout droit. Mercredi leva l'arme, visa le Sioux dans le dos, et tira. Mais la balle avait roulé trop loin de la poudre. Le fusil explosa avec un fracas assourdissant. Mercredi se retrouva dans l'herbe.

Lorsqu'il se releva, le Sioux et la bisonne avaient disparu au-delà de la prochaine côte. Sentant une odeur très particulière, Mercredi leva la main au visage et constata qu'il lui manquait les cils et le sourcil droits. Même sa moustache semblait moins fournie. Le cheval mâchouillait le mors. Le coup de bride l'avait blessé à la bouche. Le fusil éventré fumait dans l'herbe.

Il ne restait plus qu'à rentrer, en espérant ne plus rencontrer de Sioux. Il n'en vit pas d'autres. En fait, lorsqu'il retrouva les Métis, Jérôme apprit qu'il était le seul à avoir vu l'Indien. Et, bien entendu, personne ne crut à son histoire. On le soupçonna d'avoir fait éclater son fusil par maladresse, et d'avoir inventé cette histoire de Sioux pour se disculper. Beau chef celui-là ! Un désastre par chasse ! Et quelle mine de roi : la moitié du visage plumée et la joue brûlée rouge et noire par la poudre !

— Hé Mercredi ! lui criait-on, l'esprit que t'entends, c'est peut-être Pakkosus !

Pakkosus est l'esprit de la malchance. Les chasseurs étaient de bonne humeur : ils avaient de la viande. Ils n'avaient pas oublié qui les avait menés au bison. Mais ils pouvaient très bien se moquer de Mercredi tout en suivant son conseil. Les esprits choisissent souvent les niaiseux comme porte-parole. On ne sait pas pourquoi.

Ce soir-là, les Mercredi soupèrent de bouillon d'œsophage, de langue, et de bosse. Comme toujours à l'époque du rut, la viande avait un petit goût d'oignon sauvage. Ils mangèrent seuls : Jérôme ne voulait recevoir personne. C'est lui qui avait rêvé le bison, qui avait repéré le troupeau et soutenu l'attaque d'un guerrier sioux. Il méritait d'être fêté, on le raillait.

Quand tous furent couchés, Mercredi alluma un grand feu d'herbe et de saule. Il y jeta du foin de senteur et de l'armoise, pour embaumer. Il dégaina son couteau, mit en pièces une couverture de laine achetée le printemps même, et l'offrit morceau par morceau aux flammes et au Bison. Quand le dernier bout de laine fut consumé, Mercredi leva les yeux aux étoiles et se sentit l'âme en paix. Il faisait très froid.

Durant la nuit, les Mercredi furent réveillés par une forte grêle qui s'abattait sur la tente par rafales. Au matin, ils trouvèrent le sol recouvert non pas de glace, mais de glands de chêne. Le vent de la nuit avait secoué les arbres et libéré les glands mûrs. Il avait grêlé des noisettes !

Les feux de séchage furent ranimés. Les enfants durent s'occuper pendant une partie de la journée encore à ramasser du bois mort. Dès qu'il y en eut assez, les garçons partirent chasser le tamia.

A l'automne, le tamia parcourt la forêt à la recherche de graines et de noisettes qu'il enfouit sous terre. Vif et froussard, il se laisse difficilement approcher. En revanche, il répond à l'appel d'un chasseur expert. En suçant bruyamment contre le dos de la main, les garçons attiraient les tamias à découvert, puis en criant soudain, les forçaient à grimper dans les arbres où ils sont mal à l'aise. Les garçons les abattaient avec des flèches à tête plate, prenant soin de tirer contre le tronc de l'arbre, pour ne pas perdre la flèche dans la forêt.

Askik aimait beaucoup ce sport. Quand il voyait arriver le menu suisse aux joues gonflées et aux doigts frémissants, Askik riait de joie au fond de lui-même. Quand il levait l'arc sur le petit animal qui le grondait du haut de l'arbre, qu'il laissait rouler la corde de ses doigts et sentait s'échapper la flèche, son cœur battait de terreur et de fascination, comme s'il était à la fois chasseur et chassé. Mais quand le suisse tombait, le corps brisé, les membres agités de spasmes, Askik regrettait presque de l'avoir tué. Et pourtant, ne pas tuer l'eût marqué comme un incompétent. Un Métis qui ne sait pas chasser vit aux crochets de ses voisins.

Après la chasse, les garçons allumaient un feu pour faire rôtir leurs menues proies. Un moment désagréable : tous voulaient commander, personne ne voulait travailler. Finalement, après d'interminables chamailleries, un petit tas de bois désordonné s'élevait au milieu d'un rond d'herbes aplaties. Luc Charbonneau, le seul à posséder des pierres à feu, battait quelques étincelles dans une boule de duvet et de feuilles sèches, soufflait sur les tisons avec l'air d'un prêtre à l'offertoire, et enfouissait la flamme au fond du bûcher. Trois fois sur quatre, il fallait refaire le tas de bois pour permettre à l'air d'entrer.

Il était de coutume, au cours de ces festins, de parler des affaires du camp, comme si les chasseurs rassemblés autour du feu venaient d'abattre des bisons plutôt que des rongeurs. On disputait avec véhémence les mérites des chasseurs, des cayousses et des fusils. Un étranger qui eût entendu les noms l'Heureux, le Brave, et Tonnerre aurait eu du mal à distinguer les armes des chevaux. Mais pour ces garçons, chaque nom était cause d'injures ou de félicitations. Un coursier rapide honore sa famille tout entière — chevaline et humaine.

Mais un fusil qui éclate est une honte. Quand le gros Mathias vit qu'Askik avait embroché trois suisses alors que lui-même n'en avait que deux, il rappela sans vergogne la chasse du jour précédent.

— Hé Mercredi ! Encore chanceux que ta flèche t'a pas pété au nez comme le fusil de ton bonhomme !

Une salve de rires moqueurs répondit à ce trait. Rien à dire, le gros savait les envoyer ! Askik, tout occupé à dorer ses suisses, n'avait pas vu venir. Une fureur brusque lui coupa le souffle. Il voulut sauter sur Gauthier, le marteler de coups, mais dut se contenir. Mathias était trop fort. Son menton trembla, des larmes de rage et d'impuissance lui montèrent aux yeux. Il voulut crier, écraser son adversaire de sarcasmes, mais quand il ouvrit la bouche, il en sortit un sanglot chevrotant, ridicule. Mathias éclata de rire.

— Pleure don' bébé !
— *Tché ! Tché !* Bébé Mercredi !
— Son bonhomme a des rêves !
— Mais ne sait pas où il va !
— Bébé ! Bébé Mercredi !

C'était plus, beaucoup plus qu'Askik ne pouvait supporter. Il laissa tomber les suisses dans le feu, saisit derrière lui l'arc et une flèche, visa l'œil droit de Mathias et tira de toutes ses forces sur la corde. Mathias devint livide. Les autres se turent, horrifiés. Tous attendaient le tchoc ! de la flèche. Mais c'est une voix qui rompit le silence, une voix ferme, sans emphase.

— Gauthier, ta yeule.

Askik baissa son arme. Les autres reportèrent les yeux sur les suisses. Quelqu'un repêcha la broche d'Askik et la lui remit. Le garçon qui avait parlé offrit une explication terse.

— Ce fusil, dit-il, nous appartenait. Mercredi l'a acheté de mon père. Y était en bon état. Mais Mercredi a été obligé de tirer sans tamponner. Des choses qui arrivent.

Et ce fut tout. La conversation reprit, en évitant le thème des fusils. Seuls trois garçons n'y participaient pas : Mathias parce qu'il avait peur, Askik parce qu'il avait honte, et l'intervenant, Charles Ross, parce qu'il ne parlait pas beaucoup de toute manière. C'était un garçon aux cheveux noirs, comme les autres, avec une raie sur le côté comme un Anglais. Il était réputé bon chasseur, mais ne ramenait jamais plus de deux ou trois suisses, même au printemps, lorsqu'il n'était pas rare pour un garçon d'en abattre une vingtaine. On disait, pourtant, qu'il avait déjà tué un chevreuil.

Le repas terminé, Askik rentra au camp. Il ne vit pas le gros Mathias caché derrière un arbre ; le gros garçon se dressa au dernier moment pour lui barrer le chemin.

Bien qu'il le dépassât de la tête et des épaules, Mathias ne mit pas la main sur Askik mais se contenta de lui siffler :

— Mon p' tit écœurant, tu vas me le payer !

Les femmes se relayèrent aux feux toute la nuit, pour hâter le séchage. La boucane montait droit. Le ciel était limpide. « *Witahkayaw* », dirent les plus vieilles au début de la nuit. Et comme de fait, le froid devint si intense que les femmes durent allumer un autre feu, clair celui-là, pour se réchauffer. Une voisine réveilla Anita quelques heures avant l'aube. En compagnie de deux autres femmes, elle marchait de boucan en boucan, attisant les flammes avec des branches sèches ou les réduisant avec de l'herbe froide, pour que la viande sèche et ne cuise pas. Le soleil, quand il se leva, trouva la plaine givrée et silencieuse. Il n'y avait plus d'oiseaux.

Anita revint à son propre feu, heureuse et tranquille. Ses compagnes lui avaient parlé gentiment, normalement, comme autrefois. Il suffisait que les hommes s'endorment pour que les femmes se réconcilient. En préparant le déjeuner de pemmican frit et de galette, Anita sentit croître son agacement contre l'homme qui bientôt se lèverait pour manger, commander, et la brouiller avec ses amies.

Jérôme écarta le pan du tipi et sortit en grelottant.

— Y a gelé ?

Anita ne répondit pas. Suffisait de s'ouvrir les yeux : la plaine scintillait. Jérôme s'accroupit devant le feu, les mains tendues. Il avait l'air vieux ainsi, le menton rugueux, le visage fripé, les tresses échevelées. Pourtant, il était de bonne humeur.

— J'ai dormi en grand, ma vieille.

Sa femme gardait le silence.

— J'ai rêvé de Saint-Boniface. Et de Montréal !

— T'es jamais allé à Montréal !

— J' suis allé hier soir ! Hé Hé ! Qu'est-ce que tu penses que ça veut dire, hein ?

Anita se tut, craignant une nouvelle folie.

— *Monéong!* soupira Jérôme en tournant le dos aux flammes pour se réchauffer le fond de culotte. J'ai toujours voulu y aller! Et maintenant c'est certain, j'irai. Puisque je l'ai rêvé! Mais pourquoi penses-tu que j'irai à Montréal?

Il réfléchit un moment. Pour représenter les Métis peut-être... au gouvernement? Cette idée lui coupa le souffle : il n'y avait jamais songé. La Rivière Rouge ne faisait pas partie du Canada, mais les Canadiens pouvaient souhaiter l'avis d'un Métis francophone. Ou d'un ambassadeur métis!

— Ambassadeur! rit Jérôme. J' serai ambassadeur!

— Ferme-toé! Les voisins vont t'entendre!

— Ben quoi? J'ai rêvé de Montréal, ça doit vouloir dire quelque chose. Attends, j'irai p' t-être par affaire. J' serai p't-être riche! C'est encore mieux qu'ambassadeur! Hou là!

— Vas-tu te taire?

— J' bâtirai une grosse maison à côté de l'évêché. Huit cheminées! Un quai à la porte pour recevoir la marchandise. Qu'est-ce que t'en dis, la femme?

Jérôme s'esclaffa de rire. Il était heureux comme un enfant qui attend un cadeau.

Après le déjeuner, les hommes s'en furent visiter les environs à la recherche de nouveaux troupeaux. Ils abattirent une taure solitaire qui avait dû s'écarter de sa harde au moment de la chasse trois jours plus tôt. Ils virent une dizaine de cabris, trop loin, qui s'égaillèrent en télégraphiant des signaux d'alarme avec le poil blanc de leurs croupes. Et puis, rien.

— J' comprends pas, fit Gauthier en les voyant filer.

Dix ans plus tôt, les antilopes avaient été aussi nombreuses que les bisons. Les deux espèces vivaient côte à côte dans une entente parfaite. Le bison mangeait l'herbe, l'antilope, plus sédentaire, broutait les plantes vertes. Que s'était-il passé? Il n'y avait pas tant d'hommes dans la plaine, pourquoi les troupeaux disparaissaient-ils?

On ne fit pas sécher la viande de taure, pour ne pas remettre le départ. On distribua la chair parmi les familles qui la consommèrent sur place. Le lendemain, ils levèrent le camp.

D'abord, ils crurent à un simple bosquet coincé entre deux coteaux. Ils auraient passé leur chemin, n'eût été l'objet blanc qui flottait à la cime du plus grand arbre. Envoyés en reconnaissance, les découvreurs virent une enceinte circulaire faite de branchages. Des perches partaient du haut de la palissade et convergeaient, comme les rayons d'une roue, sur un mât dressé au centre. Une loge de danse, érigée l'année même, à juger par les feuilles qui tenaient encore aux branches.

Quand Mercredi pénétra la loge — à pied, le cheval Choquette avait refusé d'entrer — un des éclaireurs était déjà grimpé au faîte du mât cérémoniel. Des offrandes d'étoffe pendaient au poteau, mais le jeune Sansregret les avait dédaignées. Ce qu'il convoitait était fixé au bout du mât : une peau de bison blanc. Les Indiens tiennent le bison albinos pour sacré. C'est la propriété du Soleil, du Grand Mystère. Le chasseur qui abat un bison blanc fait l'objet d'une grâce spéciale. Il conserve la fourrure jusqu'au printemps suivant, puis la remet au Soleil durant la danse de la Soif.

Les Métis réservaient un tout autre usage à la robe blanche. Une peau d'albinos en valait une dizaine d'autres dans les comptoirs de fourrure. Mais Sansregret en resta quitte pour sa peine. Une fois la robe descendue au sol, on constata que les éléments et les oiseaux l'avaient mise en piteux état. De grandes touffes de poil manquaient, la peau s'était racornie. Sansregret la conserva néanmoins, dans l'espoir d'en tirer un tapis de selle. On lui objecta qu'il pouvait être dangereux de spolier une loge du Soleil, mais le jeune effronté en rigola franchement. Jérôme Mercredi songea un moment à lui ordonner de replacer la peau, puis y renonça.

Il le regretta deux jours plus tard. Un découvreur surgit au sommet d'une colline, se jeta de sa monture, et lança en l'air une poignée de poussière, ce qui signifie : « Ils sont nombreux. » Mercredi n'eut pas à demander de qui il s'agissait.

« Faites le rond ! » Il n'y eut pas un cri, pas un juron. Les Métis rassemblaient leurs enfants, dételaient les bœufs, mettaient les charrettes en cercle, jante contre jante, les brancards pointant vers l'extérieur, des perches passées entre les rayons pour bloquer les roues. Les animaux, les femmes et les enfants se réfugièrent à l'intérieur du cercle. Les hommes s'aménageaient des positions de tir en dehors en empilant des sacs de pemmican et des barils d'eau. Les femmes creusaient des tranchées pour les enfants.

Des guerriers sioux commençaient à s'agglutiner sur les coteaux : il était temps d'aller s'expliquer. Mercredi demanda à quelques hommes de l'accompagner. Il fit monter Askik en selle derrière lui : les Sioux, pensait-il, apprécieraient ce geste de confiance.

Le plus difficile, dans ces circonstances, est d'arriver vivant jusqu'aux chefs. Les Métis passaient entre des meutes de jeunes guerriers qui ne disaient pas non à un bon massacre. Ils criaient des injures ou se découvraient le derrière dans l'espoir de provoquer les Slotas, les Graisseux.

Mais Jérôme conservait son calme. Plus il y avait de Sioux, moins il trouvait les injures blessantes. Il appela tranquillement l'éclaireur qui avait sonné l'alerte.

— Où est leur camp ?

— Un peu plus loin encore. Sur une rivière.

— Quelle rivière ?

— J' sais pas. J'ai pas regardé de très près.

— Gauthier ! marmonna Mercredi du côté de la bouche où il n'y avait pas de Sioux. Y a-tu une rivière par *outa* ?

— La Souris, j' cré.

— Est-ce qu'elle a du couvert ta rivière ? demanda Mercredi, qui ne tenait pas à se battre en plaine.

114

— Ben peu. Berges plates. Pas de bois. Ben de la boue.

— Ça va être beau.

Quand la procession arriva au sommet du dernier coteau, Askik sentit son père se raidir. Il se pencha et vit plus de tipis qu'il n'aurait cru possible. Le camp sioux était énorme. Cinq ou six cents loges dans une dépression qui les rendaient invisibles à trois cents mètres. Certains tipis portaient des dessins mystiques ; la majorité étaient d'un brun uni. Malgré le temps clair, une fumée diffuse planait au-dessus du camp, le produit de centaines de feu de séchage. Le village épousait les courbes d'une rivière étroite et boisée, qui n'était pas la Souris, mais son affluent, la rivière des Hivernants.

Le camp lâcha une horde d'enfants nus et de chiens jaunes qui entourèrent les Métis d'un vacarme inouï. Bon signe. Les Sioux n'attaqueraient pas parmi leurs enfants. Le cheval Choquette, cependant, n'était pas rassuré : une demi-douzaine de molosses squelettiques lui reniflaient les jarrets.

En entrant dans le camp, Askik vit un spectacle familier. Des grils de bois et des lambeaux de viande noircie, des femmes pilant le pemmican sur des vieilles robes de bison, des garçons portant des arcs et des rongeurs morts, des hommes assis chez eux à fumer la pipe. Il y avait ce même relent de boucherie que dans le camp métis, avec cette différence qu'il se teintait ici d'une forte odeur de café. Chez les Métis, on sentait le thé. Les tipis sioux étaient mieux entretenus, parce que habités à longueur d'année. Il y avait plus de costumes de peaux, un goût plus prononcé pour les tresses. Sinon, le camp sioux ressemblait d'assez près à celui des Métis. Ce fut une seconde déception pour Askik : les Sioux ne lui faisaient pas plus peur que les Chipewyans.

Jérôme Mercredi ne partageait pas la déception de son fils. Les Sioux lui faisaient, au contraire, très peur. Son inquiétude fit un bond de plus lorsqu'il se trouva devant le chef du camp.

115

Tous les Métis reconnurent le Bœuf-debout, qui avait passé plusieurs mois à la Rivière Rouge en 1863, puis en 1865, après le massacre des colons blancs du Minnesota. L'arrivée de ces trois mille Sioux avait jeté la Rivière Rouge dans un état proche de la panique. Les intrus s'étaient conduits de façon irréprochable, mais les autorités de la Compagnie, aiguillonnées par la presse locale et appuyées par une forte milice métisse, avaient forcé les Sioux à décamper. Un de leurs sous-chefs, Petit-Six, avait été invité à dîner par des commerçants ; soûlé, drogué, ligoté, Petit-Six avait été expédié aux Américains, qui l'avaient aussitôt pendu. A espérer que le Bœuf-debout n'était pas rancunier.

Mais le chef avait la mémoire accommodante. Il fit entrer chez lui les émissaires métis, et passa la pipe. Askik était installé dans les dernières places, à gauche de l'entrée. Quand son voisin reçut la pipe, il en tira quelques bouffées et la passa au-dessus de la tête d'Askik à un autre Indien. Askik se sentit offusqué.

Le Bœuf-debout rappelait avec bonne humeur son séjour dans la terre de Grand-Mère, le nom que donnaient les Sioux à la reine Victoria. Il ouvrit un parflèche d'écorce et étala une quinzaine de médailles de George III, conférées à ses ancêtres pour avoir ignoré la révolution américaine. Il fit comprendre aux Métis qu'il était comme eux, un sujet britannique. Un compatriote, quoi. Il déclara même qu'il retournerait un jour à la Rivière Rouge, ce qui, à la réflexion, était de mauvais augure pour les colons américains.

La loge du Bœuf-debout était plus luxueuse que celle des Mercredi. Les coutures étaient en meilleur état, le cuir plus épais. Il y avait une doublure intérieure, richement décorée, pour assurer l'aération et chasser la rosée. Des sachets de médecine pendaient au mur. Sur un gril au-dessus du feu, des morceaux de viande cuisaient ou séchaient selon la hauteur à laquelle ils étaient placés. Le sol tout autour était recouvert de fourrures. La loge du Bœuf-debout était faite d'une quinzaine de peaux de bison ; celles des Métis en comptaient rarement plus de six. Seul un homme de grands biens pouvait se permettre de déplacer une tente aussi lourde.

Le chef s'enquit de leur itinéraire, demanda poliment s'ils avaient fait bonne chasse, soupira avec eux sur la rareté du gibier, et fit dire bonjour à l'évêque de Saint-Boniface qu'il appelait son bon ami. Pourtant, en 1863, quand l'évêque lui avait demandé de rebrousser chemin, le Bœuf-debout n'en avait eu cure. Mais cela, personne ne le lui rappela. Les Métis prirent congé du chef.

En sortant du tipi du chef, Jérôme se retrouva nez à nez avec un grand diable brun qu'il avait déjà vu en compagnie d'un pony tacheté et d'un fusil. L'Indien souriait d'oreille en oreille. Il tapa Mercredi à l'épaule et raconta leur aventure aux auditeurs en riant jusqu'aux larmes. Pour un Indien, il était extraordinairement volubile. Après s'être séché les yeux et avoir décrit une cinquième fois l'air d'étonnement qu'avait eu Mercredi en se découvrant poursuivi, l'Indien prit Jérôme par le bras et l'entraîna en jacassant. Mercredi comprit que son nouvel ami l'emmenait chez lui. Pour ne pas l'offenser, il se laissa faire. Les autres Métis restèrent devant le tipi du Bœuf-debout, serrés contre leurs chevaux.

Par bonheur, le Sioux n'habitait pas loin. Arrivé chez lui, il s'engouffra dans le tipi et ressortit avec une robe de bison roulée. Il l'offrit à Mercredi en lui faisant comprendre qu'elle venait de la vache qu'ils avaient tous les deux chassée. Puis il s'esclaffa de nouveau. Mercredi commençait à trouver la farce usée, mais l'Indien ne le laissa pas partir avant d'avoir mémorisé tant bien que mal le nom de Jérôme Mercredi. C'était un jeune guerrier, nouvellement marié. Sa loge était toute petite.

En retrouvant les siens, Jérôme vit avec agacement que deux autres chasseurs métis les avaient rejoints ; Louison Champagne et Jules Sansregret, toujours là où il fallait pas. En voyant le dessous de selle de Sansregret, Mercredi faillit s'étaler dans la poussière. Était-ce son imagination, ou cette peau d'albinos flambait-elle vraiment au soleil ? Sa bouche se dessécha, son cœur fit un grand bond vers la gorge comme pour décamper au plus vite. Heureusement, Sansregret était demeuré en retrait, les Sioux n'avaient pas encore reconnu leur peau de bison sacré. Mais qu'un seul d'entre eux y jetât l'œil, et les Métis étaient morts et scalpés.

Mercredi continuait à marcher, caressant sa nouvelle robe de bison comme pour en apprécier le lustre, et fixant Gauthier droit dans les yeux. Celui-ci, sentant qu'il y avait du nouveau, fit un lent tour d'horizon en arrêtant à peine le regard sur la peau d'albinos. Tandis que Mercredi entamait son discours de remerciement, Gauthier se glissa vers Sansregret et lui intima, en français, de quitter le camp en couvrant le plus possible le tapis de selle de son manteau. Sansregret et Champagne firent semblant de trouver ennuyant le discours de leur chef et mirent leurs chevaux au pas, comme pour s'offrir une tournée du camp. Au lieu de cela, ils reprirent le chemin de la caravane.

La nuit venue, Mercredi convoqua le jeune Sansregret devant le Conseil de prairie, et le roua de coups de poing et de pied. En prenant soin, toutefois, de lui épargner les dents. Sansregret se défendit à peine et se remit aussitôt de sa correction. On enterra la peau de bison dans une des tranchées qu'avaient creusées les femmes.

Le feu de fumier rougissait à peine les murs fripés du tipi. Le soleil n'était pas encore levé : les journées se raccourcissaient.

— Askik ! Mikiki ! *Wanisgak !* Debout !

Anita secouait les enfants sous leurs robes de bison. Le bébé Mikiki geignit et fit mine de pleurer. Askik se leva aussitôt pour se rapprocher du feu. Il était habillé et chaussé. Le vent froid plaquait les murs de peaux contre les perches.

— Lève ! Lève ! (Anita traîna le bébé pleurnichant de dessous sa couverture comme un souriceau qu'on

arrache au nid.) Tiens-toé près du feu. Pi arrête de pleurer !

La porte de cuir s'écarta. Jérôme entra. Dehors, il faisait gris-noir.

— C'est bon, la mère. Le bœuf est attelé. Laisse faire
le déjeuner. On mangera en chemin.

Les enfants furent enveloppés dans leurs couvertures
et chassés dehors tandis que les parents descendaient la
tente. Partout dans le camp, les cuirs glissaient sur les
montants de frêne, les tipis s'aplatissaient comme de
grands oiseaux gris se tapissant dans l'herbe. Les bœufs
reculaient volontiers entre les brancards : ils avaient
hâte de marcher et de se réchauffer. Askik reconnut
Mona au loin qui hissait un chaudron dans la charrette
des Gauthier. Les premières charrettes s'ébranlaient.
Bientôt, il ne resta plus qu'une douzaine de feux rou-
geoyants au milieu des pierres de tipi.

Anita et le bébé avaient pris place dans la charrette.
Mikiki faisait des grimaces à son frère aîné qui devait
aller à pied. Le vrai nom du bébé était Michel. Le
grand-père l'avait surnommé Mikikinuk, Tortue, après
que le petit eut tenté d'assommer une terrapin de ses
menus poings. Un heureux présage, selon pépère Mercredi, qui aimait que ses *nossimuk* aient du caractère.
Voir son aîné aller à pied, alors que lui-même trônait
au-dessus du bœuf, n'était pas fait pour déplaire à
Mikiki.

Mais Askik était heureux. Il faisait bon marcher, la
tête et les épaules chauffées par la fourrure, les jambes
et les joues piquées par le froid. En se retournant, il
pouvait voir bien d'autres enfants encapuchonnés qui
marchaient comme lui à côté des charrettes. Les plus
petits titubaient dans leurs robes trop grandes. Heureusement, les bœufs étaient lents.

— Askik ! cria sa mère, *pétsak* ! Regarde où tu
marches ! Tu vas t'accrocher dans la roue !

La roue, plus grande que lui, si grise, si fendillée, et
qui roulait avec un bel entrain pourtant sur tout ce qui
poussait dans son chemin. Une roue se fatigue-t-elle de

tourner ? Lui arrive-t-il de perdre courage devant l'espace à franchir ? Askik se demanda si le vent tirait encore des étincelles de leurs feux de camp. Un coin de terre souffre-t-il de n'être pas habité ?

Askik entendit des cris et un bruit de sabots. Sansregret et Champagne passaient en coup de vent, hurlant de rauques encouragements à leurs chevaux qui touchaient à peine le sol. Une course, avec pari sans doute, entre les deux chasseurs les plus démunis du camp. Les Métis secouaient la tête à leur passage. Sansregret atteignit le premier la prochaine crête et lança un « Kah ! » triomphal. Le visage de Champagne se tordit d'amertume.

— Tiens, Askik, mange.

Sa mère lui passait de la galette et de la viande séchée entre les ridelles de la charrette. L'enfant mangea la galette d'abord, parce qu'elle se mâchait mieux et qu'il avait faim. La viande goûtait la fumée de bois.

Sansregret leur criait quelque chose du haut de sa colline, en tendant le bras vers l'horizon. Champagne leur tournait le dos et semblait absorbé par un spectacle encore invisible à ceux qui marchaient en bas.

— *Wey ?* leur criait-on. Qu'est-ce que c'est ?

Les cavaliers qui allaient en tête escaladèrent la colline au galop. Rendus au sommet, ils se regroupèrent et parurent se concerter.

Askik ne tenait plus en place. Il lança sa fourrure et son déjeuner dans la charrette et partit à la course. Il vit d'autres garçons faire de même. Un immense orgueil s'empara de lui. Il avait le sentiment grisant de courir vers un danger inconnu. Il voulut être premier. Il voulut être remarqué.

Les hommes avaient mis pied à terre. Le cheval Choquette se tenait à quelques pas du sommet. Il tournait la croupe au vent et semblait dire par son regard morose : « C'est maintenant qu'on va en arracher. » Askik se faufila entre les jambes d'hommes et de chevaux et jeta comme eux le regard dans la plaine.

Un rideau opaque était tombé sur les collines les plus

éloignées, un grand mur gris qui coupait net la fuite des coteaux vers l'horizon.

— Un brouillard ?

— Non. Fait trop froid. Trop de vent.

— De la pluie ?

— Trop gris.

— A ton avis ?

— De la neige.

— M'a pas l'air de neige.

— De la neige quand même.

— Un brouillard, pour moé.

— Trop de vent.

— Icitte peut-être. Pas là-bas.

Les charrettes montaient laborieusement la côte, leurs passagers criant à tour de rôle : « Qu'est-ce qu'il y a ? » Mais les réponses étaient déroutantes. *Kimwan ! Mispounne !* Il pleut ! Il neige !

— En tout cas, marmotta Gauthier, on le saura bien assez vite.

Le mur fumeux avançait à vue d'œil. Les collines et ravins qui se trouvaient dans son chemin devenaient flous, puis grisâtres, puis disparaissaient.

Les bœufs ne s'arrêtèrent pas en atteignant le faîte de la colline mais entamèrent immédiatement la descente. Les chasseurs se remirent en selle, en ne quittant plus des yeux la grisaille qui venait. Chaque fois qu'ils atteignaient une hauteur, le mur s'était rapproché, il manquait encore des collines. Bientôt, il ne resta plus qu'une prairie étale entre les premières charrettes et la grande muraille gris d'oie. Le ciel entier s'assombrit.

D'abord, il n'y eut que des flocons minuscules qui zigzaguaient comme des moucherons et fondaient au premier contact. Puis vint la troupe régulière, les flocons gros et mous, poussés de biais par le vent, qui tombaient méthodiquement, sérieusement. La neige commençait à s'amonceler : entre les tiges et les racines refroidies, sur les roseaux des étangs, sur les bâches des charrettes. Les flocons formaient de longues stries blanches qui hachaient l'air. Les chevaux pendaient la tête et clignaient des yeux. Askik devait faire de même pour ne pas être aveuglé. Il entendait des voix courroucées qui venaient de la poudrerie à l'avant.

— Il faut camper ! Attendre que ça se passe !

— Et si ça ne se passe pas ? On crèvera de froid sans bois de chauffage.

— Mais on ne voit rien ! Le temps de trouver du bois...

— Voyons, voyons... (Askik reconnut la voix de son père.) On s'arrêtera au premier îlet de bois venu. On finira bien par en trouver.

— J' tavais dit, pourtant, de charger du bois à la rivière aux Hivernants.

— Ben maintenant c'est trop tard, continua Mercredi. C'est pas la peine d'en parler.

— Pas la peine ! Si tu te donnais la peine de penser plus loin que ton nez, on n'en serait pas là !

— Tu rêves au bôfflo, tu rêves pas à la neige ?

Il y eut d'autres voix, toutes aussi amères ; Mercredi ne répondait pas mais chevauchait la tête haute, le regard navré. Askik eut pitié de son père. Il résolut de ne jamais se mettre au service des hommes. Un jour, pensa-t-il, quand tous auraient besoin de lui pour éviter une mort horrible, il se boucherait les oreilles en mémoire de son père.

La tempête roulait sur les Métis comme une meule sur du grain. Ils pliaient l'échine et se faisaient petits. Les enfants étaient pelotonnés sous les bâches qui claquaient au vent. Les adolescents se regroupaient et riaient jaune. Les femmes ficelaient de longues perches aux ridelles des charrettes pour mieux les repérer en cas d'ensevelissement. Les grandes roues, qui avaient grincé et aboyé pendant tout un été, ne rendaient plus qu'un son mat et irréel, qui acheva de dépayser tout le monde.

On vit des ombres dans la tempête : des saules nains qui poussaient dans une baissière humide. Les roues enfonçaient dans le sol mou. Il y avait des éclats de glace mêlés à la vase. La caravane longeait la baissière à la recherche d'un bosquet plus fourni. Mais comme la neige empêchait de voir les limites du marais, les charrettes roulaient tantôt sur la terre ferme, tantôt dans une épaisse natte de chaume et d'eau glacée.

— Passez du côté du vent, qu'on sorte de l'eau !

— Non ! On perdrait le marais. Faut trouver du bois !

Pour Askik, qui avait si bien commencé la journée, ce marais était une déception. Il avait les pieds trempés. Les doigts qui tenaient la fourrure sous le menton étaient bleus de froid.

— *Mistikwak !* Des arbres !

Des peupliers fluets malmenés par la tempête. Peu de sous-bois. Des alentours dénudés. Rien qui puisse bloquer le vent. Les hommes se consultèrent et résolurent malgré tout de rester. Avancer devenait périlleux : on ne voyait rien.

Ils montèrent les tentes autour du bosquet, pour avoir le bois de chauffage à portée de main. Travaillant fébrilement, Jérôme et sa femme dressèrent les trois perches principales du tipi, et les ancrèrent au sol au moyen d'une forte corde. Ils ajoutèrent dix autres perches et, en s'aidant de longs bâtons, enveloppèrent l'armature de sa couverture de peaux. Jérôme laissa le soin d'aménager l'intérieur à sa femme. Il détela le bœuf et le mena au milieu du bosquet où se blottissaient déjà les autres animaux. En quittant son bœuf, Mercredi le tapota tristement à l'épaule, juste au-dessus de sa grande tache noire. Affaiblis par des jours et des jours de marche forcée, les animaux ne passeraient pas tous la nuit. Le bœuf répondit par un regard tranquille qu'il acceptait d'avance ce qui lui arriverait.

Le cheval Choquette fut moins philosophique. Aussitôt la bride enlevée, il se força un chemin jusqu'au milieu du troupeau avec l'air de vouloir vendre chèrement sa peau.

Anita avait déblayé le sol du tipi, pour empêcher que la mince couche de neige ne fonde sous leurs corps. Mais il était resté un tapis guère plus confortable de feuilles mouillées à l'odeur âcre. Dans d'autres circonstances, la famille se serait munie d'un plancher de roseaux ou de rameaux de conifères, mais les quelques branches que ramenait Jérôme étaient nécessaires au chauffage. Il fallait faire vite. Le bosquet était rempli d'ombres qui allaient et venaient comme lui, fouillant sous la neige et secouant les arbres pour du bois mort. Une hache, quelque part, mordait dans du peuplier gelé. Jérôme haletait et suait malgré le froid. Il fallait une bonne provision de combustible : la nuit serait longue.

La tempête prenait de la force. Il n'y avait plus de flocons individuels mais une seule tourmente lumineuse traversée de tourbillons. L'îlet de bois était petit, et pourtant Jérôme ne voyait pas les tipis de l'autre côté. Quand il entra se réchauffer, il trouva un bon feu de branches qui flambait au milieu de la tente.

— Es-tu folle ? cria-t-il à sa femme. Il retira la moitié des branches et les éteignit contre les feuilles mouillées.

Le feu baissa de moitié. Le bébé fit entendre un gémissement, puis se tut en voyant la mine farouche de son père. Les deux enfants étaient assis côte à côte sur une caisse de thé ; Anita ne pouvait se résoudre à étendre une couverture sur le sol humide. Jérôme resta un moment debout, comme pour se réchauffer au feu dérisoire, puis sortit chercher d'autre bois.

Une bourrasque souleva la robe du tipi et souffla une poignée de neige à l'intérieur. Anita sortit à son tour. Dehors, il ne restait plus ni plaine ni bois, mais une blancheur mouvante et sèche qui perçait les vêtements et brûlait la peau. Anita chargea le pan retroussé du tipi d'humus et de neige. Le travail d'un instant, et pourtant elle avait déjà mal aux doigts et aux oreilles.

La femme prit peur. Ses enfants n'avaient pas de vêtements d'hiver. Le bois manquerait sûrement. Ce ne serait pas la première fois qu'un camp métis était annihilé en plaine par un hiver précoce.

— Bon Dieu Seigneur, sauvez-nous ! Bonne Vierge, protégez-nous ! Ne nous laissez pas mourir de froid. A quoi ça servirait ?

Un sanglot de terreur lui échappa. Les flancs du tipi battaient comme un être vivant, la tourmente secouait méchamment les peupliers. Comment survivre dans un pareil déchaînement ?

— Pourquoi nous aut', bonne Vierge ? On a eu si peu de chance cet été ! Laissez-nous rentrer chez nous !

— Quoi ? Qu'est-ce que tu dis ? Jérôme s'était approché de sa femme sans qu'elle le voie. Il avait les bras chargés de branches. Ses moustaches étaient givrées.

— On va mourir, Jérôme !

— Ben voyons don', la femme ! Jérôme força un petit rire. *Pitigwé !* Entre, pi fais-toé du thé, tu te sentiras mieux.

Et comme de fait, dès qu'elle eut fermé le pan du tipi sur le blizzard, Anita se sentit rassurée. Les murs se gonflaient et se dégonflaient, mais les perches tenaient bon. Les enfants s'étaient déchaussés et tenaient leurs mocassins fumants au-dessus du feu. Anita étendit par terre la vieille peau de bison sur laquelle elle battait la viande sèche, installa son trépied, et mit de l'eau à bouillir.

La tempête dura une nuit et un jour. Pendant tout ce temps ou presque, les enfants ne quittèrent pas la caisse de thé. Le petit feu empêchait tout juste le sol de geler : quand les Mercredi se couchaient, ils se relevaient vite transis de froid et d'humidité.

Jérôme essaya de rêver encore une fois aux merveilleux bisons qui l'avaient mené dans ce pays. Mais il ne les retrouvait plus. Il s'en attribua la faute. L'énervement, disait-il, l'empêchait de se mettre tout entier à leur disposition. Il était si déchu, sa mission lui paraissait dorénavant si lourde, qu'il passa toute cette nuit et le lendemain assis devant le feu, la tête dans les mains, ne parlant pas, mangeant à peine. Par moments, sa respiration devenait plus rauque : il dormait. Mais un rien suffisait à le réveiller : le toussotement d'un enfant, une bourrasque, un craquement du feu. Au deuxième soir, il crut remarquer une diminution du vent. Quelques heures plus tard, vers le milieu de la nuit, en se réveillant d'un mauvais rêve, il s'aperçut que tout était silencieux, et qu'il faisait plus chaud à l'intérieur du tipi. La tempête avait pris fin. Mercredi jeta quelques branches au feu et voulut se rendormir. Mais au lieu de cela, il ramena les genoux sous le menton et se livra tout entier à ses soucis. Ils avaient survécu à la première tempête de l'hiver. Bien. Mais il leur restait plusieurs jours de marche, à travers la neige, en vêtements d'été. Et combien de bœufs restait-il pour tirer les charrettes ? Combien de chevaux ? Il enjamba sa femme qui se réveilla avec un hein ! épeuré.

— Dors ! lui dit-il. J' reviens tout de suite.
— Tu vas te perdre !
— La tempête est finie.
— Vierge Marie ! *Egossani !* Nous te rendons grâces !
— Dors.

Les étoiles brillaient entre les peupliers. Tout autour du bosquet des lueurs jaunes pulsaient au cœur des tipis. Mercredi avança avec peine à travers la neige molle. Il entendit craquer les sabots des bœufs qui changeaient de patte. Le petit troupeau formait une masse noire surmontée de plumeaux de vapeur. Combien de bêtes mortes ? Mercredi se mit à compter les bosses dans la neige, allant de l'une à l'autre en tâtonnant des mains et des pieds. Quand il trouvait une crinière sous la neige, il soustrayait un cheval au nombre du troupeau. Autrement, c'était un bœuf. Il se glissa ensuite vers les bêtes vivantes. Leur haleine chaude sentait l'herbe sure. Son bœuf avait survécu. Malgré la noirceur, Mercredi crut voir un éclair d'amitié dans les grands yeux bruns. Le cheval Choquette, par contre, fit semblant de ne pas le reconnaître.

Les pertes n'étaient pas si lourdes. Quatre chevaux. Un bœuf. Il y avait encore moyen de s'en tirer.

126

— Mercredi !

Askik et Mikiki sortaient du camp quand le gros Mathias les héla.

Il approchait d'un air assuré, les mains dans les poches, à la tête d'une demi-douzaine d'adolescents gouailleurs.

— Où est-ce que vous allez ?

— Chercher du bois, répondit fièrement le petit Mikiki en montrant un bosquet peu éloigné. C'était la première fois que sa mère lui permettait de quitter le camp sans elle. Anita l'avait entortillé dans un de ses châles pour éviter qu'il ne prenne froid. Les pompons du châle lui battaient les bottes.

— Voyons don', Mercredi, railla Mathias en ignorant le petit, tu sé bien qu'y a pu de bois là-bas. Y est déjà toutte pris. Y faut aller plus loin. Suis-nous !

Askik hésita. Il avait promis de ne pas entraîner son frère plus loin que le premier îlet de bois. Mais que répondre à Mathias ? Qu'il était aux ordres de sa mère ? Qu'il n'était pas son propre maître ?

— Mikiki, dit Askik, retourne voir maman.

— *Mouats !* Le petit avait l'air blessé, mais il tapait du pied et tenait tête. Mikiki chercher du bois, avec Askik ! Maman dit !

— Une autre fois, Mikiki. Tu iras une autre fois.

— *Mouats !*

Les grands garçons ricanaient. Askik se fâcha.

— Mikiki, retourne ! *Kiwé !*

— Non ! Chercher bois avec Askik !

Askik saisit le petit par les épaules, le retourna sur lui-même et le poussa violemment en direction des charrettes.

— *Awasse !* Va-t'en !

Le petit se retourna en hurlant de colère et de désespoir.

— Non ! Maman dit !

Il avait l'air ridicule, le visage plissé, les joues baignées de larmes, la bouche tordue. Les grands riaient franchement.

— *Awasse!* Askik ramassa une motte de terre et fit semblant de la lui jeter.

Battu, le petit s'en retourna vers le camp en pleurant à pleins poumons. Les franges du châle traînaient derrière.

Mathias donnait la direction d'un pas décidé, comme s'ils avaient loin à marcher. Le petit groupe traversa des vallons et des coteaux, franchit des ruisseaux à moitié gelés, et passait tout droit devant des bosquets bien fournis. Askik, encore gêné par le comportement de son frère, n'osait demander pourquoi ils ne s'arrêtaient pas prendre du bois. Pourtant, lorsqu'ils eurent contourné le troisième îlet de bois sans donner signe de s'arrêter, Mathias lui-même se sentit obligé d'offrir une explication.

— De l'épinette, dit-il. Des découvreurs ont vu de l'épinette de l'autre côté du grand coteau là-bas. L'épinette chauffe mieux.

Askik fit oui de la tête. C'était une excellente idée. Tandis que les hommes faisaient provision de tremble et de saule, les garçons rapporteraient du bois d'épinette qui brûle proprement et donne plus de lumière. Ce serait une belle surprise à faire à ses parents.

Le ciel était recouvert. On ne voyait pas le soleil, mais il faisait doux. La neige collait aux pieds, la plaine sentait la terre mouillée, comme au printemps. Il fallait un effort d'imagination pour se rappeler qu'on était à la fin de l'automne, et que l'hiver allait bientôt s'installer.

Ils arrivèrent enfin au grand coteau qu'avaient signalé les éclaireurs. De l'autre côté, ils trouvèrent une coulée profonde, bordée de maigres cornouillers. Askik ne voyait d'épinettes nulle part. Mais sans la moindre hésitation le gros Mathias se laissa glisser jusqu'au fond du ravin, en s'agrippant à de l'osier sauvage. Arrivé au fond, il suivit le lit desséché de la coulée en furetant sous les buissons comme un chien à la trace. La coulée serpentait, virait, et revenait sur ses pas comme un animal traqué. Enfin, Mathias plongea dans un buisson en criant : « Venez voir ! »

Il avait trouvé, entre les racines d'un chaton, un trou béant, assez large pour un castor.

— Qu'est-ce que c'est ? demanda Askik.

— Un trou de blaireau ! On peut l'attraper !

— Où est le bois d'épinette ?

— Un peu plus loin, mais y a le temps.

— On ferait mieux de chercher du bois, suggéra Askik. Les hommes vont vouloir partir.

— Ben non, bébé ! Si on revient avec un blaireau, ce sera mieux que du bois !

Askik ne voyait pas en quoi un blaireau était préférable à de l'épinette, mais à voir les garçons se bousculer autour du terrier en chuchotant nerveusement, il était évident qu'un blaireau valait mieux.

Mathias exposa le plan d'attaque.

— *Mistanask,* expliqua-t-il, a deux portes. Une dans la coulée, une autre dans la plaine.

Il escalada la berge abrupte avec une agilité surprenante, compte tenu de sa corpulence, et disparut. Les autres l'entendirent fouiller dans le petit bois qui bordait la coulée.

— Ça y est ! cria-t-il. J'ai trouvé la porte de derrière. Montez, vous aut' ! Non, pas toé, Mercredi.

Il lui lança une poignée de viande sèche.

— Mets ça devant le trou. Pi cache-toé de l'autre côté de la coulée. Le blaireau va sentir la viande. Quand y sortira pour manger, tu lances un cri. On se mettra à crier dans la porte d'en haut. Comme ça le blaireau aura peur de rentrer chez lui, y partira à courir dans la coulée, pi on le tuera.

— Mais on n'a pas que ça à faire ! répondit Askik, raisonnable.

— Ça ne sera pas long. Mais faut faire accroire au blaireau qu'on est partis. Cachez-vous, pi taisez-vous !

Les garçons disparurent du haut de la berge. Askik s'accroupit dans le sous-bois, en face du terrier. Il entendit encore quelques craquements de branches, puis rien. Il fallait attendre.

129

Mistanask avait sans doute flairé la viande, mais hésitait encore à sortir. Askik l'imaginait tout gris dans son trou noir, le museau tremblant de gourmandise, chaque poil dressé de peur. Askik se rappela les griffes cruelles et noires qui ornaient les peaux de blaireaux ; un petit frisson lui parcourut le dos. Il n'avait même pas son arc, puisqu'il était venu cueillir du bois. Il tâtonna silencieusement la neige tout autour de lui et déterra un bout de branche solide et épais. Ce serait son arme. Il imagina la suite. La bête, deux fois plus grande que d'habitude, les yeux pétillants de rage, se jetait sur lui en ouvrant une gueule méchante. Askik sentait les griffes s'enfoncer dans son bras, les crocs lui transpercer la main, mais il donnait des coups de masse retentissants, inimaginables. Ses compagnons ahuris, plus effrayés par sa férocité que par la bête, s'enfuyaient en le laissant seul avec son terrible adversaire. A la nuit tombante, il rentrait au camp, épuisé et exsangue, la bête drapée sur les épaules. Il la jetait dédaigneusement aux pieds de...

Un hibou sortit du terrier en sautillant. Askik n'en crut pas ses yeux. Une simple chouette ! Avoir attendu tout ce temps ! Et la caravane qui s'apprêtait à partir ! Askik allait crier : « Mathias, viens voir ton blaireau ! », mais il hésita. Peut-être la chouette partageait-elle le terrier avec le blaireau ? Les chouettes vivent bien avec les marmottes. L'oiseau picotait distraitement la viande séchée tout en cherchant l'auteur du don. Ses yeux jaunes se posèrent enfin sur Askik. Le garçon tenta de se faire aussi immobile que les arbres. Mais ses jambes recroquevillées se mirent à trembler, il dut changer de pied, la chouette s'envola.

Askik ne savait plus que faire. S'il quittait son poste, et qu'il y avait encore un blaireau dans le terrier, les autres seraient furieux. Mais si le terrier était vide, ils attendraient trop longtemps, ils seraient obligés de rentrer sans épinette.

Askik resta longtemps parmi les buissons. La chouette se posa sur un tronçon d'arbre, et tout en surveillant le garçon, se mit à lui faire des courbettes. Le garçon l'observa quelque temps, se fatigua, et ramena les yeux sur le terrier. Il pria secrètement *Mistanask* de monter et d'en finir. Puis il l'invectiva du fond de l'âme, ce qui ne donna pas plus de résultats.

Depuis combien de temps se cachait-il dans cette coulée ? C'était insensé. Leurs parents seraient furieux. Faire attendre la caravane alors que l'hiver menaçait de les engloutir tous ! En se donnant beaucoup de peine pour ne pas faire craquer de branches et en ne quittant jamais des yeux le terrier, Askik escalada la berge à reculons. Arrivé en haut, il leva les yeux, le temps de faire signe aux autres. Mais la berge opposée était déserte.

Il crut d'abord à un effet de lumière. Le soleil d'hiver allongeait les ombres, noircissait le sous-bois. Mais non. Il n'y avait personne.

— Hé ! Sa voix résonnait dans l'air froid. Askik traversa la coulée. Il retrouva les traces des garçons dans la neige mais ne put les suivre au-delà du sous-bois. Plus loin, le sol avait été dénudé par le vent. La terre gelée ne portait pas d'empreintes.

— Mathias !

Il savait bien que les autres l'épiaient, espéraient le voir pleurer. Il cria, très raisonnable :

— On va être en retard ! Les aut' nous attendent !

Un oiseau fit monter quelques notes.

— Mathias ! Espèce d'épais !

Le silence l'étonnait. Pas un ricanement, pas un remuement. Rien que le glissement du vent sur le grand coteau or et blanc.

Askik se mit en marche. Les garçons sortiraient bien en le voyant partir. Mais il était encore seul lorsqu'il atteignit le sommet du coteau.

Le soleil d'hiver dorait de larges pans de plaine, et laissait dans l'ombre les vallons et les versants nord.

— Mathias ! Il y mit une note d'agacement, au cas où il y aurait quelqu'un pour l'entendre. Mais il ressentait déjà plus de peur que de colère. Il avait beau regarder dans toutes les directions, il ne voyait pas le camp.

Le froid le chassa du sommet. Il prit la direction qui lui sembla la plus probable. Une fois en marche, sa peur se dissipa. Le seul mouvement de ses jambes semblait éveiller un instinct d'orientation.

Askik reprit plaisir à la promenade. En passant par une colonie d'amarantes il leur donna chacun une claque énorme pour faire gicler la neige et les graines. Il suivit les traces d'un lièvre qui allait à peu près vers le camp. Il pensa avec colère à Mathias et aux autres, qui étaient rentrés depuis longtemps, qui jouaient aux innocents, tandis que les adultes fulminaient contre le retard dont il était maintenant le seul responsable. Son père avait dû essuyer des injures.

Askik consulta le soleil. Il pouvait être midi.

Le garçon hésita au bord d'une coulée très profonde. Il ne se souvenait pas de ce ravin. Mais la plaine est grande. Une coulée peut changer d'aspect et de direction bien des fois. Askik la traversa et poursuivit son chemin.

Un peu plus loin, il vint à une mare, bordée de saules, étouffée de roseaux. La vase gelée le soutenait à peu près. En fouillant dans les quenouilles, Askik trouva des nids de mainates et d'oiseaux-abeilles. Il garda les plus gros. Il allait quitter la mare lorsqu'il découvrit, entre les roseaux, les traces massives d'un grisli. Le cœur palpitant, Askik sortit en courant du bosquet.

En passant la prochaine côte il tomba sur un petit lac dont l'eau n'était pas entièrement prise. Des canards firent une fois le tour du lac en jurant, et disparurent. Askik ne se souvenait pas non plus de ce lac. En étudiant les alentours, il comprit qu'il avait trop erré à gauche. Il prit à droite, en gardant le soleil à dos. Cette dernière précaution lui paraissait indispensable mais elle était plus instinctive que calculée. Askik essayait de se rappeler la position du soleil par rapport à la coulée où il avait attendu le blaireau, et l'orientation de la coulée par rapport à leur trajectoire d'approche, mais tout cela était bien compliqué et d'autant plus futile qu'il était convaincu de retrouver le camp d'un moment à l'autre. Il relevait ici et là des jalons qui lui semblaient familiers : l'inclinaison d'une pente, une touffe d'armoise, un bloc de granit. Tous lui confirmaient qu'il était sur la bonne voie.

Pourtant, comme ce retour lui paraissait long ! Chaque fois qu'il passait une côte, il était persuadé de retrouver les charrettes de l'autre côté, et chaque fois c'était une nouvelle étendue à traverser, une nouvelle colline à rejoindre. Il jeta le bâton qu'il avait ramassé dans la coulée. Quelques pas de plus et il laissa tomber les nids d'oiseaux. A présent, tout l'écœurait : le bâton, les nids, les mares, et la plaine. Surtout la plaine. Ses jambes lui faisaient mal. Il avait froid aux mains. Pensant avoir soif, il s'offrit une poignée de neige, mais elle goûtait le vieux foin. En fait, il n'avait ni froid ni faim. Il voulait seulement ne plus être seul.

Le vent rameutait les nuages, les serrait les uns contre les autres, les recousait en une seule pièce opaque. Le soleil résista un moment, et disparut. La plaine blanche et ocre redevint brune et grise, et fumeuse. Le soir venait. L'hiver venait. Askik pressait le pas en jetant des coups d'œil inquiets à l'ouest. Comme le jour s'éteignait vite ! Son père avait dû lancer des Loups à sa recherche. S'il criait, on l'entendrait peut-être. Mais crier quoi ? Maman ? On se moquerait de lui. Askik réfléchit un moment, plaça les mains en porte-voix et lança de toutes ses forces :

— Par icitte ! Et pour éviter toute confusion, au cas où il y aurait quelqu'un d'autre perdu dans la plaine : C'est moé, Askik !

Il prêta l'oreille, sûr d'entendre le galop d'un cheval ou le claquement d'un fusil. Il fit un tour d'horizon au cas où un cavalier aurait débouché au faîte d'une colline. Mais il n'y avait personne. Le vent glacé lui mordait les oreilles et les doigts. A l'ouest, les nuages étaient couleur saumon. Déjà les collines grises se fondaient les unes dans les autres, les ravins et les mares s'effaçaient tranquillement.

Askik se mit à courir. Il lui restait peu de temps. En gagnant une éminence il verrait peut-être les feux du camp. Mais si marcher était pénible, courir était harassant. La neige en se refroidissant se recouvrait d'une croûte glissante et friable. Askik tomba si souvent qu'il en eut les coudes meurtris. Arrivé au sommet du premier coteau, il chercha dans toutes les directions le grand feu que ses parents ne manqueraient pas d'allumer et qui brûlerait tant qu'il ne serait pas rentré. Toute une montagne de bois précieux allait disparaître parce que Askik Mercredi n'avait pas pris la peine de noter son chemin. Ses oreilles se mirent à chauffer. Mais peut-être après tout le feu s'allumerait-il tout proche. Alors il le rejoindrait avant que le premier tas de bois soit consumé, il sortirait de l'ombre en sifflotant doucement, comme revenant d'une petite promenade et demanderait innocemment : « Qu'est-ce que vous faites ? Y a quelqu'un de perdu ? »

Une touffe de lin sauvage grésillait à ses pieds. La plaine s'était rétrécie. Les collines noires serraient l'enfant de toutes parts, sauf à l'ouest où survivait un peu de lumière. Il n'y avait pas de feu, pas de lune, pas une étoile. Peut-être ses parents attendaient-ils qu'il fît tout à fait noir pour allumer le feu ? Askik leur priait à haute voix de ne plus attendre. Il ne voulait plus être seul, il voulait savoir qu'on pensait encore à lui. Il imagina son père, bafoué et insulté à cause du bois qu'il empilait, mais qu'il continuait à entasser. Les choses allaient déjà si mal pour lui. Il pensa à sa mère, à la confortable odeur de cuir et de thé qu'elle exhalait. Il se souvint enfin de Mikiki qu'il avait repoussé. Il voulut se jeter par terre, se marteler les tempes, se blesser réellement pour avoir un peu pitié de lui-même. Il jura avec véhémence de ne plus écouter Mathias.

Mais à quoi bon prendre des résolutions pour l'avenir ? Une nuit ténébreuse filtrait du pôle et dégoulinait jusqu'à la plaine. A l'ouest, il ne restait qu'un liséré gris clair contre lequel se profilaient des collines très lointaines. L'une d'elles se soulevait bien au-dessus des autres. Était-ce le grand coteau qu'ils avaient visité le matin même ? Askik voulut y être de tout son cœur. Le coteau lui semblait cher et familier, parce que connu. Le vent froid lui brouillait la vue. Les bras serrés autour du corps, sautillant sur ses pieds gelés, Askik commença à pleurer, silencieusement, pour ne pas être entendu par tout ce qui sort la nuit. Pourquoi n'y avait-il pas de feu ? A quoi pensaient ses parents ? Ne voulaient-ils plus de lui ?

— Papa ! Il pleura tout fort de peur et de colère.

Il s'arrêta court. Il venait d'apercevoir, serré entre deux coteaux, un cône, aussi sombre que les collines, mais couronné d'une touffe de bâtons. Un tipi !

Askik poussa un glapissement de joie. Dire qu'il était si près du camp ! Il dévala le coteau à la hâte, trébucha, glissa jusqu'en bas sur ses genoux. Il fut debout en un clin d'œil, courant de toutes ses forces, jappant comme un renard joyeux. Comme il avait faim ! Comme le pemmican serait bon ! Comme il s'entendrait désormais avec Mikiki ! Il lui raconterait les traces d'ours et le petit ouvrirait de grands yeux. Askik en riait d'avance.

L'enfant s'arrêta net. La forme spectrale qui se dressait devant lui était bien un tipi, mais seul. Pas de camp. Pas de feux. Rien que cette loge indienne ornée de dessins mystiques. Une large bande noire, symbole de la Terre, courait tout autour de la base. Un disque rouge, le Soleil, résidence du Grand Mystère, flambait près de la pointe. Entre les deux : les symboles de rêve du propriétaire. La porte était épinglée de l'extérieur. Deux lances ornées de plumes d'aigle étaient fichées en terre de part et d'autre de l'entrée. Aucun bruit ne venait d'en dedans.

Askik avança, prudemment, les oreilles aux aguets. Il dépassait les lances lorsqu'un susurrement le fit tressaillir : une crécelle cérémoniale était suspendue parmi les plumes et se balançait au vent.

— *Tansé ?* fit le garçon timidement. *Nékowatsin !* J'ai froid ! Je peux entrer ?

Le vent fit claquer l'oreille du tipi : il n'y avait pas de fumée.

— Savez-vous où est not' camp ?

Pas de réponse. Askik inspecta les alentours. Peut-être le propriétaire était-il à la chasse ? Il n'y avait pas de traces dans la neige. L'homme était peut-être parti depuis plusieurs jours. Et comment savoir s'il reviendrait cette nuit même ? Askik pouvait-il l'attendre ? L'enfant tremblait de froid. S'il entrait dans le tipi, il serait à l'abri du vent. Il ne dérangerait rien. Si le chasseur revenait et le surprenait chez lui, Askik n'aurait qu'à s'expliquer, lui dire qu'il gelait, qu'il n'avait eu d'autre choix que d'entrer. A juger par les dessins et les lances, le propriétaire était un homme de bien, qui ne refuserait pas le gîte à un petit garçon qui avait froid.

Askik s'approcha du tipi silencieux. Il regarda une dernière fois autour de lui et, ne voyant personne, retira la première épingle du bas. Ce fut difficile : les œillets de cuir s'étaient durcis. Un tambour accroché à la paroi extérieure tapait doucement contre le cuir. Enhardi, le garçon enleva une seconde épingle, puis une troisième. Il souleva le pan de cuir et regarda timidement à l'intérieur.

— Y a quelqu'un ?

Il approcha le visage de l'entrée. Une odeur de terre moisie s'échappait du tipi, un remugle de sous-sol mal entretenu. Askik laissa tomber le pan de cuir et recula vivement. Il voulait fuir. Mais où ? Un peuplier chuintait quelque part dans les ténèbres, mais sans pierres à feu, à quoi bon le bois ? Le vent s'engouffrait dans le tipi par la porte entrouverte et faisait gonfler les murs. Il faudrait refermer, pour que la neige n'entre pas. Mais Askik restait cloué sur place. Entrer ? Partir ? Il décida de partir. Après tout, il n'avait pas si froid. Et comment savoir si le camp n'était pas tout proche ? Mieux valait marcher qu'attendre.

Il tourna résolument le dos au tipi et partit à grande allure. Le vent sifflait à ses oreilles. La neige craquait sous ses pieds. Il marcherait toute la nuit, jusqu'au lever du jour.

Mais il fit moins de cent pas. Il ne voyait plus ni ciel

ni terre. Il avançait dans un tout petit cercle de pénombre où rentraient et sortaient des touffes d'herbe, des pierres, et des arbustes. Chaque foulée le mettait dans un monde différent. Il sentait le sol pencher sous ses pieds mais ne pouvait savoir s'il se dirigeait vers une mare ou un précipice. Sa marche se fit plus lente, puis hésitante, puis cessa tout à fait. L'écho de ses pas résonna un moment dans sa tête puis céda la place aux remuements des herbes et du vent. Le grand ours gris se promenait-il comme lui dans l'obscurité ?

Askik fit demi-tour, et après quelques minutes de recherche anxieuse, retrouva le tipi solitaire.

Il hésita un long moment à y pénétrer. La crécelle et le tambour ne semblaient pas tellement d'accord. Le peuplier en particulier semblait hostile au projet, sifflant fortement comme pour dire : « Je ne te vois pas, mais je sais bien ce que tu complotes, garnement ! » Tant d'hostilité avait de quoi décourager, mais à présent, Askik avait trop froid pour pleurer. Il ne sentait plus ses doigts et ses pieds, ses cuisses étaient dures comme pierre. L'enfant saisit à contrecœur le bord du tipi et le souleva à nouveau. Cette fois, il n'y eut pas d'odeur de moisissure : le vent avait bien travaillé.

Askik se glissa à l'intérieur, en rasant le mur, pour ne pas avancer un pied de plus que nécessaire dans la loge. Il s'accroupit à côté de l'entrée qu'il laissa entrouverte. Pendant de longues minutes, il fixa obstinément la barre grise que formait cette ouverture, n'osant regarder autour de lui. Puis, quand ses yeux furent accoutumés à la noirceur, il les tourna vers l'intérieur du tipi. Il y avait des parflèches et des paniers d'écorce au sol. D'autres lances. Un bouclier suspendu aux perches de la tente. Et au milieu, une forme vague, volumineuse, là où aurait dû être le feu. Un objet étrangement grand pour un tipi qui n'abrite normalement que des biens transportables. Un mur, ou un contenant géant, pensa Askik. Il ne pouvait voir au juste. Mais qu'y avait-il derrière ce mur, ou dans ce contenant ? Un frisson lui parcourut l'échine. Le garçon se recroquevilla en ne quittant pas des yeux la forme mystérieuse. Il sentit quelque chose se plisser sous lui : une couverture de laine. Il la ramassa précautionneusement et s'en recouvrit. La laine était poussiéreuse, mais chaude et moelleuse, comme neuve.

Askik s'adossa à une perche et se mit en devoir d'attendre le matin. Il s'interdisait de dormir. Il veillerait jusqu'à l'aube, crispé comme un lièvre, prêt à bondir par l'ouverture au premier signe de mouvement de derrière ce mur. Ou du dedans de ce contenant.

Mais la fatigue est sournoise. Elle commença par dénouer l'estomac et les jambes du garçon, lui arrondit le dos contre le montant de frêne, et l'amena finalement à s'adosser contre le cuir élastique de la tente. Elle allongea sa respiration et lui pencha la tête. Elle osa enfin lui fermer les paupières. Il sursauta, le cœur emballé. Elle recommença, patiente, obstinée, dix fois, vingt fois, et chaque fois, il lui fallait un peu moins de temps pour reprendre l'enfant en main.

Askik s'endormit. Il continua à veiller pourtant, en rêve. Et c'était même mieux, car il n'avait plus ni froid ni sommeil. Il voyait comme en plein jour. Il était assis droit et sans effort, vêtu d'habits perlés, armé de sa lance et de son bouclier. Dehors, le tambour et la crécelle battaient d'unisson. Au centre de la pièce la grande masse grise dansait et se tordait. Plus le battement devenait énergique, plus cette masse ruisselait de bosses et de rides.

Elle se fit soudain petite et musclée. Un blaireau apparut, crachant de colère, son poil jaune debout, ses yeux pétillants de rage.

— *Napéo !* Homme ! siffla-t-il, que fais-tu ici ?

Askik ne broncha pas mais dévisagea la bête. Que lui importaient les crocs et les griffes ? Il n'avait plus à se défendre. Le blaireau perdit contenance, recula, et crachant haineusement, se fit glaise à nouveau.

La danse diabolique reprit. La crécelle et le tambour remplissaient le tipi de leurs pulsions de tonnerre. Du cœur de la masse grise vint un grognement caverneux.

La glaise poussa des pattes épaisses et courtes, un ventre bas, une tête lourde et méchante.

— *Napéo!* rugit l'ours, que fais-tu ici?

Mais Askik ne leva pas le bouclier, ne saisit pas sa lance. Il était immobile et sage. Ses bras étaient secs et raides, ses yeux voyaient sans s'ouvrir. Qu'avait-il besoin de bras et d'yeux, de lance et de bouclier? Il n'avait plus à répondre. L'ours rugit, se ratatina comme une prune gelée, et devint un grain de glaise qui dansait sur les couvertures.

Puis, soudain, la boule explosa en mille démons et fantômes qui tourbillonnèrent au-dessus de sa tête en vociférant tous ensemble de leurs voix horribles:

— *Napéo!* Que fais-tu ici?

Ils menaient un tel remue-ménage dans l'air qu'Askik sentit ses longs cheveux gris lui frôler les joues. Des joues sèches comme du parchemin. Et pourtant, il ne se troubla pas. Il n'avait plus à craindre.

L'enfant se réveilla. La grande masse grise était là, devant lui, immobile. La crécelle, le tambour et le vent s'étaient tus. Il gelait dur. Askik avait beau se pelotonner sous sa couverture de laine, il avait froid jusqu'aux entrailles, jusqu'aux racines des cheveux. Il avait perdu toute sensation dans les jambes. Il mourait de froid. Il songea aux éclaireurs qui le trouveraient ainsi, dur et perclus comme un animal mort au piège l'hiver. On le ramènerait à sa mère, raide mort mais bien assis, prêt à prendre sa place près du feu. Askik s'étonnait de ne pas avoir peur. Il avait même hâte de se rendormir, même si c'était à coup sûr rendre l'âme. A quoi bon résister? Qui le sauverait?

Le grand tipi disparut, ou plutôt devint transparent, car Askik se trouvait encore au milieu de son cercle. Il voyait la plaine brillamment enneigée qui roulait jusqu'à l'horizon. Il vit le soleil resplendissant, mais aussi la lune et les étoiles, bien qu'il fît plein jour. Un grand loup au pelage crémeux se tenait devant lui.

— *Napéo,* que fais-tu ici? demanda tranquillement le loup.

— J'ai froid, se plaignit Askik en se frottant les bras.

— Moi aussi, répondit le loup, mais il ne bougea pas d'un poil.

— J'ai faim, renchérit le garçon en se tenant l'estomac.

— Moi aussi, répéta le loup, mais il ne se lécha pas les babines.

— Je suis seul, pleurnicha le garçon en montrant la plaine sans fin.

— Moi aussi, répondit le loup qui ne la regarda pas.

— Je suis perdu ! cria Askik en levant des bras exaspérés.

— Je ne me perds jamais.

Un violent frisson le réveilla à nouveau. Il était étendu par terre, et ne se souvenait pas de s'être couché. Une lumière pâle s'était glissée à l'intérieur du tipi : il ferait bientôt jour. Mais c'était trop tard. Non seulement les jambes mais tout le côté tourné vers le sol étaient gelés. La froidure montait vers le cœur. Bientôt ce serait terminé. Il pensa à sa mère, plus enfantine que lui, qui le pleurerait sans doute. Il songea à Mathias, qui l'avait tué, mais cela lui parut sans intérêt. Il eut un moment envie de pleurer sur lui-même qui mourait seul et jeune, mais les émotions le fuyaient et le laissaient impassible.

Il se rendormit avec soulagement, heureux de partir enfin, se promettant de faire un petit tour par le camp avant de monter au ciel.

Mais une voix de vieillard le réveilla : une voix chaleureuse qui venait de la masse grise au centre du tipi.

— *Nikosis,* mon fils, que fais-tu ici ?

Askik se leva sur ses coudes gelés.

— *Nikosis,* répéta la voix, que fais-tu ici ?

— Je suis perdu, répondit Askik.

La masse grise demeura silencieuse, comme n'ayant pas entendu.

— Je-suis-perdu ! insista Askik avec un brin d'agacement.

— Non, tu es ici.

Une lumière aveuglante inonda le tipi. Askik vit un

visage brun qui l'épiait par l'ouverture et qui lui adressait des paroles incompréhensibles. Askik allait répondre poliment qu'il était mort et qu'il dégagerait bientôt les lieux. Mais au lieu de cela, il se leva de terre. Il plana un moment au-dessus de la grande masse grise qui était, en fait, une courte enceinte de glaise contenant au milieu une tête blanche ornée de plumes.

Tout ce qui suivit — le jour éclatant, l'air vif, le cheval tacheté, la chemise rugueuse frottant contre sa joue — tout cela le vexa au plus haut point. Jamais il n'aurait cru que son ascension au ciel serait aussi prodigieusement lente et compliquée. Mais il se souvint qu'il devait rôder pendant quatre jours encore avant d'emprunter le Chemin du Loup, et il se résigna de mauvais cœur à ce contretemps.

Une femme lui servait une décoction amère qui goûtait l'herbe à chat. Il avait donc la fièvre ? Askik voyait deux femmes, des Indiennes. Celle qui le faisait boire était jeune ; de l'autre côté du feu, une vieillarde se penchait sur sa couture en fredonnant des airs disjoints. Askik nota encore que le tipi était richement fourni, que la porte était roulée, qu'il faisait beau dehors, et qu'il y avait tout autour de la tente des cris d'enfants. Il en conclut que c'était le printemps, qu'il avait été malade tout l'hiver, et qu'il avait affreusement abusé de l'hospitalité de ces femmes.

La fièvre le quittait par degrés. Les moments de veille et de sommeil se succédaient sans qu'il s'en rende compte. Des inconnus entraient ou s'arrêtaient devant l'ouverture du tipi, uniquement pour l'observer. Chaque réveil apportait de nouveaux visages. La jeune femme parlait volubilement aux visiteurs, comme pour donner des nouvelles du malade, tandis que la vieillarde hochait la tête en émettant un roucoulement satisfait. L'une des intruses, une forte femme à l'estomac imposant, se crut même autorisée de tâter les joues et les membres du malade.

141

Enfin le soir arriva, la jeune femme laissa retomber la couverture d'entrée, et mit du bois au feu. Ne voulant plus se laisser servir par des femmes qu'il ne connaissait pas, Askik s'assit, bien qu'il eût encore la tête légère. Il voulut remercier ses deux compagnes, mais elles lui firent signe d'attendre.

Quelques instants plus tard, un homme et deux adolescents entrèrent. Aussitôt assis, les garçons plongèrent la main dans le pot à viande. Le père, plus poli, s'occupa d'abord de son hôte. Il parlait un peu le cri et fit comprendre à Askik qu'il avait visité Saint-Boniface, il y avait de cela bien des années, en compagnie d'une délégation siouse. Il semblait garder un bon souvenir de la mission, de la cathédrale en particulier. Un Sauteau il est vrai, avait tué un de leurs hommes, mais les Métis avaient eu l'obligeance de le pendre. Askik montra d'un signe de tête qu'il connaissait cette histoire.

L'Indien offrit de la viande à son jeune hôte, qui accepta sans appétit. Le Sioux se servit et après avoir quelque peu assouvi sa faim, expliqua comment il avait trouvé Askik, trois jours plus tôt au cours d'une chasse.

Il avait quitté sa loge au petit matin, à la recherche de cerfs-mulets, ayant relevé leurs traces le jour précédent près d'un petit lac. Arrivé sur les lieux, il s'était embusqué et avait attendu une partie de la matinée, sans rien voir. Quittant enfin sa cachette, il avait trouvé dans la vase les empreintes d'un grand ours gris. Or le grisli est la seule bête que craignent les Sioux. Voulant s'assurer que l'animal ne rôdait pas autour du village, l'Indien avait suivi les traces de l'ours à travers la plaine enneigée. Qu'elle n'avait été sa surprise lorsque les traces s'étaient doublées de celles d'un enfant. L'Indien avait poussé de l'avant, de plus en plus étonné de la direction que prenait la piste. Il était venu enfin à un léger coteau où l'enfant avait longtemps tourné en rond : signe qu'il ne se savait pas suivi, ou qu'il avait une forte avance sur l'ours.

Du haut de la colline, l'Indien avait tout de suite repéré le tipi funèbre qu'il avait lui-même aidé à dresser, l'automne précédent. Il ne s'étonna pas de voir les traces y mener : il l'avait pressenti. Les empreintes de l'ours et de l'enfant s'accompagnaient jusqu'à la porte, qui était entrouverte. L'Indien avait hésité, craignant un sortilège. Il avait écarté le pan d'entrée, du bout de sa masse : l'enfant et l'ancien étaient intacts. Le grisli avait fait plusieurs fois le tour du tipi, sans entrer.

— Donc je suis ici depuis trois jours seulement ! s'exclama Askik, en cri.

— *Ehé.*

— Alors mes parents ne sont peut-être pas loin ?

— Ils sont à la rivière Souris. Nos jeunes hommes ont découvert les charrettes cet après-midi. Je t'y mènerai demain, si tu te sens mieux.

Un long silence s'ensuivit. S'étant copieusement bourrés, les adolescents se prélassaient sur des dossiers d'osier. Ils étaient trop bien élevés pour dévisager le visiteur mais ils ne l'épiaient pas moins avec curiosité. L'un d'eux en particulier semblait grugé d'impatience. Le père même semblait regretter qu'Askik n'en révélât pas plus long sur son aventure. Ne voulant pas poser de question directe, ce qui est impoli, il tenta de relancer la conversation autrement.

— L'homme dont tu as partagé le tipi était un grand chef. Il avait des rêves puissants.

— J'ai rêvé dans cette loge, dit Askik, tout honteux de n'avoir rien de plus extraordinaire à leur offrir. Mais comme ils l'écoutaient tous attentivement, il continua.

— J'ai rêvé à un blaireau, à un ours, et à des démons. Mais je n'ai pas eu peur. J'ai rêvé ensuite à un loup, qui m'a dit qu'il ne se perdait jamais. Puis j'ai entendu une voix qui m'a dit que je n'étais pas perdu, parce que j'étais ici.

— Parle-nous de cette voix.

— C'était la voix d'un vieil homme. C'était une voix aimable.

La vieillarde poussa une exclamation de triomphe et gratifia les siens d'un coup d'œil qui disait clairement : « Je vous l'avais bien dit ! »

— C'est ma belle-mère, expliqua le Sioux. C'est la femme de l'ancien qui t'a protégé contre l'ours. C'est lui qui t'a parlé en rêve. C'était un grand chef.

La vieillarde coulait un regard d'adoration sur Askik. Il se sentit adopté.

Le lendemain matin, la vieille lui présenta dès le réveil une tisane de souci d'eau, pour le décongestionner, car la fièvre avait fait place à un rhume. Elle le pressa ensuite de morceaux de viande cuite dans une sauce épicée. Elle avait dû se lever très tôt pour préparer ce festin. Askik n'avait jamais mangé de la viande de chien, mais c'était un mets fort répandu dans les plaines ; il mangea de bon appétit.

Quand vint le temps de partir, la vieille Indienne lui remit un sac brodé qui avait dû appartenir à son mari. Elle y avait mis de la viande séchée de première qualité, et des herbes médicinales pour Askik, au cas où sa mère n'en aurait pas.

— *Kitôm kawapmitin*, je vous reverrai, lui dit poliment Askik. Il ajouta : « *Kokoum* », ce qui une fois traduit fit monter des larmes aux yeux de la vieille dame.

Askik quitta le village sioux à regret. Il eut un moment envie de demander à ses amis de le garder, de lui apprendre à chasser et combattre à la manière des Sioux. Mais il se rappela qu'il devait retourner à l'école, parfaire son instruction, s'il voulait devenir un homme de bien dans sa propre communauté. Il se promit d'inviter ses amis sioux à Saint-Boniface, lorsqu'il aurait une grande maison aux pièces blanches et aux vitres de verre.

XIII

La caravane avait attendu Askik un jour et une nuit avant de reprendre la marche. Jérôme Mercredi s'était opposé au départ : les chasseurs l'avaient destitué par un vote écrasant. On avait trouvé des traces de grisli près du grand coteau : il ne faisait de doute à personne que le garçon était mort. La caravane était repartie sans Askik. Les Métis ne manquaient pas d'humanité mais ils craignaient tous de mourir de froid et de faim. Jérôme avait battu la plaine pendant deux jours et deux nuits. Il était rentré au camp, affamé et déchu, pour apprendre qu'Askik avait été recueilli par les Sioux.

Les Métis campaient près d'une rivière étale et large : la Souris. Cette rivière les plaçait à une demi-bauche — deux semaines de marche — de la Rivière Rouge. Or la majorité d'entre eux n'allaient pas si loin : ils avaient résolu d'hiverner dans les grandes collines boisées qui séparent la plaine des prés-bois.

Ils franchirent la Souris au petit matin, quand la vase était encore ferme. Ils avançaient plus vite maintenant, l'absence de coteaux leur permettant de voyager en droite ligne. Se savoir si près du but donnait une nouvelle vigueur aux hommes comme aux bêtes.

Quatre jours plus tard, le ciel se dégagea, ils virent se profiler à l'horizon une mince corde bleue, très pâle, très floue. Ce fut suffisant. Une explosion de joie éclata à la tête de la caravane et flamba jusqu'à la queue, c'est-à-dire jusqu'aux Mercredi. En entendant les cris, Askik grimpa dans la charrette, se hissa sur les ridelles, et pour la première fois vit la montagne Tortue. A première vue, il n'y avait pas de quoi s'exciter. Cette montagne n'est en fait qu'un escarpement modeste recouvert de bois et de lacs. Mais le chevreuil et l'ours y vivent en tout temps ; l'hiver, le bison et l'élan viennent s'y réfugier.

Les charrettes s'immobilisèrent dans un grand bois de trembles au pied de la montagne. Cette nuit fut leur dernière en plaine. Ils y avaient passé cinq mois, du milieu de juin à la mi-novembre. Ils avaient souffert la pluie, la chaleur, les moustiques, le gel et la neige. Ils avaient erré à l'aventure, guidés par des visions et des souvenirs, avaient frôlé des nations hostiles, s'étaient soumis à toutes manières de privations dans la poursuite du bison. Et pourtant, en cette dernière nuit du périple, il n'y eut pas de fête : le camp était silencieux. Les familles se refermaient sur leurs grands feux de branchages ; on ne se visitait plus. C'est à peine si l'on se parlait entre frère et sœur, mari et femme. Le calme fut momentanément rompu lorsqu'un éclaireur, qui rentrait tard après s'être égaré dans les bois, signala la présence, dans la montagne, d'un gros village de Métis et de Cris. Même cette nouvelle ne parvint pas à secouer la mélancolie des Métis. Peut-être songeaient-ils à leurs charrettes à moitié vides. Peut-être, par une funeste suite d'idées, en venaient-ils enfin à croire que les grandes chasses étaient choses du passé. Depuis le temps qu'on le leur disait...

Malgré la souffrance qu'elle leur causait, la prairie restait leur mère patrie, leur mère. Un Métis pouvait-il ne pas s'envoler au printemps, secouant ses ennuis comme un vieux manteau d'hiver, ne pas parcourir les coteaux et les ravins à la recherche du bison barbu, ne pas se brûler au vent et frissonner sous les étoiles ? Était-il possible que tout cela prît fin ? Ne plus jamais humer le cheval, l'armoise et la tripaille ? Pourquoi donc le bon Dieu avait-il créé le bison, et l'Indien, si ce n'était pour chasser et guerroyer ? Ces hommes et ces femmes métis n'avaient jamais appris à vivre dans un seul endroit, à se réveiller tous les jours devant les mêmes préoccupations : ils devinaient à peine les obligations et habitudes qui font toute la vie des sédentaires. Le bât les touchait à peine qu'ils s'épouvantaient déjà.

Askik était demeuré seul près du feu extérieur. Il lançait des branches sur le brasier et suivait des yeux les étincelles qui jaillissaient vers le ciel. Certaines s'éteignaient à quelques pieds du feu, d'autres volaient si haut qu'Askik se demandait si elles s'étaient éteintes, ou si elles étaient montées au-delà de sa vue.

Quelqu'un venait. Il entendit d'abord des pas. Puis il vit une ombre, une pèlerine mal rapiécée, et enfin, Mona. Askik ne l'avait pas revue depuis son retour au camp.

146

La fillette avait maigri. Elle paraissait encore plus sale qu'à son départ de Saint-Boniface cinq mois plus tôt. De toute évidence les Gauthier lui laissaient peu de temps pour soigner son apparence. Mais fidèle à ses habitudes, Mona se comportait avec une assurance qui touchait à l'indifférence. Peut-être après tout était-elle un peu folle.

— *Tansé,* Askik, fit-elle de sa même voix un peu monocorde. Je suis heureuse de te voir de retour.

— *Kinanaskomitin.* Askik était gêné. Il ne tenait pas à revenir sur son aventure. Il ajouta quand même, parce que c'était vrai :

— Tu avais raison. C'était comme dans ton rêve.

— J' sais.

— Vas-tu à Saint-Boniface ?

— Non, les Gauthier restent ici.

— Et ta mère ?

— Elle ne doit plus être à Saint-Boniface, répondit Mona.

— Elle serait où ?

— J' sais pas.

— Tu ne peux pas rester toute ta vie chez les Gauthier !

Mais Mona ne l'écoutait plus. Elle levait les yeux au-dessus du tipi, sur les grands trembles nus qui se berçaient lentement au vent. La montagne, plus noire que la nuit, se devinait derrière les arbres.

— Et toé, Askik, que vas-tu faire ?

— Je retourne à l'école.

— *Kékwan ochi,* pourquoi ?

Askik hésita un moment à dévoiler son projet. Mais il bouillait de le communiquer à quelqu'un. Et il y a des choses qu'on peut dire à une femme sans crainte de ridicule.

— J' veux être instruit, répondit-il. J' veux plus avoir peur de personne. J' veux vivre dans une grande maison, comme les prêtres. J' veux être... il trébucha. Comme tout cela lui semblait invraisemblable à côté d'un feu, dans la plaine, avec Mona.

— J' veux être un grand homme ! souffla-t-il enfin.

Mona ramena les yeux sur lui. Elle ne témoigna pas la moindre surprise.

— Tu le seras, dit-elle simplement, si tu le veux. Mais tu ne le voudras peut-être pas.

— Est-ce que les Gauthier sont méchants pour toi ?

— Je ne peux pas me plaindre. Qui d'autre me ferait vivre ?

Askik ressentit un élan de pitié pour cette fille abandonnée.

— Quand j' serai un grand homme, Mona, tu pourras venir travailler pour moi. T' auras ta place dans la maison. Tu seras bien payée. Et tu pourras te laver tous les jours.

Mona baissa la tête. Rougissait-elle ? Les flammes lui cuivraient déjà le visage. Askik continuait, fier de ses futures largesses.

— Tu peux tout de même pas passer le restant de tes jours avec le gros Mathias.

Mona réagit vivement.

— Mathias n'est pas mauvais, Askik. Il ne pensait pas que tu te perdrais lorsqu'il t'a laissé en plaine. Il pensait seulement que tu rentrerais en retard. Tu sais, y a pas dormi cette nuit-là. Il a eu très peur.

Et puis elle ajouta, à voix basse.

— Mathias est très bon pour moi.

Askik ressentit une piqûre de jalousie. Non pas qu'il tînt à Mona, mais cela lui coûtait d'entendre complimenter un autre que lui. Surtout lorsqu'il s'agissait de son ennemi, Mathias Gauthier.

Un long silence s'interposa entre les deux enfants. Askik se mit à remuer les branches du feu, comme s'il était indispensable de bien les agiter pour les faire brûler.

— Tu viendras me voir avant de partir pour Saint-Boniface ? demanda Mona.

— *Ehé !* Oui, oui ! lança le garçon sans lever les yeux.

— C'est toujours moi qui viens te voir. Tu ne me rends jamais visite.

148

— ...

— J' suis heureuse que tu sois revenu, Askik. J'ai eu peur, moi aussi.

— *Tché!* fit Askik en piquant du nez. J' suis pas un bébé !

Quand il se releva, elle était partie.

En égrenant les prés et les clairières, en suivant des pistes serpentines où les hommes creusaient dans la neige tous les dix pas pour s'assurer qu'ils étaient encore sur le chemin, la caravane gravit lentement la carapace de la Tortue. A la nuit tombante, c'est-à-dire vers le milieu de l'après-midi, les charrettes débouchèrent sur un lac coquet, bordé d'érables, de trembles, et de bouleaux. Il y avait des filets de pêche tendus sous l'eau.

Quelques minutes plus tard ils virent la fumée de plusieurs loges. En tournant un dernier coude du lac ils arrivèrent sur un gros village de maisons et de tipis, installés sous les arbres au bord de l'eau.

— *Tagosinok!* Ils arrivent ! cria quelqu'un.

Le village se peupla d'un coup. Tout le monde venait aux nouvelles : des femmes ayant tout juste pris le temps de se jeter un châle sur les épaules, des hommes surpris en plein abattage et qui avaient les mains rouges de sang, des vieillards chaudement habillés qui traînaient derrière les autres en suçant des pipes refroidies ; des enfants surtout qui essaimèrent vers la caravane avec l'air de vouloir l'annihiler et qui, arrivés près des charrettes, se taisaient d'embarras.

— Bonjour l' monde !

— Mais c'est la famille Gingras !

— *Tansé,* cousin !

— D'où venez-vous ?

— La chasse a été bonne ?

Des familles crises circulaient en bordure des Métis, excitées par l'arrivée des visiteurs, mais ne trouvant pas de congénères.

149

— Non, pas grand bôfflo cet été.

— Ah, c'était la même chose pour tout le monde.

— Paraît que le groupe à Legardeur a été un peu plus fortuné.

— Quoi? Mais on faisait partie du groupe à Legardeur! On est partis de not' côté parce qu'on ne trouvait rien!

— Remarque, c'est pas absolument certain. Mais il semble que Legardeur ait trouvé un gros troupeau près du lac du Diable.

— Comment ça?

Les hommes de la caravane se regroupèrent autour du villageois qui regrettait d'en avoir tant dit.

— Qu'est-ce qui se passe? demanda Gauthier en fendant un chemin à travers la foule. Il se conduisait comme un roi depuis la déposition de Mercredi.

— Legardeur a trouvé un gros troupeau près du lac du Diable!

— C'est pas possible! riposta Gauthier. On était déjà loin du lac du Diable, et Legardeur marchait plein sud!

— C'est-à-dire, continua le villageois, que Legardeur ne trouvait rien au sud. Y a viré de bord. Y est reparti droit au nord.

Le visage de Gauthier s'empourpra d'un coup. Legardeur avait donc changé d'avis! S'il l'avait fait plus tôt, il n'y aurait pas eu de scission, tout le monde aurait fait une bonne chasse. Et bien que Gauthier fût aussi responsable que quiconque de l'éclatement du groupe, il ne voyait que deux coupables : Legardeur, et Mercredi qui les avait enguirlandés avec ces histoires de visions. Gauthier n'y avait jamais cru, mais il se jugea trompé.

Entre-temps, Jérôme Mercredi avait fait une rencontre gênante. Un homme était sorti de la foule, avait saisi la bride de son cheval et s'était exclamé :

— C'est le cheval de mon frère !

En reconnaissant un Choquette (pourquoi fallait-il qu'ils aient tous des carrures de bison?) Jérôme admit humblement que le cheval ne lui appartenait pas. Mais l'autre continuait à vociférer en prenant tout le village à témoin.

— Tu devais leur rapporter de la viande ! Ormidas t'attend depuis trois mois ! Y a neuf enfants à faire manger. Pi toé, mon écœurant, t'allais t'installer dans la montagne pour l'hiver !

Jérôme descendit prestement du cheval. On commençait à les regarder. Deux ou trois hommes marchaient déjà vers eux avec l'intention bien visible de se mêler de choses qui ne les regardaient pas.

— Écoute-moi ben, Choquette, fit Mercredi à voix basse. On en a pas trouvé de vaches. En tout cas pas assez. C'est tout de même pas de ma faute ! Y en a pu de bôfflo !

— Y en a assez pour ta famille !

— Tout juste. A peine. Mais tu te trompes. J' resterai pas dans la montagne. Je me rends tout droit à Saint-Boniface.

En fait, il n'y avait jamais songé. Mais une fois prononcé, le plan lui sembla tout aussi bon qu'un autre. Au diable la chasse et les chasseurs ! Il retournait au commerce.

— Y a pas de bôfflos à Saint-Boniface, bonhomme, grogna Choquette en fermant les poings.

Il y eut deux ou trois ricanements chez les villageois.

Jérôme serra les dents. C'en était assez. Il avait eu sa pleine mesure d'humiliations. Si Choquette commençait une bagarre, il le tuerait plutôt que de se laisser battre. Il chercha une dernière fois à éviter le combat : il mentit.

— Je ne vais pas à Saint-Boniface pour chasser. J' suis en affaire avec mon frère Raoul. J' vais réclamer ma part.

Choquette se tut. Un doute lui plissa le front.

— Ben alors, pourquoi t'es allé en plaine cet été ?

— Pour chasser une dernière fois. J' savais que le bôfflo disparaissait.

Son histoire prenait. On l'écoutait attentivement. Il décida d'aller au-devant des questions.

151

— Le printemps dernier, quand j' suis descendu du Nord, j'ai pas voulu dépenser mon argent. J'ai emprunté pour mon équipement de chasse.

Il gagnait du terrain. Ça se voyait à leurs expressions confuses. Il ajouta encore, pour les embrouiller définitivement :

— Raoul et moi, on a monté une affaire ensemble. Mais on n'en a parlé à personne. C'est secret.

— C'est pour ça que t'as emprunté ? Pour investir ton argent ?

— C'est ça.

Mercredi lui-même fut étonné de l'effet de sa menterie. Les autres reculaient imperceptiblement, leur mépris changé en admiration craintive. Mais qu'avaient-ils donc à le regarder ainsi ? L'un d'eux hasarda enfin, en s'excusant :

— Et depuis ce temps-là, t'as pas eu de nouvelles de ton frère ?

— Ben non, fit Jérôme en craignant un piège. Comment voulez-vous que...

— Mercredi, fit Choquette en haletant, t'es un homme riche.

— Quoi ?

— T' es riche j' te dis !

— Ben voyons, criaient les autres, explique-lui !

— Votre affaire a marché, reprit Choquette. J'avoue que j'y croyais pas. Quand on a entendu dire que Raoul envoyait des trains de charrettes au bassin de Judith, on pouvait pas croire. Pi quand on a appris que ses... que *vos* chasseurs prenaient seulement les peaux, qu'ils laissaient la viande, on a cru qu'il... *vous* aviez perdu la tête. Mais torrieu ! Vous avez eu raison ! T' es un homme riche !

Et tous le confirmèrent en donnant de la tête vigoureusement.

L'homme riche avait l'esprit en bouillie. Il ignorait que son frère avait monté une expédition de chasse. Le bassin de Judith était à l'autre bout du monde. Et quel avantage y avait-il à prendre uniquement les peaux ? Il joua l'énigmatique.

— J' suis heureux d'entendre ça... messieurs.

Ses interlocuteurs n'avaient pas l'habitude de recevoir du « monsieur » : ils furent convaincus.

— Vous avez fait une fortune sur le marché américain, glapit un petit bonhomme rubicond qui semblait un peu mieux renseigné que les autres. Comment avez-vous su qu'ils avaient besoin de peaux ?

— Ah... ben, faut s'ouvrir les oreilles.

— Hiaa ! s'exclama le grand Choquette, qui lui assena une claque à l'épaule, et faillit s'en excuser. S'ouvrir les oreilles ! Cré Mercredi !

Un rire approbateur monta du groupe. C'était à qui se montrerait le plus familier avec l'homme riche. Le petit villageois aux yeux excités bouillonnait d'admiration.

— Fallait y penser ! Vendre des peaux de bisons comme courroies de manufacture. C'est ça avoir une tête aux affaires !

Mercredi hocha la sienne avec affabilité. Il retira même son chapeau pour offrir à tous le spectacle de sa tête aux affaires. Mais il aurait donné cher pour savoir ce qu'était une courroie.

Anita, qui avait suivi la mutation de son mari de chasseur en industriel, ne savait plus si elle devait se pavaner ou se cacher. Quand Jérôme était revenu du Nord sans un sou, elle avait supposé que tout était gaspillé. Jérôme avait-il eu la bonne idée de confier un peu d'argent à Raoul ? Dans ce cas, sans devenir tout à fait riches, il était possible qu'ils aient réalisé un certain profit. Anita ne doutait pas une miette de la compétence de son beau-frère.

— Bon. Vous nous excuserez, dit modestement Jérôme. Y fera bientôt nuit. Y est temps que je monte not' tente.

— Mais non ! s'exclama Choquette. Vous allez rester chez nous ! J'ai une cabane de bois. Vous serez au chaud !

— J' vous remercie, c'est pas la peine, protesta poliment Mercredi, qui ne désirait rien moins que d'être redevable à un Choquette de plus.

Mais l'autre ne démordait pas. Comment ? Un homme riche habiter un vieux tipi. A-t-on jamais vu ça ? Jérôme dut céder. Le gueulard avait raison. Qui croirait à un homme riche vivant comme un Naturel ? Il se laissa amener par son hôte, se retrouvant ainsi à la tête d'un cortège de gens souriants et excités.

Askik suivait de loin. Les gens de la caravane lui adressaient des sourires approbateurs ou tiraient la manche de villageois pour leur désigner l'héritier. Askik commençait à y prendre un certain plaisir lorsqu'il dépassa la première charrette. Les Gauthier, père et fils, le toisaient d'un regard soupçonneux et ce fut assez pour qu'Askik se mît lui aussi à douter de sa bonne fortune. Mona se tenait à l'écart des Gauthier, et le suivait d'un regard amusé.

Arrivé chez les Choquette, Askik put tout juste se glisser à l'intérieur, tant la cabane était bondée de gens. Il devina que ses parents étaient assis près du feu avec le maître de la maison. Les autres étaient debout. Par moments des éclats de rire faisaient trembler la petite maison, mais Askik n'entendait pas les propos qui les déclenchaient. Bientôt, Choquette se leva et, les bras ouverts comme une statue d'église, pria ses visiteurs de bien vouloir s'en aller.

— Les Mercredi vont souper. Allez faire de même. Monsieur Mercredi apprécie vot' témoignage de respect, mais faudrait pas non plus le fatiguer. Rentrez chez vous. Bon appétit. Bonne nuitte.

Les villageois défilèrent hors de la cabane en gesticulant et discutant. A quelques pas de la porte, les fils Choquette montaient le tipi des Mercredi.

— *Ouache !* souffla Choquette lorsqu'ils furent partis. Ils ont de bonnes intentions. Mais ils sont fatigants !

Jérôme n'était pas du même avis : il regrettait la foule. Il craignait que Choquette ne se lance dans un interrogatoire serré. Mais l'autre était d'autant plus convaincu de la fortune de Mercredi qu'il avait été le premier à la lui annoncer.

— Au fond, commença Choquette en offrant à son

invité une pipe de glaise au tuyau intact, au fond, tu dois avoir d'autres affaires en tête.

— Comment ? Mercredi ne put s'empêcher de remarquer qu'il ne restait qu'un tout petit bout de tige à la pipe de son voisin.

— Ben, j'ose croire que t' as d'autres plans, d'autres projets.

Jérôme n'aimait pas ce ton familier. Choquette l'avait vouvoyé devant les autres. Mais il fit mine de rien, ferma finement les yeux comme s'il contemplait de nouvelles fortunes.

— J' veux dire, reprit Choquette, des plans où il y a de l'argent à faire.

— Hmmm. *Maskouche, maskouche.* P't-être ben.

— Et j'ose croire que t'accepterais de faire bénéficier une famille qui est amie de la tienne. Une famille qui t'a prêté un bon cheval. Une famille...

— Tu parles de ton frère ? demanda innocemment Jérôme.

Choquette toussota.

— Pas directement. Enfin, c'est la même famille. Ce cheval, je l'ai presque dressé moi-même.

— Tu parlais de toi-même.

— Juste là, fit-il en tapant le genou de Mercredi.

— T' as de l'argent ? demanda Jérôme.

— Cent dollars américains !

— Quoi ? Mais où as-tu...

C'était au tour de Choquette de baisser sournoisement les paupières.

— J' sais ben que cent piastres pour un Mercredi, c'est de la marde d'oiseau. Mais j'ose croire que cent dollars, bien placés, et aimablement surveillés, j'ose croire que ça rapporterait une petite somme.

— *Maskouche, maskouche.* Seulement...

— Seulement quoi ?

— C'est qu'on n'a pas l'habitude de faire affaire en dehors de la famille, tu comprends ? On ne travaille pas avec n'importe qui.

C'était lancé un peu brutalement, mais Mercredi

n'avait pas l'intention de s'encombrer d'une nouvelle dette. Et tant pis s'il devait passer la nuit dans la tente ! Mais au lieu de se fâcher, Choquette perdit contenance.

— Non, non ! Comprenez-moi bien. J' demande pas à devenir vot' partenaire. J' sais ben que j'ai pas l'argent qu'il faut. J' vous demande seulement de prendre mon argent, de le placer dans vos affaires, pi de me remettre les intérêts.

Jérôme fit mine de réfléchir. En fait, il réfléchissait pour de bon, mais à tout autre chose que ce qui était proposé. Après avoir tiré deux ou trois fois sur sa pipe, il s'inclina vers Choquette, qui se pencha avidement vers lui.

— Tu comprends, Choquette, que l'argent — tout argent — traîne une histoire.

L'autre fit oui de la tête, mais ne comprenait pas.

— Tu comprends qu'y a des piastres propres et des piastres pas propres ?

Nouveau signe de tête. Toujours rien compris.

— Tu comprends qu'on ne peut pas accepter n'importe quel argent sans savoir d'où ça vient ?

Choquette ouvrit tout grand les yeux. Il avait compris. Comme c'était agréable de s'instruire auprès de gens habiles ! Il mit la bouche à l'oreille de Mercredi et souffla :

— Je l'ai trouvé sur un mort.

— Un mort ?

— Un Américain. Dans la plaine. Tué par les Indiens. Des Assiniboines qui voulaient son cheval. Ils ont pris le cheval, ils ont laissé l'argent. Vous comprenez, le sens des affaires, c'est pas donné à...

— Un Américain ?

— Sûr et certain, murmura Choquette d'une voix rauque.

— Comment le sais-tu ?

— J' sais pas.

— J'accepte.

— Haa ! rugit Choquette en faisant tressaillir sa femme. Il empoigna la main de Mercredi et l'agita furieusement. Jérôme souriait dignement en se demandant ce qu'il ferait des cent dollars.

Après le souper, les avides et les curieux revinrent par petits groupes, défilant dans la maison pendant toute la nuit, insensibles à l'accueil maussade de Choquette. Tout le village veillait, excité par l'arrivée des chasseurs et la fortune des Mercredi. On courait de maison en maison en se bousculant dans les étroits sentiers de neige.

Askik resta jusqu'aux petites heures sur un tabouret à côté du feu. Quand il n'en put plus de cligner les yeux contre le sommeil et la fumée, il prit sa robe de bison et sortit. L'air était pur et vif comme de l'eau froide. En entrant dans son tipi, il dérangea les trois fils Choquette qui dormaient déjà. Les garçons lui firent place avec hâte et respect, bien qu'Askik fût plus jeune qu'eux. Il s'endormit sans se poser de questions, heureux d'avoir retrouvé sa tente et le grand air.

Pendant deux jours, Jérôme Mercredi ne fit rien d'autre que recevoir. Sa renommée s'était répandue aux autres villages de la montagne ; on venait le consulter de toutes parts. Les arrivants exposaient leurs difficultés ou soumettaient leurs différends. Jérôme écoutait en tirant studieusement sa tresse droite ; il rendait des jugements et des conseils qu'on emportait l'air épanoui. Personne ne questionnait ses dires. Un homme qui sait transformer des peaux en courroies a forcément raison dans les affaires de moindre difficulté.

Mais à la fin de la seconde journée, le nombre des requérants ayant diminué, et la patience de Choquette étant à bout, Mercredi dut songer à rentrer à Saint-Boniface. Il ne savait trop ce qu'il y ferait, mais on aurait trouvé suspect qu'il demeurât loin de sa fortune.

Il s'en alla donc retrouver un petit cousin par alliance installé dans un village voisin. Un homme court et ventru, quadragénaire, qui depuis trois jours se glorifiait à distance de la fortune de son parent. Il n'avait pas osé lui rendre visite, de peur de ne pas être reconnu. Aussi, quand il vit Mercredi venir vers lui, il se sentit tellement flatté qu'il accepta tout de suite de prendre chez lui Anita et Mikiki.

— Tu comprends, cousin, expliqua Jérôme, il faut que je voyage vite et loin c't' hiver. Les affaires c'est comme ça. Et puis... ajouta Jérôme en plongeant le regard dans celui du petit homme essoufflé, la famille c'est la famille. Y est pas dit que tu pourrais pas nous rendre un service encore plus payant au printemps. Pas vrai ?

— Parfaitement, parfaitement répondit le cousin d'un air entendu. Et vot' garçon aîné ? Vous voulez pas que je le garde ?

— Non. Askik doit retourner à l'école.

— Bien sûr, les affaires...

— Demandent de l'instruction.

— Parfaitement.

Et les deux hommes se donnèrent longuement la main au vu du village entier. Le petit homme était enchanté de commencer enfin la vie de prestige et d'influence dont il rêvait depuis toujours. Jérôme était heureux d'associer un parent à ses futurs succès.

Comme toujours lorsqu'il se mettait une idée en tête, Jérôme n'eut de cesse qu'elle ne fût réalisée. Il annonça son projet le soir même à sa femme, qui protesta avec véhémence. Anita voulait rentrer à Saint-Boniface. Mais Jérôme lui fit voir qu'il n'avait pas le temps de compléter le voyage en char à bœufs, qu'il devait encaisser immédiatement les gains de l'été pour lancer une nouvelle affaire. Il enverrait chercher sa femme et son bébé au milieu de l'hiver, en carriole à chiens. La perspective d'entrer à Saint-Boniface en carriole, comme une dame de la Compagnie, chatouilla l'orgueil d'Anita, et bien qu'elle ne crût pas encore à sa nouvelle fortune, elle se laissa convaincre.

Le matin du départ, quand tout fut plié et entassé pour la dernière fois, Jérôme mena sa femme jusqu'à la charrette et l'assit sur un sac de pemmican. Le cousin tenait les rênes. Tout le monde comprit qu'Anita accédait à un nouvel état, et qu'elle n'aurait plus à se décroiser les bras. La charrette s'engagea aussitôt dans le petit sentier enneigé qui menait vers l'autre village. Jérôme enfourcha le cheval Choquette, fit monter Askik derrière lui, et avec un dernier « Messieurs », s'élança dans la direction opposée. Les assistants rentrèrent chez eux, avec l'impression d'avoir assisté à un moment mémorable.

Il leur fallut deux jours pour traverser la montagne. La neige était épaisse. La piste disparaissait par endroits. Le cheval trébuchait sur des branches enfouies : ils durent faire une partie de la route à pied. La seconde journée touchait à sa fin lorsqu'ils atteignirent la limite de la forêt. La plaine, de nouveau, s'étirait devant eux, toute blême dans le jour mourant.

— Ça y est, monhomme ! Le pire est fait.

Ils campèrent dans un taillis de trembles, et le lendemain piquèrent au nord-ouest. Ils atteignirent la rivière Assiniboine en une seule journée, et n'eurent plus à s'inquiéter pour leur bois de chauffage. Cinq jours plus tard, ils étaient en vue de Saint-François.

Un vieillard leur fit passer la rivière en bac. Des morceaux de glace heurtaient le bord du radeau et faisaient cracher de dépit le passeur.

Le village longeait la rivière : chaque cabane avait vue sur l'eau. A part les chiens qui s'égosillaient à leurs talons, les rues étaient vides. La moitié des maisons ne donnaient pas de fumée. Jérôme sélectionna une maison ni trop bien ni trop méchante, pour demander le gîte. Il frappa longuement à la porte. Personne ne répondit. Étonné, il s'en alla frapper à la prochaine maison, puis à la prochaine. On lui ouvrit enfin. Le propriétaire, un jeune homme aux dents gâtées, accepta de les héberger.

Leur hôte avait fait partie des chasseurs dissidents de Saint-François, ceux qui avaient quitté en premier le camp de Legardeur. Il hurla de triomphe en apprenant que le groupe s'était une nouvelle fois scindé par la suite. Il garda un silence taciturne en apprenant que Legardeur avait réussi malgré tout à nourrir son monde.

Il flottait dans la cabane une épaisse odeur de musc et d'herbes. Les murs étaient recouverts de plantes et de légumes secs, de peaux d'animaux et d'ustensiles de bois. Le sol était tapissé de chaume : il en poussait en abondance dans les marécages environnants.

Cette cabane, semblable à toutes celles qu'avait connues Askik, avait en plus un air de sauvagerie et de combat bien propre à Saint-François. Il y avait plus d'armes que d'outils, plus de fourrures que d'étoffes. Le village était l'avant-poste de la Rivière Rouge, le premier rempart entre les Métis et les Sioux. Ses habitants vivaient sur le pied de guerre constant, préférant une existence exaltante et brève en plaine, à la plate certitude de mourir vieux à Saint-Boniface. Ils se piquaient d'être les plus batailleurs, les plus têtus, les plus réfractaires, de toute la nation métisse.

Mais Saint-François s'étiolait. Les Sioux qui passaient n'étaient plus que des réfugiés. L'éloignement des troupeaux entraînait les chasseurs dans les lieux d'hivernage, loin du village. L'immense plaine du Cheval Blanc qui entourait Saint-François était vide. Vide de gibier, d'Indiens, et de Métis.

Le jeune homme qui les recevait se plaignait de sa chasse d'été. Il se plaignait aussi de son cheval, de sa femme, et de ses dents pourrissantes. En fait, il était un horrible geignard. A deux ou trois reprises, Jérôme sentit que son hôte allait lui demander de l'argent. Mais le jeune homme hésitait, soit par timidité, soit que la tenue minable des Mercredi lui ôtât tout espoir.

Le lendemain, les Mercredi prirent congé de leur hôte avec soulagement. Ils sortirent du village en suivant la rivière. Le vent n'avait laissé au sol qu'une mince couche de neige : le cheval Choquette avançait d'un galop constant et aisé, en faisant jaillir la vapeur de ses naseaux. Askik ne se cramponnait plus à son père : cette chevauchée de sept jours l'avait transformé en habile cavalier.

Au mi-jour, ils descendirent jusqu'à la rivière pour boire. Tandis que le cheval cherchait à brouter sous la

160

neige, les Mercredi avalèrent le restant de leur viande sèche. C'était imprudent : une tempête soudaine pouvait encore les retenir en plaine. Mais Jérôme était bien décidé à rentrer le jour même. Prévoir un contretemps, selon lui, c'était l'inviter.

Il eut raison. La journée fut splendide. La plaine enneigée éblouissait, il faisait assez froid pour ragaillardir, pas assez pour incommoder. Quel plaisir que de chevaucher des heures durant, en n'ayant rien d'autre à faire que de regarder passer les herbes, et de se dire qu'on accomplit quand même quelque chose d'utile !

Le soleil baissait. Il faisait déjà plus froid lorsqu'ils virent au loin une nouvelle ligne d'arbres qui venait couper la leur. Un simple trait gris contre le ciel délavé.

— La Rouge, Askik ! cria le père. Regarde, la Rouge ! On voit même les toits du fort !

Les Mercredi ne tenaient plus en selle. Le cheval leur semblait d'une lenteur impossible. Ils avaient envie de se jeter par terre, de courir de toutes leurs jambes.

Et pourtant, alors qu'ils étaient presque rendus, qu'ils flairaient déjà les feux de bois de la colonie, Jérôme fut pris d'un scrupule et tira sur les rênes. Avait-il vraiment intérêt à entrer de plein jour à Saint-Boniface ? Il revenait sans viande, sans bœuf ni charrette, avec cent dollars américains qui ne lui appartenaient pas.

Jérôme fit entrer le cheval dans les bois à grands coups de talons. Accroupis sous les arbres, frissonnant l'un contre l'autre, les Mercredi attendirent la nuit.

Quand il fit tout à fait noir, ils se glissèrent en ville en évitant les chiens et les fenêtres comme deux Sioux aux projets discutables. Arrivés au bord de la Rouge, ils cherchèrent un bon moment le passeur : ils le trouvèrent ivre-mort et ronflant sous une barque renversée. McDougall s'ébroua, grommela : « *Damned cold !* » et descendit lourdement vers son radeau déglingué. Le cheval posa un sabot sur les poutres mobiles du bac et tira de l'arrière en hennissant. Jérôme lui mit la main au museau.

— Ta yeule, maudite bête !

McDougall ouvrit un œil soupçonneux mais ne dit rien. Arrivé sur l'autre rive Jérôme voulut s'excuser de ne pouvoir payer, mais McDougall titubait déjà vers une collection de vieilles caisses qui lui servaient de deuxième chambre à coucher.

Les Mercredi longèrent la Rouge, en se tenant dans les bois. Quand ils eurent dépassé le presbytère et le couvent, ils filèrent à travers champs jusqu'à la maison de Raoul Mercredi.

Ils se dirigèrent vers une dépendance où il y avait de la lumière. En approchant la vitre, ils virent un vieil engagé fumant tranquillement son brûle-gueule devant le foyer. Mercredi frappa au carreau. Le vieillard déposa sa pipe sur l'âtre et vint se coller le front contre la fenêtre.

— Qui est là ?
— Mercredi.
— Monsieur Raoul ?
— Non, Jérôme. Mon frère est là ?
— Ah, bonsoir, monsieur Mercredi. Oui, votre frère est à la maison. Attendez que j' vous ouvre. On mènera vot' cheval à l'écurie.
— Pas la peine. Je repars tout de suite.

Mais le vieux était déjà sorti.

— Les charrettes ont ramené bien des loups cette année. Il faut enfermer les chevaux.

Il décrocha une lanterne à huile et s'en alla l'allumer au foyer.

— Oui, bien des loups, monsieur Mercredi. Et quand il eut réglé son fanal il ajouta : venez, suivez-moi.

— Des loups, y en a tous les automnes, fit remarquer Jérôme.

— Oui, monsieur. Mais y en a plus que jamais. C'est la meilleure preuve qu'y reste plus de bôfflo en plaine, à mon avis.

Une odeur puissante de bran de scie et de goudron leur assaillit les narines. Un immeuble plus clair que les autres se dressait dans la nuit.

— Un nouvel entrepôt, expliqua le vieil engagé. Les affaires du maître vont bien. Tenez, nous voilà.

Il posa sa lampe par terre et, tirant de tout son corps crochu, ouvrit la porte de l'écurie. Il en sortit une bouffée d'air moite qui sentait le crottin. Le cheval Choquette ouvrit grand les naseaux et frémit de plaisir.

— J' m'occupe de vot' bête, monsieur, déclara le petit vieux. Allez tout droit à la maison. Mais entrez par la porte de devant.

Les Mercredi retraversèrent la cour. Il n'y avait pas de lumière aux carreaux de la maison. Jérôme assena trois grands coups à la porte, pensant avoir à réveiller les domestiques. Mais une servante répondit aussitôt. Elle les fit entrer, et disparut avec la bougie, les laissant seuls dans l'obscurité. Quelques moments plus tard, elle les appela de la pièce voisine. Askik crut reconnaître la voix de la servante, mais ne put voir son visage. La femme les mena par une suite de pièces disposées en ligne droite, et les abandonna sans mot dire devant une porte d'où filtrait un peu de lumière. Pendant tout ce temps, elle avait gardé la bougie à longueur de bras, si bien que ni le père ni le fils ne surent à qui ils avaient eu affaire.

Raoul Mercredi avait installé son bureau tout au bout de sa longue maison. Le bureau était muni d'une porte qui donnait directement sur la cour, mais elle était réservée au seul usage du maître. Il exigeait que les visiteurs passent par l'entrée principale. Enfiler les pièces de sa grande maison, croyait-il, prédisposait à l'humilité. Raoul était assis à son bureau lustré, entouré de papiers et de registres. Il parut encore plus imposant que d'habitude à son jeune neveu.

— Tiens, te v'là, toé, fit-il sans tendresse en apercevant son frère. La chasse a été bonne ?

— Pas tellement, on s'est rendus jusqu'à...

— Pas la peine. J'ai tout appris. Tu te prends pour un chef maintenant ?

— Ils m'ont demandé de les mener.

— Pourquoi ?

163

Jérôme hésita. Allait-il parler de ses visions ? La lampe de cuivre jetait une lumière crue sur des lettres cordées, des registres au garde-à-vous sur une tablette. Tout, dans cette pièce, grondait : « Allons ! Allons ! Pas de fantaisies ici ! » Jérôme se tut.

— Bon, fit Raoul. As-tu de quoi payer tes dettes ?

— J'ai une petite somme.

— Combien ?

— Cent dollars.

Raoul Mercredi leva les sourcils. Jérôme s'empressa d'expliquer.

— L'argent appartient à un autre. Mais j'ai pensé qu'en l'investissant chez toi j' pourrais faire un bénéfice, en garder une partie pour moi-même et...

— Arrête là ! D'abord tu vas payer tes dettes.

Raoul Mercredi se leva. Les cheveux coupés court, le visage rasé, il était plus lourd et puissant que son frère moustachu et natté.

— Laisse l'argent ici. Rentre chez toi. Reviens me voir demain soir. Je penserai à quelque chose. D'ici là, tiens-toi caché. Si tes créanciers apprennent que t' es de retour, ils peuvent venir m'achaler.

— Et demain soir ? hasarda Jérôme.

— On discutera de ton avenir.

— Juste ! s'exclama Jérôme. C'était précisément son intention !

— J' peux sortir par cette porte ? fit-il en avançant la main vers le loquet.

— Pourquoi ?

— Pour me rendre à l'étable, chercher mon cheval.

— Ton cheval ?

— Celui que j'ai emprunté à Choquette.

— Laisse-le, je lui renverrai le cheval demain. Avec une partie de ton argent, pour éteindre la dette.

Jérôme voulut protester. Payer Ormidas Choquette avec l'argent emprunté à son frère était vraiment trop ridicule. Si ridicule qu'il n'osa l'expliquer à Raoul.

— Comme ça, j' rentre à pied ?

Il espérait encore que son frère lui offrirait le gîte.

— T'as peur du noir ?

Jérôme allait sortir lorsqu'une idée lui vint.

— En passant, c'est quoi des courroies ?

— Les courroies font tourner les machines dans les manufactures de l'Est.

— Et c'est fait de peaux de bôfflo ?

— C'est moins cher que la toile.

— Et t'es devenu riche ?

— Moyennement.

Une lueur de joie pointa aux yeux de Jérôme : un jour, lui aussi serait moyennement riche.

— Bon, assez parlé, trancha Jérôme, comme s'il avait autre chose à faire. Bonsoir Raoul. J' reviendrai demain soir. J'aurai des choses à te proposer ! *Astam,* Askik !

— Jérôme !

— Oui ?

— Sors par la porte de devant. Laisse la bougie ici.

Longtemps, longtemps après que son frère l'eut quitté, Raoul Mercredi demeura assis au bureau d'acajou importé de Saint-Paul, devant sa lampe de cuivre massif, ses encriers et ses registres aux reliures de cuir bosselé. Il parcourait des yeux les cartes pendues aux murs, en s'attardant dans le bassin de Judith, tout près des Rocheuses, où des chasseurs métis et indiens crachaient *ses* balles dans *ses* fusils, pour abattre *ses* bisons. Ses yeux suivaient la lente progression des charrettes qui avançaient comme une riche saignée vers la Missouri. Toutes ces nations hostiles — Siksikas, Kahnas, Arikaras, Piégans —, soudoyées et cajolées par ses agents, laissaient passer les trains de charrettes sans mot dire. Au fort de la Pointe au Loup, d'autres engagés chargeaient des dizaines de milliers de peaux dans les vapeurs qui s'en allaient pesamment vers Saint-Louis et les industries de l'Est.

Il avait tout risqué, tout engagé. Or à présent, il était en voie de devenir immensément, fabuleusement riche. Si riche que ses voisins n'en soupçonnaient pas le centième. Et tout cela parce qu'il avait su patienter, qu'il ne s'était pas lancé dans les extravagances au moment de ses premiers succès. Il portait la blouse paysanne et la ceinture fléchée, mangeait le chevreuil et le riz sauvage. Tout comme ses coparoissiens, qui pensaient encore l'impressionner en lui disputant des dettes infimes.

Il avait acheté des magasins à Saint-Paul, avait loué un bateau-vapeur et s'apprêtait à inonder la colonie de produits américains, moins bons, mais moins chers que les marchandises anglaises qui venaient par la difficile voie de l'Arctique. Il élèverait une grande maison de planches sciées, la première de la colonie, avec bardeaux de bois, fenêtres coulissantes et planchers polis, comme il en avait vu aux États-Unis. Et alors, pour le plus grand étonnement des imbéciles qui croient que l'herbe et les arbres poussent uniquement où les place la nature, il entourerait sa maison de pelouses vertes et de sapins transplantés. Importer un arbre de race pour l'installer en pleine sauvagerie, voilà ce qui ferait comprendre à ses voisins quelle distance incalculable séparait ses réalisations de leurs projets.

Après avoir ruminé toutes ces choses, Raoul Mercredi comprit que son frère dût fatalement être un imbécile. En apprenant que Jérôme avait causé le fractionnement de la chasse, qu'il se disait visionnaire et chef, et plus récemment encore qu'il se faisait passer pour son associé et affichait des airs de richard, Raoul Mercredi avait maudit son sort. Il avait muselé sa famille, s'était entouré d'une zone de silence et de respect, mais ne pouvait rien contre ce frère ridicule.

Mais à présent, tout cela lui paraissait normal. Le ciel avait couronné ses entreprises : pouvait-il décemment rechigner contre cette écharde ? Jérôme était sa petite croix, l'irritation qui donnait du prix à tout le reste. Et comment savoir si ce n'était là le dernier obstacle, le test ultime de sa finesse ? Il décida de considérer Jérôme comme une perte sèche, tels les pots-de-vin payés aux Indiens. Une charge inutile mais relativement insignifiante. En ouvrant des registres, en consultant des bons de commande, Raoul se mit à régler le problème de son frère, avec vigueur et appétit, comme pour toute autre affaire.

Le principal intéressé, pendant ce temps, trinquait gaiement avec Urbain Lafortune, son ancien collègue du Nord. Les Mercredi avaient trouvé Lafortune dans la cabane du vieux passeur de la Seine.

— Laurendeau? s'était-il exclamé en entendant demander des nouvelles de son prédécesseur. Laurendeau a levé le pied au printemps.

— Mort? demanda Jérôme.

— Parti. Y en avait assez de voir du monde. Pour moé, y est allé vivre dans les bois.

— A son âge?

Et les hommes avaient ri longuement du vieil excentrique.

— Cré diable! cria Mercredi en entrant dans la cabane. On pouvait à peine y bouger. L'armature d'un grand canot prenait toute la place. L'énorme squelette de bois était renversé sur des tréteaux. Les premières plaques d'écorce étaient cousues en place. Lafortune rayonnait de fierté.

— Qu'est-ce que t'en dis, Mercredi? Y est pas beau, mon canot?

Jérôme passa la main sur la quille de bois lisse.

— *Ehé,* y est beau. Mais ça te servira à quoi?

— Le printemps prochain, j' décampe. J'en ai mon content de ce pays de sauvages. Le printemps prochain, j' m'en retourne au Québec!

— Au Québec! En canot?

— J' l'ai fait ben des fois!

— A vingt ans.

— J' suis pas pressé. J' prendrai mon temps. Écoute ben, Mercredi — pi toé aussi garçon, dit-il en saisissant Askik par le crâne. Il est bon, garçon, que tu profites des tristes expériences de tes aînés — écoutez donc. Tout le temps que j'ai été dans le Nord, j'ai épargné mon argent. J' suis pas riche, non. Mais j'ai ce qu'il faut pour finir tranquillement mon existence. Mais pas icitte. Y a rien icitte. J' vais rentrer au pays. Dans mon canot à moi. Ça me coûtera rien. J' prendrai même une petite cargaison pour me faire du bénéfice. Une fois au Québec, j' vais me louer comme homme à tout faire dans un couvent, ou un monastère. Un petit travail, repas fournis. J' demanderai pas de salaire — je vous l'ai dit, j'ai ce qu'il faut pour vivre — mais j' vivrai tranquille, parmi des chrétiens...

Lafortune baissa vivement la tête, comme pris d'un chagrin étouffant. Mercredi, qui débouchait la cruche de rhum, se demanda si son ancien collègue ne devenait pas un peu fou.

— Écoute-moé, garçon! reprit Lafortune en plongeant un regard forcené dans celui de l'enfant. Fais pas comme moé! Ne va pas errer loin de ton père et de ta mère. C'est pas chrétien. Honore ton père et ta mère, voilà ce que dit le bon Dieu. Mais comment veux-tu les honorer si t'es pas là? Tu me comprends?

Askik fit oui de la tête, mais Lafortune le lâcha avec un air de lassitude.

— Bah! Y a-tu un seul chrétien dans tout ce maudit pays? Pi après tout, jeta-t-il à Askik en levant la cruche, fais à ta tête. Tu finiras pas mieux que les autres. On est tous des cochons.

Askik s'endormit dans un coin sombre, au milieu des copeaux de bois et des rouleaux d'écorce. Les deux hommes s'assirent par terre, près du feu, en se recourbant pour ne pas heurter le canot de la tête. Mis en joie par le rhum, Lafortune racontait avec délices sa vie future parmi les religieuses. Le lit moelleux, les repas de bœuf et de poulet, les légumes tendres, les fruits, le fromage, le vin, toutes ces choses dont il rêvait depuis l'âge de seize ans lorsqu'il avait eu la malencontreuse idée de s'engager comme voyageur dans une compagnie de fourrure.

— Sais-tu, Mercredi, j'ai surtout hâte de retrouver des femmes blanches. Même les bonnes sœurs : à mon âge, ça n'a plus d'importance. Mais les Canadiennes

sont plus douces, plus avenantes que les Métisses. J'
peux pas expliquer...

— C'est parce que tu peux pas te souvenir, railla
Mercredi. Y a trop longtemps que t'es dans le Nord-
Ouest !

Mais Lafortune eut l'air peiné, et Jérôme se tut. Les
fantômes de toutes ces années passées sans parents,
sans femmes, sans amis vrais étaient revenus flotter
sous les combles de la maison. Les deux hommes revinrent à des sujets de discussion moins pénibles et de
cette façon traversèrent agréablement la nuit. Le ciel
était déjà rose lorsque Jérôme réveilla son fils. Lafortune leur fit passer la rivière. Sa barque, en avançant,
laissait une allée d'eau noire dans la mince glace grise.

— Hé Lafortune ! pouffa Mercredi en remontant la
berge. Comment tu vas faire pour sortir ton canot de la
cabane ? Y passera pas par la porte !

— J' ferai un trou dans le mur, répondit Lafortune.
Ça fera une fenêtre de plus pour le prochain qui héri-
tera de ce nid de rats. De toute façon, dit-il en s'éloignant de la rive, y en aura plus de passeur. Ils vont
construire un pont.

De l'autre côté de la rivière, Askik retrouva le bois, la
plaine, et le ravin d'autrefois. Rien n'avait changé. Il vit
approcher son toit sans émotion, sauf à trouver la maison de plus en plus laide et petite. Trop petite même
pour y construire un canot.

La porte s'arracha dans les mains de Jérôme : les souris avaient dévoré les gonds de cuir. Elles avaient aussi
mangé le parchemin des fenêtres. A l'intérieur, le sol et
les meubles étaient recouverts de neige, de poussière, et
de crottes d'écureuil. Il y avait un trou dans le grand coffre : en l'ouvrant ils trouvèrent toute une famille de souris installées dans leurs vêtements d'hiver. Ils chassèrent
les petites bêtes et revêtirent leurs manteaux troués.

Ils passèrent la journée à faire du feu et à jeûner. Ils
avaient mangé toute leur viande sèche ; Jérôme avait
oublié d'en demander à son frère.

Le soir venu, ils rentrèrent furtivement en ville,

169

comme les loups affamés qui sortaient au même moment des ravins et des bosquets pour aller traîner près des étables. Askik se demanda s'il n'y avait pas d'autres chasseurs, aussi pauvres qu'eux, qui attendaient la nuit pour aller en ville. Les bois en étaient peut-être pleins.

En passant devant l'école Askik résolut d'y retourner dès le lendemain. Le temps pressait. Il vieillissait et n'était pas plus près d'être un grand homme.

Ce fut une autre servante qui leur ouvrit — une femme plus âgée, plus lourde, qui ne craignait pas d'approcher la bougie de son visage ridé. Même qu'elle aurait pu s'en dispenser. Elle les mena dans une pièce inconnue et posa la chandelle sur une table à dîner.

— Mangez, fit-elle d'une voix bourrue, le maître vous recevra après.

Les Mercredi ne se firent pas prier. Il y avait une soupe aux pois chaude et grasse, du doré fumé, de la venaison froide. Et un pain, comme Askik n'en avait jamais vu. Haut, rond, et mou. Si spongieux qu'il pensa étouffer à la première bouchée. La mie lui parut fade comparée à la galette que préparait sa mère. Il y avait aussi du beurre. Son père lui montra comment l'étendre sur le pain, mais c'était trop gras pour Askik. Jérôme mangea la portion de son fils, et tout le reste du pain.

Lorsqu'ils eurent l'un et l'autre l'impression de s'être défoncé l'estomac, la servante bourrue sortit d'une pièce noire, s'empara du bougeoir, et sortit de nouveau en ordonnant : « Suivez-moi ! »

Raoul les rencontra à la porte de son bureau. Il posa aimablement la main sur l'épaule de son frère et le mena à un fauteuil.

— Entre, Jérôme. Tu prendras bien une pipée ?

— C'est pas de refus, fit Jérôme, enchanté de l'accueil. Quand il eut allumé sa pipe, il se cala dans le fauteuil et lança plein de confiance : Bon, parlons affaires !

— Tout de suite ! Le frère aîné contourna son bureau et se laissa tomber lourdement dans sa chaise à bras.

— Bon, bon, bon, murmura Raoul en fouillant dans ses papiers. Oui ! fit-il après un moment, comme s'il venait de mettre la main sur la seule pièce essentielle à la bonne marche de leurs pourparlers.

— Eh bien, petit frère, tes affaires ne sont pas brillantes !

Le visage de Jérôme se rembrunit. Il avait espéré une ouverture plus positive. Pourquoi s'attarder sur le passé ? Raoul continuait.

— J'ai renvoyé le cheval à Choquette, plus vingt dollars...

— Vingt dollars ! s'exclama Jérôme en sursautant. T'es généreux, mon frère !

— Vingt dollars à la Compagnie de la baie d'Hudson — dans ce cas, pas de générosité, leurs comptes sont bien tenus, ils savent ce que tu leur dois.

— Mais pas ce que je leur ai donné ! Les meilleures années de ma...

— Trente dollars à Gingras pour la charrette et le bœuf que t'as laissés dans la montagne. Soit dit en passant, tu t'es fait avoir.

Jérôme tirait violemment sur sa pipe en signe de protestation.

— Et trente dollars à une certaine créature que t'avais promis d'entretenir à ton retour de chasse.

Jérôme bondit de sa chaise, se pencha au-dessus du bureau et murmura dans l'oreille de son frère, pour qu'Askik n'entende pas :

— Là, tu vas trop loin, donne-lui quelque chose, j' veux bien. Mais entre nous, elle ne vaut pas cher. Tu ne la connais pas !

Mais Raoul se pencha à son tour vers son frère et lui souffla d'une voix rauque :

— C'est elle qui vous a ouvert hier soir. Et elle est en famille.

Jérôme retomba au creux de son fauteuil. Après un moment, il murmura :

— Si j'ai ben compris, y reste rien des cent dollars.

— C'est ça.

Un silence lourd s'installa entre les deux hommes. Jérôme croyait que son frère lui proposerait une solution. L'autre, les mains jointes sur la surface glacée de son bureau, avait l'air d'attendre que Jérôme lui dévoile ses projets d'avenir. Entre hommes d'affaires, bien entendu. Jérôme s'éclaircit la voix, et rendit les armes.

— Raoul, t'as de l'expérience, tu te connais en argent. J'aimerais bien que tu me dises, que tu me suggères, ce que tu ferais, peut-être, si t'étais à ma place.

— Ah ! pas facile, mon Jérôme. J' suis pas chef. J'ai pas de visions.

— Ils m'ont poussé à devenir chef. J' voulais pas tellement.

— Les gens ont méchante langue, ce n'est pas ce qu'on m'a dit.

— C'est vrai que les gens sont durs, marmotta hargneusement Jérôme.

— Pardon ?

— Rien.

— Bon. En somme, mon Jérôme, tu veux un emploi ?

Jérôme grimaça d'amertume. Avait-il parlé d'emploi ? Et pourtant, oui, faute de mieux, il prendrait un emploi.

— Je traite encore dans le Nord, poursuivit Raoul, en prenant un ton moins fraternel. La fourrure rapporte moins qu'avant, mais pour quelqu'un qui veut faire ses débuts, c'est encore possible.

Jérôme désespérait. Ses débuts ! Il avait trente-cinq ans !

— Mais qu'est-ce que j'irai faire là-bas ?

— Acheter des fourrures. J' te fournis l'équipement, les marchandises. J' te laisse le tiers des bénéfices. Penses-y, c'est généreux.

— Mais j' vais encore passer l'hiver parmi les Naturels ! C'est pas une vie ! T'aurais pas quelque chose icitte ? J' sais pas moé, un travail de bureau...

— Les places sont prises. Par des hommes qui ont fait leurs preuves. Dans les bois, justement.

Jérôme ne trouvait plus de mots. Il ne voulait pas

implorer un traitement d'exception, mais entre frères, ça va de soi, non ?

— T'aurais pas quelque chose au sud, dans le bassin de Judith ?

— Trop tard, trop loin.

— A Saint-Paul ?

— Non.

— A Saint-Laurent ?

— J'y fais plus affaire.

Jérôme abandonna la lutte. La tête lui tournait. Il était comme un poisson qui croyait encore cracher l'hameçon, et qui se sent soudain lever de l'eau.

— Si c'est comme ça... Où est-ce que tu m'envoies ?

— Par cheval au Fort de pierre. De là, par chaloupe, jusqu'à la Manigotagan.

Jérôme leva des yeux pleins de reproche.

— Tu m'épargnes pas, mon Raoul ! Pourquoi si loin ?

— Si les fourrures marchaient jusqu'ici, ce serait évidemment mieux. Tu peux coucher ce soir chez Lanthier — c'est le vieux qui a soin de l'écurie.

Jérôme se leva. Il sortait déjà de la pièce lorsqu'il se retourna.

— Et le garçon, qu'est-ce que j'en fais ?

Askik tourna anxieusement les yeux vers son oncle, qui haussa les épaules.

— J' sais pas. Parque-le chez les prêtres.

Un vent humide soufflait dehors. Les Mercredi retrouvèrent le Chemin du Roy et longèrent rapidement la colonie. Askik avait relevé son capuchon mais gardait la main plaquée contre un grand trou qu'avaient fait les souris. Son père avançait en se plaignant amèrement.

— Bonne Mère des pauvres. C'est toujours les mêmes qui en arrachent. J'ai pas eu mon content de misère cet été ? Est-ce que je devrai m'user jusqu'à la mort ? Et se faire traiter comme ça par un frère... *Ahuya !*

Ils passèrent devant le couvent aux fenêtres éteintes :

les sœurs se couchaient tôt. Askik songea à Lafortune qui voulait dormir dans un couvent. Ils arrivèrent à l'évêché. Jérôme frappa à la porte. Askik s'attendait à ce que la cuisinière revêche vienne leur ouvrir, mais c'est un inconnu qui répondit, un petit homme maigre à la soutane lustrée. Il toisa les deux visiteurs de derrière ses verres épais.

— Vous êtes... le curé ? demanda Jérôme, qui ne savait pas s'il lui fallait un curé.

— Je suis le père Gervais, économe.

— Ah bon, je m' présente : Jérôme Mercredi.

Il commença par avancer la main, il se découvrit au lieu. Un semblant de sourire vint étirer les lèvres blêmes du prêtre.

— Ah, monsieur Mercredi. On a beaucoup parlé de vous ces derniers temps.

— Comment ça, père ?

— Un chasseur venu de la montagne Tortue nous a annoncé votre bonne fortune.

— C'est que, voyez-vous, père, les gens ont tendance à exagérer.

— Ha ! Ha ! (L'économe gloussa sèchement.) Votre frère aussi a le don de dissimuler ses affaires. Vous êtes associés, je crois.

— Non. En fait, oui. Depuis ce soir. Écoutez, père, j' suis ruiné. J' dois repartir. Mon fils — il poussa le garçon jusqu'à la lampe — a commencé l'école chez vous l'an dernier. J' voudrais vous le laisser...

— Pourquoi, où est sa mère ?

— A la montagne. Elle était à bout de forces. Je n'ai pas pu la ramener avec moé.

— Tiens, tiens. Comme c'est dommage, répondit l'économe d'un ton froid, presque machinal. Ses verres propres lançaient des dards de lumière. Une odeur de cire et de bonne cuisine s'échappait par la porte entrouverte. Le prêtre sentait le savon. Dans l'obscurité, derrière la lampe à huile, Askik voyait reluire les meubles et les planchers. Il eut honte des mensonges de son père. Honte de ses vêtements de cuir souillés. Il voulut

174

cacher son anorak grugé par les souris. Il tirait faiblement sur la manche de son père : il voulait s'en aller, et ne plus jamais revenir dans cette maison désespérante. Mais Jérôme continuait.

— C'est pour ça, mon père, que j' voudrais vous laisser mon enfant.

— C'est vrai que nous acceptons parfois des pensionnaires, mais ce sont des enfants de familles pauvres.

— Je suis pauvre, mon père.

— Pauvre ? répondit le clerc en gardant le même ton impassible. J'ai moi aussi l'habitude des affaires, monsieur Mercredi. Ne me prenez pas pour un innocent. Votre frère et vous avez fait une fortune à massacrer le bison dont vos malheureux frères ont besoin pour se nourrir.

— Mon père ! cria Mercredi, ahuri. Vous ne comprenez pas !

— Je suis économe, je vous le rappelle. Et fils de commerçant. Croyez-vous que je ne voie pas clair dans votre jeu ? Tenez, pourquoi repartez-vous ?

— J' me rends dans le Nord.

— Faire de la traite ?

— Bien sûr !

— Avec quoi ?

— Pardon ?

— Qu'est-ce que vous apportez pour échanger contre les fourrures ?

— Ben... j' sais pas. Les bateaux sont au Fort de pierre !

— Ah, vous ne savez pas. Eh bien, monsieur Mercredi, je vais vous l'apprendre. C'est de l'alcool que vous apportez dans le Nord. Tout comme votre frère. Vous tournez les Sauvages contre nous pour mieux les exploiter. Vous faites travailler jusqu'à la mort vos frères métis moins fortunés. Et par-dessus le marché, monsieur Mercredi, vous voulez nous imposer votre fils pour qu'il prenne la place d'un enfant pauvre ?

— Je suis pauvre !

175

— Et les courroies ?

— Quoi ? Non ! Mais où est-ce que je vais le laisser ?

— Chez sa mère. Ou chez son oncle. Partout où il n'aura pas à subir votre influence sera, je pense, un endroit excellent.

— Mon père, vous ne comprenez pas !

— Mieux que vous ne pensez.

La porte se referma. Jérôme trébucha dans les marches du perron.

— Ben voyons, mon grand, dit-il à Askik, comme si l'enfant était responsable du malentendu.

Puis, se retournant vers les vitres de l'évêché il vociféra :

— Mais j' suis pas riche, baptême !

Il donna un coup de pied rageur dans un arbrisseau — cette manie de déplacer des arbres ! — et sortit de la cour à grands pas.

Deuxième partie

LA FORÊT

I

L'eau bouillonnant le long de la barque le consolait un peu. Mais quand Askik levait les yeux sur les forêts qui défilaient des deux côtés de la rivière, il sentait avec désespoir que jamais, jamais, il ne serait un grand homme. Chaque plongeon des rames l'entraînait un peu plus loin de Saint-Boniface, de l'école, et de sa grande maison aux murs blancs. Il ne serait jamais riche ni instruit. Il passerait sa vie dans les bois. Askik, trappeur ! trappeur ! trappeur ! disaient les rames. Commerçant ! disait son père.

Debout parmi les ballots de marchandises, la pipe au bec, les bateliers métis maniaient des rames trois fois plus longues qu'eux. Ils avaient dû baisser la voile, le vent arrivait droit debout. Tout en travaillant, ils scrutaient les nuages bas. Neige ou pluie ? D'une manière comme de l'autre ils paieraient de leurs peaux.

— Chaboillez ! Chante-nous une chanson ! cria Jérôme Mercredi, que tout départ mettait de bonne humeur.

— J'ai pas le cœur à chanter ! grogna Chaboillez. Les bateliers approuvèrent en silence. Ils avaient cru leur saison de travail terminée. La glace se formait déjà dans les bords. Était-ce le moment de s'aventurer sur l'eau ?

Les bateliers craignaient l'embâcle : ils avaient résolu de ramer toute la nuit. Mais le vent, qu'ils surnommaient la Vieille, leur jouait des tours. Les quatre lourdes chaloupes avançaient si peu qu'ils durent camper, ce premier soir, à l'embouchure de la Nipouwin, la rivière des Morts, à quelques milles seulement de leur point de départ. Ils plantèrent leurs tentes de toile à l'endroit même où, plusieurs hivers auparavant, les Sioux avaient massacré tout un village de femmes, enfants, et vieillards cris, qui attendaient le retour de leurs chasseurs. La Vieille brassa les arbres toute la nuit.

Le lendemain, tandis que les chaloupes se frayaient un chemin dans les chenaux et marais du delta de la Rouge, une pluie fine et oblique leur arriva d'en face. Lorsqu'ils débouchèrent enfin sur l'immense lac Winnipeg, l'averse avait brouillé l'horizon, mêlant eau et ciel.

C'était Chaboillez qui commandait lorsque Mercredi ne savait plus quel ordre donner. Il fit longer la côte, à la recherche d'une berge hospitalière. En voyant une plage sablonneuse et large, il ordonna d'atterrir. Jérôme Mercredi, pelotonné sur lui-même à l'arrière de la chaloupe, n'était pas d'accord. Il soupçonnait Chaboillez d'abréger les journées, de ralentir la marche pour se donner un prétexte de virer de bord. Mais le lac avait un air si désolant que Jérôme débarqua sans rien dire.

La pluie tourna au verglas. Pataugeant dans l'eau jusqu'à mi-cuisse, les moustaches et les cils pleins de glace, les hommes tendirent des bâches sur les marchandises. Ils dressèrent leurs tentes dans la forêt. N'ayant pas de bois sec, ils se couchèrent trempés.

Personne, cette nuit-là, ne ferma l'œil. La Vieille faisait tinter les arbres enrobés de glace. Des branches alourdies s'abattaient avec fracas tout autour des tentes. Les grains de verglas résonnaient sèchement contre les toiles. Habillé de pied en cap dans ses nouveaux habits, roulé en boule sous deux couvertures de laine mais frissonnant tout de même, Askik entendait les hommes murmurer dans les autres tentes. Parfois, désespérant de dormir, un batelier jurait tout haut qu'il allait rentrer au fort dès le lendemain. Et pourtant, à la première lueur blafarde, ils se trouvèrent tous au bord de l'eau, misérables et hargneux mais prêts à continuer pour en finir au plus tôt.

Le lac ne le permit pas. Ses eaux peu profondes sont vite soulevées. Les pesantes chaloupes n'avaient pas le moindre espoir d'avancer dans la houle écumeuse.

En parcourant la forêt, en fouillant sous les corniches de pierre et sous les sapins, les hommes trouvèrent assez de bois sec pour allumer un feu. L'un d'eux, un adolescent de seize ans, revint des bois en pleurant : il s'était foulé la cheville sur un billot couvert de glace.

Après un déjeuner hâtif de thé et de poisson à peine réchauffé, les bateliers se retirèrent dans leurs tentes pour attendre la fin de la tempête. Ils étaient cinq dans la tente des Mercredi, serrés les uns contre les autres, moroses et muets, attentifs au bruit monotone des vagues. Ils ne sortirent de la journée, sauf pour étirer des membres ankylosés ou pour soulager des reins refroidis. Quand l'un d'eux s'aventurait au-delà des arbres et jusqu'à la plage, il répandait un brin de tabac ou des bouts de guenille sur les eaux déchaînées. En revenant, l'homme était frappé par l'immensité du lac et des bois, et la petitesse des tentes de toile blanche qui battaient au vent.

Vers le soir, la Vieille se calma. Comme délivrés d'un sort, les hommes se remirent à parler. Le ton était acerbe. Continuer, disait Chaboillez, c'était défier les esprits du lac qui leur avaient servi un avertissement. Revenir en arrière, disait Mercredi, était un bris de contrat, punissable d'amende. Mais il voyait bien que la majorité penchait du côté de Chaboillez. Il proposa donc de consulter les esprits, en tenant une jonglerie. Les autres y consentirent d'autant plus vite qu'ils avaient soif de distractions. Mercredi envoya chercher un batelier sauteau, vaguement chamane, qui accepta de mener la cérémonie. Les hommes se cotisèrent pour verser son salaire de tabac et de rhum. On dressa une tente à l'armature solide : quatre pieux, profondément fichés en terre, renforcés de quatre cerceaux, le tout renfermé de bâches et de couvertures. On attacha des clochettes au mât principal. Une fois le travail accompli, Chaboillez essaya de tout son poids de secouer la tente. Les clochettes demeurèrent silencieuses. Parfait !

Après le souper, quand il fit tout à fait noir, les bateliers s'assirent en cercle autour du *djisigonne*. Critiques redoutables, ils épiaient scrupuleusement les préparatifs, exigeaient une authenticité parfaite pour éviter toute tromperie. Quand Chaboillez ligota le jongleur, les hommes réclamèrent à hauts cris que soient resserrées les cordes ficelées. Le Sauteau objecta qu'on lui coupait la circulation, personne n'en eut cure. Quand le dernier des assistants se déclara satisfait, on glissa le jongleur tête première dans la tente, et on referma la toile derrière lui. Un homme jeta quelques branches dans le feu crachotant, un Cri acheva de chauffer un tambour sauvage.

Puis ce fut le silence. Les hommes attendaient les yeux grands ouverts de peur et d'anticipation. Les plus poltrons affichaient un sourire désabusé : ils seraient les premiers à s'enfuir.

D'abord on n'entendit que le vent dans les hautes branches, les vagues sur la plage. Puis, à peine audible, un murmure, une plainte, un fredonnement : des mugissements scandés et brefs, comme un élan à l'époque du rut. Et soudain, un trille, rauque et perçant, pulsant comme un battement de cœur, soutenu comme le vent. Le tambour enchaîna. La voix du jongleur plongeait et s'élevait, hurlait ou bourdonnait mais toujours à la limite de la fêlure. Il glapissait comme un coyote, ou bramait comme un bison. La prière continua longtemps. Mikikinuk, Tortue, qui avait porté la Première Terre, acceptait-il de convoquer ses frères manidos, et principalement les Frères de l'Eau, pour s'enquérir de leur bon vouloir ? Daignaient-ils laisser passer les voyageurs ? Acceptaient-ils de les prendre en pitié et de prolonger leurs jours ?

La chanson s'arrêta, coupée net. Le tambour continua un peu sur son envolée, et se tut.

Les cordes qui avaient ligoté le sorcier volèrent hors de la tente et s'abattirent devant les assistants ahuris.

Dans quelques instants le sorcier poserait la main sur le cerceau du bas. Les esprits arrivaient. Manidos, pitié !

Les cloches sonnaient ! La tente branlait comme une feuille ! Les Métis reculèrent en poussant des cris de peur. Askik s'agrippa à la manche de son père. Des paroles incompréhensibles, des grognements, des glapissements sortaient de la tente. Les manidos parlaient ! Le tambour battait deux fois plus fort : Esprits ! Esprits ! La vie ! La vie ! La tente voulait s'arracher au sol, s'envoler !

— Vierge Marie ! cria Mercredi, qui regrettait d'avoir basculé dans l'autre camp religieux.

Mais les clochettes sonnaient moins fort. La tente s'apaisait. C'était terminé. Un instant plus tard, le Sauteau sortit nonchalamment et annonça à qui voulait l'entendre que le voyage pouvait se poursuivre. Puis s'asseyant près du feu, il avala en un rien de temps ses honoraires. Il fut le seul à avoir chaud cette nuit-là.

Les manidos tinrent parole. Sept jours plus tard, les barques pénétrèrent l'estuaire de la Manigotagan. A quelques milles de l'embouchure, la rivière s'obstruait de glace. Profondément reconnaissants pour cette glace, les bateliers déchargèrent les chaloupes en un tour de main et, malgré les protestations de Mercredi, poussèrent aussitôt au large. Ils avaient hâte de se retrouver sur le lac : il soufflait un bon vent du Nord, ils pourraient lever les voiles.

— Mais que veux-tu que je fasse icitte ? cria Jérôme, à bout d'injures.

— Remonte la rivière, hurla Chaboillez, déjà loin. Y aura des Naturels. Tu leur feras charrier le fourniment.

— Es-tu sûr qu'il y a des Naturels ?

— Pourquoi y en aurait pas ? Ha ! Ha ! Ha !

— J' te jure, monhomme, fit Mercredi en se retournant vers son fils, y a des jours où le monde m'écœure.

Jérôme et Askik passèrent le reste de la journée à rassembler leurs marchandises sous des bâches, en plaçant au centre les denrées périssables : sucre, thé, tabac, alcool. Jérôme dut convenir, en soulevant le centième tonnelet de rhum, que le petit économe grincheux avait vu juste.

Le soir venu, Jérôme broya les bouts d'une demi-douzaine de branches avec une pierre, les plongea dans de la poix chauffée et planta ces flambeaux dans la neige tout autour des marchandises. Ces torches brûleraient toute la nuit et éloigneraient les bêtes de la cargaison.

Les Mercredi soupèrent de poisson fumé et de thé : ils n'avaient mangé rien d'autre depuis leur départ. Askik s'endormit en rêvant au cuissot de chevreuil qu'il avait goûté chez son oncle. Jérôme demeura longtemps éveillé, écoutant le grésillement des flambeaux. Il ne savait trop ce qu'il ferait le lendemain, ne savait pas s'il y avait des Indiens à proximité, ni où les chercher, ni comment leur apporter ses marchandises. Il s'endormit et rêva de forêts vides.

Au matin, en sortant de la tente, Jérôme faillit tomber à la renverse. Un Indien fumait tranquillement sa pipe devant le feu. Une fois revenu de son étonnement, Jérôme lui adressa la salutation d'usage.

— *Tansé ?* Comment allez-vous ?

— *Monantow.* Rien de neuf, répondit le Cri. Il ajouta poliment : *Kina maga ?* Et vous ?

— *Monantow.*

L'Indien fouilla sous les peaux de son toboggan et produisit deux lapins écorchés qu'il présenta aux Mercredi. Jérôme ne se fit pas prier pour les mettre en broche. Après le repas, Jérôme fit don à son visiteur d'un pied de tabac en câble et celui-ci, visiblement satisfait, s'expliqua enfin.

Numéo (l'Esturgeon) chassait dans la forêt lorsque, du haut d'un promontoire, il avait vu quatre barques vides faisant voile vers le large. Abandonnant la piste d'un élan, il avait aussitôt dirigé ses pas vers l'estuaire.

Il était arrivé en pleine nuit au camp des Mercredi. Il était heureux d'accueillir son frère métis et espérait que ce dernier apportait de bonnes choses pour lui et les gens de son village.

— *Ehé,* de bien bonnes choses, lui assura Mercredi. Où est le village ?

— Pas loin, répondit l'Indien, en mêlant du *kinnikinnik* au tabac brésilien.

— Vos hommes pourront-ils transporter mes marchandises jusqu'au bout de la rivière ? demanda Mercredi.

— Trop loin.

— J'arrêterai d'abord chez vous. Mais je dois me rendre au lac pour traiter avec les bandes environnantes. Pouvez-vous m'aider à me rendre jusque-là ?

— *Maskouche, maskouche,* répondit le Cri en savourant l'excellente fumée. Peut-être effectivement y aurait-il lieu de faire ce que demandait le Métis. Mais on n'en était pas là.

Jérôme n'insista pas. Ils dissimulèrent les marchandises sous un tas de branchages et de neige, descendirent sur la glace et se mirent en marche. La glace n'était pas encore sûre ; ils serraient de près la rive.

« Pas loin », dans le langage de Numéo, signifiait huit bonnes heures de marche. Le ciel d'hiver rougissait déjà lorsqu'ils virent des enfants et des chiens qui s'ébattaient sur un large tournant de la rivière. Le village était à peu près invisible. Une demi-douzaine de tipis d'écorce, recouverts de rameaux d'épinette et de neige, semblaient vouloir se fondre définitivement aux roches et aux arbres. Jérôme fut déçu de voir si peu de loges. Il pouvait compter sur dix hommes, tout au plus, pour transporter son matériel.

La loge de Numéo était grande et bien construite. Le sol était recouvert de branches d'épinette moelleuses. Les couvertures de laine que portaient les membres de sa famille, la marmite de fer et les couteaux d'acier témoignaient de son talent de chasseur. Ces choses pouvaient seulement s'acheter des Blancs, qui n'acceptaient des Indiens qu'une seule devise : la fourrure. La femme de Numéo leur servit du castor. Numéo offrit à ses hôtes la meilleure partie : la queue.

Le lendemain, Numéo se leva tard. Il déjeuna longuement, s'adossa à son fauteuil d'osier, et s'apprêta à passer une partie de la journée à fumer. Étonné, Jérôme lui rappela qu'il fallait chercher les marchandises. L'Indien ne bougea pas. Après plus d'une heure d'arguments stériles, le Métis, excédé, quitta la loge sous prétexte de prendre l'air. De toute évidence, Numéo n'avait besoin de rien. Ses voisins moins fortunés, pensait Jérôme, se montreraient plus énergiques.

Mais dans chaque loge que visitait Mercredi, on lui faisait boire du thé et on lui répondait plaisamment qu'il n'était pas encore temps, que la marchandise était en sécurité. Battu, Mercredi revint chez Numéo.

Pendant trois jours la vie du camp se poursuivit comme à l'accoutumée. Les chasseurs allaient et venaient. Personne ne souffla mot des marchandises, il n'y eut ni réunion ni préparatifs de départ. En désespoir de cause, Jérôme résolut de quitter le village et de se rendre à pied jusqu'au lac Manigotagan pour recruter les Ojibwés de l'endroit.

Mais le matin même où il s'était promis de partir, alors qu'il faisait encore nuit, Jérôme se sentit secoué par l'épaule.

— Debout ! Temps de partir ! chuchota Numéo, qui ne voulait pas réveiller ses enfants. Il était chaudement habillé de peaux et de fourrures.

Jérôme trébucha hors du tipi. Une bonne trentaine d'hommes, des toboggans et des chiens étaient réunis dans la pénombre, et n'attendaient que lui pour partir. Numéo avait dû convoquer les chasseurs des villages environnants. Certains d'entre eux avaient marché une partie de la nuit. « La belle affaire ! » pensa Mercredi. Il avait craint ne pas trouver assez d'hommes pour l'aider, à présent il y en avait trop. Tout ce beau monde allait lui coûter les yeux de la tête.

Les Indiens partirent au petit trot, riant et plaisantant. Les jeunes se défiaient à la course, les chiens s'emballaient, les traînes vides menaient un joyeux vacarme sur la glace rugueuse. Après quelques milles les chasseurs ralentirent le pas. Il était temps : Jérôme allait s'écrouler. Tout un été passé à dos de cheval l'avait déshabitué de la course. Ils étaient à moitié chemin quand les cimes d'épinette se mirent à rosir. Ils atteignirent le dépôt de marchandises vers midi. Leur hilarité, pendant tout ce temps, n'avait pas baissé d'un cran. Arrivés sur les lieux, ils retrouvèrent deux jeunes hommes envoyés par Numéo pour garder la marchandise.

Jérôme troqua une partie de son stock contre de maigres peaux d'été ou de vieux vêtements de fourrure. Le castor gras, les fourrures de castor portées à même la peau par les Indiens, avaient encore une certaine valeur. L'usure faisait tomber les poils longs et rudes, l'huile humaine donnait du lustre au duvet. Mais la plupart des pelleteries qu'acheta Mercredi se promenaient encore dans les sous-bois. Les Cris avaient déjà expédié leurs fourrures d'automne au Fort de pierre ; ils promirent de réserver leurs prises d'hiver au Métis.

II

Espérant mieux faire chez les Ojibwés, Mercredi embaucha une quinzaine de porteurs et remonta la rivière. Il trouva une grosse bourgade de huttes rondes à quatre jours du camp cri. Ses premiers interlocuteurs lui assurèrent qu'il y avait d'autres campements dans les environs, Mercredi décida d'installer là son siège social. Il fit construire un abri d'écorce pour ses marchandises. Tout ce qui pouvait geler fut enterré. Pendant le reste de l'hiver, il parcourrait la région, en raquettes ou traîne à chiens, accompagné ou seul, achetant, escomptant, vendant. Dans son entrepôt d'écorce, les articles vendus étaient remplacés par des monceaux de fourrures gelées. Castor, vison, renard, carcajou, loup, pékan et ours, tout ce qu'il fallait pour qu'en Chine ou en Europe on aille bien mis dans la peau d'un autre animal.

Les premières semaines dans ce village furent pénibles pour Askik. Il ne comprenait pas l'ojibwé. En parlant très lentement le cri, il arrivait, parfois, à se faire comprendre. Dès le début toutefois, il nota de fortes ressemblances entre ces langues sœurs. S'étant fait l'oreille à la prononciation ojibwée, il apprit vite à l'imiter.

Son père l'avait placé dans la loge d'un jeune chasseur, Niskigwonne, les Plumes Hérissées, un grand adolescent. Mais l'arrangement s'était fait à l'insu de sa femme, une minuscule personne au visage marqué par la picotte. Dès le premier jour elle fit comprendre à Askik qu'il était de trop. La petite loge contenait déjà le jeune couple, une belle-sœur, un parent âgé, et trois enfants en bas âge. Ces diablotins étaient durs à supporter. Ils grimpaient sur Askik, lui tiraient les cheveux, ou essayaient de lui planter des bâtons dans les côtes. Quand ils voulaient rire, ils jetaient ses vêtements aux chiens. Sa belle tuque rouge, cadeau de sa tante, disparut dans une mêlée furieuse de griffes et de crocs. Même le bébé, lorsqu'on le libérait de sa hotte perlée, tapait sur Askik avec un écureuil bourré de sucre d'érable. Les deux femmes suivaient ces jeux en riant plaisamment. Mais quand Askik se défendait un tant soit peu, la mère et la belle-sœur poussaient des cris d'alarme, happaient les petits dans leurs bras et se précipitaient hors de la loge comme si un ours venait d'y entrer. Le pauvre Niskigwonne n'avait plus la paix chez lui. Sa femme le houspillait sans pitié, le traitait de pénis flasque et de bouse molle. En fait, sa femme avait une sorte de don pour les crudités. Un jour, en plein milieu d'une tirade sur ses performances sexuelles, Niskigwonne s'enfuit. Se croyant abandonnée, la femme se couvrit la tête de sa couverture et se mit à pleurer amèrement.

Quelques minutes plus tard, Niskigwonne reparut à l'entrée et annonça qu'Askik allait déménager. La petite femme se découvrit avec un « Hmmf ! » de satisfaction, les enfants se turent, les voisins poussèrent un soupir de soulagement. Niskigwonne prit Askik par l'épaule et, la tête haute, le mena à travers le village avec l'air d'un bienfaiteur déçu.

Askik ne regrettait pas de partir, mais en approchant sa nouvelle demeure, il sentit le découragement le gagner. Ce wakinogan était encore plus petit et minable que le premier. Une couverture rouge déchirée servait de porte. L'écorce de la loge avait besoin d'être renouvelée. Niskigwonne le laissa sans un mot.

Askik voulut s'enfuir, s'éloigner à grande course du village. Entrer, mendier le logis, se soumettre à de nouveaux caprices était trop humiliant. Que faisait-il parmi les gens qui le méprisaient ? Où était sa mère, puisqu'il en avait une ? Le souvenir de l'école aux pièces lumineuses, des prêtres faisant craquer de gros livres dans leurs mains propres le remplit de désespoir. Il fit quelques pas vers la forêt et s'arrêta. Où irait-il ? Saint-Boniface était trop loin. L'école était dans un autre monde. Et même s'il y arrivait, qui voudrait de lui ? En se retournant vers le wakinogan grisâtre, il songea à Mona. Il avait promis de la prendre à son service lorsqu'il serait un grand homme. Et voici qu'il se trouvait comme elle sans avenir, sans famille, soumis au bon vouloir d'étrangers hostiles. Il ressentit une telle pitié pour elle et pour lui qu'un sanglot lui échappa.

Une voix fêlée sortit aussitôt du wakinogan.

— *Pé-pitigwé !* Entre ! Et cesse de brailler !

Cette voix eut sur Askik l'effet d'une gifle. On l'avait entendu pleurer. Qu'est-ce qu'on ne lui ferait pas maintenant ? Qui a pitié des faibles ? Il n'avait plus rien à perdre. Il écarta brutalement la couverture sale et entra en jurant de se faire tuer plutôt que de souffrir la moindre indignité.

La loge était remplie d'une épaisse fumée. Askik se laissa tomber à genoux : l'air était plus respirable près

189

du sol. De l'autre côté du wakinogan une vieillarde était assise, les yeux fermés. Elle était vieille, très vieille. Jamais Askik n'avait vu un visage si ridé. Et comme la peau semblait mince ! On croyait voir les dents à travers les lèvres. Elle entrouvrit les paupières. Les yeux avaient un éclat fiévreux. Elle parlait cri, d'une voix éraillée.

— Je t'ai vu venir, petit Métis. J'ai besoin de toi. Les autres ont peur de Pennisk.

Askik ne savait que dire. Il sentait les aiguilles d'épinette s'écrouler sous son poids : il aurait fallu une litière fraîche.

— *Nipiy!* marmotta la vieille en désignant une écuelle de bois. *Nipiy!*

Askik saisit le bol et se rendit au lac puiser de l'eau. Il dut revenir emprunter une vieille masse pour briser la glace. Une fois de retour, il déposa le bol d'eau devant la vieillarde qui regarda l'eau tristement. Alors, gauchement, Askik mit le bol aux lèvres de la malade. Il l'inclina trop, un filet d'eau tacheta la robe de daim. Mais la vieille ne s'en rendit pas compte. Elle but quelques gorgées et retomba sur son fauteuil en soupirant d'aise et d'épuisement. Sa tête revint sur son épaule, ses yeux fixèrent le sol.

Askik sortit de nouveau. Le jour baissait, mais il avait encore le temps. Il amassa une provision de bois mort, jeta dehors les bûches de peuplier qui enfumaient la hutte et alluma un feu clair et chaud. La loge n'en parut que plus âgée. L'écorce racornie des murs était fendue à maints endroits. Tout ce qui gisait par terre ou pendait aux montants avait l'air aussi antique, aussi usé que la maîtresse de la maison. Les flammes révélèrent une quantité étonnante d'herbes et de racines, ligotées en bottes ou tressées en câbles épais, et pendus au plafond.

Il y avait un chaudron dans la loge, mais aucun de nourriture. Où prendre à manger ? Ne sachant que faire, Askik retourna chez Niskigwonne.

Il faisait nuit. En approchant la loge de Niskigwonne, Askik entendit les voix se taire à l'intérieur. On écoutait ses pas.

— Niskigwonne, nous avons faim ! cria Askik.

Après un bref silence il entendit la voix pleutre de Niskigwonne.

— C'est elle qui t'envoie ?

— *Ehé !* mentit Askik.

Il y eut un mouvement au bas de la porte, puis un grésillement. On avait placé un chaudron chaud dans la neige.

— *Kinanaskomitin,* Niskigwonne.

— Ne reviens pas, Métis ! Je ne te dois plus rien !

La voix de Niskigwonne était presque hystérique. Askik emporta le chaudron en riant doucement. Comme les choses changeaient !

Le lendemain il se rendit à l'entrepôt de son père et ordonna crânement qu'on lui remît une hache, un attirail de pêche, et un fusil. L'Indien qui avait la garde des marchandises hésita. Jérôme l'avait averti de n'ouvrir la cache qu'à ses représentants. Il n'avait pas soufflé mot de son fils. Après un moment de réflexion, l'Indien donna la hache, les lignes et les hameçons, mais refusa le fusil. Askik demanda aussi du thé et du tabac pour Pennisk. Il l'obtint et s'en alla content.

Armé de sa nouvelle hache, il perça une demi-douzaine de trous dans la glace devant le village. Il amorça ses hameçons de tripes d'oiseau, attacha le bout des lignes à de solides bâtons posés à travers les trous. Puis il s'attaqua aux conifères du voisinage. Il recouvrit tout entier le wakinogan de rameaux d'épinette. Ces branches retiendraient la neige et formeraient une couche isolante. Il posa un tapis de branches à l'intérieur, y ajouta même du cèdre parce qu'il en aimait le parfum.

Le grand lac s'assombrissait déjà lorsque Askik retourna à ses lignes. Il s'attendait à six gros poissons, à boucaner ou geler. Les deux premières lignes n'avaient plus d'appât. La troisième n'avait plus d'hameçon. La quatrième ligne avait disparu ; il ne restait que le bâton

191

à la surface. La cinquième avait conservé hameçon et appât, mais n'avait rien pris. Il ne restait qu'une seule ligne, la plus courte parce que posée en dernier. Askik avait manqué de fil en l'apprêtant. Il n'espérait rien d'une ligne qui ne se rendait pas au fond. Et pourtant, en soulevant le bâton, il sentit la corde se raidir. En un clin d'œil, son doute se changea en joie maniaque. Il jeta le bâton et remonta la ligne si vite que le poisson le frappa presque au visage. C'était un doré. Déjà noyé. Pas énorme, mais de taille respectable. Riant de joie, Askik rassembla ses lignes et remonta au wakinogan. Il était affamé. Ses mitaines et ses mocassins étaient trempés. Mais il était satisfait. Il ne regrettait plus l'école. En retraversant le village obscur, il nota avec plaisir que sa loge ne laissait plus passer de lumière, qu'elle n'était plus qu'une butte broussailleuse et noire, impossible à distinguer de la forêt, sauf pour le filet de fumée qui s'élevait de son toit.

Pennisk poussa un « *hai !* » de triomphe en voyant le poisson. Elle non plus n'avait mangé de la journée. Elle éventra le doré d'un coup de couteau, l'ouvrit, le serra dans un bâton fendu, et le planta au-dessus du feu. La loge se remplit d'un parfum de poisson rôti, de feu de bois, et de résine d'épinette. L'air devint si lourd, si chaud en comparaison avec l'extérieur, qu'Askik faillit s'endormir avant même d'avoir goûté à son poisson.

Pennisk avait de drôles de manières. Après le repas, elle mêla de l'osier rouge au tabac brésilien qu'avait apporté Askik, bourra sa pipe et fuma longuement, les yeux perdus dans les braises au centre de la loge. Elle n'ouvrit la bouche de la soirée ; en fait, elle semblait ignorer jusqu'à l'existence du garçon. Askik s'était attendu à un peu plus de gratitude. Mais il n'eut pas le temps de s'en étonner. La couche d'épinette était souple et odorante. Il faisait chaud, l'air était épais de fumée de bois et de tabac. Askik s'enroula dans une robe d'orignal, les pieds tournés vers le feu, la tête contre les *pukkwi,* les nattes d'osier qui doublaient le mur. Ausun son ne venait de l'extérieur. Au milieu de la nuit Askik sentit l'air se rafraîchir autour de sa tête. Il se roula en boule sous la couverture, comme un écureuil dans son nid d'hiver, et se rendormit.

— Petit Métis ! répétait la vieille en lui tapotant le dos. Lève-toi. Il est temps.

Askik se frotta les yeux. Comment ? Déjà le matin ? Il voyait son haleine. La vieille ramonait le feu. Elle se portait mieux.

— Bois, dit-elle, en lui présentant un thé bouillant.

Askik vit ses lignes et hameçons soigneusement roulés à ses pieds. La vieille les avait amorcés d'abats de doré. A présent, Pennisk parlait longuement, avec autorité et précision. Comme s'il était impératif qu'Askik écoute et comprenne.

— Quand tu déroules ta ligne, ne descends pas jusqu'au fond où Mikikinuk, Tortue, peut l'atteindre. Celui-là mange mais ne se laisse pas prendre. Ne pêche pas devant le village mais dans la baie prochaine, à l'est. En chemin, tu verras des traces de lapin. Suis leurs pistes. Tu trouveras les collets que je leur ai tendus. Je suis trop faible pour y aller. Vas-y à ma place. Tu as déjà posé des collets ?

Askik fit oui de la tête.

— Bon. Tu connais l'*agimak*, le frêne ? Prends ta hache. Trouve une branche de frêne ronde comme ça (elle serra le poing de l'enfant), longue comme ça (elle mesura la distance entre l'épaule gauche d'Askik et le bout de sa main droite). Ramène-moi cette branche, dit-elle. Attention, ne blesse pas inutilement les arbres. Sois sûr avant de frapper. Quand tu auras choisi la branche, dépose ce tabac au pied de l'arbre pour le remercier du don qu'il te fait.

Dehors, il faisait encore sombre. Askik marcha dans la direction de Wabun, le Matin, comme le lui avait demandé Pennisk. Il vint à un rocher massif, surmonté de pins gris. Puis une descente vertigineuse, jusqu'à un marais. Des traces de lapin parsemaient la neige. Il trouva une baie peu profonde, qui se terminait en marécage. Il perça la glace près des roseaux et laissa pendre les hameçons. Puis, revenant sur ses pas, il parcourut les pistes de lapin, relevant un à un les pièges de la vieille femme. C'étaient des collets en corde d'écorce, reliés à de jeunes arbres dont la cime avait été recourbée jusqu'au sol. Le lapin se prenait la tête ou les jambes dans le nœud coulant, le mouvement libérait l'arbrisseau qui se redressait en emportant la proie. Le lapin était ainsi mis hors de portée des carnassiers.

La ligne de trappe serpentait à travers la forêt, longeait les marécages, contournait les rochers. Askik s'égara souvent, et ne trouva que la moitié des pièges. La neige était épaisse par endroits. Lorsqu'il s'arrêtait pour souffler, il s'étonnait du silence de la forêt. Parfois le vent faisait bruire les peupliers nus. Le plus souvent, il n'entendait rien du tout. Rien. A peine un vague bourdonnement aux oreilles. Sans s'en rendre compte, Askik devenait lui-même plus silencieux, respirait moins bruyamment, posait les pieds avec prudence, jusqu'à ce que son propre silence lui fît peur. Alors il tapait dans les mains pour se persuader qu'il n'était pas devenu sourd. Et regrettait presque aussitôt d'avoir trahi sa position. A qui ? A quoi ?

Des geais gris se joignirent à lui. Des oiseaux effrontés, qui portaient bien le nom du Trompeur, Wesékéchak. Ils avançaient avec le garçon, sautant de branche en branche, en zézayant des commentaires à son sujet. Puis disparurent si vite qu'Askik crut un moment les avoir imaginés.

Il trouva un *agimak* dans une baissière à côté d'une chute d'eau, et choisit avec précaution la branche qu'il lui fallait. Il n'oublia pas de laisser le tabac au pied de l'arbre, en signe de reconnaissance. En retournant au lac il découvrit une touffe verte de thé de Labrador et s'en emplit les poches. Il retira trois brochets du lac, roula ses lignes, rentra au village.

Ce soir-là, lorsque les grands-pères eurent allumé leurs feux au ciel, et que les descendants eurent rallié les leurs sur terre, Pennisk remit un couteau bien graissé à Askik et, le critiquant minutieusement, lui montra comment tirer un arc de sa branche de frêne. Non plus un arc d'enfant, mais un arc d'homme, à face ronde, à dos plat. Elle-même ne demeurait pas oisive. Tout en suçant sa pipe de pierre elle épluchait des tiges d'osier, grattait l'écorce intérieure, et la faisait rôtir au feu. Cette écorce devenait le *kinnikinnik,* le tabac indien, qui donne du piquant au tabac brésilien.

— Kokoum, dit Askik tout en travaillant, comment se fait-il que tu parles deux langues ? Es-tu crise ou ojibwée ?

— Ne dis pas « ojibwé ». C'est le nom que nous donnent les étrangers. Dis plutôt « anichnabègue », qui veut dire : les Hommes-faits-de-rien. Car Kitché-Manitou ne nous a pas tirés des quatre substances, mais de ses rêves.

— Alors, tu es anichnabègue. Pourquoi parles-tu le cri ?

— Ne parles-tu pas toi-même deux langues ?

— Ehé, Kokoum. Mais je suis métis.

— Moi aussi. A ma façon. Ma mère était fille des Muskégos, les Cris des marais, nos alliés. Mon père était anichnabègue. Je parle aussi le sioux. Mais cela est une autre histoire.

— Raconte.

— Non. Une autre fois.

— Quel âge as-tu ?

La vieillarde coassa de plaisir en se balançant sur ses fesses décharnées.

— Quel âge ! Je ne sais pas, petit Métis. Je suis bien vieille.

— N'as-tu jamais eu de petits garçons comme moi ?

La joie qui avait illuminé les traits de Pennisk s'éteignit soudain. Elle baissa les yeux sur le *kinnikinnik* brunissant et murmura doucement :

— *Atoské,* petit Métis. Travaille.

Leur première conversation venait de prendre fin.

Elle redevint aussi muette que le premier jour. Quand Askik se fatigua de son travail, il rangea l'arc et le couteau en déclarant : « Je vais dormir, Kokoum ».

Mais elle ne leva pas les yeux, ne sembla pas l'entendre. Elle fumait pipée après pipée. Parfois ses lèvres immobiles laissaient passer des bribes de chansons, à peine soufflées, et la mélodie imprimait un bref balancement au corps. Ses mains brunes et ridées gisaient sur le cuir rugueux de sa robe. Elle s'endormit assise.

III

Un grand froid s'installa dans le pays. La nuit, les arbres claquaient comme des carabines. Dans les loges, les vieillards passaient la nuit à soigner le feu, tandis que les autres dormaient.

Askik travaillait dur pour percer ses trous de pêche : la glace semblait chaque matin plus épaisse. Mais le lac était généreux. Il donnait tous les jours du poisson, ne serait-ce qu'une petite perche jaune. Les lapins ne manquaient pas non plus, si bien qu'Askik s'étonnait d'être le seul à pêcher et chasser dans ce bout de forêt. Un jour, en parcourant sa ligne de trappe, il trouva un renard suspendu à l'un de ses arbres. L'animal vivait encore. Il donnait de faibles coups de patte, cherchant à prendre pied pour desserrer la corde qui l'étranglait. Sans doute s'était-il pris en suivant la piste d'un lapin. Les yeux du renard étaient déjà vitreux : il ne vit pas approcher le garçon. Askik le retourna sur sa corde et l'assomma nettement d'un coup de hache.

En revenant au village, il vit la femme de Niskigwonne qui rentrait avec un fagot de branchages.

— Comment vas-tu ? lui dit-il poliment en ojibwé. Mais elle lui jeta un regard alarmé et, sans répondre, s'enfuit dans une autre direction. Askik se souvint des lépreux du catéchisme, et se demanda s'il n'avait pas contracté une maladie défigurante.

Des enfants jouaient au wetiko près du village. Le plus grand s'était coiffé de branches et de feuilles mortes. Il se tapissait dans un buisson. Les autres trotti-

196

naient autour du buisson en feignant ne pas le voir. Un adolescent menait la troupe. Quand le wetiko bondissait hors de sa cachette en mugissant et branlant la tête, une explosion de cris d'épouvante déferlait jusqu'au camp indifférent. Le wetiko se défendait d'une main contre l'adolescent, tout en essayant d'attraper un petit pour son déjeuner. Les bébés s'enfuyaient en hurlant, puis revenaient, trépignant de joie et de peur, la main sur la bouche, les yeux étincelants.

Mais lorsque Askik entra dans le jeu, les cris remontèrent d'un cran, l'excitation vira à la terreur, et même le wetiko s'enfuit en braillant vers le village. Le jeune Métis, abasourdi, resta seul avec son renard mort. A présent, c'était plutôt Askik qui avait peur. Il arracha sa mitaine et se tâta le visage. La peau semblait lisse, les traits réguliers. Avait-il changé de couleur ? Il loucha sérieusement pour se voir le bout du nez, qui avait l'air un peu rouge certes, à cause du froid, mais sans excès. Peut-être était-ce le renard qui les avait effrayés ? Il entra au village en passant exprès devant les portes. En le voyant, les femmes entraient en emportant leurs nourrissons, les hommes détournaient le regard.

Il vit Pennisk, debout devant son wakinogan, le visage tourné au soleil, les yeux clos, grimaçant de plaisir. Elle au moins n'aurait pas peur de lui. Elle au moins lui expliquerait. Il courut jusqu'à Pennisk et, tout essoufflé, ordonna :

— Kokoum, regarde-moi !

Elle inclina la tête, ouvrit les yeux, et tout de suite, eut l'air consternée. Askik sentit son cœur se décrocher.

— Frotte-toi le visage, petit Métis. Tu as des gelures.

Askik éclata en sanglots. Il avait déjà vu un Chipewyan au visage gelé, le bout du nez noir et déchiqueté comme un champignon pourri. C'est ainsi qu'il serait pour la vie. Un monstre repoussant. Plus personne ne l'aimerait. Tout en se frictionnant les joues Askik pleurait amèrement. Ah ! que ne s'était-il marié avec Mona alors qu'il en avait encore la chance ! A présent, qui voudrait de lui ?

— Pourquoi pleures-tu, petit sot ? jappa Pennisk.

— Je suis laid maintenant !

— Si tu es laid, ce n'est pas d'aujourd'hui. Tes gelures sont légères. A peine blanches.

— Mais les autres ont eu peur de moi !

— *Tché !* ce sont des imbéciles. C'est de moi qu'ils ont peur, petit Métis.

— Pourquoi ?

— Je suis Midé, membre de la Grande Société. Ils croient que les esprits me rendent folle.

— J'ai voulu jouer avec les autres.

— Tu ne peux pas jouer dans ce village.

— J'ai été gentil, objecta le garçon.

— Plus tu le seras, plus on te craindra.

— Pourquoi ?

— Crois-tu que le wetiko ressemble à ces enfants, qu'il se jette sur les hommes en hurlant et bavant ? *Tché !* Le wetiko est le plus poli des Anichnabègues. Il s'assoit au feu, partage la viande, ramasse le bois, tire l'eau, distribue des cadeaux. Et quand il est entré tout à fait dans la confiance de ses hôtes, c'est alors qu'il se montre tel qu'il est.

Askik senti un remuement inquiet au creux de son estomac. Il avait un peu oublié le wetiko pendant son séjour en plaine.

— As-tu déjà vu un wetiko, Kokoum ?

La vieillarde eut un sourire espiègle.

— Eh bien oui. Toi et moi, petit Métis !

— Ils nous prennent pour des wetikos ! pouffa Askik incrédule.

— Ils craignent que nous ne le devenions. Ils ont peur de bien d'autres choses encore.

— Moi aussi j'ai peur du wetiko, avoua sobrement Askik.

— Moi, j'ai peur des hommes, fit amèrement la vieillarde en entrant dans le wakinogan. Apporte ton renard, avant qu'il ne gèle dur.

L'arc était presque terminé. Askik en était très fier. Le bois blanc reluisait chaudement, le soir, près du feu. Quand vint le temps de le brunir, Askik s'y opposa presque. Mais c'était nécessaire. Le bois chauffé devenait plus résistant. Plus tard, l'arc serait teint de pigment rouge. Pennisk tressait une corde d'ortie. Son sac à couture contenait de longues fibres de cette plante précieuse. Les Anichnabègues en faisaient un si grand usage que l'emplacement d'anciens camps pouvait se reconnaître à l'abondance de plantes à fibre qui y poussaient. Au printemps, promit Pennisk, elle remplacerait la corde d'ortie par une ficelle de cou de tortue. La peau de tortue, disait-elle, résiste mieux à l'eau et dure plus longtemps.

Elle orna l'arc de plumes et de bandelettes de peau de lapin. Elle commanda dix flèches à un artisan reconnu pour la droiture de ses hampes. Elle façonna enfin un carquois en écorce de bouleau.

— Elles sont trop courtes! s'exclama Askik en voyant les flèches. Et comme de fait, comparées aux grandes flèches des Sioux, les siennes avaient l'air de simples jouets.

— En forêt, trancha Pennisk, il faut des flèches courtes! Cette fascination pour les Sioux lui portait sur les nerfs. Quand l'arc fut enfin prêt, Askik voulut se précipiter dans la forêt pour profiter des dernières heures du jour. Mais Pennisk le retint au camp. Alors le garçon déversa son trop-plein d'excitation en paroles. Une grosse pluie de vantardises s'abattit sur Pennisk. Askik était intarissable. Il abattrait des ours, des caribous, des orignaux, des élans, des chevreuils, et des loups. Il élèverait un monticule de cadavres et inviterait les villageois à se servir. Ils seraient bien obligés de l'admirer. Askik ne comprenait pas que les autres revinssent de la chasse les mains vides. N'avaient-ils pas d'yeux pour suivre les traces? Pas de tête pour en déduire les mouvements du gibier? Fallait-il que l'âge leur ait brouillé le jugement ! Quelle négligence ! Quelle paresse ! Heureusement qu'il était jeune ! Heureusement qu'il était métis, issu d'une race de chasseurs ! Il tuerait uniquement les animaux à belle fourrure. Il amasserait une provision petite mais riche de peaux soyeuses qu'il vendrait à la Compagnie. Il rentrerait à Saint-Boniface, ferait venir sa mère pour tenir maison, et reprendrait ses études au collège.

Mais, s'empressait-il d'ajouter, Pennisk n'avait rien à craindre. Il veillerait sur elle de loin, lui ferait parvenir les biens dont elle aurait besoin.

La vieille ingrate fit semblant de ne pas entendre. Askik décida de lui faire ce bien, malgré elle. Il se coucha tôt, épuisé par ses projets.

L'énervement le réveilla bien avant le lever du jour. Laissant à la maison ses lignes de pêche, il passa sans s'arrêter devant les collets de lapin. Il avait mieux à faire.

Au début, Askik avança à l'improviste, rapidement, en prenant plaisir aux changements de paysage. Puis il ralentit sa course, étonné de n'avoir encore rien tué. Il se mit à franchir les crêtes avec plus de prudence, scrutait la forêt du haut de chaque rocher, étudiait les fourrés avant de les pénétrer. Toujours rien. Quand il dressait l'oreille, il n'entendait que le craquement des arbres gelés.

Et puis, incroyablement, le soleil dépassa la cime des arbres. Il était midi, et tous les animaux de la forêt vivaient encore. Askik n'y comprenait rien. L'arc pesait agréablement au bout de son bras, le carquois lui tapotait amicalement la poitrine, les flèches s'offraient droites, belles, et fatales. Où était le gibier ?

Il se retourna vers le village en amorçant un grand détour dans la forêt. Jamais il n'était allé si loin dans les bois. Il dut consulter le soleil et les arbres à maintes reprises pour s'assurer de la direction. Il accepta même de suivre quelques traces, la plupart inconnues. Mais les pistes se brouillaient entre elles, disparaissaient sur des promontoires rocheux, ou serpentaient interminablement à travers la forêt jusqu'à faire perdre patience au garçon. L'après-midi tirait à sa fin lorsqu'il entendit aboyer les chiens du village. Désespéré, Askik se mit à battre furieusement les sous-bois dans l'espoir de débusquer un tétras, tout au moins. Mais il n'y en avait pas.

Il rentra au village de nuit, pour n'être vu de personne, avala silencieusement le ragoût de lapin qu'avait préparé Pennisk, et sans un mot s'endormit.

Le matin suivant, il s'aventura de nouveau dans la forêt, les muscles endoloris, mais l'optimisme rafraîchi. Il ne rêvait plus de carnage, il se contenterait d'un seul orignal. La modestie même de son attente lui semblait un gage de succès. Mais le sentiment de futilité qu'il avait ressenti le jour précédent lui revint très vite. Il retrouvait la même succession stérile de marais et de fourrés, les mêmes bosquets de sapins siffleurs, les mêmes sous-bois encombrés. Partout, le plat excès de la forêt. Rien n'avait changé. Il vit ses traces du jour précédent. Aucune nouvelle piste ne les recoupait.

Il s'ennuyait prodigieusement. Pour se distraire, et parce qu'il avait hâte d'essayer son arc, il tira sur un grand tremble. La flèche se fracassa contre le tronc gelé, la pointe de fer resta coincée dans l'écorce, trop haut pour qu'il puisse la récupérer.

Askik revint au camp plus tôt que le jour précédent, écœuré de lui-même et de son arme. Ce soir-là, Askik et Pennisk soupèrent d'un petit morceau de brochet : c'est tout ce qui restait.

Il sortit une troisième journée à la recherche de gibier, et revint les mains vides. Ils dînèrent de thé de Labrador.

Pennisk ne fit pas la moindre allusion aux déboires du jeune chasseur. A peine haussait-elle les sourcils en le voyant entrer sans viande. Elle jeûnait en silence et n'attendait rien d'Askik.

Mais le garçon était au bord de la panique. Il avait cru pouvoir se débrouiller d'instinct et apprenait avec étonnement qu'il faut des connaissances pour chasser.

201

Les habitudes des grandes bêtes lui étaient inconnues. Or le poisson et le lapin sont peu fiables : abondants la veille, introuvables le lendemain. Il aurait fallu en fumer durant la belle saison, mais Pennisk n'en avait pas eu la force. Quant aux stocks de Jérôme Mercredi, ils ne contenaient que des aliments de luxe : thé, sucre, rhum.

Plus il ressassait ses craintes, plus Askik croyait la famine inévitable. Son découragement faisait mal à voir.

— Te croyais-tu très fort, petit Métis ? demanda tranquillement la vieillarde en ajoutant du bois au feu. Askik leva des yeux confus.

— *Tché!* Tu es faible, marmonna Pennisk, le plus faible de tous !

Askik se fâcha. La vieille menteuse ! Prétendait-elle savoir depuis le début qu'il échouerait ?

— Mais alors, pourquoi m'as-tu donné cet arc ? s'écria-t-il.

— Pour que tu ramènes de la viande.

— J'ai essayé. Je n'ai pas pu.

— Tu ne le pourras jamais. Pas de toi-même. Vous êtes bien fiers, les chasseurs de bisons. Vous foncez dans le troupeau en hurlant comme des loups et en tirant sur tout ce qui bouge. Votre seule crainte est de vous faire passer sur le dos par le gibier. Mais ici, en forêt, il faut savoir chasser.

Askik se tut. Il inclinait la tête pour cacher des larmes d'humiliation.

— Te crois-tu maître de la Création ? continua Pennisk. Kitché-Manitou créa d'abord la Terre, les plantes, et les animaux. Ensuite seulement il créa l'Homme, le plus faible, car il dépend de tous les autres pour vivre. Au début, les Anichnabègues ne mangeaient que des plantes. Puis il y eut un hiver très dur et les deux enfants de la Femme du Ciel faillirent mourir de faim. Alors l'Ours leur offrit sa chair, pour qu'ils vivent. Depuis ce temps, nos frères aînés nous nourrissent. Les Anichnabègues les chassent avec amour et respect. De cette façon, l'âme de l'animal retourne satisfaite à son manido, qui nous en envoie d'autres. Mais toi, petit Métis, tu es comme les Visages Poilus. Tu crois que tout t'appartient. Tu penses abattre les animaux par tes seuls moyens, sans remercier le Créateur qui chaque nuit renouvelle leur nombre. Tu veux la peau de tes frères, non pas pour te vêtir, mais pour t'enrichir. Et de plus, tu fais le difficile. Tu veux seulement des orignaux, des ours, et des élans, pour mieux te vanter. Connais-tu l'histoire du Rat Musqué, petit Métis ? Ou avez-vous perdu tout souvenir des Origines ?

— Raconte, Kokoum.

— Il y eut un grand déluge. La Terre disparut. La Femme du Ciel et ses enfants, nos ancêtres, n'avaient plus où poser le pied. Alors les animaux se consultèrent et décidèrent de plonger jusqu'au fond des eaux pour ramener un peu de cette Terre submergée.

Ah ! petit Métis, il ne manquait pas d'habiles nageurs. A commencer par Castor. Il s'emplit les poumons, claqua l'eau de sa queue, et plongea. Mais n'arriva pas jusqu'au fond. Ce fut au tour de Loutre. Elle disparut sous les eaux et demeura longtemps invisible. Mais à la fin, elle aussi dut remonter les mains vides. De même pour Huard et Martin-Pêcheur qui revinrent à la surface à demi noyés. Pendant tout ce temps, le petit Rat Musqué demeura en retrait, n'osant s'avancer au milieu de ses puissants frères. Mais quand tous eurent échoué, il annonça qu'il tenterait, lui, de plonger jusqu'à la Terre.

Ah ! Comme ils ont ri de lui ! Ce rondouillet Rat Musqué, avec sa queue ridicule et ses pattes d'oiseau, réussirait là où venaient d'échouer tous les autres ?

Mais n'écoutant pas les rires, Rat Musqué plongea. Il demeura un très long moment sous l'eau. Les autres animaux s'en étonnèrent. Ils cessèrent de rire. On le croyait déjà perdu lorsqu'il revint lentement à la surface, plus mort que vif. Les animaux lui ouvrirent les mains et trouvèrent une poignée de boue. C'est avec cette boue que la Femme du Ciel a refait la Terre.

203

Ne méprise aucune forme de vie. Respecte-les toutes. Même les plus faibles ont leur pouvoir. Et toi, tu es le plus faible de tous. Tout ce que tu recevras te sera donné. Prends ce qu'on te donne. Sois reconnaissant.

Demain, tu rendras hommage aux manidos. Puis tu retourneras à tes lignes et à tes pièges.

Les feux du Nord s'étaient dissipés. Les dernières étoiles s'éteignaient au ciel. Le vent soufflait sur la terre sombre et glacée.

La première bouffée de fumée est pour Kitché-Manitou, le Maître de la Vie. La seconde, pour Misoukou-mik-Okmi, Mère-Terre. Les quatre ordres de l'existence sont réunis en prière. La pierre de la pipe, le bois de la tige, les plumes qui l'ornent, l'Anichnabègue qui la fume. Terre, plantes, animaux, hommes. Entends-nous, Kitché-Manitou ! A nos frères aînés, tu as donné la connaissance instinctive de tes Grandes Lois. Mais tu as voulu que l'Homme les apprenne en te recherchant tout au long de sa vie. Tu as distribué tes pouvoirs selon les espèces ; à l'Orignal la puissance, à l'Écureuil l'audace, à l'Oie le courage. A l'Anichnabègue, que tu as créé faible, et lent, et nu, tu as donné le plus grand don de tous, le rêve. Pour qu'il te connaisse, et ne s'égare pas.

Guide mes pas. Ouvre mes yeux. Dirige ma flèche. Pour que je mange et avance dans le Chemin de la Vie.

A partir de ce moment, Askik ne quittait plus le village sans son arc. Mais il voyait d'abord à ses lignes et ses pièges. Après avoir récolté des lapins et poissons, il chassait d'autres gibiers.

Il commençait à peine son éducation. Tout était mystère. Un matin, il vit un harfang des neiges s'abattre sur une belette, à quelques pas devant lui. Askik tira. La flèche cloua le hibou à sa proie ; Askik eut du mal à détacher les deux cadavres.

Pennisk refusa de manger l'harfang. Le hibou, disait-elle, est le proche parent de l'Oiseau-Tonnerre, Péaso, puissant protecteur des Anichnabègues. De plus, le hibou des neiges a l'air d'un bébé humain lorsqu'il est plumé. Pennisk offrit un sacrifice d'expiation à Péaso, tout en grommelant contre l'étourderie de son jeune chasseur. Fallait-il être ignorant des lois ! Les Métis avaient-ils donc tout oublié ? Elle résolut de prendre en main l'éducation d'Askik.

La nuit, quand les loups se réunissaient pour carillonner sur le lac gelé, elle lui racontait les histoires d'autrefois, du Temps que la Terre était encore jeune.

Elle retraça les aventures de Maskwâ, l'Ours, qui porta la Vie Éternelle sur son dos, à travers les Eaux Larges, jusqu'aux hommes. Le périple de Maskwâ était repris pas à pas dans la cérémonie du Midéwiwin, la Grande Société dont Pennisk faisait partie.

Pennisk lui conta encore l'histoire d'Odémine, qui était mort en bas âge d'une épidémie qui ravageait tous les villages. Quatre jours il avait marché vers l'ouest sur le Chemin des Ames. Arrivé au Pays des Esprits, il intercéda pour son peuple. Les manidos le renvoyèrent sur terre annoncer la venue prochaine d'un envoyé de Kitché-Manitou.

Cet envoyé fut Nanabouche. Il n'y avait pas de fin à ses exploits. Askik avait du mal à le suivre dans toutes ses métamorphoses. Parfois, Nanabouche était un géant bienveillant qui endiguait les crues et retenait les vents. C'est lui qui avait débarrassé la terre des grands monstres dont on trouve encore les ossements, lui qui donna le feu aux hommes, qui leur apprit à chasser, pêcher, et cueillir les plantes médicinales.

Mais le plus souvent, Nanabouche était un farceur, un flatteur rusé, un trompeur qui se prenait à ses propres pièges. Et parfois même un être lâche et méchant comme peuvent l'être tous les Anichnabègues par moments.

Héros, poltron, sage, lâche, trompeur, nigaud : Nanabouche était insaisissable. Même sa fin portait à confusion. Dans certains récits, il se retirait dans une île de glace au milieu de l'Océan. Dans d'autres, il dormait sur une montagne au nord du Grand Lac et pouvait s'y voir encore. Pennisk racontait indifféremment l'une ou l'autre de ces variantes. L'essentiel n'était pas de savoir, mais de comprendre. Et d'aimer. Pennisk aimait prodigieusement ces contes bouffons. Quand Nanabouche proposa à une bande de canards de tenir une danse aux yeux fermés, pour mieux leur tordre le cou, Pennisk parada autour du feu en battant les coudes et en souriant bêtement, comme les canards stupides. Quand Nanabouche fut atteint d'une si forte diarrhée qu'il dut grimper dans un arbre pour échapper à ses excréments, puis tomba dans le tas, la vieillarde eut une mine si dégoûtée qu'Askik en rigola une partie de la nuit. Il finit même par agacer Pennisk, qui voulait dormir.

IV

Trois nuits de suite, la lune fut auréolée. Les mésanges et les geais picotaient près des loges mais ne gazouillaient plus. Le gibier était introuvable. Quelque chose se préparait. Pennisk recommanda à Askik de revenir tôt de la chasse.

Le ciel était gris mat. Un vent fort mais étonnamment doux soufflait sur les hauteurs. Rien d'autre ne bougeait. D'animaux, Askik ne vit qu'un couple de grosbecs qui se chicanaient dans une épinette. Il ne trouva rien au bout de ses lignes, ce qui arrivait de plus en plus souvent. Ses pièges étaient vides ; un seul avait été déclenché, par le vent peut-être.

La forêt s'emplit soudain de gros flocons de neige, encore tout agités par le brassage reçu en haut. Il était temps de rentrer.

En revenant sur ses pas, Askik vit les mêmes grosbecs dévorant des bouts de ramilles. Ceux-là, du moins, ne semblaient pas craindre la tempête. Le garçon pressait le pas. L'espace entre les arbres devenait fumeux. Les flocons étaient plus fins, plus cinglants. Le vent tirait des bordées retentissantes dans les hautes branches. Parfois, une bourrasque s'écrasait au sol en soulevant un tourbillon de neige.

Arrivé à l'orée des bois, Askik dut s'arrêter malgré lui. Le monde n'était plus que neige et furie. Le lac avait disparu. Le blizzard arrachait à chaque loge une traîne poudreuse, comme la queue d'une comète. Dans chaque monticule de neige et de branchages, des humains se tapissaient et écoutaient.

— Hai ! Je te croyais perdu ! s'exclama Pennisk en le voyant entrer.

Il faisait très sombre dans le wakinogan. Pennisk avait dû réduire les flammes car même la fumée refusait de mettre le nez dehors. Askik voyait l'haleine de la vieillarde.

Le garçon passa l'après-midi devant le feu, à remuer des tisons et des idées mélancoliques. Le vent qui grondait tout autour du wakinogan lui rappelait la première tempête de l'hiver, qu'il avait vécue en plaine, avec sa famille. Les siens lui manquaient. Les Métis lui manquaient. Vivre avec Pennisk n'était pas désagréable : il chassait et pêchait à sa guise, tout comme un homme. Mais les villageois le méprisaient. Et parfois, rarement, son vieux rêve d'être un grand homme revenait gâcher son plaisir.

Pennisk s'était enveloppée de toutes les couvertures et fourrures qu'elle possédait. Penchée sur le feu, sa pipe émergeant de son capuchon, elle fumait sans arrêt, tout en portant l'oreille au bruit de la tempête.

— Bébonne, ah, Bébonne, marmottait la vieille quand le hurlement du vent montait en crescendo, tu t'en donnes à cœur joie contre ton ennemi. Tu penses l'avoir écrasé. Tu lui donnes des coups et il ne se défend pas. Mais il renaîtra. Zigwonne reviendra du sud pour te chasser de nouveau. Ne te fatigues-tu jamais, Bébonne ? N'oublieras-tu jamais ?

Comme pour répondre à la vieille sorcière, le sifflement du vent devint un cri aigu.

207

— Écoute, petit Métis, Bébonne enrage. Et sais-tu pourquoi ? Il s'est disputé avec Zigwonne, au sujet d'une jeune fille. Il y a très longtemps de cela.

Pennisk s'interrompit. Ses vieux yeux cherchaient le garçon dans l'obscurité.

— Qu'est-ce qu'il y a, petit Métis ? Mes histoires ne t'amusent plus ? Pourquoi ce visage de cheval ? Tes parents te manquent ? *Tché !* Ils sont vivants. Rends grâces pour cela. On ne regrette pas les vivants, trancha la vieille. Même s'ils sont loin, tu sais que tes parents marchent, et mangent, et dorment. Mais quand ils ne seront plus, alors tu te demanderas tous les jours ce qu'ils font, s'ils sont heureux ou tourmentés, s'ils ont passé sans accident les embûches du Chemin des Ames. C'est surtout inquiétant pour les petits, dit-elle en baissant le regard sur le feu. Surtout pour les petits. Y a-t-il quelqu'un de l'autre côté pour leur prendre la main, pour leur montrer le chemin ? Il y a tellement d'esprits mauvais. Non... Ne regrette jamais les vivants, petit Métis, jamais...

La voyant se perdre dans ses pensées, Askik la rappela à des considérations qu'il jugeait plus pressantes.

— Kokoum, qu'est-ce que je vais faire ici ?

— Tu as beaucoup appris depuis ta venue. Ne veux-tu pas continuer ?

— *Ehé*, mais je voulais apprendre autre chose.

— Quoi ?

— Je sais déjà lire et écrire...

— Hai ! J'ai déjà vu leur *masinahigonne*. Le Visage Poilu est très habile par certains côtés. Mais si ignorant dans l'ensemble. Il se promène les yeux fermés. Cela vient de ce qu'il travaille le métal. Ce sont les serpents qui ont révélé le métal aux hommes. Le métal est véritablement mort, il endort l'âme...

— Kokoum ! lança l'enfant, qui sentait venir un nouveau cycle de contes.

— Mais pourquoi veux-tu étudier le masinahigonne ?

Askik fut pris de court. Pourquoi ? Pour devenir un

homme instruit, bien sûr. Mais cela, la vieille Naturelle ne le comprendrait pas. Askik ne saisissait pas très bien lui-même ce qu'était l'instruction. Qu'est-ce qui faisait que les prêtres étaient instruits et que son père ne l'était pas ? Qu'avaient-ils appris dans leurs livres qui leur conférât tant d'autorité ? Askik l'ignorait. Il voulait seulement cette autorité. Il décida de parler d'ambitions plus tangibles à Pennisk.

— Je veux bâtir une grande maison ! dit-il.

La vieille s'esclaffa de rire.

— Regardez ces Visages Poilus ! Je crois que Kitché-Manitou les a mis sur terre pour nous amuser. Jamais contents d'eux-mêmes. Les pieds leur brûlent, ils ne tiennent pas en place. Sinon, pourquoi seraient-ils venus chez nous ? Ils ont toujours quelque chose à faire, ils courent sans cesse. Et pourtant, ils veulent des maisons fixes et lourdes comme des rochers. Pour ne pas y être, j'imagine.

Askik se sentit piqué. Elle pouvait toujours parler, cette vieille sauvagesse dans sa cabane de branches !

— N'es-tu pas au chaud dans le wakinogan ? demanda Pennisk. Bébonne ne peut pas t'atteindre. Et si le gibier vient à manquer, tu laisses là ta maison et tu t'en construis une autre ailleurs. Pourquoi une grande maison ? Pour te vanter ? Comme pour le gibier ? *Wig-wasatègue,* le Bouleau, a donné sa peau pour t'abriter. Si tu prends plus que le nécessaire, en plantes ou animaux, les manidos se vengeront.

— Mais les Indiens piègent les fourrures pour la Compagnie, railla Askik, eux aussi prennent plus que le nécessaire ! Il était heureux de prendre la vieillarde en faute. Elle se fâcha.

— Ils ont tort ! Autrefois, les Anichnabègues vivaient en paix avec les gens de la forêt. Ils prenaient selon leurs besoins. En retour, les animaux se laissaient prendre. Mais des maladies inconnues, effrayantes, ont fait leur apparition. C'est pourquoi les Anichnabègues ont perdu foi dans leurs hommes-médecine. C'est pourquoi ils se comportent comme des êtres sans vision. C'est pourquoi Kitché-Manitou ne refait plus les castors et les rats musqués.

— Il n'en fera plus jamais ? s'inquiéta Askik, qui voyait diminuer ses profits.

— Il les garde au Pays des Ames, en attendant que les Anichnabègues retrouvent la raison, et que l'Homme Blanc se lasse de son métal.

— Mais toi aussi, tu as du métal ! protesta Askik en désignant le couteau dans sa gaine de cuir.

— *Ehé.* Ce couteau a une bonne médecine. Il me sert bien. Je n'en demande pas d'autre. Cette marmite aussi. J'en avais une autre, mais elle est morte.

— Morte ?

— *Ehé.* (La vieillarde saisit la marmite et la fit sonner contre les pierres du foyer.) Tu entends ? Quand la marmite ne chante plus, elle est morte, son esprit s'en est allé. Tu ne savais pas ça ? dit-elle, l'air espiègle.

— Non, Kokoum.

— Sais-tu faire ceci ? Elle enleva une mince feuille d'écorce à une branche de bouleau, l'humecta dans la vapeur du canard, plia la feuille en quatre, et la mâchonna précautionneusement du bout des dents. Après quelques minutes d'efforts, elle déplia l'écorce et révéla un motif fantastique de fleurs, de fougères, et d'étoiles.

Askik oublia en un clin d'œil sa mélancolie. Il réclama à grands cris que Pennisk lui enseigne cet art. Pendant le reste de la soirée, il épluchait toutes les branches de la maison, se brûla les doigts et se fatigua les mâchoires à tenter d'imiter le travail de Pennisk. Sans y parvenir tout à fait. Ses motifs étaient embrouillés et baveux. Ses guirlandes avaient l'air de gros saucissons. Mais il était satisfait de son œuvre. Il empilait les motifs à un rythme furieux.

Vers la fin de la soirée, quand toutes les branches furent épluchées et qu'Askik s'était mis à bâiller et cligner des yeux, Pennisk se recouvrit les oreilles, la mine agacée.

— Bébonne, oh Bébonne ! Tu me casses la tête avec

tes jérémiades ! Assez chialé ! Mon guerrier va te chasser !

Elle prit une tige verte, lui fit une tête d'herbe, et une entaille à l'autre extrémité.

— Prends ton arc, dit-elle à Askik. Ouvre la porte. Mets cette flèche en corde. Allume le bout de la flèche dans le feu, et tire dans la tempête. Attention, ne frappe pas les autres loges.

Askik poussa la porte de branchages. Une congère s'était formée à l'entrée. La nuit était traversée de rafales de neige, à peine illuminées par le feu de la loge. Askik visa dans la tourmente, et décocha. Le vent happa la flèche. La flamme s'éteignit aussitôt. Il crut voir, dans le village, une autre flamme s'élancer vers le ciel.

— *Egosi !* Comme ça ! applaudit Pennisk. Maintenant, ferme la porte avant que je ne gèle.

Bébonne manqua de souffle durant la nuit. Quand Askik quitta la loge au matin, il vit des étoiles au firmament. Ce qui l'enchanta. Il avait enfin appris quelque chose d'utile, un tour qui épaterait les siens. Qui d'autre à Saint-Boniface savait chasser les tempêtes ?

La pêche manqua tout à fait dans la petite baie. Pennisk ne s'en étonna pas. Les Gens de l'Eau, disait-elle, aiment changer de camp de temps à autre.

Il y avait au fond de la loge un tas poussiéreux de cordes, de paniers, et de peaux. En remuant ce fouillis, Pennisk déterra un long paquet, enrobé d'écorce. Elle fit sauter une corde et déroula un filet en écorce de saule. Le filet avait besoin de réparations. Elle se fit aider par Askik. Manier des lanières de saule trempées dans de l'eau chaude n'est pas facile, mais le filet d'écorce pourrit moins vite que les rets de cuir. De plus, les nœuds de cuir deviennent glissants sous l'eau, et laissent passer les poissons. Pennisk accordait tous les respects aux Gens de l'Eau, mais préférait mettre les chances de son côté. Quand le filet d'écorce fut prêt,

211

elle prépara un sac de provisions et annonça qu'elle accompagnerait Askik jusqu'au nouveau site de pêche. S'il le fallait, ils y demeureraient quelques jours.

Ils se levèrent au petit jour. Après s'être beurré le visage de suif pour se protéger contre le vent, ils quittèrent le village, remontant la berge du lac jusqu'à l'embouchure de la rivière. La tempête avait allongé des bancs de neige sur la glace, mais la vieille femme avançait avec une énergie surprenante. Son haleine cotonneuse venait par bouffées fortes et régulières.

— Tu sais, petit Métis, dit-elle d'un ton tout de même essoufflé, quand j'étais fille, je courais comme une antilope. Même les garçons du village avaient du mal à me rattraper. La première fois que j'ai rencontré mon nénapème, c'était dans une course à pied. Je l'ai laissé gagner. C'était un bon mari, mais un mauvais coureur.

Elle voulut rire, mais réussit tout juste un halètement.

— Où est ton mari maintenant ?

— Mort, petit Métis, tous morts. Il ne reste plus que moi.

— Et moi ! objecta plaisamment le garçon. Et les gens du village !

— Comment ça ? demanda-t-elle l'air étonné. Les as-tu vus ce matin ?

— Qui ?

— Les gens du village ?

— Non.

— Alors ils sont peut-être morts eux aussi.

— Que dis-tu là, s'écria le garçon, ils dormaient chez eux !

— Ah, tu le crois, mais tu ne le sais pas. On ne sait jamais. Tu te penses pleinement heureux. Et puis un matin, c'est fini. Tout est passé. Comme le vent sur l'herbe. Il ne reste plus rien de ta vie. Et comme tu demeures stupide devant ce vide ! ricana la vieillarde.

Askik la détesta. Quelle méchante sorcière ! Ses épaules voûtées, les mèches grises perçant de dessous la couverture, le sourire sarcastique, tout en elle semblait

212

prendre plaisir aux pensées morbides. Les villageois pouvaient bien la fuir !

Un îlot fendait la rivière en deux chenaux. Sur la berge droite, ils découvrirent un abri de branches et les restes d'un feu. Pennisk n'était donc pas la seule à pêcher là. Les trous de pêche formaient une ligne droite dans la glace. Askik n'eut pas de mal à les rouvrir : l'eau coulait vite, la glace était mince. Pennisk déroula son filet, et le lesta de pierres. Puis, saisissant une perche fourchue laissée là exprès, elle poussa le filet sous la glace, de trou en trou, jusqu'à ce qu'il fût tendu.

Ils firent une première levée avant la nuit. Pennisk attacha une longue corde à son bout du filet. Tandis qu'Askik sortait le filet de l'autre côté du chenal, elle tenait la corde serrée pour empêcher les poissons de traîner sur le fond. Des dorés, des brochets et des perches s'étaient accrochés par les ouïes dans les mailles serrées. Pennisk les empala l'un au-dessus de l'autre sur un bâton pointu : ils gèleraient ainsi. Pour tendre le filet, ils n'eurent qu'à retraverser le chenal, et tirer sur la corde.

Ils rôtirent deux poissons : Askik choisit un doré. Il dépeça la chair brûlante du bout des dents en tortillant son bâton, de la même manière que d'autres enfants, très loin de là, mangeaient des pommes sucrées en bâtonnet. La chair, parfumée au feu de cèdre, était exquise.

Après le repas, il y eut encore du thé. Pennisk ne disait rien, mais elle rayonnait de bien-être. Elle assembla sa pipe, la bourra avec un plaisir gourmand, et l'ayant allumée à un tison, contempla rêveusement le jeu des flammes. L'incandescence changeante des braises lui rappelait l'aurore boréale. Il faisait froid, mais la chaleur du feu se réfléchissait à l'intérieur de l'abri. Il n'y avait pas de vent.

Son repas terminé, Askik se mit à dénombrer les étoiles qui remplissaient les mares noires entre les sapins.

— Kokoum, qu'est-ce qu'une étoile ?

— Des trous dans le firmament, par où passe la lumière. D'autres disent que ce sont les feux de camp des esprits. Ce qui me paraît plus logique. S'il y avait de la lumière au-delà du firmament, il faudrait encore un ciel au-dessus de cette lumière. Pas vrai ? Voilà l'Étoile qui ne bouge pas. Elle te mène au nord. Voilà *Matotisanne,* la Loge des sueurs. Tu vois le toit de la loge ? Et ça, tu connais, dit-elle en balayant du doigt l'immense Voie lactée.

— Le Chemin du Loup !

— Les Anichnabègues disent le Chemin des Ames. N'importe, c'est la même chose.

Mais, déjà, Kitché-Pisim, la Grande Lune du milieu de l'hiver s'élevait au-dessus de la forêt en éteignant les astres moindres.

— Attention, petit Métis ! Ne regarde pas trop longtemps la lune. Sinon, elle t'avalera !

Askik darda la vieille d'un regard méfiant. C'était vrai, ou une plaisanterie ?

— Tu ne me crois pas ? Mais regarde ! Tu vois bien dans la lune un petit garçon qui porte deux seaux d'eau. C'était un effronté, comme toi. Un soir, sa mère l'a envoyé chercher de l'eau ; en revenant au wakinogan, il s'est obstiné à regarder la lune. C'est très gênant d'être ainsi fixé. Pour le punir de son insolence, la lune s'est emparée de lui. Et le voilà, maintenant. Pris pour toujours. Tu veux le rejoindre ?

Askik baissa prestement les yeux, pour ne plus incommoder la lune. Mais il continua à réfléchir. Ses parents ne l'avaient jamais mis en garde contre ce danger.

— C'est vrai, Kokoum ?

— Comment, riposta-t-elle d'un air grincheux. Tu ne me crois pas ? *Tché !* Alors regarde, petit insolent, si tu en as le courage. Que la lune t'emporte ! Il y aura plus de poisson pour moi !

Askik la dévisagea longuement, cherchant un début de sourire, un tressaillement des épaules qui eût indiqué qu'elle plaisantait. Mais la vieillarde était de pierre.

Alors, les dents serrées, la mine butée, Askik leva résolument le visage vers la lune. La vieillarde s'esclaffa de rire.

— Hai ! Tu as du cran, petit Métis.

— Tu m'as menti Kokoum ! s'écria Askik, tout de même soulagé de demeurer sur terre.

— Oh, un peu.

— Je ne te croirai plus jamais !

— Tant mieux ! Je ne me fatiguerai plus à te conter des histoires.

Askik soupira. Comment discuter avec cette femme ?

— Non, Kokoum. Je veux entendre une histoire.

— Tiens, tiens...

— Une histoire épeurante !

— A quoi bon ? Tu ne dormiras pas.

— Mais oui, je dormirai. Je n'aurai pas peur !

— Alors, à quoi bon te raconter une histoire épeurante ?

— Kokoum ! glapit Askik, excédé.

— Bon, bon. Attends que je réfléchisse un peu... Wah ! Connais-tu l'histoire de Pâgouk ?

— Non, souffla Askik en frissonnant déjà.

— C'est le plus malheureux de tous les esprits.

— Plus malheureux que le wetiko ?

— Plus misérable encore. Pâgouk était un bel homme. Un chasseur réputé. Un puissant guerrier. Tout cela le rendait orgueilleux. Quand il marchait dans le camp, il bousculait les plus faibles. Il pigeait en premier dans les marmites, et prenait les meilleurs morceaux. Dans les assemblées, il ne souffrait pas que d'autres racontent avant lui leurs exploits. Il avait grand soin de sa personne, portait des ornements coûteux, et tressait lui-même ses longs cheveux plutôt que d'en laisser le soin à ses sœurs. Aucune femme n'était assez belle pour lui, car il se considérait le plus joli de tous.

Mais Pâgouk était insatisfait. Savoir qu'il existait des êtres plus puissants que lui le rendait malheureux : il aspirait à devenir comme les manidos. Il voulait le pouvoir des esprits pour frapper ses rivaux à distance. Il

215

entra donc dans le *djisigonne,* convoqua les esprits, et se mit à leur école. Il apprit à infliger la bouche tordue aux femmes qui se moquaient de lui, à frapper d'incontinence les vieillards qui le rabrouaient, à rendre fous ses ennemis en attachant un serpent par la queue. Mais tout cela n'était encore rien. Un jour, un chef lui reprocha ses mauvais agissements. Cette nuit-là, Pâgouk envoya les esprits quérir l'âme du chef, qui dormait. Lorsque Pâgouk eut l'âme dans le djisigonne, il la mit à mort. Ce fut le premier meurtre par sorcellerie. Kitché-Manitou, mécontent, décida de punir l'orgueilleux Pâgouk qui avait amené cette malédiction sur les hommes. Depuis ce jour, le squelette vivant de Pâgouk survole la terre, par tous les temps, pleurant et criant sans répit. Il vole si vite qu'on l'entend d'abord à l'est, puis aussitôt après, à l'ouest. Il pousse des cris de torturé. Celui qui entend ce cri sans trembler vivra vieux. Celui qui s'en effraie mourra jeune.

Pennisk raconta encore de nombreuses histoires des chasseurs surpris par le cri du squelette vivant, des villages entiers annihilés par la vérole après avoir senti son odeur de décomposition, de jeunes enfants qui avaient vu Pâgouk survoler leurs berceaux, et qui étaient morts peu après.

Askik n'avait jamais vu de squelette humain (hormis un grand os que le gros Mathias donnait pour un tibia de Sioux), mais il avait trouvé, un jour, le cadavre décomposé d'un cheval. Il n'eut qu'à empirer ce souvenir pour se faire une image de Pâgouk : les lambeaux de chair pendant aux jambes, les lèvres noircies, les dents jaunes, une puanteur suffocante. Oh ! comme il regrettait d'avoir demandé une histoire à Pennisk ! La nuit avait été si belle. A présent, la noirceur se pressait tout autour de leur minuscule hutte. Que faisaient-ils, une vieille femme et un enfant, si loin du village et des autres humains ?

— Hou ! Hou ! Hou ! appelait un hibou du fond de la forêt. « Le hibou va venir te chercher ! », disent les mères anichnabègues à leurs enfants. Askik se souvint du grand harfang qu'il avait tué. Il récita un avé pour se prémunir contre l'esprit du harfang, et s'en tint là pour ne pas vexer les manidos. Il ne voyait pas encore clair dans les rapports de force surnaturels, mais il sentait qu'en forêt, la nuit, les manidos l'emportaient sur la Vierge.

Pennisk et Askik s'allongèrent l'un contre l'autre pour se tenir chaud. La vieillarde s'endormit aussitôt, emportée par les fatigues du jour et le souvenir d'autres voyages en compagnie de son nénapème. Askik écoutait le souffle uni et léger de la vieille femme, sentait remuer ses flancs maigres à travers la couverture. Il essayait d'imaginer ce qu'avait été la vie de Pennisk sans famille, sans amis. Pour la première fois, il ressentit pour elle une tendresse mêlée de pitié. Quoi d'étonnant si les malheurs l'avaient un peu détraquée ?

Le jour suivant fut difficile. Ils couraient à la rivière, levaient et vidaient le filet, en prenant soin de ne pas briser les mailles raidies par le froid. Ils travaillaient les mains nues pour ne pas mouiller leurs mitaines. Les poissons donnaient quelques coups de queue, et devenaient vite durs comme pierre.

Au début, Askik trouvait ce travail plaisant : courir à la rivière, entasser les poissons verts et gris, retrouver avec satisfaction la chaleur du feu l'amusait. Mais il se lassa vite. Il avait beau chauffer ses doigts et ses mitaines, la chaleur ressortait aussitôt. Son talon gauche était perclus : il avait l'impression de marcher sur un gros caillou. Pennisk était d'humeur macabre. Elle ne parlait plus que d'Indiens morts gelés, découverts raides comme des perches ou rongés par les carcajous.

Pourtant, Pennisk s'était levée de bonne humeur. Elle avait rêvé à son nénapème, et à ses petits, qu'elle n'avait pas revus depuis des années. Il avait fallu cette partie de pêche, déclara-t-elle toute joyeuse, pour ranimer ses souvenirs. Mais elle aussi souffrait du froid. Une certaine raideur s'installait dans sa démarche.

Cette nuit-là, l'aurore boréale se déroula comme un

ruban de jade au-dessus de la forêt noire. *Tchipayuk nimihituwok!* disent les Cris : les morts dansent !

— C'est vrai qu'ils approchent quand on siffle ? demanda Askik, qui voulait distraire Pennisk.

— Qui ça ?

— Les danseurs !

— Des bêtises, petit Métis.

— Mais ce sont bien les âmes des morts. Pourquoi ne s'approcheraient-ils pas si je les siffle ?

— Ils fêtent. Ils se rassemblent pour la nuit. C'est signe qu'il fera plus doux demain.

— Nous partirons demain ?

— *Ehé.*

— J'ai hâte d'entrer, avoua Askik qui en avait assez d'avoir froid.

Mais à la seule pensée de retourner au village, la vieillarde, d'ordinaire impassible, eut une grimace d'amertume, presque de désespoir. Askik, étonné, garda le silence.

Elle passa la nuit assise, à soigner le feu. Elle avait trop froid pour se coucher, disait-elle. Elle oublia sa pipe dans son sac à tabac, ne fit pas de thé.

Le froid réveilla Askik bien avant l'aube. Il avait mal partout. Le gel lui tenaillait les muscles, il pouvait à peine remuer les jambes. Il leva péniblement la tête : le feu était à peu près éteint. Pennisk était toujours là, assise, les épaules voûtées, quelques mèches grises agitées par le vent. Elle ne bougeait plus. Askik eut un horrible pressentiment. Oubliant tout à fait le froid, il s'élança hors de sa couverture et saisit la vieille femme par l'épaule.

— Kokoum !

Elle tourna la tête et le fixa d'un regard absent. La peur qu'avait ressentie Askik se transforma aussitôt en fureur.

— Pourquoi as-tu laissé baisser le feu ? cria-t-il.

Mais elle détournait déjà la tête, comme s'il n'avait été rien de plus qu'un moucheron importun.

— Viens ! Aide-moi à relever le filet, insista le garçon, puis nous partirons.

— Laisse le filet.

— Comment ça ? Askik se fâcha. Mais il y aura encore du poisson !

Elle répondit par un petit geste amer. Askik dut se débrouiller seul. Quand il revint de la rivière, elle contemplait toujours les cendres fumantes. Il empila sur le toboggan les perches de poissons et le filet d'écorce.

— Kokoum ! Il est temps de partir !

La vieillarde leva des yeux pleins d'hésitation. Rester ou partir ? Rejoindre les siens, ou retrouver la méchanceté des vivants ? Pendant toute la nuit, son âme avait crié pour la délivrance. Se rouler en boule dans la neige. Se laisser gagner par la torpeur. S'endormir. Les souvenirs évoqués par la partie de pêche l'avaient d'abord enchantée, puis désespérée. Était-il possible qu'elle eût vécu tant d'années sans amour, sans chaleur, sans consolation d'aucune sorte ? Ses rivaux voulaient sa mort. Elle n'était pas certaine de leur résister jusqu'au bout. Alors, pourquoi leur laisser ce triomphe ?

Mais il y avait le petit sang-mêlé. *Tché !* Qu'il était ignorant ! Il l'appelait grand-mère. Tous les enfants en font autant en s'adressant aux vieilles femmes. Mais les enfants faisaient généralement une exception dans son cas. Le petit Métis était le premier à lui donner ce titre. Mais Askik ne pouvait comprendre. Il ne savait pas ce qui les attendait au village, et elle ne pouvait le lui expliquer.

— Viens, Kokoum ! Nous devons partir !

Il était debout, à côté du toboggan, la fixant de ses yeux inquiets. Ce regard de lapin apeuré. Tous les Métis sont-ils si anxieux ? Il faut que je lui apprenne à être fort, pensa Pennisk.

Elle se déplia avec un oumpf ! involontaire.

— Avance ! Je te suis !

Le garçon s'attela joyeusement au toboggan. La charge était légère, la neige dure. Plus tard, peut-être, il demanderait à Pennisk de tirer aussi. Mais pour le moment, il avançait seul, avec une fierté éclatante.

« Vas-y, petit Métis, songea Pennisk. Tu as hâte de commencer à vivre ; j'espère qu'ils te laisseront faire. Tu assisteras à la fin. Tu y échapperas, si tel est ton destin. Sinon, nous serons deux à entrer au Pays des Ames ; tu ne trouveras jamais meilleur guide que moi. »

V

C'est à la fin de l'hiver qu'on meurt de faim. Quand les provisions baissent, quand le gibier s'est éloigné du village. Certaines familles s'apprêtaient à quitter le lac pour aller vivre en forêt lorsque arrivèrent de partout des nouvelles de famine. On vit une buse perchée au milieu du village. C'était mauvais signe. Pour ceux qui s'en moquèrent, il vint un autre présage, terrible.

Le chasseur Tagawénine et sa famille étaient réunis autour du feu, chacun plongé dans ses pensées lorsque arriva de l'extérieur un bruit de pas lourds qui faisaient grincer la neige. Les souffles se grippèrent. Dehors, les chiens s'éloignaient de la loge en gémissant.

Les pas s'immobilisèrent devant la porte.

Un frisson secoua Tagawénine qui chargeait en silence son fusil. Devait-il ouvrir ? Il consulta des yeux les autres membres de la famille mais ne vit que des mines craintives. Faisant un effort sur lui-même, le chasseur écarta brutalement la couverture d'entrée, projetant un carré de lumière sur la neige.

Un porc-épic les dévisageait, les yeux dorés par le feu. Après un moment, la bête se retourna et partit de son pas d'homme tranquille.

La femme de Tagawénine tomba de l'avant en poussant des cris hystériques. Le porc-épic est le serviteur du wetiko. Il visite les villages l'hiver, repère les humains suffisamment affaiblis par la faim, puis convoque son maître.

Pendant plusieurs jours, les villageois se contraignirent à rire et plaisanter pour donner le change aux esprits mauvais. Ils s'épiaient les uns les autres avec inquiétude, guettant les premiers signes du délire qui s'empare des affamés et les transforme en wetikos, en cannibales. Ceux qui avaient le moins de nourriture prétendaient en avoir le plus pour ne pas être chassés du village. Les rumeurs les plus extravagantes volaient de loge en loge. Un tel avait éloigné le gibier en donnant les os d'un orignal à ses chiens. Un autre avait pactisé avec Matché-Manitou l'esprit mauvais. Des incantations fébriles se marmottaient la nuit. Les sorts et les contre-sorts se croisaient, invisibles, au-dessus des loges. Des rancunes meurtrières et durables couvaient sous des apparences rieuses.

« Il y a de la sorcière là-dessous », se disaient les hommes. Pennisk fut encore plus détestée qu'auparavant. Comment savoir si elle n'était pas à la source du mal ? Et ce jouvenceau métis qu'elle tenait à ses côtés ? Des propos scabreux circulaient à leur sujet, des ragots qu'on répétait en ricanant, mais qu'on regrettait presque aussitôt. Comment savoir si elle n'entendait pas tout ? Certains disaient l'avoir vue assise au milieu de son wakinogan, les oreilles devenues grandes et pointues, à l'écoute de tout ce qui se passait dans le camp.

Les plus forts en frissonnaient. Il n'y avait qu'une chose à faire disaient les crâneurs en effleurant du doigt leurs haches de guerre, mais personne n'approchait le wakinogan délabré.

Askik s'était habitué aux regards durs des villageois, et ne nota pas ce sursaut de haine. Par contre, il remarqua un changement profond chez Pennisk. Elle ne sortait plus, ne venait même pas se chauffer au soleil alors que le temps s'adoucissait. Elle passait de grandes journées dans l'obscurité du wakinogan à marmonner des prières ou à rêvasser. La nuit, Askik suivait avec ennui ses rituels compliqués, ses hé ! hé ! ho ! interminables qu'elle scandait avec une crécelle en carapace de tortue. Parfois, elle sortait son *wayan,* une peau de vison ornée de perles et de piquants. Le *wayan* était vieux : chaque fois qu'elle le sortait du sac sacré, il y restait une touffe de poils. Pennisk le maniait avec révérence. Durant la cérémonie du Midéwiwin, expliquait-elle, le *wayan* projetait des coquilles sacrées dans le corps de l'initié, qui tombait raide mort. Les célébrants le faisaient alors renaître dans la Grande Société.

Askik ne douta pas d'un seul mot. Quand Pennisk déroulait le *wayan,* le garçon trouvait prétexte pour sortir. Il attendait dehors que la vieille finisse ses incantations.

Un jour, en rentrant de la chasse, Askik découvrit un réseau de lacets de cuir, en forme de toile d'araignée, pendu à un piquet à quelques pas de la loge. Il le décrocha et entra demander des explications à Pennisk. Mais elle n'avait pas aussitôt vu le filet dans la main du garçon que son visage se déforma de colère et de peur. Elle happa rageusement la toile d'araignée et s'en alla la rependre au piquet.

— Petit idiot ! cette toile nous protège. Si un ennemi vient me chercher durant la nuit, son âme se prendra dans la toile et l'araignée-manitou la dévorera. N'y touche plus ! C'est de la médecine puissante.

Mais elle-même n'y faisait pas entièrement confiance. Elle ne dormait plus, craignant qu'un jongleur envoie des esprits pour ravir son âme inconsciente. Quand elle s'assoupissait malgré elle, elle se réveillait quelques instants plus tard avec un renâclement de cheval apeuré.

Elle épiait tous les signes de sorcellerie — le hurlement d'un chien, le cri d'une chouette, une flambée soudaine du feu — et comme ces choses se produisaient souvent, elle soupirait tristement : « Ils sont nombreux, nombreux. »

Puis elle se remettait rageusement à ses incantations, soit pour éloigner les esprits envahisseurs, soit pour frapper ceux qui les envoyaient, ses rivaux dans les autres camps. Pennisk goûtait à peine au peu de poisson qui leur restait. Son visage maigre devint tout à fait émacié. Quand elle sortait, pour faire ses besoins, elle faisait peur aux enfants. Aussi prit-elle l'habitude de ne

222

sortir que la nuit. Pour les villageois, ce n'était qu'une preuve de plus qu'elle pactisait avec les démons. La hantise de la famine enflammait les imaginations. Ceux qui virent rôder la vieillarde, la nuit, racontèrent qu'elle était accompagnée d'ombres inquiétantes. Quelques jours plus tard, une femme effrayée affirma que la tête de Pennisk était devenue une trogne avec des oreilles de cochon, cette bête chauve qui a la couleur des Blancs. Que les Blancs fussent liés à ces sortilèges n'étonna personne.

C'est à cette époque qu'un Muskégo famélique vint demander l'aumône au village. On le repoussa brutalement, craignant qu'il ne fût un wetiko. Comment un homme se promènerait-il sans provisions en forêt, si ce n'est en dévorant ses semblables ? L'intrus rôda quelques jours autour du village, pourchassé et insulté. Enfin, las de vivre, il s'en alla en forêt attendre la mort. En entrant sous les arbres, il rencontra un jeune Métis qui revenait les mains vides de la chasse. L'Indien reconnut aussitôt le capot bleu ciel et la ceinture rouge, costume traditionnel des Canadiens français et des Métis.

Askik eut plus de mal à reconnaître Numéo. Quel changement ! Le chasseur gras et prospère qui avait accueilli les Mercredi au début de l'hiver avait à présent l'allure d'un mendiant. Son village, disait-il, était au plus mal. La chasse avait manqué dès les grands froids. Les petits avaient été pris du mal de poitrine. Lui-même avait perdu un enfant. Il ne doutait pas de trouver d'autres morts en rentrant à la maison.

— Si j'entre..., ajouta-t-il avec tristesse. Il était venu chez les Anichnabègues acheter des provisions. Mais les Anichnabègues mêmes n'étaient plus loin de la misère.

— *Nisim*, petit frère, souffla Numéo, il y a un vent de folie qui souffle dans ce village. Les gens sursautent au moindre bruit. Ils ne craignent pas de mettre la main sur un étranger. Un mauvais esprit s'est installé ici. Il faut partir, petit frère. Allons rejoindre ton père. Il aura de quoi nous nourrir.

223

— Mais je ne sais pas où il est, objecta Askik.

Numéo eut un air de dépit.

— Alors je vais mourir.

— *Ahi!* Pourquoi mourir? Je vais te donner du poisson! Tu pourras retourner chez toi.

— Pour voir mourir de faim mes petits? Je préfère rendre l'âme ici.

Askik chercha désespérément un argument pour détourner Numéo de la mort. En voyant passer un chien-loup du village, il s'exclama :

— Nous tuerons les chiens! Je t'aiderai. Puis tu retourneras chez toi. En rentrant, tu tomberas peut-être sur un orignal.

Le Cri réfléchit un moment, et trouva l'idée bonne. Les gens de son village avaient mangé leurs chiens depuis belle lurette.

Cette nuit même, Numéo et Askik tendirent un guet-apens aux cabots du village. Ils chauffèrent des entrailles de poisson, les accrochèrent aux branches d'un arbre, en haut du vent. Les chiens affamés se précipitèrent aussitôt en forêt, et se heurtèrent à une grêle de flèches. Le glapissement des chiens touchés fit sortir quelques hommes des loges, mais pas un seul d'entre eux n'osa s'aventurer dans les bois sombres. « La vieille tête de cochon mange les chiens! », se chuchotaient-ils.

Numéo acheva les chiens au couteau, puis récupéra les entrailles de poisson pour sa soupe. Il partit à l'aube, son traîneau chargé de viande.

En se levant, les villageois comptèrent les chiens et maudirent à nouveau la vieille sorcière qui leur enlevait cette ultime source de nourriture. Pour sûr qu'elle cherchait leur mort.

— Quand tu entres en forêt, petit Métis, ne pense pas à l'animal que tu recherches, mais fais semblant de te promener, sans but véritable, en regardant de part et d'autre. Ainsi, le manido sera trompé et n'avertira pas le gibier. Quand tu tues, explique-toi, excuse-toi. Les animaux ont droit à la vie. Ils ont droit au respect. Ne brise pas leurs os. Ne les jette pas aux chiens.

Les enseignements de Pennisk venaient pêle-mêle, entre deux incantations, comme s'il lui fallait tenir en respect les manidos tout en complétant l'éducation du jeune Métis. Elle ouvrait des rouleaux d'écorce en les chauffant au-dessus du feu. Sur l'envers rougeâtre de l'écorce, Askik découvrait des scènes fantastiques : des poissons, des ours et des monstres marins, réunis dans de grandes loges pour la cérémonie du Midéwiwin. Ou parfois, un dessin plus simple, une grande ligne crochue à sept bifurcations, le Chemin de la Vie.

— Aucun homme ne commence à vivre avant de recevoir sa vision. Quand tu auras la tienne, marche toujours selon ses enseignements. Des tentations t'en détourneront. Souviens-toi alors des lois de la société, et tu reviendras fidèlement à ton chemin. Un comportement droit prolonge la vie. L'homme sage n'attire pas l'attention. Il a des manières tranquilles, un discours sombre ; il réfléchit avant d'agir. Il est un père pour le peuple, et ne refuse pas à celui qui est dans le besoin. Ainsi, à force d'étude et de renoncement, il s'élève dans les degrés de la connaissance, et s'approche du Grand Mystère.

Moi-même, membre du Midéwiwin, j'ai voulu accéder aux degrés du Ciel. Mais j'étais une femme, les hommes étaient jaloux. Ils ont refusé de m'enseigner les chants des quatre derniers degrés. A présent, c'est trop tard. Personne dans ce camp ne peut m'enseigner les rites. Personne pour chanter le Midéwiwin des morts après mon départ. Mais j'ai des amis parmi les manidos. Ils combattent pour moi. Je retrouverai les miens.

Quelques jours après le départ de Numéo, une jeune femme excédée par les cris de faim de ses enfants appela son chien préféré et, d'un coup de massue, lui défonça le crâne.

Une espèce de rage s'empara aussitôt du village. Dans le temps de dire, tous les chiens gisaient morts ou agonisants. Quelques-uns réussirent à s'échapper en forêt, pour ne plus jamais revenir. Le soir du massacre tous eurent droit à un festin. Sauf Pennisk et Askik, qui soupèrent de restes de poisson.

Un chien efflanqué ne nourrit pas longtemps une famille vivant exclusivement de viande. La situation était désespérée. Le chef convoqua donc les aînés. La nouvelle fut approuvée dans toutes les loges. Il était grandement temps. A la tombée du jour, les aînés sortirent de chez eux, affublés de leurs plus belles fourrures. Les jeunes guerriers les suivaient. Les femmes et les enfants les espionnaient à travers les fentes des loges.

Askik même sortit de chez lui pour goûter au spectacle, mais de jeunes braves l'aperçurent et se mirent à crier en le montrant du doigt. Askik rentra, les joues rouges d'indignation.

Parce que leur wakinogan se trouvait aux confins du village, Askik et Pennisk ne purent suivre les débats. Ils en avaient seulement le ton. La rumeur des voix s'estompa graduellement, à mesure qu'avançait la nuit. Les éclats devinrent plus espacés. Enfin, un dernier brouhaha laissa supposer que le Conseil se dissolvait.

Quelques instants plus tard, Pennisk et Askik entendirent un tchoc! sourd au-dessus de leurs têtes. S'arrachant un moment à ses prières, la vieillarde leva la main vers les branches du toit. Ses doigts tâtèrent la tête d'une flèche qu'un jeune excité avait tirée dans son wakinogan.

— La chasse au wetiko a commencé! ricana la vieille, qui ne riait plus souvent.

VI

Le printemps, qu'on attendait depuis si longtemps, surprit tout le monde. Un matin, en sortant de chez lui, Askik sentit un changement. En apparence, tout était comme avant. La neige craquait sous les pas, la glace était ferme. Mais il y avait une moiteur dans l'air, le firmament n'avait plus le même éclat. Quelques jours plus tard, Jawano, le vent du Sud, apporta l'odeur de terres lointaines. Les adolescents se précipitèrent en forêt pour guetter la sortie des tamias et des écureuils. Les hommes graissèrent leurs fusils en parlant du réveil prochain de Maskwâ, l'ours. Il faudrait le prendre dès sa sortie d'hibernation, tant qu'il était encore gras.

L'hiver n'était pas terminé, il s'en fallait de beaucoup. Le couvercle de glace emprisonnerait longtemps le lac. Le plancher d'humus était dur comme roc. Les oies étaient encore loin. Mais les quelques gouttes de neige fondue qui dégoulinaient sur les toits vers midi changeaient tout. Les jeunes braves flânaient au soleil et rêvaient à des expéditions contre les Dakotas où ils pourraient se distinguer et peut-être même mériter une femme. Les adolescentes portaient leurs travaux à l'extérieur et formaient des parties bruyantes. Les vieillards qui s'étaient résignés à la mort résolvaient de vivre encore un peu. Les petits qui s'aventuraient pour la première fois au-delà des loges étaient attentifs à l'esprit des bois qui laisse tomber des brindilles pour prévenir les enfants d'un danger.

Au coucher du soleil, quand le froid enrobait les arbres de glace et que la forêt s'illuminait de mille feux, les enfants mettaient tant de temps à rentrer que les mères exaspérées faisaient appel à l'épeureur.

Déguisé en monstre loqueteux, l'épeureur se promenait parmi les loges, le visage masqué d'écorce blême qui reluisait dans le crépuscule. Les enfants épouvantés s'égaillaient comme des moineaux. Mais ils devaient s'enfuir en silence. Un Anichnabègue doit s'habituer à ne pas trahir l'emplacement du camp.

Et quand les bavardages enfantins se poursuivaient trop longtemps dans les robes de couchage, il n'était pas rare qu'un adulte fourre une patte dans la loge. Cette patte de revenant n'était qu'un vieux mocassin au bout d'un bâton. Seuls les tout petits se laissaient impressionner. Pour les plus vieux, les parents devaient attendre qu'un hibou chante au fond de la forêt, et souffler alors :

— Chut ! C'est peut-être un Dakota !

Askik se réveilla soudain, les tripes en nœud.

La vieillarde parlait vite et fort, comme s'il y avait quelqu'un dans la loge. Il ne voyait rien. Askik avança à tâtons vers le lit de sa voisine.

— Kokoum ! *Kitahkossin na ?* Es-tu malade ?

La chevelure grise se dressa soudain devant lui, la bouche s'ouvrit toute grande et hurla :

— Les Sioux !

Askik tomba à la renverse, roula dans les cendres, et se jeta par la porte sans l'ouvrir. Il se retrouva à quatre pattes dans la neige, le cœur lui gonflant la gorge. Dans les autres loges, c'était le vacarme. Les hommes se précipitaient dehors, l'arme au poing. Les enfants hurlaient comme des loups. Mais quand les guerriers virent le petit Métis, nu, à quatre pattes au clair de lune, ils jetèrent des mots secs à l'intérieur de leurs loges. Le silence revint. Les hommes disparurent en faisant claquer les couvertures d'entrée.

La lumière des astres adoucissait les plis de la neige, bleutait les sapins, soulignait les pâles bouleaux. Askik ne voulait pas rentrer. Le wakinogan avait l'air d'une tanière avec son grand trou noir. Pennisk avait repris ses balbutiements. Askik songea à passer la nuit dehors. Mais la neige lui mordait les orteils. Il entra et fit du feu.

Pennisk ne s'apaisa qu'au matin. Les paroles se pressaient à ses lèvres en bribes hachurées qui coulaient comme du pus d'une plaie que l'on draine. Askik écoutait. En rapiéçant ces divagations, en rappelant ce que Pennisk avait laissé échapper sur elle-même, il put enfin se faire une idée de sa vie. Il lui manquait de grands pans, mais il avait l'essentiel.

Son enfance avait dû être celle de tous les enfants ojibwés : choyée, entourée, surveillée. Une seule fois, en bas âge, elle s'était égarée d'un camp de chasse. Elle avait erré sans peur dans la forêt, puis avait entendu une musique nouvelle, ravissante comme le chant d'un

228

roitelet, triste comme le cri d'un huard. En s'approchant de la musique, la fillette avait entendu des voix d'hommes qui s'entretenaient dans une langue inconnue. Elle s'était enfuie, laissant là les voyageurs canadiens et leur violon, ne sachant pas qu'elle avait frôlé un autre monde.

Au moment de ses premières règles, elle s'était retirée du village comme le veut la coutume et seule, dans une minuscule loge, avait imploré les esprits. Après plusieurs jours de jeûne, un serpent cornu lui était apparu, une bête magnifique qui se mutait en homme.

« Ma fille, lui dit l'homme-serpent, j'ai pitié de toi. Voici quelque chose pour t'amuser. » Il lui montra des herbes, des racines, et des plantes vertes. Elle avait aussitôt mis fin à son jeûne, malgré les protestations des anciennes. C'était une vision puissante, trop puissante. Les manidos qui donnent gros sont parfois les plus jaloux. Pennisk ne souffla mot de sa vision. Les aînés crurent qu'elle avait fait les rêves habituels des jeunes filles, et n'insistèrent pas. Une femme n'a pas besoin de visions pour s'accomplir, elle se complète par ses enfants.

Pennisk était une jeune femme sans beauté exceptionnelle, mais elle était forte et bonne travailleuse. On lui trouva un *nénapème,* un compagnon de vie. Elle eut sa première loge, son premier enfant, et entra avec joie dans la vie des femmes ojibwées. Elle oublia sa vision, préférant laisser ces choses à d'autres. D'ailleurs, son mari s'intéressait peu au surnaturel. Habile chasseur, il pratiquait avec succès les médecines de la chasse, et ne se préoccupait guère des autres. Tout destinait ce couple ordinaire à une vie heureuse et prospère.

Cette vie prit fin un matin d'automne quand les cris des femmes de son village annoncèrent l'arrivée des Sioux. La plupart des hommes ojibwés étaient à la chasse. Pennisk s'était précipitée en forêt, un nourrisson pressé contre sa poitrine, un tout petit traînant derrière elle. Les enfants ne pleuraient pas mais levaient

229

sur leur mère des yeux inquiets. Pennisk courait se cacher dans une touffe de genévrier lorsqu'elle tomba sur une partie des Sioux qui rôdaient dans les sous-bois.

Les deux enfants eurent la tête fracassée. Elle-même serait morte sur-le-champ si les Sioux n'avaient perdu trois femmes, l'hiver précédent, durant un raid cri. Ils emmenèrent Pennisk en remplacement.

Elle demeura quinze hivers dans le pays des Sioux, parcourant les prés-bois et les plaines selon les saisons et le mouvement des troupeaux. Les premières années laissèrent un blanc de mémoire. La perte de sa famille l'avait hébétée. Les rudoiements de ses capteurs ne firent sur elle aucune impression. Elle n'était plus ojib-wée, n'était pas encore siouse : elle n'était personne. Par conséquent, on la nourrissait peu. Elle devait se contenter, pour ses vêtements, de vieilles peaux qui avaient servi de tapis dans les tentes. Elle ne se lavait pas, et devait se démêler les cheveux avec les doigts. Elle cessa de se peigner. Elle dormait dehors avec les chiens, sauf par les nuits de très grand froid, quand on lui faisait une place près de la porte. Et même alors, on se plaignait de son odeur.

Ses capteurs l'avait remise à un vieux couple qui avait besoin d'aide pour déplacer leur tipi monumental. Au début, le vieillard s'était intéressé à elle, avait passé la main sur ses cuisses avec un grognement satisfait. Mais Pennisk se négligeait tant, elle fut bientôt si sale que le vieillard en perdit le goût.

L'esclave ojibwée crut plusieurs fois mourir le premier hiver, quand le gel donnait un éclat dur aux étoiles, quand les coyotes jappaient de froid. Mais comme elle tenait à ces nuits de solitude lorsqu'elle avait le loisir de songer à ses petits et revivre sa vie passée !

Elle tenta une seule fois de s'échapper. Mais elle était si faible, si mal nourrie, que les braves n'eurent que du plaisir à la retrouver. Ils lui présentèrent alors le scalp de son nénapème. Elle renonça à rentrer chez elle.

Son supplice prit fin un printemps, quand les Santis se rendirent à Minnewakan, le lac du Mystère, pour la fête des Vierges. Ils trouvèrent là leurs cousins des plaines, les Yanktons, et les Oglallas, et même quelques Assiniboines qui tournaient nerveusement autour du camp.

Au cours des festivités, les jeunes filles du camp furent invitées à un festin. Les hommes y assistaient en observateurs et devaient lever la voix s'ils voyaient avancer une fille qu'ils savaient ne pas être vierge. Mais disgracier sans raison une jeune femme était un crime grave qui pouvait entraîner la mort. Personne ce jour-là ne prononça d'objection. Les filles purent défiler dans le triomphe, les joues et la raie des cheveux rougies au vermillon, les tresses enroulées de fourrure d'hermine, les robes chatoyant de perles et de piquants colorés.

La guerre des parures se communiqua à tout le camp. Les femmes mariées se chargèrent de billes de verre, de médaillons d'argent, et de bagues de cuivre jaune. Les braves attachaient des peaux de mouffettes ou des queues de loups à leurs talons. Les chefs arboraient des boucliers et des lances bariolées.

La rage de paraître s'étendait comme un feu de prairie et consumait tout sur son chemin. Lorsqu'elles eurent orné leurs enfants, leurs maris, leurs demeures, leurs chiens et leurs chevaux, les femmes santies cherchèrent encore un défi, et découvrirent Pennisk.

Elles la baignèrent dans le lac, dénouèrent patiemment ses cheveux, la coiffèrent avec un peigne de métal acheté aux traiteurs, et l'affublèrent de vêtements empruntés aux uns et aux autres. Le résultat fut assez pittoresque. L'esclave ojibwée était devenue une Siouse multicolore. Ses maîtres mêmes furent étonnés de découvrir une jeune femme assez avenante, qui avait le visage un peu rond des peuplades du Nord, mais qui n'était pas laide pour autant.

Pennisk fut admise d'office aux travaux de groupe. Au cours d'une partie de cueillette, elle rencontra les deux femmes d'un sous-chef oglalla, un lointain parent

231

de son maître, Mato-Noupa, Deux-Ours. Les jeunes Oglallas furent intriguées par cette étrangère venue d'une nation hostile. En répondant du mieux qu'elle put, avec les quelques mots de sioux qu'elle maîtrisait, Pennisk réussit à se faire aimer. Des propos et des cadeaux furent échangés. Quand se termina la fête, Pennisk prit la route des plaines avec ses nouveaux amis.

Elle qui, jusqu'alors, avait regroupé tous ses ennemis sous le seul nom d'*Abwoinug* apprit qu'il existait plusieurs tribus chez les Dakotas, ou Sioux. Elle avait été la captive des Wahpeton Santi, les Gens-du-bout, qui défendent la frontière est contre les Ojibwés et les Blancs. Elle passait maintenant au sein des Oglallas.

Leur vie lui parut d'abord très dure. Les Oglallas étaient en mouvement perpétuel, sauf l'hiver. Ils parcouraient une plaine désertique et morne. Alors que les Ojibwés montaient une ou deux expéditions de guerre par an, les Oglallas étaient sur le pied de guerre continuel. Pennisk ne comptait plus ses ennemis : les Corbeaux, Atsinas, Kiowas, Cris, Siksika, Kahna, Piégan, les traîtres Assiniboines, et parfois même les lointains Koutenais. Au juste, qui n'était pas en rogne contre les Oglallas? Le camp dormait sur le qui-vive, toujours prêt à repousser une attaque ou à se volatiliser dans la nuit. Même les bébés apprenaient à ne pas pleurer pour ne pas attirer les éclaireurs ennemis. Les guerriers rentraient sans cesse d'expédition. Les femmes ululaient de joie lorsqu'ils ramenaient des chevaux, ou hurlaient de douleur lorsqu'ils revenaient moins nombreux qu'au départ.

Et pourtant, Pennisk prit vite goût à l'existence grisante des plaines. L'espace l'enivrait. Le grondement des troupeaux de bisons une fois entendu se mêla durablement dans sa tête aux éclats de tonnerre, au rugissement des chutes d'eau. Même le danger de mort perpétuel la faisait vivre à un cran plus élevé, et lui sembla vite indispensable. En guerroyant et chassant, le peuple demeurait fort. Elle travailla dur, s'appliqua à maîtriser la langue, et ouvrit à tous son naturel aimable. Au cours du premier hiver, elle devint la troisième femme de Mato-Noupa. Les deux premières la reçurent avec joie, heureuses de s'attacher cette compagne travailleuse et serviable. Leur mari avançait vite dans les honneurs de la guerre et de la chasse. Un chef doit distribuer des cadeaux et de la nourriture aux plus faibles : le travail ne manquait pas.

L'automne suivant, Pennisk s'éloigna du camp, et tandis que son mari montait la garde à distance, elle mit au monde un garçon. Trois ans à peine après sa capture, elle devenait la mère d'un guerrier sioux.

Elle n'utilisait que le meilleur duvet de quenouille pour ses couches. Elle orna sa hotte de fleurs perlées qui firent l'émerveillement de ses voisines, car à cette époque, les femmes oglallas ne connaissaient que les motifs géométriques.

Quand l'enfant fut d'âge à marcher, elle attacha à son cou un petit sac orné qui contenait une section séchée de la corde ombilicale. Car sans cette corde, disaient les vieilles Anichnabègues, l'enfant passerait toute sa vie à chercher quelque chose. Elle échangea des peaux de belettes contre du tabac, fit une petite blague, et la pendit dans le dos du bébé, pour que les vieillards se servent et bénissent l'enfant. Tout en lui donnant le sein, elle rêvait au jour où son fils conclurait une paix durable avec les Anichnabègues.

Elle vécut ainsi douze années. Des années de gloire pour les Indiens des plaines. Il n'y avait qu'une poignée de Blancs dans le pays, des traiteurs Canadiens français pour la plupart, qui prenaient des femmes indiennes et ne troublaient pas les traditions. Leurs marchandises étaient les bienvenues, le tabac et le café surtout. Il y avait aussi les Robes Noires ; plus difficiles ceux-là. Dieu avait-il parlé aux Blancs à travers son fils ? Pourquoi en douter ? Mais pourquoi les Robes Noires n'acceptaient-ils pas à leur tour que Wakan-Tanka avait aussi parlé aux Indiens par la bouche de la Femme-Bisonne, qui leur avait donné la pipe sacrée ?

Les Sioux avaient eu l'amabilité d'adopter certaines croyances chrétiennes : ils furent choqués de constater que les Robes Noires ne leur rendaient pas la politesse.

Pennisk ne s'occupa pas des Blancs. Elle avait mieux à faire. Lorsque naquit son troisième enfant, son mari l'autorisa à construire son propre tipi. La famille comptait de nombreux chevaux : transporter une seconde demeure ne pésentait aucune difficulté.

Instruite par ses sœurs, Pennisk fabriqua son premier tipi de cuir, elle qui avait passé toute sa jeunesse dans des wigwams d'écorce. Elle choisit des peaux d'été, plus légères, les dépila avec un racloir, les trempa dans une soupe de cervelle et de graisse, et les fuma longuement. Elle se meurtrit les doigts à percer les trous d'aiguille, peina longtemps sur la décoration de la paroi intérieure. Elle acheta des perches de tipi en cèdre rouge, un bois léger et durable. Elle se donna un mal fou pour les dossiers. Elle les fabriqua en tiges de saule, chaque tige redressée à coups de dents, puis peinte et décorée de flanelle rouge.

Quand vint le jour de dresser le tipi, ses sœurs lui présentèrent des coussins de cuir et de fourrure qu'elles avaient préparés en cachette. Tout était prêt. Les trois perches principales furent élevées, un vieillard implora la bénédiction du Grand Mystère, les autres perches et la couverture de peau furent mises en place.

Pennisk rayonnait. Les vieilles femmes touchaient à tout, s'extasiaient devant la finesse des points et la droiture des perches. Les hommes contemplaient le cuir brun crémeux en imaginant les dessins mythiques qu'y peindrait Mato-Noupa car c'était un homme aux visions puissantes.

Le premier soir, Pennisk offrit un riche festin pour que dorénavant tous les villageois aient de bonnes pensées en passant devant sa demeure. Elle ne put s'empêcher de courir plusieurs fois dehors, au cours de la soirée, pour admirer son tipi. Elle n'en revenait pas ! La partie supérieure du cône reluisait d'une belle lumière jaune. Le bas du tipi, où pendait le rideau intérieur, se perdait dans l'obscurité. Ce rideau ne servait pas qu'à l'aération. Sans lui, les ombres des invités se seraient dessinées sur les flancs du tipi, offrant une cible facile à l'ennemi.

Dans ces moments-là, quand la plaine s'étendait grise et bleue sous la lune, quand Pennisk sentait le peuple rassemblé tout autour d'elle dans ses tipis lumineux, elle était presque heureuse d'avoir été enlevée.

Ses sœurs oglallas venaient la chercher en riant. « Viens ! Tu négliges tes invités. Quelle ménagère ! »

On ne regrette pas de vieillir lorsqu'on est heureux. Le registre des hivers déroulait sa longue spirale. Mato-Noupa devenait un grand chef. Pennisk avait des enfants, une loge à motifs sacrés, et un troupeau de chevaux dont elle raffolait. Puis vint l'Hiver des Plaies.

C'était le premier jour de l'hiver. La neige tombait et ne fondait pas. La bande s'était installée dans un creux de rivière à l'ouest de la Missouri. Pennisk avait entouré son tipi d'un coupe-vent en branches entrelacées. A quelques pas de sa demeure, elle avait entreposé du pemmican et des navets sauvages dans une cave bourrée de paille. Il y avait du bois en profusion. Les chevaux trouvaient à se nourrir dans les clairières. La rivière contenait du poisson, quoique les Oglallas n'en fussent pas friands. Pennisk s'apprêtait à se reposer des labeurs de l'été.

Vers la fin de la journée, des jeunes chasseurs entrèrent au village en hurlant à tue-tête. Ils brandissaient des couvertures, des fusils, des boucliers, et montaient une demi-douzaine de chevaux volés. Ils avaient surpris une famille d'Assiniboines marchant vers l'est, et les avaient supprimés. Les jeunes étaient fous d'orgueil. Les Assiniboines, criaient-ils, s'étaient à peine défendus, tant la vue des Oglallas les avait démoralisés !

Ces paroles donnèrent à réfléchir aux plus vieux. Tout traîtres qu'ils étaient, les Assiniboines n'en demeuraient pas moins des Sioux : ils n'avaient pas l'habitude de se laisser docilement effacer. Et comment expliquer qu'une famille se déplaçât seule, en territoire ennemi, au début de l'hiver ?

Mais une victoire est toujours bonne à prendre. Les tambours grondèrent jusqu'aux petites heures, le peuple célébra ce triomphe facile qui inaugurait les campagnes d'hiver.

La fièvre se déclara quelques jours plus tard. Les bébés moururent presque aussitôt, leurs corps envahis de pustules, les yeux remplis de sanie. Pennisk perdit sa dernière-née, la seule fille qu'elle dût jamais mettre au monde. Quand les symptômes firent leur apparition parmi les enfants plus âgés, le camp sombra dans la panique. Les mères ne fermaient plus l'œil. Les pères, hébétés, traînaient autour des loges et ne chassaient plus. Les tambours pulsaient sans répit, l'armoise brûlait dans tous les tipis, l'homme-médecine ne sortait plus de transe, luttant jour et nuit contre des esprits insaisissables. Les vieillards s'éteignaient les uns après les autres, désolés de quitter les leurs dans de si funestes circonstances.

Puis le mal frappa les adultes. Le corps brûlant de fièvre et de démangeaisons, les malades se jetaient dans les eaux glacées de la rivière. Ceux qui en sortaient mouraient quelques heures plus tard. D'autres, s'étant trop avancés dans l'eau, n'avaient plus la force de regagner la berge, et se noyaient. Personne n'allait à leur aide. Les bien-portants fuyaient les malades. Les familles s'évitaient. Écrasés par ce malheur inconnu, les Oglallas laissaient tomber les mains. Comment résister ? Après quelques jours, les pleurs et les chants funèbres se turent. Pourquoi pleurer ? Pourquoi prier ? Tous allaient mourir. Le peuple oglalla tout entier marchait sur le Chemin des Esprits. Et enfin, n'était-ce pas une bonne chose ? N'était-ce pas un bon moment pour se réveiller du triste rêve de la vie ? La terre se gâtait avec l'arrivée des Blancs. Peut-être Wakan-Tanka avait-il décidé de réunir tout son peuple dans les terres ancestrales de l'au-delà.

Pennisk comme les autres se laissa aller à l'apathie. Mais quand mourut son deuxième fils, quand il ne lui resta que le premier, son aîné, son préféré, la rage

236

s'empara d'elle. Elle persuada son mari de partir. Les Assiniboines fuyaient vers l'est, raisonna-t-elle, c'est donc que le mal venait de l'ouest. Il fallait traverser la Missouri.

Il y eut comme un déclic dans le camp. L'envie de vivre flamba comme un feu clair qui a couvé sous la tourbe. Le camp se disloqua, les familles s'éparpillèrent dans toutes les directions, selon l'inspiration de chacune.

Il n'y eut pas de guerre cet hiver-là. Des poignées d'humains erraient dans la plaine en laissant des morts derrière eux, comme des pointillés marquant leurs trajets. Quand par hasard deux groupes s'apercevaient, ils se fuyaient. Les loups tournaient avidement autour de ces parcelles d'humanité, mais eux-mêmes souffraient, empoisonnés par les cadavres des pestiférés.

Vers le milieu de l'hiver, on cessa de mourir. La maladie passa. Les survivants se dénombrèrent, étonnés. Ce n'étaient ni les plus forts, ni les meilleurs qui avaient survécu. Cette sélection cruelle et arbitraire acheva de déconcerter les Oglallas. Si encore tous étaient morts, ou seulement les faibles, ou les méchants, on aurait pu comprendre que Wakan-Tanka avait un plan. Mais ce massacre inégal, sans dessein, horripilait. Plusieurs se mirent à douter des hommes-médecine. Quelques-uns délaissèrent tout à fait la religion de leurs ancêtres.

Le printemps suivant, les restes de la bande arrivèrent en petits groupes déguenillés au rendez-vous sur la rivière Cheyenne. Une fois la bande réunie, la nourriture manqua. Tant que les familles avaient erré isolément dans la plaine, elles avaient pu se soutenir de lièvres, de marmottes, et de poules de prairie. Mais le petit gibier ne suffisait plus pour une bande de trois cents personnes.

Devenu premier chef, Mato-Noupa réunit son Conseil. Il y avait trop de visages jeunes dans l'assemblée, les discussions se prolongèrent inutilement. Mais enfin, ils furent d'accord pour marcher vers le nord-est.

Ils intercepteraient les troupeaux de bisons au retour de leurs refuges d'hiver dans les collines boisées. Quand ils débouchèrent dans la vallée de la Souris, le bison les attendait.

La viande succulente redonna le goût de vivre. Pour la première fois depuis le début du fléau les Oglallas entrevoyaient la possibilité de reprendre leur vie d'autrefois, de rebâtir leur société. Ils avaient un chef habile, des chevaux et des armes, de la nourriture et des fourrures. On fit un deuil convenable aux disparus. Les hommes se coupèrent les cheveux, les femmes laissèrent pendre les leurs ; tous s'enduisirent le visage de glaise blanche.

Il y eut quelques mariages, et des festins modestes. On échangea les nouvelles glanées au cours de l'hiver. La maladie, semblait-il, avait commencé dans l'Est. Des Assiniboines avaient attaqué des Ojibwés et avaient ramené le mal chez eux. Des Oglallas avaient attaqué les Assiniboines et l'avaient contracté à leur tour.

Pennisk eut honte d'apprendre que le mal venait de son peuple, encore qu'elle se demandât d'où le tenaient les Anichnabègues. Mais elle avait trop de grâces à rendre pour se mortifier. Son fils aîné avait survécu. Il avait treize ans, se trouvait beau, se tenait à cheval avec majesté, et parlait à sa mère avec arrogance. En fait, c'était un vantard fini. Pennisk n'en avait cure. Les vivants se reprennent et s'améliorent. Seuls les morts ne changent jamais.

Certains jeunes, le visage et l'âme labourés par la terrible maladie, posaient un regard neuf et sobre sur la vie. Mais la plupart ressemblaient au fils de Pennisk. Ils avaient attendu tout un hiver que la vérole mette fin à leur brève existence. Graciés, ils ergotaient et paradaient de façon insupportable : leurs parents les regardaient faire avec des cœurs pleins de gratitude.

Le premier accrochage avec les Slotas, les Graisseux, eut lieu après la rupture des glaces.

Ces hommes-charrettes poussaient toujours plus loin leurs expéditions de chasse. Ils empiétaient sur les territoires sioux.

A toute autre époque, les Oglallas auraient monté une expédition de guerre pour chasser l'intrus. Mais les hommes et les chevaux étaient encore faibles, les femmes avaient besoin de peaux pour réparer les tentes et les vêtements. Mato-Noupa suggéra d'éviter le combat. Il serait bientôt temps de retraverser la Missouri pour entrer en territoire plus familier. Au-delà de la Missouri, il n'y avait pas de Slotas.

Le Conseil approuva, mais il y eut de chaudes discussions. Les jeunes hommes, qui tenaient maintenant une place disproportionnée dans la bande, voulaient la guerre, pour se prouver. Ils y avaient droit. Un homme qui n'accumule pas les coups contre l'ennemi n'a pas droit aux honneurs, n'avance pas en grade, n'intéresse pas les femmes.

Cette nuit-là, après de brûlants palabres, trois guerriers se glissèrent dans un ravin boisé qui longeait le camp, se faufilèrent entre les sentinelles, et piquèrent à travers la plaine. Mato-Noupa avait fait garder les chevaux, pour empêcher les sorties : les guerriers partirent à pied.

Ils revinrent en brandissant des scalps : une chevelure d'homme, une autre de femme, et une troisième, toute blanche, de vieillard. Tuer des femmes et des vieux est honorable puisqu'il faut, pour ce faire, déjouer la vigilance de leurs hommes.

Les adolescents firent un accueil bruyant aux trois guerriers, les femmes poussèrent des ululements à moitié rieurs — il y avait si longtemps qu'elles ne l'avaient fait. Mato-Noupa garda le silence. Il était heureux de voir punir les impertinents Graisseux, mais craignait les représailles. Il voulut reprendre immédiatement la marche vers l'ouest. Les Slotas, croyait-il, ne les suivraient pas au-delà de la Missouri.

Mais le Conseil refusa de l'écouter. Fuir les sang-mêlés ? Depuis quand ? Le peuple était en deuil depuis l'automne. La douleur gruge l'âme, mine les forces. Il fallait fêter cette victoire pour que les Oglallas se sentent forts à nouveau. Mato-Noupa se plia à la volonté populaire. Le peuple vivrait son destin d'une manière comme de l'autre.

Le destin se prononça au lever du soleil, tandis que les Oglallas se reposaient des danses de la nuit. Les cris d'alarme résonnaient encore lorsque la première vague métisse engloutit le camp. La décharge presque unanime de leurs fusils, le tonnerre des sabots jetèrent le camp dans un chaos effroyable. Et pourtant, il n'y eut pas beaucoup de blessés. Les Métis tiraient aveuglément dans les tentes.

Après un premier désarroi, les Oglallas reprirent vite le dessus. Les Slotas devaient recharger les longs fusils, tandis que les Oglallas décochaient une averse ininterrompue de flèches. Les Graisseux se retiraient déjà pêle-mêle lorsque des Oglallas montés lancèrent la première contre-offensive.

Les Slotas firent demi-tour et s'enfuirent. Un cri perçant s'éleva des rangs sioux. Aujourd'hui les insolents Graisseux apprendraient la puissance des Oglallas ! Ils s'élancèrent à bride abattue derrière les Métis. Ils franchirent une colline, deux collines, puis foncèrent vers un bosquet de peupliers où se réfugiaient les Slotas. Mato-Noupa vit la ruse, mais ne put rappeler ses hommes.

Un feu meurtrier illumina les sous-bois. La première ligne d'Oglallas bascula comme des roseaux dans un ouragan. Les Indiens effarés se relevaient de leurs chevaux abattus et mouraient à leur tour. Les survivants tourbillonnaient sur-le-champ, incapables d'avancer, ne voulant pas reculer, tandis que se succédaient les décharges. Pris au milieu de la mêlée, Mato-Noupa sut qu'il vivait ses dernières heures. N'importe. Que restait-il dans le monde à aimer ? Plus rien n'était comme avant. Il vit son fils dans la bataille et songea à le renvoyer chez sa mère. Mais comment savoir si le destin ne le plaçait pas ici même ? L'âme du chef tendait déjà vers le Pays des Loges.

Les charges oglallas se répétèrent pendant toute la matinée. Les Indiens galopaient jusqu'à l'orée du bosquet, décochaient une volée de flèches, puis remontaient la colline au pas de charge. Solidement retranchés derrière leurs talus de terre et de bois, les Métis souffraient peu de ces attaques. Les Oglallas, par contre, laissaient de nombreux hommes sur le terrain.

— Mes amis ! s'écria Mato-Noupa lorsque le soleil était déjà haut. Voyez, nous n'arrivons à rien. Nous avons perdu plusieurs jeunes hommes inutilement. Je vois mon fils parmi les morts. Je ne le pleure pas, il est mort valeureusement. Mais j'aurais souhaité qu'il serve plus longtemps son peuple. Cessez l'attaque ! Rentrez chez vous ! Les Graisseux se cachent dans des trous comme des lapins et nous tuent avec des fusils. Vous aurez votre revanche. Un jour, vous aurez aussi des fusils. Vivez, pour que ces Graisseux meurent ! Pour ma part, je suis las, et j'ai fait le vœu d'entrer ce soir au Pays des Loges. Rentrez chez vous. Voyez, je vous venge !

Il lança son cheval vers le bosquet en poussant un « *Hokahé !* » retentissant.

Une cinquantaine de fusils suivirent sa descente. Lorsque les Métis comprirent que le Sioux fonçait droit sur eux, il y eut un moment d'indécision dans les tranchées. Un homme se leva à demi dans son trou, ne sachant pas s'il devait fuir. Le cheval de Mato-Noupa atteignait déjà le sous-bois lorsque éclata la décharge. L'homme qui s'était levé eut la tête ouverte par la hache de guerre. Mato-Noupa rendit l'âme au fond d'une tranchée.

Par quels hasards Pennisk était-elle rentrée chez les siens, Askik ne le sut jamais. Après de longs errements parmi les Ojibwés du Sud, elle forma la conviction que c'était le Serpent Corné, symbole de la médecine, qui l'avait punie pour avoir ignoré la vision de son adolescence. Certains manidos, très jaloux, ne tolèrent pas d'autres amours dans la vie de leurs favoris.

Comment, en sachant cela, Pennisk fut-elle amenée à

étudier les médecines du Serpent, était aussi un mystère. Peut-être espérait-elle trouver une consolation dans le surnaturel. Peut-être cherchait-elle seulement à guider l'esprit de ses petits jusqu'au Pays des Âmes, à travers le Midéwiwin des morts. Toujours est-il qu'en s'enfonçant dans les sciences occultes, elle souffrit le destin de tous les Midés : tout en demeurant l'ultime recours des malades et des malchanceux, elle se coupa du peuple. Plus elle devenait puissante, plus on la craignait.

Elle était déjà vieille lorsqu'elle entreprit le long voyage qui la ramena dans les forêts du Nord. Elle apprit que son nénapème n'était pas mort aux mains des Santis, comme on le lui avait appris, mais qu'il avait été tué beaucoup plus tard au cours d'une soûlerie. Car les Anichnabègues avaient changé, les meurtres n'étaient plus rares. Les épidémies dévastatrices leur avaient fait douter d'eux-mêmes. Ils s'étaient mis à boire, se ruinant tout entier pour acheter le rhum dilué des traiteurs blancs. Les enfants manquaient de nourriture et de vêtements. Lorsque partaient les traiteurs, les Anichnabègues se confondaient de remords, et partaient en forêt retrouver la vie des ancêtres. Mais chaque printemps, ils revenaient aux postes, las de vivre seuls, assoiffés de divertissements, ayant oublié les débâcles de l'année précédente, ou se promettant de ne pas les répéter. Vœux futiles.

A ce peuple démoralisé, en voie de se perdre, Pennisk apporta le Midéwiwin, encore mal connu dans le Nord. Le Midéwiwin enseigne le courage, la droiture, le respect des traditions et de soi-même.

Mais elle était une femme. On ne l'écoutait pas volontiers. Et l'attrait des Blancs était irrésistible. Déjà, presque plus personne ne s'habillait à l'indienne : le coton était plus commode que le cuir, parce qu'il ne durcissait pas en séchant. Les couvertures de laine étaient plus légères que les peaux d'orignaux, et tout aussi chaudes. Les jeunes ne savaient plus tirer à l'arc. Le fusil les dispensait d'approcher le timide orignal : ils pouvaient l'abattre de loin. Et la balle ne se laissait pas dévier par la moindre brindille. Bien entendu, lorsque le fusil se détraquait, les Indiens ne pouvaient le réparer eux-mêmes, ou en fabriquer un neuf, mais devaient retourner chez les Blancs, fourrures en main. Et c'était de même pour tous ces nouveaux produits : rien ne se réparait facilement, tout devait être remplacé, seuls les Blancs pouvaient leur en vendre. Les danses, les fêtes, les cérémonies religieuses ne tenaient plus beaucoup de place dans leurs vies, car les familles anichnabègues passaient le gros de leur temps à amasser des peaux pour réduire des dettes inextinguibles.

D'ailleurs, l'influence de Pennisk fut de courte durée. On arriva vite à se méfier de ses pouvoirs, exactement comme dans les villages du Sud.

VII

Askik tira la couverture d'entrée. Une lumière aveuglante pénétra le wakinogan en soulevant une nuée de vapeur. Le village était étrangement silencieux : étaient-ils encore fâchés du cri d'alarme qu'avait lancé Pennisk durant la nuit ? Ne comprenaient-ils pas qu'elle était souffrante ?

— *Tché!* fit la vieille. Tu es encore là ?

Sa bouche avait un pli amer, elle était déçue d'être revenue. Elle avait senti tout proche le Chemin des Âmes.

Askik gardait un silence gêné. Il crut que l'amertume de la vieillarde lui était destinée, puisqu'elle venait de rêver aux Métis qui avaient tué son mari et son fils. Ils passèrent un long moment sans parler : la vieille ruminant sa déception d'être vivante, le garçon cherchant un argument qui pût excuser son peuple. N'en trouvant pas, il prit son arc et sortit.

En s'éloignant du village, il vit un groupe d'hommes qui discutaient en forêt. Askik voulut se retirer mais on l'aperçut. Un effarement subit s'abattit sur le groupe. Certains s'effrayèrent, d'autres eurent les traits chargés de haine. Le petit groupe s'éparpilla.

Askik soupira. Les villageois le détestaient et, à présent, même Pennisk lui en voulait d'être métis. La vie est bête.

Il chassa toute la journée, sans se reposer, sans manger, dans l'espoir de se racheter. Si seulement il pouvait ramener un ours ou un caribou, tout lui serait pardonné.

Mais il ne trouva pas le moindre tétras. Le chemin du retour lui parut trois fois plus long que d'habitude. Il suivait la piste habituelle, mais se trompait souvent. Quand il y a lune, la neige éclaire les sous-bois. Mais ce soir-là, le ciel était recouvert, la noirceur avait cette consistance ouateuse qui déforme tout, et fait danser des ombres devant les yeux.

La piste s'évasait déjà, le camp n'était plus loin. Soudain, un coup de feu éclata à quelques pas de l'enfant. Askik resta cloué sur place. Une ombre d'homme se levait dans les fourrés, un fusil à la main. L'homme se figea, puis s'enfuit à toutes jambes. Une odeur de poudre flottait dans la forêt.

Askik leva une main, puis l'autre, et dut convenir qu'il n'était pas touché. Où était passée la balle ? La tête vide, les genoux tremblants, il reprit sa marche.

Pennisk ne dit rien lorsqu'il entra, et pourtant, elle avait dû entendre le coup de feu. Elle lui servit un bouillon de poisson. Askik en but quelques gorgées, puis se coucha en boule, tout habillé. Ce qui venait d'arriver lui semblait si fantasque, si improbable, que son premier réflexe était de l'oublier.

— Askik, lève-toi ! La vieillarde saisit un bâton et l'enfonça à deux ou trois reprises dans les côtes de l'enfant.

— *Apé !* Assieds-toi que je te dis ! Il faut leur trouver de la viande. Ils sont fous de peur. Prends !

Elle lui passa sa pipe.

— Fume et prie.

Askik n'avait pas l'habitude du tabac. Après une première pipée la tête lui tourna. Ce vertige est utile, car il rend plus audible la voix du Grand-Homme qui sommeille en chacun de nous et qui est en communication avec la Création.

Askik pria Kitché-Manitou de lui donner un cerf, ou un orignal, pour que les villageois mangent, et cessent de tirer sur lui. Il adressa la même prière à Misoukoumik-Okmi, Mère-Terre, qui ne sort jamais de son tipi pour que les Indiens sachent toujours où la trouver, et à Nanabouche, qui enseigna la chasse aux hommes. Il présenta des requêtes tout aussi respectueuses à la Sainte-Trinité, à la Vierge Marie et à tous les saints dont il put se souvenir du nom. Il chercha d'autres intercesseurs et, n'en trouvant plus, recommença depuis le début.

Pendant ce temps, Pennisk chantonnait en s'accompagnant de sa crécelle. Elle s'interrompait de temps en temps pour saupoudrer le feu de tabac et de rhum, puis reprenait ses incantations essoufflées et rauques. Elle avait l'air de vouloir continuer toute la nuit. Mais Askik se fatigua vite de ses prières. Le tabac lui donnait la nausée. Les grognements de Pennisk, ses gestes saccadés, son vieux visage froissé de concentration lui parurent ridicules. Il se coucha, écœuré, et s'endormit.

Il se réveilla à l'aube, vit que Pennisk dormait, se pelotonna sous ses couvertures refroidies, et s'assoupit de nouveau. Il vit alors une falaise, un pan de roc qui s'élevait à pic dans une forêt. Il vit au pied du roc un petit trou dans la neige, d'où sortait un filet de vapeur. Il vit — non, sentit — un ours qui dormait dans une cavité sous la neige. Il entendit une voix lui dire : « Vois, je te donne cet ours. »

Pennisk se fit décrire la falaise, et la reconnut. Elle dépêcha le garçon en forêt. Chose étrange, quoique la journée fût déjà bien entamée, le village était silencieux. Askik vit quelques personnes s'affairant autour des loges : elles firent semblant de ne pas le voir, ou rentrèrent. Et pourtant, quelle bonne surprise Askik leur préparait ! Dans quelques heures il y aurait festin, et tous, même l'homme qui avait tiré sur lui, le presseraient de remerciements. Il imagina cet assassin manqué venant implorer son pardon, les larmes aux yeux, en s'accusant de s'être laissé dévoyer par la faim. Askik, magnanime, écartait le pauvre homme pour distribuer de la viande à ses enfants faméliques. Il leur réservait les meilleurs morceaux.

Askik fut si ému qu'il en eut la vue brouillée. Il força le pas. Restait à tuer l'ours. Mais dans l'esprit d'Askik, c'était déjà fait. L'ours lui avait été donné, il n'avait qu'à le cueillir.

La neige était collante. Il avait trop chaud dans son capot de laine, mais lorsqu'il l'entrouvrait, l'air cru le faisait frissonner.

Il trouva la falaise, un grand pain de sucre gris qui s'élevait au-dessus de la forêt. Quelques corbeaux au nez crochu sautillaient sur les corniches en poussant des grâa ! grâa ! sinistres.

Askik se munit d'un long bâton. Il trouverait le trou d'air de l'ours, ferait sortir la bête avec son bâton, et la flécherait.

Il longea la base de la falaise en regardant bien où il posait les pieds. Mais il ne vit pas de trou d'air. Il revint sur ses pas en redoublant d'attention. Chaque petite dépression dans la neige s'attirait un coup de bâton. Rien. Peut-être s'était-il trompé de falaise. Il y avait plusieurs rocs dans ce coin de la forêt. En fait, il y en avait des dizaines, il y avait tout un réseau de crêtes rocheuses qui serpentaient à travers la forêt. Chacune, vue d'un certain angle, pouvait être qualifiée de falaise.

Sa confiance ébranlée, Askik étudia d'abord les rocs voisins. Les possibilités d'erreur étaient infinies. Il revint lourdement sur ses pas, fit le tour une dernière fois du premier rocher, en fouillant la neige de son bâton. Non seulement il n'y avait pas de trous d'air, il n'y avait même pas de cavités sous la paroi. Et pourquoi y en aurait-il ? Après tout, il n'avait pas vu l'ours dans son rêve, il l'avait tout juste pressenti. Beau rêve !

De toute façon, la falaise avait l'air inhabitée. Le roc avait une netteté qui interdisait tout espoir de trouver sous ses flancs une grosse boule d'ours puant et sale.

Askik s'assit sur un tronc d'arbre, déçu, mais amèrement content d'être libéré de sa lubie. Il avait très mal à la tête : il était passé midi et il n'avait encore rien mangé. Il nota que la neige sur la roche avait un liséré brillant et humide. Des geais bleus perçaient l'air tiède de leurs cris de mal élevés.

Hmmf ! On aurait dit un dormeur se retournant dans son sommeil. Askik regarda tout autour de lui, mais ne vit rien. Et de nouveau : Oumpf ! cette fois plus fort, plus déterminé. Un museau fauve perça la croûte de la neige, puis vint une tête noire, puis un ours tout entier, émergeant de dessous un grand pin. La robe noire était tachetée de neige et de feuilles mortes. L'animal s'ébrouait en poussant des pouf ! pouf ! d'impatience.

Askik se souvint des recommandations de Pennisk.

« Frère, j'ai besoin de toi », pensa-t-il en tirant la corde de l'arc.

La flèche fit sursauter l'ours mais ne sembla pas le tirer de sa somnolence. Il tressaillit, avança d'un pas, s'enfouit le nez dans la neige, et se recoucha.

Askik s'approcha à petits pas. Il vit sa réflexion dans le grand œil mi-clos. La langue dépassait délicatement les premières dents. Les pattes étaient tout à fait allongées, comme si l'ours s'était étiré une dernière fois avant de s'endormir.

— Pardonne-moi Maskwâ ! s'écria Askik.

Le meurtre qu'il venait de commettre l'horrifiait.

— Tu es si beau ! Tu devais être heureux de sortir. Je n'ai pas voulu te faire du mal. Mais les gens du village ont faim. Ils ont essayé de me tuer. Ils haïssent Pennisk. Elle n'aime pas les Métis parce qu'ils ont tué son mari et son fils. Papa m'a laissé avec Niskigwonne mais il m'a donné à Pennisk, qui est malade.

Askik s'ouvrit tout entier à l'ours mort. Il lui raconta tout ce qu'il avait dû cacher depuis son arrivée dans le camp : sa peur, sa solitude, ses ambitions déçues. A la fin, il crut sentir une secrète sympathie entre l'ours et lui.

— Excuse-moi encore une fois. Mais ce soir, Kitché-Manitou va te refaire, et te renverra sur terre. Tu pourras recommencer. Et si jamais je te rencontre à nouveau fais-moi signe de la tête (Askik lui montra comment), et je ne te tuerai plus. Je te le promets.

Avant de partir, Askik plongea le regard dans la tanière de son ami, sous les racines du pin. C'était très petit. Maskwâ avait dû être à l'étroit. Pas surprenant qu'il fût mort les pattes étendues.

Askik courut jusqu'au village, le cœur en fête. Mais une fois parmi les loges, il se heurta à une difficulté imprévue. A qui annoncer sa nouvelle ? Il vit un homme qui refaisait le branchage sur son toit. Askik fit mine de s'en approcher mais l'homme rentra précipitamment chez lui. Askik marcha donc vers la loge de Niskigwonne, car il ne connaissait que lui dans le village.

— Niskigwonne, es-tu chez-toi ? *Ki-apin na ?*

La loge demeura parfaitement silencieuse. Pourtant, le toboggan et les raquettes étaient accotés au mur extérieur : Niskigwonne devait être à la maison.

— Écoute, *nedji,* j'ai tué un ours. Tu peux te servir. Les autres aussi. Dis-leur que Pennisk a prié pour qu'ils aient à manger, et que j'ai tué un ours. Dis-leur que nous ne faisons rien de mal. Ce n'est pas la peine de nous tirer dessus. Si Pennisk a crié l'autre nuit, c'est parce qu'elle est malade. Il faut avoir pitié d'elle, Niskigwonne ! Elle a perdu deux familles. Elle est seule. Elle a peur des autres sorciers. Et moi, ce n'est pas de ma faute si des Métis ont tué son mari et son fils.

Askik fit une pause. Il attendait que Niskigwonne sorte, rallie les autres, pour aller débiter l'ours. Il ne tenait même plus à être remercié. Il voulait seulement que soit récupérée la viande avant que les loups et les gloutons ne la gaspillent.

— Viens, Niskigwonne ! Il n'y a pas de temps à perdre !

Il entendit un chuchotement de femme à l'intérieur de la loge, le craquement d'une tige au feu, puis rien.

Dépité, Askik se retira en faisant grincer la neige pour bien marquer qu'il s'en allait.

A l'intérieur de la loge, Niskigwonne baissa le fusil en se maudissant de n'avoir pas tiré. Mais tout comme la nuit précédente, lorsque les ombres fantasques avaient dédoublé la silhouette du petit Métis et avaient dévoyé la balle, aujourd'hui de même, Niskigwonne trouva une bonne excuse pour ne pas avoir tué le sang-mêlé. Lorsqu'il crut l'ennemi loin, il se glissa hors de la loge et s'en alla rapporter les paroles du Métis à son oncle, un aîné.

D'abord, personne ne voulut y croire. Un ours ? Les croyait-elle si bêtes ? Des chasseurs réputés revenaient bredouilles de la chasse et un enfant abattrait un ours ? Et quand bien même ce serait vrai — à quoi n'arrive-t-on pas avec la sorcellerie ? —, qui voudrait manger de cette viande, don d'une sorcière ? C'était un piège grossier, tous en convinrent. Et cependant, chacun imaginait un gigot d'ours tournoyant au-dessus des braises, entouré de petits visages aux yeux pétillants. Les arguments se firent plus nuancés. Que Pennisk fût une vipère, nul n'en doutait ; qu'elle ait supprimé ses propres enfants et deux maris, quoi d'étonnant ; qu'elle ait ensuite séduit un jouvenceau de cette même race qui avait massacré les siens, allait avec tout le reste. Mais pourquoi Maskwâ s'allierait-il à cette démone ? L'Ours est le premier ancêtre des Anichnabègues qui l'appellent « Notre grand-père à tous ». Maskwâ permettrait-il que son corps serve à empoisonner ses enfants ? La vieille cochonne serait-elle plus forte que Maskwâ ?

Le jour baissa, la nuit vint. Askik avait traîné entre les loges tout l'après-midi, espérant malgré tout qu'on accepterait son cadeau. Il rentra enfin, tout triste, et rêva de son ours entouré de loups et de gloutons. Il pleurait, en songe, d'avoir tué le noble Maskwâ pour rien.

Il retourna dans la forêt au petit jour, armé du grand

couteau de Pennisk, résolu de sauver ne serait-ce qu'une partie de la viande. Quelle ne fut sa surprise de trouver, au pied de la falaise, un groupe d'hommes riant et se disputant. La carcasse était entièrement dépecée. Seuls manquaient les viscères et la langue, que les loups avaient dévorés.

Les hommes se turent en voyant arriver Askik. Après un moment de gêne, le garçon avança, ramassa une patte d'ours qui gisait dans la neige, et s'en retourna. Quand il fut un peu plus loin il entendit les voix reprendre d'un seul coup. Celle de Niskigwonne, menaçante et grondeuse, suscitait les rires et les approbations.

L'odeur de viande rôtie se répandit dans tout le village. Des rires et des éclats de voix perçaient de nouveau les murs des loges. Tout le monde était au festin que leur offrait Maskwâ. Les femmes étaient sorties à sa rencontre avec des offrandes de tabac et d'alcool. Elles avaient traité Maskwâ de « Cher hôte ! », et l'avaient remercié de s'être donné pour les petits. Car les Anichnabègues tiennent l'ours pour un homme intelligent, qui sait lorsqu'un chasseur se met sur sa trace, et qui peut s'échapper, ou se laisser prendre.

Pennisk ne voulut pas goûter à la patte d'ours. Depuis son admission au Midéwiwin, disait-elle, elle avait un petit ours dans la gorge qui prenait mal lorsque passait de la chair de son espèce.

Elle n'était plus assise au feu, mais s'était accotée à la paroi sud de la loge où passait un peu de la chaleur du soleil. Elle écoutait les bruits de fête venant des autres loges.

— Tu sais, petit, autrefois les Anichnabègues riaient plus souvent. Nous étions mieux, entre nous, avant l'arrivée des Poilus. Et après un moment de réflexion, elle ajouta : Les violons et les marmites, ça ne suffit pas... Ont-ils ramené la tête de Maskwâ ?

— Oui, Pennisk.

— Veille à ce que le crâne soit bien nettoyé et accroché à un arbre, pour que les chiens ne l'outragent pas.

— Il n'y a plus de chiens, Pennisk.

— N'importe ! glapit la vieille. Maskwâ a droit aux honneurs !

Askik baissa les yeux. Sa compagne devenait acariâtre. Tout comme son grand-père avant sa mort. Avait-elle peur de mourir, elle aussi ?

— Aujourd'hui, dit Pennisk, je peux me reposer. Ils font la fête. La nuit dernière j'ai senti leurs esprits qui se pressaient autour du wakinogan. J'ai entendu le cri des âmes que dévorait l'araignée-médecine. Mais ils sont nombreux, ils vont revenir. Ils me craignent, mais ils me détestent encore plus. Ils ne t'ont pas remercié, petit Métis ?

— Non, Kokoum.

— Mais ils te laisseront tranquille. Ils croyaient la viande empoisonnée. Ils verront qu'elle est bonne et ne sauront plus que penser de toi. Maintenant que tu as mangé, laisse-moi dormir un peu.

Enhardi par son récent succès, Askik retourna à la chasse. Il n'était pas aussitôt entré dans la forêt qu'il vit un grand lièvre qui bondissait sur place, pour surveiller ses alentours. Askik ne put le rattraper, mais il visita tous ses pièges pour s'assurer que les collets étaient bien posés. En marchant sur la glace d'un ruisseau il surprit une musaraigne qui se promenait sur la berge dégoulinante. Riant de joie, Askik accula la petite bête contre un rocher, la saisit de la main, et apprit que la musaraigne est vénéneuse. Le doigt enflé, il partit de son côté, la musaraigne du sien. Un groupe de jaseurs pillaient les baies bleu poussière d'un genévrier. Ils s'envolèrent en poussant des cris de désapprobation. Askik se demanda pourquoi les oiseaux d'hiver chantent tous si mal.

Il rentra les mains vides mais le cœur plein, persuadé que le dégel n'était plus loin, que son père reviendrait bientôt le chercher et qu'ils retourneraient ensemble à Saint-Boniface.

Mais que se passait-il dans le camp ? Les femmes couraient de loge en loge, les regards chargés de panique. Une foule s'était formée à l'entrée d'un wakinogan du centre. Des tambours vrombissaient à l'intérieur. Par les questions que posaient les arrivants, Askik crut comprendre qu'un enfant était malade, qu'on craignait que le mal ne se répande.

Askik passa rapidement devant le groupe, sentant d'instinct qu'il devait se mettre à l'abri. Mais on le remarqua. Un torrent de haine le submergea aussitôt.

— Sorcier!

— Empoisonneur!

— La vieille ne te suffit plus, cochon! Tu veux nos filles!

— Un démon! Un démon qui attaque les enfants!

Un jeune homme saisit un bâton sur un tas de bois et le lui lança de toutes ses forces. Les cris de fureur redoublèrent.

Askik ne voulait pas reculer, par orgueil. Il voulut se défendre, mais la stupeur lui fermait la bouche. Un billot le frappa à l'épaule. Un autre lui meurtrit le bas du visage. Il recula, les yeux reluisant d'indignation, le nez en sang.

Les adultes ne se possédaient plus. Les femmes surtout s'époumonaient de rage et de peur, les dents toutes blanches dans des bouches cramoisies.

La foule chargea, l'enfant décampa sous une pluie de bâtons. Lorsqu'il eut traversé la moitié du village, il n'y avait que le jeune homme qui le poursuivait encore. Alors Askik se retourna, essoufflé, et balbutia :

— Attends, *nedji*! Qu'est-ce que j'ai fait?

Mais l'autre planta son genou dans l'estomac de l'enfant et l'envoya rouler en lui donnant un solide coup de poing dans la tempe. Estomaqué, les oreilles bourdonnant, Askik se retrouva le visage dans la neige.

Le jeune homme allait recommencer, mais se découvrant seul, cracha sur l'enfant, et s'en retourna.

Longtemps, longtemps, l'air refusa de pénétrer les poumons. A quatre pattes dans la neige, Askik fermait et ouvrait la bouche comme un poisson hors de l'eau. Lorsque enfin il put respirer, il demeura un long moment à écouter son souffle, à regarder le sang qui lui dégouttait du nez. Le bruit d'ouragan dans sa tête s'estompa petit à petit. Enfin, il pressa une poignée de neige contre ses lèvres enflées, et rentra. Pennisk, peut-être, saurait lui expliquer.

En approchant le wakinogan, il nota que la couverture d'entrée était à moitié arrachée, qu'il n'y avait pas de feu à l'intérieur, que la vieille femme était silencieuse. Il y avait des traces devant la porte, trop.

En entrant, Askik vit seulement les braises rougeoyant dans l'obscurité. Puis, peu à peu, il distingua les jambes nues et écartées de la vieillarde, la robe refoulée à la taille par la violence de la chute, un bras bizarrement replié sous le dos, la tête tordue d'un côté, une raie noire sortant du nez et maculant la joue.

Askik jeta de la paille au feu. Il vit ensuite la bosse sur le crâne suppurant le sang, la chair flasque des cuisses, le sexe glabre, les pieds tendineux dans les mocassins sales.

Était-ce ça la mort ? Mais alors, tous ces meurtres glorieux des récits de guerriers ? Toute sa vie, Askik avait imaginé des luttes épiques, des morts héroïques, le repos glacial des victimes. Mais il n'y avait ici que bassesse, déchéance, obscénité.

Un mouvement de paupière. Tout juste un mouvement. Askik approcha la joue du visage de Pennisk et devina un souffle, à peine perceptible. Il la traîna jusqu'à sa couverture, essuya le sang du visage, mais ne toucha pas à la blessure. Il répara la couverture d'entrée, et revint s'asseoir aux côtés de Pennisk.

VIII

Elle vécut encore quelques jours, en proie à d'effroyables maux de tête qui la laissaient, fort heureusement, à demi inconsciente. Quand la douleur se retirait, elle reprenait connaissance de ses alentours. Dans ces moments-là, elle semblait prendre plaisir à parler. La vieille Pennisk n'était plus. Sa délivrance était assurée, elle attendait patiemment le moment de rejoindre ses enfants. Elle se plaisait à imaginer une grande loge aérienne où se réuniraient ses deux familles, anichnabègue et oglalla. Elle avait retrouvé sa gaieté d'antan, car elle était persuadée de marcher vers la jeunesse. Il lui arrivait même de rire en rappelant des moments cocasses de sa vie, en imaginant les espiègleries de ses enfants dans l'autre monde. Les connaissant, ils avaient dû profiter de son absence pour faire un beau remueménage chez les ancêtres !

Un matin que le garçon s'apprêtait à sortir chasser, la mourante le rappela.

— Ne sors pas, *nitotem. Kawina wanawi* ! C'était la première fois qu'elle l'appelait « ami ». Elle n'était plus déjà sa *Kokoum,* son enseignante, mais une compagne du même âge. Tant que tu resteras ici, expliqua-t-elle, tu seras en sécurité. Ils n'oseront pas entrer. Ils me craignent encore plus morte que vivante.

— Mais je ne peux pas rester ici toujours, protesta Askik.

— Après que je serai partie, un homme viendra te chercher...

— *Nipapa !*

— Je ne sais pas. Mais attends-le dans le wakinogan. Si la fillette est morte et que tu sors, ils te tueront sûrement.

— Quelle fillette ?

— L'autre jour, quand tu as rapporté de la viande, une fillette en a mangé et est tombée malade. Maskwâ est difficile à digérer après un long jeûne. Ou peut-être était-elle prise d'un autre mal, je ne sais pas. Ça n'a pas d'importance. Les parents ont cru que j'avais empoisonné la viande et l'ont crié à tue-tête dans le village. Tu imagines l'affolement. Tout le monde était en train de manger : les enfants s'étaient déjà bourré l'estomac. Ils en ont perdu la raison. Tous ces chers petits qui allaient disparaître ! Le seul moyen de les sauver était de tuer la sorcière.

Je les ai entendus arriver à la course. Je les attendais. C'est le père de la fillette qui m'a frappée. Je me souviens de sa massue. Des plumes, et du bois sculpté. Très jolie. Mon nénapème en avait une semblable.

— Tu as rêvé à l'homme qui viendra me chercher ?

— *Ehé*, ne crains pas.

— Et ensuite, qu'est-ce que je ferai ?

— Je ne le sais pas, petit Métis.

— Mais où cet homme va-t-il m'emmener ? Je ne resterai pas ici ?

— Quelle importance ? Il est temps que tu t'affranchisses des humains. Tu seras bientôt un homme. Jusqu'à présent tu as dépendu pour vivre de ta mère, de ton père, de moi... Maintenant, tu passes de la protection des hommes à celle des esprits. Après ma mort, tu jeûneras quatre jours, en priant sans cesse pour qu'un ami te soit donné. Plus tu feras pitié aux manidos, plus vite l'un d'eux t'adoptera. Et si ce premier jeûne n'apporte rien, recommence.

Dehors, Zigwonne donnait les derniers coups de hache dans les murailles de son ennemi. Il nivelait les congères, faisait ruisseler les arbres, et tirait par les cheveux les bourgeons ensommeillés. Les oies sauvages passaient jour et nuit, en faisant retentir les étoiles de leurs voix claironnantes. L'odeur de volaille grillée flottait entre les loges. Askik grignotait les restes de sa patte d'ours et s'étonnait de ne pas avoir faim.

— Ah ! petit Métis, fit Pennisk en le regardant manger, un jour tu viendras dans ma loge rendre visite à mes enfants et moi. Et je te ferai un festin comme j'avais l'habitude d'en préparer.

— Est-ce que nous irons au même ciel, Kokoum ?

— Je ne sais pas. Je me pose la question depuis longtemps. On dit que l'entrée du ciel des Blancs est de l'autre côté des eaux amères, en Angleterre. J'ai entendu dire que la porte du Pays des âmes serait au-dessus de Michillimakinak, la Première Terre. C'est bon pour les Indiens et les Blancs. Mais où vont les Métis ? Je ne sais pas. Peut-être auront-ils un ciel à eux

255

autres. C'est bien possible. Mais je ne voudrais pas y aller. J'aime vos violons, mais pas vos charrettes : elles mènent un vacarme horrible. Où vont les Métis ? C'est une question intéressante. Peut-être aurez-vous le choix entre le ciel des Indiens et celui des Blancs...

— Alors je choisirai celui des Indiens ! Pour te rendre visite.

— *Hai !* ricana la vieille.

— Kokoum..., osa le garçon, qui voyait la vieillarde fermer les yeux.

— Qu'est-ce que c'est ?

— Est-ce que tu hais les Métis pour avoir tué ton mari et ton fils ?

— Les Dakotas m'ont battue, puis aimée. Les Canadiens m'ont donné leurs maladies, et leurs perles. Les Slotas ont tué mon fils, et m'en ont donné un autre. Je n'ai pas de préférence.

— Crois-tu que je doive étudier le *masinahigonne* et apprendre à devenir un grand homme ? Ou est-ce que je dois devenir chasseur et me marier avec Mona ?

La vieillarde rigola de bon cœur, en regrettant déjà les élancements que cela provoquait dans son crâne. Sa plaie allait se remettre à couler.

— Ça n'a pas d'importance, petit Métis.

— C'est important pour moi ! s'indigna Askik.

— Mais pas pour très longtemps.

— Qu'est-ce que tu as, Kokoum ?

Une pâleur avait envahi son visage. La peau terreuse sembla se ramollir tout d'un coup en étirant les traits vers le bas.

— Je suis fatiguée. Laisse-moi dormir. Demain, j'irai mieux.

Une douleur opaque, épaisse, s'était répandue derrière ses yeux, étouffant la lumière et vidant d'un seul coup le reste de ses forces.

La lueur bleue du matin, filtrant à travers les fentes enneigées du toit, n'était ni plus froide ni plus pâle que les traits calmes et sévères de la morte. Pennisk ne s'était pas laissée faire. Elle s'était imposée à la mort les yeux fermés, le corps droit, les bras rangés dignement à ses côtés. La plaie sur sa tête ne coulait pas.

Quand l'enfant s'éveilla, il sut au premier coup d'œil qu'il était seul. A genoux dans sa robe de couchage, Askik la regarda un long moment, ne sachant que penser. Il voulut entonner un chant funèbre, moitié sanglot, moitié cri de guerre, du genre que lancent les Cris des plaines. Mais il ne connaissait pas de chant. Il voulut courir dehors, arc en main, abattre les ennemis de Pennisk. Mais sa haine passa aussitôt. En étudiant la vieille robe tachetée de la morte, ses mocassins usés, il se rappela que Pennisk avait été seule et malheureuse et il crut qu'il allait pleurer. Mais il avait trop mal.

Le jour passa. La nuit passa. Et Askik ne fit rien d'autre que de veiller son amie. La veiller et l'aimer. Il l'aimait de tout son cœur.

Il suivit à la lettre ses directives. Sur chaque joue creuse Askik peignit un disque brun, avec une poudre de champignon qu'elle avait préparée d'avance. Il mêla du vermillon à un peu d'eau et traça deux raies écarlates des oreilles à la bouche. Il dessina aussi des lignes rouges sur sa couverture d'orignal. Enfin il décrocha du mur le sac-médecine qui contenait le terrible *wayan*. Les coutures vétustes laissèrent tomber une petite coquille blanche, le *midjisse,* qui pénètre le corps de l'initié, le tue, et le rend à la vie du Midéwiwin. Askik eut du mal à écarter le bras de la morte, mais il plaça le sac, comme elle l'avait demandé, sous le bras gauche, près du cœur. Pennisk était prête pour la danse des esprits. L'enfant posa près d'elle un peu de poisson fumé, un couteau, et des mocassins d'appoint, juste ce qu'il fallait pour le voyage de quatre jours vers le Pays des Âmes. Une fois sur place, elle trouverait tout en abondance.

Cette nuit-là, Askik songea à son amie, redevenue

jeune, arpentant le Chemin du Loup, ses mocassins foulant des étoiles. Pensait-elle en souriant au petit Métis qui l'avait équipée pour le voyage ? Entendait-elle déjà, loin au-dessus de sa tête, les tambours célestes qui chaque nuit appellent les esprits à la danse ? Quels chants, quels ululements doivent résonner dans les hautes sphères ! Les petits de Pennisk seraient-ils encore des enfants, ou des hommes et des femmes attendant de célébrer l'arrivée d'une mère de leur âge ? Ah ! Askik espérait que Pennisk avait raison, que les Métis avaient le droit de voyager entre le paradis des Blancs et le Pays des Âmes, car il avait grand-envie de rendre un jour visite à sa vieille amie !

Il perdit vite la notion du temps. Quand le bois manqua, il se recouvrit de peaux et se passa de feu. Quand il eut tout mangé, il jeûna. Il voyait passer les jours et les nuits par les fentes du toit, mais ne les comptait pas. A force de contempler la figure immuable de la morte, il crut que le temps s'était arrêté à l'intérieur du wakinogan, que plus rien ne changerait dans la loge d'écorce. Dehors, on pouvait se disputer, courir, vieillir : en dedans, ce serait toujours silence, froid, et absence de besoins. Il vécut ainsi pendant plusieurs ères, vit des forêts pousser, assista aux pérégrinations saisonnières des bisons, vit des tipis lumineux comme des lanternes se multiplier au ciel.

En fait, il n'en était qu'à sa quatrième journée lorsque la porte de la loge fut arrachée, la couverture écartée, et que l'abbé Charles Teillet passa la tête par l'ouverture.

L'abbé Teillet était pressé. Il voulait gagner Saint-Boniface avant la débâcle. Une fois la glace rompue, il serait obligé d'attendre plusieurs semaines pour que les cours d'eau deviennent navigables. Il revenait d'une tournée dans le Nord où il avait ausculté les besoins en missionnaires des Cris et Chipewyans. Il était plus que temps que monseigneur reçoive son rapport, puisque les pétitions d'usage devaient partir incessamment pour les séminaires du Québec et de France.

Il entra dans le village anichnabègue en calculant le nombre de jours qui le séparaient encore de la colonie. Non, il n'avait pas l'intention de rester, affirma-t-il au chef, un prêtre leur serait envoyé durant l'été, lorsque le village serait au grand complet. Le chef n'insista pas : les prêtres gênent le commerce, se chicanent avec les hommes-médecine, et divisent la population. L'accueil ne fut pas des plus chaleureux.

Mais au cours de cette soirée, l'abbé Teillet sentit chez le chef et les aînés un malaise qui allait au-delà des réticences de religion. Les gens du village avaient l'air inquiet, nerveux.

Le lendemain, avant son départ, l'abbé Teillet demanda carrément s'il ne se passait pas quelque chose d'anormal dans le camp. Après un moment d'hésitation, les aînés décidèrent de demander son avis sur un problème qui les harcelait tous.

Quelques jours auparavant, lui dirent-ils, une sorcière avait empoisonné une fillette du village. Le père, excédé, s'était précipité chez la méchante vieillarde, et l'avait écervelée. Le mauvais sort fut rompu : la fillette vécut. Mais depuis ce temps, le wakinogan de la morte était fermé. Il ne sortait plus de fumée, on ne voyait plus son serviteur métis. Certains disaient que le sang-mêlé était mort de chagrin (il était l'amant de la vieille) ; d'autres disaient que le Métis s'efforçait de ressusciter la sorcière. Que pensait la Robe-Noire ? Fallait-il brûler le wakinogan et le Métis pour empêcher la sorcière de revenir à la vie et, dans ce cas, y avait-il danger qu'elle hante le village, ou fallait-il abandonner pour toujours ce campement ?

L'abbé Teillet ne les ménagea pas. Un hiver dans les bois n'avait rien fait pour tempérer son naturel brusque. Voilà où mènent les superstitions païennes ! Voilà ce qu'emporte le refus du christianisme ! Des sorcières et des sorts ! Sottises ! Meurtres et sottises !

Fort de dix-huit siècles de catholicisme, l'abbé Teillet

partit à grands pas vers le wakinogan de la sorcière, heureux de démontrer la futilité de leurs craintes. Mais quand il passa la tête par l'ouverture de la loge, le prêtre lança un tel cri d'ahurissement que le chef et les aînés poussèrent ensemble un grognement de satisfaction. La prochaine fois, Robe-Noire, nous croiras-tu ?

Les Anichnabègues ne voulurent pas de ce cadavre dans leur cimetière. Askik et l'abbé Teillet enveloppèrent Pennisk dans sa couverture d'orignal, et l'emportèrent sur un vieux toboggan.

Après une journée de marche, ils escaladèrent un rocher, bien en retrait de la rivière, et déposèrent le corps sur une plate-forme dans des pins gris. Il n'y avait rien d'autre à faire. Le sol était gelé dur. L'abbé Teillet prononça des prières pour le repos de l'âme de Pennisk, fille sauvage des Anichnabègues, morte sans les consolations de la religion. Quand le prêtre eut fini, Askik lui tapota l'avant-bras.

— Elle m'a appris une prière, et m'a demandé de la dire pour elle.

— Bon.

— Je peux la dire ?

— Oui, oui ! répondit le prêtre avec un brin d'énervement. Tout cela coûtait du temps. Plus il tardait à rendre son rapport, plus il y aurait de Pennisk, mortes dans l'ignorance.

Askik leva les yeux sur sa vieille amie, toute emmitouflée dans ses robes et couvertures, comme un paquet mal ficelé. Les pins gris chuchotaient.

— Tes pieds sont maintenant sur le Chemin des Âmes, récita Askik. Remonte la piste. Retourne là d'où tu viens.

Puis en se retournant vers le prêtre il ajouta :

— C'est tout.

— Alors viens, Askik. Nous aussi, nous avons du chemin à faire.

IX

La Rouge était recouverte de brume, le soleil levant avait l'air aqueux d'un œuf à moitié cuit.

A quelques pieds de l'eau, un homme dormait sous un canot d'écorce renversé. Le dormeur était agité. Tantôt il se roulait en boule, tantôt il s'allongeait en donnant des coups de pied dans sa maigre couverture. Enfin, proférant un juron plus haut que les autres, il roula de dessous le canot et, bondissant sur ses pieds, tâcha de secouer la moiteur qui lui mangeait les os. Il sautait, se frottait, tapait de la semelle. Ç'aurait pu être drôle, n'eût été la douleur qui contorsionnait le visage.

— Nom d'un chien ! Nom d'un sacré chien !

Mais Lafortune avait couché sur trop de berges froides pour se réchauffer tout à fait. Il lui restait toujours un résidu de froidure au fond du corps. Tout ce qu'il pouvait espérer, c'était un bon feu en entrant en enfer. C'est du moins ce qu'il aimait dire.

Il se mit à marcher en long et en large en s'assenant des claques sur les flancs. Un passant aurait pu le prendre pour un grand oiseau aquatique se dégourdissant les ailes avant de s'envoler. Mais il n'y avait pas de passants. La rive était déserte. Le bac était amarré. En haut de la berge, la colonie dormait, insensible aux misères de Lafortune. Pourquoi, d'ailleurs, se serait-on occupé de lui ?

Pourquoi le malheur s'acharne-t-il toujours sur les mêmes ? Il y avait déjà deux semaines qu'Urbain Lafortune avait démoli le mur de sa maison pour en faire émerger un canot rond, blond, et roux, comme un pain sortant d'un four. Les coutures en racine d'épinette, le calfatage en gomme de pin, le dessin vert et jaune à la proue, tout était soigné, pourléché, parfait. Lafortune retournait dans son pays natal dans un canot deux fois plus beau que celui qui l'en avait éloigné quarante ans plus tôt. Une manière de revanche.

261

Il ne lui manquait plus qu'un rameur, et surtout, une cargaison pour payer le voyage. Vrai, la route des canots vers le Canada n'était plus rentable : la voie américaine, par charrettes et chemin de fer, l'avait remplacée. Mais en temps normal, il y avait toujours à Saint-Boniface un traiteur ou commerçant qui avait des paquets à expédier, qui n'avait pas hâte de les voir arriver à Montréal, et qui cherchait à économiser des piastres.

En temps normal seulement. Car le destin avait tourné contre Lafortune. Comment ? Il ne le savait trop. Personne ne le savait. Tout était rumeur et conjecture. La Compagnie de la baie d'Hudson avait, semble-t-il, vendu la Rivière Rouge au Canada. Sans avertir les Métis. Des arpenteurs étaient arrivés pour préparer l'arrivée de colons canadiens. Ils avaient tendu leurs chaînes à travers des pacages et des cultures, comme si ces bouts de terres n'appartenaient à personne. Les Métis, excédés, avaient chassé les arpenteurs, chassé le nouveau gouverneur canadien, chassé des loyalistes anglais venus rétablir l'ordre.

Et telle était la situation par ce frileux matin de printemps, tandis qu'Urbain Lafortune faisait les cent pas dans la glaise. Derrière les murs crayeux du fort Garry, le gouverneur de la baie d'Hudson gisait malade, confus, ne sachant plus s'il était maître du pays, tandis que dans son bureau un chef métis signait des décrets, promulguait des lois, et ne doutait pas, lui, de son droit. La colonie s'était refermée comme un piège. Plus rien ni personne n'en sortait. Les marchands cachaient leurs biens, de peur de les voir confisqués. Lafortune ne trouvait ni rameur ni cargaison. Et la saison avançait...

Des filets de fumée s'élevaient dans le ciel bleu-vert. Les femmes mettaient en voie le déjeuner. Quelques-unes sortaient prendre du bois en faisant claquer leurs portes. Un paysan passa sur le chemin avec son bœuf et sa charrette. A tous les trois pas, il adressait un doux : « Mâche, mâche don' » à sa bête, mais il regardait partout ailleurs.

Un gargouillis sonore rappela à Lafortune qu'il

n'avait pas mangé depuis midi du jour précédent. Il tira sans grand espoir sur ses lignes de pêche, et les relança à l'eau sans renouveler l'appât. Il était écœuré de carpe et de barbotte. Écœuré de cette rivière brune et léthargique. Écœuré de son beau canot qui ne servait à rien.

— Tiens, Lafortune. Toujours là ?

Le vieux McDougall était sorti de sa hutte en bois de caisse. Il s'étirait avec précaution, comme s'il craignait de déchirer des muscles.

— Aihhh ! Ah ! ces pauvres os ! C'est le brouillard, fils, qui m'afflige.

— Le brouillard, tu l'as derrière les yeux, espèce de vieil ivrogne.

— Holà ! Le voilà tout énervé ! Et qu'est-ce que je lui ai fait, hein ? Pour dire que je bois, je bois. Je ne le nie pas. Mais à mon âge, on n'a pas beaucoup de consolations. Tu le verras bien, conclut le passeur.

— Que le diable m'emporte si un jour je te ressemble !

— Pardon. J'oubliais que Son Honneur allait vivre dans un couvent. Y aura du monde aujourd'hui, Lafortune. Si tu me donnes un coup de main, on partagera les recettes.

Lafortune s'était assis sur une touffe d'herbes un peu moins trempées que les autres.

— Du monde, pourquoi ?

— C'est aujourd'hui qu'ils fusillent Scott.

— Ils vont le fusiller ?

— Paraît qu'oui.

— Et toé, ça te fait rien ?

— Que veux-tu que ça me fasse, fils ?

— T'es anglais, non ?

— Écossais. Mais ce n'est pas moi qu'on fusille.

Le vieillard musa tout haut, pour mieux allécher Lafortune.

— Aujourd'hui, j' peux demander plein prix à tout le monde. Pas d'exception. Quand ils voyagent pour affaires, j' suis prêt à faire crédit. Mais quand on va au spectacle, faut payer.

— Tu t'enrichis du malheur des autres. Belle sangsue !

Ce qui n'empêcha pas Lafortune de s'asseoir au feu de la sangsue, de partager son café et son pain. Ils n'avaient pas aussitôt avalé leur déjeuner qu'arrivèrent les premiers curieux.

— C'est pour aujourd'hui ? disaient-ils en prenant une voix grave, comme pour dire : « Je ne vais pas là pour m'amuser, moi. D'ailleurs les fusillades ne m'amusent plus. »

— Sais pas. Montez ! répondait le passeur.

Lafortune et McDougall travaillèrent toute la matinée à faire passer ces badauds qui, une fois arrivés de l'autre côté, ne savaient plus que faire de leur personne. Ils se massaient sous les murs du fort, tournoyaient devant les portes, interpellaient les gardes à travers les meurtrières. Plus il y en avait, plus le voyage devenait irrésistible à ceux qui n'avaient pas encore traversé.

— Baptême ! C'est tout Saint-Boniface qui va y passer ! jura Lafortune en halant sur la corde traversière.

— On manque de divertissement dans cette ville, marmotta le passeur en prélevant un sou à chaque passager.

Les spectateurs commençaient déjà à refluer vers Saint-Boniface, persuadés que l'exécution n'aurait pas lieu ce jour-là, lorsqu'un jeune commis en bras de chemise vint trouver Lafortune au débarcadère.

— Urbain Lafortune ?

— Moi-même, mon p'tit homme. Qu'est-ce que je peux faire pour ton bonheur ?

— Monsieur Mercredi voudrait te voir.

— Jérôme ! s'esclaffa Lafortune. Ah ! ce sacré Jérôme ! Envoyer un employé de bureau annoncer son retour ! Quel cochon farceur ! Si Jérôme était revenu du Nord avec de l'argent en poche, c'est qu'il y avait du bon temps en perspective !

— *Raoul* Mercredi, corrigea le commis.

— Ah ! bon. Le visage de Lafortune s'assombrit. Voilà qui était moins drôle.

Il suivit le commis propret jusqu'à une grande cour

remplie de hangars neufs. Il entra dans la maison, se fit durement apostropher par la ménagère pour ses mocassins boueux et, pour finir, se présenta pieds nus devant Raoul Mercredi.

Mercredi avait l'air d'un homme harcelé qui ménage quelques minutes dans sa journée pour une affaire qu'il juge insignifiante. Il tâcha tout de même d'ouvrir leur entretien par quelques propos affables.

— Ces imbéciles reviennent du fort ?

— Oui. Ils disent que l'exécution n'aura pas lieu aujourd'hui.

— Il n'y aura pas d'exécution. C'est moi qui vous le dis.

Fin des civilités. Mercredi en vint à son affaire.

— Tu pars pour Montréal, t'es en quête d'un chargement...

Ce n'était pas tout à fait une question et, de toute manière, Lafortune n'avait pas envie de répondre. L'attitude de Mercredi le narguait. Le Métis était demeuré assis tandis que lui, pieds nus et debout, ne savait plus que faire de ses bras. Il prit le parti de les croiser, se déhancha insolemment et prit un air moqueur, genre « tu m'impressionnes pas, mon gros ».

— C'est parfait, continua Mercredi, j'ai quelque chose à envoyer à Montréal.

Le visage de Lafortune s'éclaira d'un coup. De désinvolte, son attitude devint respectueuse.

— A votre service, monsieur. Ce sera des papiers, des fourrures... ?

— Mon neveu.

— Faites excuse ?

— J'envoie mon neveu à Montréal.

— Pas le tout p'tit !

— Plus si p'tit. T'acceptes, oui ou non ?

Urbain Lafortune fit des calculs. Un neveu ce n'est pas lourd, ça se déplace tout seul dans les portages, et ça simplifie l'embarquement et le déchargement. Mais un neveu, c'est fragile. Ça se perd ou ça se casse. Et ça se remplace plus ou moins bien.

— Vous comprenez, monsieur, que le voyage sera long, et dur.

— C'est compris.

— Y a des bouts dangereux. Des risques à prendre.

— J'ai été voyageur, je suis au courant.

— Des hommes se perdent dans les rapides...

— Et d'autres meurent dans leurs champs.. Oui, ou non ?

— Il me faut le gréement, plus cinquante dollars.

— Vingt. Pour le gréement et la nourriture, vois le commis. Bon voyage, Lafortune. Si tu vois mon fainéant de frère en chemin, dis-lui que j'attends ses fourrures.

— Mais... où est-ce que je dois laisser vot' neveu ?

— Demande aux curés. Tout cela est leur idée. Au revoir, Lafortune.

Mercredi se penchait déjà sur ses papiers. Il releva seulement la tête pour aboyer :

— L'autre porte !

Demeuré seul, Raoul Mercredi tenta de se replonger dans ses calculs, d'ordinaire si prenants. Mais il était distrait. Il jeta les yeux par la fenêtre, vit le drapeau des insurgés au-dessus du fort, et jura tout haut. En érigeant sa maison, il avait disposé son bureau pour avoir vue sur le fort. C'était la cathédrale de sa nouvelle religion, le commerce fait pierre. A présent, cette vue ne lui procurait que des brûlures d'estomac. Ses hangars étaient pleins de charrues, de faux, et de fourches, tout était prêt. Quand arriveraient les colons canadiens, ils trouveraient chez Raoul Mercredi tout ce qu'il fallait pour commencer les cultures.

Et voici qu'une petite poignée de fanatiques pensait tout arrêter, tout gâcher au nom de cette « Nouvelle Nation » métisse. Belle nation ! Moitié sauvage, moitié canayenne ; moitié paresseuse, moitié fainéante ! jurait Mercredi, qui exécrait sa race, bien qu'il ne l'eût jamais avoué à un Anglâ.

Avant de se rasseoir, il nota avec une amère satisfaction que le drapeau des insurgés portait l'enseigne britannique dans un coin. Même en se révoltant, les Métis demeuraient soumis.

— Vous allez perdre, mes moutons, grommela-t-il entre les dents. Quand on ne sait pas ce qu'on veut, on perd toujours. Faut savoir ce qu'on veut.

— C'est grand, c'est noble, c'est beau ce qui se passe là-bas !

Le visage maigrichon d'Étienne Prosy était empourpré d'enthousiasme. Seul le nez, moins politisé peut-être, demeurait pâle. Les yeux clignaient rapidement derrière des verres qui demandaient le mouchoir.

Renvoyé de l'école, l'instituteur Prosy s'était joint au journal local et réussissait, la plupart du temps, à manger. Askik l'avait rencontré sur le grand chemin, les pantalons crottés jusqu'aux genoux, en homme qui n'a pas le temps de contourner les flaques d'eau.

— Les réunions du gouvernement provisoire, expliquait Prosy, ont lieu dans la grande salle. Riel se tient à la place du gouverneur. Ah, cher Askik ! Il faut voir ces chasseurs et paysans discuter de constitution, de Charte, de lois ! Je ne les ai pas encore convaincus d'adopter le Code civil, mais il n'est pas exclu que je réussisse. D'ailleurs, je crois avoir donné des conseils qui ne sont pas passés inaperçus. Il n'est pas impossible — tout cela demeurant entre nous, bien entendu — que Louis Riel fasse appel à moi pour diriger un ministère. L'Éducation, peut-être ? Vois-tu, Askik, les conseillers actuels ont la connaissance du pays, une certaine franchise dans les propos et les idées. Mais la conduite d'une politique tant interne qu'externe demande de la subtilité, du doigté. On ne peut pas faire tout ce qui vient à la tête. On ne résout pas tous les différends à gros coups de hache. Devant l'envoyé d'une puissance étrangère — mettons le Canada — il faut quelqu'un pour mettre l'eau dans les revendications, polir les griefs. Sans pour autant reculer sur le fond : cela j'y tiens !

267

Prosy gratifia son ancien élève d'un sourire indulgent, et quelque peu mélancolique.

— Ah! soupira-t-il, nous sommes bien loin de nos soirées littéraires d'autrefois, n'est-ce pas mon jeune ami? Mais je ne serai pas le premier homme de lettres à faire un détour dans la vie publique. Souviens-toi de Lamartine et Hugo.

Askik s'en souvenait vaguement.

— Et toi donc! s'exclama Prosy, qui allait partir mais qui venait de se rendre compte qu'Askik n'avait encore rien dit. Qu'est-ce que j'entends? Tu te rends à Montréal? A toute autre époque, je t'aurais envié. Mais à présent, c'est ici que ça se passe. Et il y a chez ces sulpiciens un esprit vieillot qui m'horripile! C'est bien chez les sulpiciens qu'on t'envoie? N'importe. Tu leur tiendras tête. J'ai tout de suite remarqué chez toi des aptitudes hors de l'ordinaire, et j'ai taillé mes leçons en conséquence. Mais au juste, mon cher, qui paie tes études?

— Une famille généreuse de Montréal, répéta Askik. Il n'en savait vraiment pas plus long.

— Ah! Des mécènes. Tu ne seras pas le premier jeune Métis à profiter de leurs secours. Mais peut-être seras-tu le dernier, avec l'arrivée des sœurs Scientia et Sapientia dans cette contrée sauvage. Et comment te rendras-tu à Montréal?

— En canot!

— Quelle horreur! Moins cher sans doute. Une idée de ton oncle?

— Les prêtres l'ont forcé à payer le voyage.

Le visage de Prosy se rembrunit. Il se pencha vers Askik pour n'être entendu que de lui, bien qu'il n'y eût personne d'autre sur le chemin.

— Ton oncle se range du mauvais côté. Cela se sait. Cela se note. Non pas par moi, ajouta-t-il en se relevant d'un coup sec, mais par d'autres, plus prompts, mettons moins indulgents. Les tenants de la grosse hache, si j'ose dire, rigola Prosy, qui se trouvait beaucoup de verve depuis son entrée en politique. Adieu, Askik! Si je ne viens pas à ton départ, tu sauras que les affaires de la nation me retiennent. Je me rends de ce pas au Conseil ! cria-t-il par-dessus son épaule, comme pour excuser ses grandes jambes qui l'emportaient si passionnément vers le fort. Il portait sous le bras l'esquisse d'un uniforme qu'il voulait faire endosser à la future armée métisse. Car il y aurait sûrement, disait-il, une armée. Ministre de l'Éducation, c'est bien ; ministre de l'Armée, c'est mieux.

— Jamais vu ça ! Jamais !

C'était le matin du départ. Lafortune chargeait le canot en maugréant. Non pas que l'équipement fourni par Mercredi fût mauvais : il était excellent. La faute n'en revenait pas non plus au temps : il n'y avait pas une ride sur l'eau. Non, ce qui énervait Lafortune était assis placidement près du feu à fumer du gros tabac mêlé de *kinnikinnik*.

Quand Lafortune avait fait savoir à Raoul Mercredi qu'il ne trouvait pas de second rameur, quand le commerçant avait répondu — par commis interposé — qu'il se chargeait d'en trouver, Lafortune avait attendu un Métis ou un Canadien. Au lieu de cela, Mercredi lui envoyait un Cri.

C'était un Muskégo, tout juste arrivé dans la colonie. Il était apparu un beau jour sans rien demander ni chercher, ce qui était déjà suspect aux yeux de Lafortune. Il se promenait parmi les immeubles, la pipe au bec, étudiait les cheminées, les costumes des passants, les jeux des enfants, la démarche des femmes. Il entrait par toutes les portes ouvertes, regardait travailler le fer à la forge, détaillait les achats des clients au magasin, se penchait sur l'épaule des commis dans les bureaux, tâtait les chevaux dans les écuries. Et tout cela avec un air de curiosité si ingénue que personne ne songeait à le chasser. Un commis plus éveillé que les autres lui demanda s'il n'aimerait pas visiter des villes encore plus intéressantes : l'Indien répondit oui. On l'embaucha comme second rameur.

269

— Jamais vu un Sauvage avec la bougeotte ! Jamais !
bougonna Lafortune. Pour lui, c'était clair : les Indiens
comme les chevreuils ne se déplacent que par nécessité.
Un Indien qui voyage pour le plaisir est un Indien qui a
quelque chose en tête. Peut-être le Muskégo les aban-
donnerait-il en chemin, une fois arrivé où il voulait se
rendre. Peut-être avait-il un projet plus sinistre. La
main de Lafortune se porta d'instinct à sa ceinture où
se cachaient ses dollars : les yeux intelligents du Muskégo relevèrent le geste.

Des voix retentirent en haut de la berge.

— Grandement temps, marmotta Lafortune, en
voyant arriver sa cargaison.

Askik dévalait la berge par grands bonds. Derrière
lui, plus étriqué dans sa soutane, venait l'abbé Teillet.
Dès qu'il vit l'Indien, Askik s'écria d'étonnement :

— Numéo !

Le chasseur cri en perdit presque sa pipe.

— *Nisim !*

— Numéo, que fais-tu ici ?

— Je vais voir du pays.

— Et ta famille ?

Un air de résignation passa sur les traits de l'Indien,
comme un grain subit sur un lac calme.

— Partis, *nisim,* tous partis. Quand je suis retourné
chez moi, le village était vide. J'ai retrouvé nos gens
dans la forêt. Les petits étaient déjà morts. Ma femme
voulait que je reste avec elle. Mais j'avais trop mal. Elle
est retournée chez ses parents. Et moi, je vais voir du
pays.

— Assez jasé ! aboya Lafortune, qui avait déjà pris
place à l'avant du canot. Embarquez !

— Attends, Askik ! L'abbé Teillet lui mit au cou une
médaille pendue à un lacet de cuir. C'est sainte Anne,
expliqua le prêtre, patronne des Métis et des Canadiens
français. Elle veillera sur toi.

L'enfant levait des yeux pleins d'excitation et de joie.
Le prêtre en ressentit un point au cœur.

— Tu es bien jeune, Askik, pour voyager si loin... Il

voulut ajouter : n'as-tu pas de peine de quitter ton père et ta mère ? Mais il se retint. Après tout, si on envoyait Askik à Montréal, c'était bien pour le retirer à l'influence de ses parents.

— Monsieur le curé ! protesta Lafortune, si on ne part pas bientôt vous pourrez nous prêter vos raquettes à neige !

Le canot s'éloignait déjà de la berge, Lafortune donnait son premier coup d'aviron — vers le bas Canada, vers les lits chauds et les femmes moelleuses — lorsqu'une figure apparut sur la berge, bondissant comme un lièvre et hurlant à pleins poumons :

— Attendez ! Au nom de la République, arrêtez !

— Cré maudit de baptême ! explosa Lafortune. On partira ben jamais ! Puis sa voix stupéfaite s'éleva d'une octave. Non mais... C'est quoi ce grand agrâ ?

Prosy s'écrasa sur la berge comme un vieux corbeau défait par les vents.

— Askik ! souffla-t-il, en tendant un paquet au-dessus de l'eau. Pour l'amour du Ciel et de la nation ! C'est un recueil de mes articles sur la situation présente. Fais-les livrer au journal *Le Pays* de Montréal. J'ai voulu les envoyer par la voie américaine ; personne n'a voulu s'en charger. Askik saisit le paquet.

— On part ! cria Lafortune, qui brassait de l'eau en jurant de toute son âme.

— *Le Pays !* cria Prosy. Il faut que quelqu'un explique aux Canadiens que les Métis ne font pas la rébellion. Ils sont les sujets loyaux de Sa Majesté. La Rivière Rouge accepte le mariage avec le Canada. Mais elle veut discuter des termes de...

Lafortune et Numéo faisaient du bon travail. Askik n'entendait presque plus son ancien instituteur. Il s'était retourné dans le canot, pour faire mine d'écouter, mais la position était inconfortable. Lâchement, il haussa les épaules comme s'il n'entendait plus, décocha un dernier signe d'adieu, et se retourna vers l'avant.

C'est à ce moment précis que Lafortune poussa un « Hein ! » de stupéfaction.

271

— Ah non ! Ah torrieu d'ostie !

Il écrasa sa rame contre l'eau. Il suffoquait de rage et d'humiliation. Il avait envie de se jeter par-dessus bord, pleurer, tuer, hurler, vomir ! Jamais pareille indignité ne lui était arrivée ! Lui ! Un ancien voyageur ! Partir dans la mauvaise direction !

— C'te maudit grand agrâ m'a complètement déboussolé ! Ah, pourvu que personne n'ait vu ! Ah, Vierge Marie, que personne ne nous ait vus !

Le canot vira de bord, et repartit comme une flèche. Quand ils repassèrent devant leur point de départ, Prosy se remit à crier de plus belle, craignant pour ses écrits.

— Askik ! Askik ! Qu'est-ce qui se passe ?

— Ta yeule, mon maudit, hurla Lafortune, ou je te tue !

Des rires s'élevèrent sur les deux berges. Un garde métis juché à califourchon sur un mur du fort cria :

— Attends, Lafortune ! J' vais t'expliquer. Sur une rivère, y a que deux sens, tu montes, ou tu descends !

Lafortune en avait des larmes aux yeux. Quelle fin de carrière ! Quelle ignominie !

Mais après tout, raisonna l'ancien voyageur, qu'est-ce que ça peut bien faire ? Il s'en allait pour toujours et jamais, au grand jamais, il ne remettrait les pieds dans ce pays de sauvages.

— Riez, riez fort ! Je pars, et vous restez !

Quelques jours plus tard, Jérôme Mercredi rentra à Saint-Boniface. Il remit un maigre paquet de fourrures à son frère — il les avait même huilées pour leur donner plus de poids —, toucha son salaire, et courut récupérer son fils chez les prêtres. Il s'attendait à être rabroué de nouveau par le père économe, et fut tout étonné lorsqu'on l'invita, très gentiment, à entrer. Il comprit vite pourquoi.

— Comment ça, Montréal ?

On lui fit valoir qu'Askik avait du talent, qu'il

n'apprenait rien en parcourant les plaines et les bois, qu'une riche famille du Canada avait accepté de payer son éducation, qu'on ne refuse pas pareille générosité. Abasourdi, assommé d'arguments, Jérôme se laissa docilement éconduire.

Une fois sur le perron, ses esprits lui revinrent. Il courut au fort, acheta un cheval et sortit à bride abattue de la colonie, en prenant le chemin de la montagne Tortue. Il voulait retrouver son deuxième fils avant qu'on ne le lui arrache et avait résolu d'entraîner sa famille très loin des orgueilleux Poilus.

X

Ils campèrent cette première nuit en vue du grand lac Winnipeg, plaque tournante qui mène aux hameaux du Saint-Laurent, comme aux mers de glace. A l'ouest, la foudre illuminait des bancs de nuages. A l'est, une demi-lune voilée planait sur la forêt noire. Entre les deux, des amas de nuages et d'étoiles.

Quand gronda le tonnerre, le premier de l'année, Numéo répandit du tabac sur le feu. Péaso, expliqua-t-il, l'Oiseau-tonnerre était rentré du Sud.

— Où est-il, Numéo ? s'exclama Askik.

Il imaginait une buse géante survolant les nuages rouges.

— Tu ne le verras pas. On le voit rarement. Péaso s'enrobe de nuages. Il fait son nid de pierre sur de hautes montagnes, toujours embrumées. *Nahtotao,* écoute ! Celui-là a la voix grave. C'est un vieil oiseau. L'été, quand naissent les jeunes, ils ont un cri éclatant qui fait peur. Parfois, les jeunes oiseaux blessent les Indiens, parce qu'ils ne sentent pas leur force. Mais Péaso est l'ami du peuple. Sans lui, la terre serait envahie de serpents.

Urbain Lafortune n'entendait pas le cri, et s'occupait peu de ce que pouvait dire l'Indien. Il réchauffait son corps endolori au feu, et pétrissait ses membres avec sollicitude. La journée avait été dure, il n'avait plus l'habitude. Le bras droit, du poignet jusqu'à l'épaule, pulsait de douleur. Le dos se plaignait des longues heures passées à genoux dans le canot, sans dossier. Les jambes trop longtemps repliées ne voulaient plus se dégourdir.

— Y est temps que je lâche l'aviron, les amis, murmura le vieux voyageur. Temps que je prenne ma retraite.

Parlait-il à ses mucles enflés, ou à ses deux compagnons ? Askik et Numéo crurent qu'il leur adressait la parole, ils se turent. Lafortune n'avait rien à ajouter, le silence se fit. Chacun prêta l'oreille aux crépitements du feu, au vent naissant, au roulement lointain du tonnerre.

Lafortune se mit à fredonner des airs d'antan, des chansons d'aviron. Il les passait en revue, les chantonnant du bout des lèvres, regrettant de ne plus les entendre. Mais à qui les enseigner ? A ce gamin à la voix de fillette ? A ce Naturel dont tout le français se résumait en un énergique « Boujou ! ».

Ah ! il était loin le temps lorsque les forêts et les rivières résonnaient aux mâles chansons des voyageurs. Haler des canots dans des marais fétides, la tête enveloppée de moustiques, la fange jusqu'aux genoux, se faisait mieux en chantant les claires fontaines. Et quelle bourgade indienne n'avait entendu, bien avant de les voir, ces voyageurs canadiens s'en revenant de la jolie Rochelle ? De Montréal à la Ribaska, trois mille milles, douze mille chansons. Un guide qui connaissait son affaire échangeait volontiers un gros rameur contre un bon chanteur. Car l'air juste, attaqué au bon moment, réveillait le courage, et relançait les avirons.

— Ça, c'étaient des hommes ! proclama Lafortune en prenant Askik à témoin. Tu sais ce qu'on disait des voyageurs à l'époque, garçon ? Vivent dur, couchent dur, dorment dur, et mangent des chiens ! Ha !

Il renversa la tête et tendit ses lèvres brunes. Askik

crut qu'il allait glapir comme un coyote, mais le vieux voyageur se contenta de pousser un « Youppe! » bien senti, à la mémoire de ses camarades disparus.

— A vrai dire, garçon, je n'ai pas beaucoup mangé de chiens. De Montréal jusqu'au Grand-Portage, on mangeait des pois au lard. Du Grand-Portage à la Rivière Rouge, du blé d'Inde. De la Rivière Rouge à la Ribaska, du pemmican. Et ceux qui allaient de l'autre côté des Rocheuses mangeaient du saumon. J' suis jamais allé, j'aime pas le poisson. Ça manquait de variété, mais personne n'en est mort. C'était mieux, à l'époque, garçon. Sacrément mieux !

Lafortune remontait en sens inverse le voyage fatal qui l'avait perdu quarante ans plus tôt. Chaque pointe, pic et chute lui rappelait des événements connus de lui, ou sanctifiés dans les légendes des voyageurs. Il sentait et voyait avec l'acuité d'un homme qui ne reviendra plus sur ses traces, qui quitte pour toujours les paysages de sa jeunesse.

Il scrutait anxieusement les berges, cherchant partout des traces de ses compères, craignant que tout fût effacé. Lorsqu'il retrouvait malgré tout une piste de halage embroussaillée, une passerelle en bois pourri, ou miracle ! une casserole fendue, Lafortune dansait de joie. Mais les voyageurs, comme les Indiens, avaient laissé peu d'empreintes sur le paysage. La forêt couvrait leurs traces, il n'en restait presque rien. Parfois, rarement, une épinette, émondée aux trois quarts, marquait l'ouverture d'un portage.

Quant à Numéo, il voyait tout avec une égale satisfaction. Une partie des lieux traversés lui était connue, au début tout au moins. Il constatait la croissance des arbres, l'éboulement des berges, notait s'il y avait plus ou moins de loges de castors, jouant avec la prodigieuse mémoire visuelle des Indiens et Métis qui ne lisent pas le *masinahigonne*. Askik, par contre, ne voyait rien, ou presque. Montréal occupait toutes ses pensées. Comment serait la ville, ses écoles, ses églises, comment s'habillaient les habitants ? Il avait demandé aux prêtres le nom de ses bienfaiteurs : « Les pères du collège le sauront », avait répondu l'abbé Teillet.

Askik n'apportait rien à sa nouvelle famille. Pas le moindre cadeau. Il avait songé à mendier un paqueton de fourrures à son oncle, et avait oublié. Il s'en voulait cruellement, songea même à simuler une maladie pour obliger Lafortune à retourner à Saint-Boniface. Mais les forêts et les rochers se succédaient, Saint-Boniface s'enfonçait dans le passé.

Même Askik dut ouvrir les yeux devant les sauts et cataractes qui se succédaient comme les marches d'un escalier sur la turbulente rivière Winnipeg. Les Eaux-qui-remuent, la Rivière Blanche, la Grande-Rapide, la Barrière, chacune emportait son lot de souvenirs et de noyés. Au Portage de l'Isle, de rudes croix de bois marquaient l'endroit où avait chaviré un canot de fret. Les voyageurs savaient rarement nager. Askik avait trouvé les croix en s'égarant de la piste. Elles étaient grises et fendillées, recouvertes de lianes et de sicyos. Des noms effacés avaient été grattés dans le bois.

Numéo et Lafortune devaient tirer dur sur les avirons pour remonter la rivière, encore grosse des eaux de fonte. A chaque cataracte, ils devaient atterrir, emprunter la piste de portage qui contournait les chutes. Il leur fallait chercher longtemps parfois, car les entrées des portages étaient obstruées de roseaux. Mais une fois dans la forêt, la piste coupait net dans les fourrés. A certains endroits, le passage de milliers de pieds avait usé l'humus jusqu'au roc.

Lafortune ne permettait jamais au fragile canot de gratter le fond : le calfatage en gomme de pin était trop friable. Les voyageurs débarquaient dans l'eau à quelques pieds de la berge. Ils chargeaient et déchargeaient avec prudence : un paquet échappé ou renversé pouvait crever la coque d'écorce. Des perches couchées sur le fond du canot répartissaient le poids de la charge.

En plus des vivres, couvertures et vêtements, Lafortune charriait un paqueton de fourrures de contrebande qui l'aiderait, pensait-il, à s'acheter une place dans un

276

couvent. Ce ballot de fourrures lui coûtait cher en tourments. A chaque portage, Lafortune débarquait d'abord son précieux paqueton, en se donnant beaucoup de mal pour ne pas le mouiller. Il transportait sa pièce sur le dos, en s'aidant d'une bricole passée sur le front. Askik suivait avec les rames, les rouleaux d'écorce qui servent à réparer le canot, et les écrits de maître Prosy. Derrière lui, soufflant à peine, venait Numéo, chargé de victuailles. Arrivés au bout du portage, les hommes retournaient chercher le canot : Askik restait pour garder les fourrures. Lafortune les lui confiait chaque fois en implorant :

— Si tu vois un Sauvage, garçon, même de loin, lâche un cri. Ils aimeraient bien mettre la main sur mes peaux.

Il faisait mal à voir ainsi, les yeux dévorés de crainte, la bouche entrouverte, ne se décidant pas à partir. Puis il poussait un gros rire bonhomme, comme pour se rassurer lui-même, et s'en allait en pinçant la joue de l'enfant.

Askik promettait d'être vigilant, et tenait parole. Il scrutait fidèlement les bois, surveillant même les vautours qui tournoyaient au-dessus des arbres et qui guettaient peut-être un seul moment d'inattention pour s'envoler avec quatre-vingt-dix livres de fourrures.

Lafortune n'avait pas entièrement tort de trembler pour ses peaux. La forêt boréale est grande, mais les humains qui l'habitent empruntent tous les mêmes cours d'eau. Ils se déplacent comme les chevreuils, préférant voir que d'être vus, ne sachant jamais si la brindille qui craque ou l'engoulevent qui chante a pour nom Cri, Ojibwé ou Sioux.

Le soir venu, quand ils allumaient un feu pour le souper, Lafortune devenait de plus en plus nerveux. Il imaginait la fumée se déroulant à travers les bois, attirant de partout des rôdeurs invisibles et silencieux. Il éteignait le feu de bonne heure, malgré les moustiques qui les harcelaient. Lorsqu'il s'endormait enfin, Lafortune se croyait entouré d'une horde muette et malfaisante, qui n'avait d'yeux que pour ses fourrures.

277

Pour dormir, ils renversaient le canot sur la berge et passaient une grande bâche sur la coque. Cela formait une sorte de tente sans côtés, ouverte aux moustiques, plus ou moins bonne contre la pluie. Ils dormaient la tête sous le canot. Le ballot de fourrures était trop volumineux pour entrer sous la bâche ; Lafortune passait une ficelle autour du paquet et attachait l'autre bout à son poignet.

Ils dormaient peu, les maringouins étaient trop voraces. Cent fois par nuit, Askik se réfugiait sous sa couverture avec l'intention d'y rester, puis, suffoquant, se découvrait à nouveau. Les moustiques s'acharnaient sur les parties tendres : chevilles, cou, poignets. Parfois un insecte s'égarait au fond d'une oreille, et forçait Askik à des manœuvres désespérées pour l'en extraire. Les dormeurs se contorsionnaient comme des couleuvres dans l'eau, tapant, soufflant, jurant, sans obtenir de repos. Parfois, à bout de ressources, Askik s'obligeait à demeurer immobile pour forcer le sommeil. Sa résolution tenait à peine un instant : les piqûres se multipliaient, le chant des moustiques s'amplifiait, et l'enfant se lançait dans une nouvelle distribution de claques.

Lafortune, excédé, lui criait : « Vas-tu rester tranquille, maudite engeance ! Laisse-moé dormir ! » Mais lui-même n'y parvenait pas.

Vers le milieu de la nuit, les moustiques disparaissaient comme par magie, chaque insecte cherchant un dessous de feuille pour passer les heures froides. Exaspérés, les voyageurs mettaient encore du temps à s'assoupir. Bientôt, les étoiles s'éteignaient, les moustiques se dégourdissaient les ailes, il était temps de se lever.

Lafortune ouvrait l'œil sur son paqueton et criait joyeusement :

— Lève ! Lève nos hommes !

Il était le plus éreinté des trois, mais le jour naissant, la vue de ses fourrures, et l'espoir de se retrouver bientôt au bas Canada lui donnaient une force maniaque.

Les premières heures étaient les meilleures. Le canot

glissait sur les eaux noires ; les canards passaient à grands coups d'ailes, tendus comme des flèches ; les grues s'élevaient nonchalamment dans les tournants. Le calme, le froid, la lumière neutre de l'aube leur donnaient l'impression d'être frais et forts.

Ces moments de grâce ne duraient pas. Les corps n'étaient que partiellement rafraîchis et retrouvaient vite les courbatures de la veille. La chaleur croissante et la monotonie des gestes leur enlevaient le goût du paysage. Puisque ramer était ennuyant, tout était ennuyant.

Askik avait la tête légère. Le soleil dans l'eau brune l'assommait. Ses yeux se refermaient de moitié, il somnolait en ramant.

Au début, il avait voulu changer souvent de côté, pour se soulager les bras, mais Lafortune avait aboyé : « Toujours du même côté ! C'est comme ça que tu t'habitueras ! » Et comme de fait, après quelques heures d'une douleur indicible, l'épaule, le bras et le poignet s'éteignaient tout à fait pour Askik. Il sentait le torse avancer pour la prise, sentait la résistance de l'eau, et le dégagement de l'aviron, mais n'avait plus à veiller personnellement aux opérations. Il était comme un charretier qui pique du nez et laisse se débrouiller son bœuf.

Toutes les deux heures Lafortune chantait : « Allumez ! » comme s'il était à la tête d'une brigade de vingt canots. Ils rentraient les avirons. Numéo et Lafortune allumaient leurs pipes, Askik trempait les doigts dans l'eau pour mesurer leur déplacement. Le canot glissait un peu sur son erre, puis, s'ajustant au courant, se mettait lentement à reculer. Ils entendaient partout l'eau de fonte qui s'égouttait dans la rivière.

La Winnipeg s'évasa, devint un fleuve, puis déboucha sur le lac des Bois. Au Portage au Rat, Lafortune s'emporta contre un groupe d'enfants anichnabègues qui tournaient autour des voyageurs en jetant les yeux sur le ballot de pelleteries. « *Awasse ! Awasté !* » criait Lafortune aux enfants qui s'égaillaient et se regroupaient comme des moucherons. Des Indiens plus âgés étaient accroupis contre une baraque en bois gris qui servait de comptoir de traite. La traite avait dû se faire quelques jours auparavant : les effets de l'alcool étaient encore visibles. La plupart étaient des hommes, sales, hagards, enrobés de couvertures sombres qui avaient été écarlates. Askik contempla sa propre chemise de flanelle fleurie, ses pantalons de drap solide, et fut profondément heureux d'être un Métis et un Mercredi. Il était jeune, instruit, ami des prêtres. Ces Indiens étaient vieux, sales, et n'allaient pas à Montréal. Il avait de l'avenir, eux n'en avaient plus. Ils ne seraient jamais de grands hommes. Le sentiment d'avoir échappé à un malheur immense traversa l'esprit d'Askik. Mais une autre voix lui souffla aussitôt que le hasard n'y était pour rien ; se rendre à Montréal était sa destinée, croupir près du fort était celle des Indiens.

Lafortune insista pour s'éloigner au maximum du poste de traite : il craignait d'être suivi. Ils ramèrent tard et s'installèrent en pleine nuit sur une des îles qui parsèment le lac des Bois. C'était un simple rocher supportant quelques épinettes. Pour la première fois, ils purent dormir sans crainte de perdre leurs provisions à un ours : au début de l'été, Maskwâ ne trouve pas toujours à se remplir la panse.

Lafortune faisait fondre de la gomme d'épinette pour radouber le canot. Numéo avait remplacé un siège cassé avec une éclisse de bois et se tenait maintenant à l'écart, à écouter le lac. Quand Askik s'en approcha, l'Indien annonça tranquillement :

— Je connais cet endroit. Mon premier fils est né près d'ici. Nous étions venus pêcher. Il y avait beaucoup de poissons.

Le vent faisait frétiller les reflets de la lune sur l'eau. On voyait au loin, sur d'autres îles, la dentition grise des grandes épinettes. Ces bois et ces détroits avaient résonné des cris d'une femme en couches, des rires des hommes aux filets, du jacassement des enfants. La femme était partie, les enfants étaient morts, la forêt n'en avait cure.

Il y avait peu de moustiques sur l'île : les brumes

froides du lac les tenaient au loin. Askik s'endormit sur un rocher plat qui dégageait encore la chaleur du jour. Il traversa la nuit d'un seul trait, et se réveilla au matin, dans la même position que la veille. Lafortune lui-même dormait si dur qu'il ne vit pas lever le jour. Il faisait déjà clair lorsqu'il poussa son « Lève ! Lève ! » rituel. Ils embarquèrent sans déjeuner, pour rattraper le temps perdu.

Le ciel, encore blême, était pur. Une couche de brume recouvrait l'eau. Askik s'étirait le cou et cherchait les *mémégwésiwok* qui habitent ce lac. Pennisk les avait vus. Les Gens de l'Eau, disait-elle, ont des canots de pierre qui sombrent en un clin d'œil lorsque les rameurs ont atteint leurs demeures sous-marines. Numéo répandit un peu de tabac sur l'eau pour demander l'aide des *mémégwésiwok*. Mais comme il n'avait jamais rêvé aux Esprits de l'Eau, il avait peu de chances d'être entendu.

Il leur fallut quinze jours encore pour atteindre le Grand-Portage de la Savanne, où se départagent les eaux de la baie d'Hudson et des Grands Lacs. L'été touchait à son plus fort. Sur toute la longueur de la morne rivière la Pluie, les voyageurs ne virent pas un seul castor, pas la moindre marmotte. Seuls les oiseaux chantaient dans les forêts fumantes : les cinq notes mélancoliques du pinson à gorge blanche devenaient obsessives à force d'être omniprésentes. Des aigles-nonnes patrouillaient les berges à la recherche de poissons, des martins-pêcheurs jacassaient du haut d'arbres morts et criblés de trous.

Pendant les treize ou quatorze heures qu'ils passaient tous les jours à ramer, Askik n'avait d'autre distraction que la forêt et le dos de Lafortune, qui allait et venait, infatigable comme une pompe à vapeur. Le voyageur avait les épaules et les bras démesurément larges, reliquat de ses années de jeunesse lorsqu'il pouvait donner soixante coups de rame à la minute. Parfois, sans se retourner, Lafortune envoyait de brefs commentaires dans le genre : « Pire moment de l'année pour voyager.

Préfère l'automne. Rivière plate. Rien à voir. »
Lorsqu'ils s'arrêtaient pour la pipée, Lafortune se laissait aller à de plus longues ruminations. Il parlait sans
se retourner, si bien que les deux autres se demandaient
si ses propos leur étaient destinés. Plus Lafortune
s'approchait du Canada, plus il remontait loin dans ses
souvenirs.

— Me croirez-vous, j'ai même prié pour faire ce
métier. Mon père était habitant à Sorel. Belle terre,
bons bâtiments. J'étais le benjamin, j'aurais pu hériter,
prendre femme, avoir des enfants. Mais j' voyais crâner
les voyageurs qui partaient pour le pays sauvage. Ça
m'a tourné la tête. J'avais pas dix ans que j' faisais des
neuvaines pour ne plus grandir : les gros hommes travaillent mal dans les canots. Laissez-moé pu pousser !
que je demandais à Vierge. Laisse-moé partir En Haut.
C'est ben la seule fois que ma prière a été exaucée !

J' suis parti à l'âge de seize ans. J'ai quitté le village
avec une bande de fiers-à-bras, tout empanachés, tout
fiers d'être voyageurs. On jouait à l'homme. On se trouvait beaux. Les filles nous couraient après, et nous, on
courait vers un pays sans filles. Les gars qui restaient
avaient l'air piteux ce jour-là. J' les trouvais bien paysans dans leurs sabots crottés. J' suis parti, y sont restés.
Ils ont eu les terres, les vieux, les femmes, les enfants.

Lafortune poussa un long soupir.

— Le bonhomme était pas content de me voir partir.
Ah non ! Et la mère...

Il grimaça.

— J'étais pas parti quatre jours que j'ai su que je
m'étais trompé. C'est que nos voyageurs étaient moins
fanfarons à l'ouvrage. Les Écossais menaient, nous on
ramait. Quinze heures par jour. Le soir, en débarquant,
fallait installer les messieurs d'abord. Le jour, nos bourgeois s'asseyaient au milieu du canot et lisaient. Quand
ils s'ennuyaient, ils nous demandaient de chanter.

Après mon premier tour de service, j' suis retourné
dans mon village avec l'intention d'y rester. Mais une
fois là, c'était « Ho ! le voyageur ! » par-ci, « Chante,

voyageur ! » par-là. J'avais des sous en poche. Personne d'autre au village en avait. On me demandait des histoires des pays d'En Haut. J'ai brodé. Et j'ai fini par croire à mes menteries. Après ça, y m' restait plus qu'à partir. J' m'étais même fait accroire que j'aimais ça. Je me suis engagé pour la Ribaska, histoire d'impressionner les filles. J'ai jamais revu le Canada.

Se retournant enfin, Lafortune jetait un regard dur sur Askik et lui lançait pour la vingtième fois :

— T'as de la chance garçon de te tirer d'icitte. Tâche de te caser là-bas ! Si j'avais à recommencer, jamais je ne quitterais mon père et ma mère !

Le premier accident survint au Portage des Morts. Le canot, imbibé d'eau, avait deux fois son poids normal. Pour le transporter, les hommes devaient le hisser à l'endroit et faire le dos rond sous la coque. Lafortune eut du mal à charger son bout : l'écorce visqueuse n'offrait pas de prise. Après maints grognements et jurons, Lafortune démarra d'un pas mal assuré, plié en deux sous la charge. Le portage avait deux mille pieds de longueur. Arrivé au bout, Lafortune entra dans l'eau jusqu'à la ceinture. Mais il n'avait plus la force de se décharger. Il plia les genoux, cala jusqu'au cou, en laissant descendre le canot jusqu'à l'eau. Il sortit de la rivière en tremblant d'épuisement.

— Il faut se reposer maintenant, dit Numéo.

Un éclair d'agacement passa sur le visage gris de Lafortune.

— Se reposer ? Oui, vous aimez bien vous reposer, les Naturels. Vous êtes bien bons de vous reposer. Vous dormez sur les avirons, vous me laissez faire les deux tiers du travail, et vous voulez faire la sieste à tous les portages. Vous auriez fait de beaux voyageurs ! Au lieu de placoter en sauvage, travaillez donc un peu !

Il avait voulu crier ces imprécations, il put à peine les souffler. Il s'empara à bras-le-corps de son paqueton de fourrures et tituba jusqu'au canot. Mais il glissa sur une pierre, le canot s'écarta, le ballot de fourrures tomba à l'eau.

283

Pour empêcher les peaux de pourrir, ils durent briser le paquet, et sécher les fourrures au soleil. Sans presse à fourrures, il était impossible de rentrer toutes ces peaux dans le même emballage. Lafortune réquisitionna la toile goudronnée qui leur servait de tente, la découpa en morceaux, et fit quatre paquets. L'accident les obligea à faire deux jours de dégras. Pendant tout ce temps, Lafortune ne cessa d'espionner ses deux compagnons. Leurs conciliabules en langue crise le rendaient soupçonneux, et comme il avait maintenant quatre paquets à protéger, plutôt qu'un, sa méfiance n'avait plus de bornes.

Ils remontaient un chapelet de petits lacs entourés de forêts de pins. D'après les calculs de Lafortune, ils auraient dû être à la Hauteur des Terres. Et pourtant, le courant les opposait toujours. En pénétrant un lac plus grand que les autres, Lafortune s'exclama :

— Ça y est ! Je me retrouve ! C'est le lac Brûlé, y a pas de doute !

Mais il n'en était pas convaincu. Lorsqu'il vit arriver un canot ojibwé aux pinces élégamment retournées, Lafortune cria à Askik :

— Milieu ! Demande-leur où nous sommes !

Les Ojibwés reçurent poliment la pincée de thé que leur offrit Lafortune. Le lac, lui dirent-ils, s'appelle Windigo. Et en baissant la voix, ils expliquèrent que des Anichnabègues affamés s'étaient entredévorés en hivernant sur ce lac, bien des années auparavant. De mauvais esprits, disaient-ils, habitaient encore les lieux.

Lafortune était trop vieux voyageur pour se moquer des croyances indiennes. Mais ce n'était pas la réponse qu'il cherchait. Levant impatiemment la main, il ordonna aux deux autres de ramer. Ce soir-là, en campant sur les berges du lac, ils découvrirent les restes calcinés de pins géants, cachés dans la broussaille.

— J' vous l'avais bien dit ! jubila Lafortune. C'est le lac Brûlé ! La Hauteur des Terres est toute proche ! Après ça, le courant nous pousse.

Ils s'installèrent sur une petite grève de pierraille

grise entre l'eau et la forêt. Lafortune soupa gaiement. Le lendemain, peut-être, ils atteindraient le Portage Savanne où les voyageurs avaient construit un chemin de rondins à travers les marais.

— Un ouvrage et demi, garçon! J'y ai travaillé moi-même! Attends de voir ça!

Le ciel se décolora. Le lac devint gris, vitreux. Des chauves-souris fraîchement réveillées filaient au ras de l'eau, buvaient en plein vol, puis s'élevaient à la rencontre des insectes. Arcturus se mirait dans l'eau.

— Qu'est-ce que c'est, Numéo? demanda Askik. L'Indien n'avait soufflé mot de la veillée. Il avait l'air sombre, quoique, à vrai dire, cela ne le changeait pas beaucoup de la mine grave qu'il affichait d'habitude.

— Ce n'est pas un bon endroit, répondit le Cri.

— A cause de wetiko?

— Il y a eu beaucoup de malheur ici.

— Pennisk n'avait pas peur du wetiko.

— Ces Indiens ont eu faim, *nisim*. Le wetiko s'est emparé de leurs âmes. Ils sont devenus fous de faim, et se sont tués les uns les autres. Peut-être sont-ils encore ici. Peut-être nous écoutent-ils. Leurs esprits ne leur appartiennent plus.

— Mais ils ne peuvent pas nous faire mal, protesta Askik. Nous avons amplement à manger.

— Mais ces gens ont souffert. Il y a eu beaucoup de malheur ici. Ce lac et la forêt s'en souviennent. Regarde comme ils boudent.

Un canard s'éleva au-dessus des arbres, et s'éloigna dans la nuit tombante, en poussant un faible coin-coin. « Si j'étais un canard, pensa Askik, je ne vivrais pas ici. »

Ils couchaient à la belle étoile, puisque Lafortune avait mis en pièces leur bâche. Pendant une demi-heure, Askik se tourna et se retourna sous sa couverture, balayant des hanches les pierres incommodantes, un travail qui aurait pris cinq minutes à la main. Dans la forêt, deux engoulevents tentaient d'accorder leurs chants cahotants. Bois-pourri! Bois-pourri! Bois-pourri ! chantait le premier. L'autre se lançait, tenait la mesure un moment, puis s'égarait. Les deux oiseaux se taisaient. Et le duo recommençait.

Rien de plus apaisant que le chant du Bois-pourri ; Askik s'assoupit bien avant la fin du concert.

Le lendemain, en traversant le lac des Mille-Lacs Lafortune se leva à demi dans le canot et cria, tout excité :

— Des bateaux ! Des bateaux ! Regarde, Milieu, des bateaux !

Askik jeta les yeux à l'ouest, vit les voiles blanches sous la forêt et cria, pour faire plaisir à Lafortune :

— J' les vois, Devant !

Mais le vieux voyageur se croulait de rire. Il était penché sur l'eau, se tenait les côtes, et riait à s'étouffer. En y regardant de plus près, Askik vit que les « voiles » étaient des rochers reluisants. Du quartz.

— Aiii ! soupira Lafortune en reprenant son souffle. Quarante ans qu'il avait attendu pour jouer ce tour à un autre.

A l'est du lac des Mille-Lacs coule la petite rivière Savanne qui s'obstrue l'été et oblige à un portage difficile à travers des marécages. Les anciens voyageurs avaient posé un chemin de rondins à travers la fange. Un travail harassant, mais les Canadiens, pas plus que les Indiens, n'avaient songé à drainer le marécage. Ce qui était, restait.

C'était ce chemin de bois que voulait voir Lafortune. Il avait travaillé à son entretien, quarante ans plus tôt, et avait hâte de repérer sa section. Une mousse profonde, imbibée d'eau, recouvrait un fond de glaise molle. Partout, des bouleaux et des tamaracs s'élevaient raides morts ou entravaient le chemin de leurs éboulis. De jeunes saules bloquaient la vue et obligeaient à des détours.

Les voyageurs pataugèrent un long moment avant de découvrir le chemin de bois. Ils ne furent pas plus avancés pour l'avoir trouvé. Les rondins étaient pourris, le chemin disparaissait tout entier par endroits, englouti par le sol mouvant. Les voyageurs glissaient et trébuchaient sur le bois glauque. Numéo mit le pied sur un rondin flottant et se retrouva à genoux dans une soupe de mousse et de vase. Lorsqu'ils retiraient leurs pieds de la fange, il en sortait une puanteur écœurante de décomposition. Les maringouins sortaient par nuées de la forêt.

— On n'y arrivera jamais à ce train-là! cria Lafortune. Allons chercher le canot. On transportera tout d'un coup!

Ils placèrent les fourrures et les outils dans le canot et le hissèrent sur leurs épaules. Le sac de victuailles fut confié à Askik. Les deux hommes calaient jusqu'aux mollets et se bousculaient en essayant de se dégager. Lafortune ahanait douloureusement. Lorsqu'il essayait de soulager un os en déplaçant le canot sur son dos, son long nez effleurait la boue tant il avait le buste courbé. Les maringouins formaient des plaques de duvet gris sur ses épaules et ses bras.

Le dos chargé de victuailles, la tête retenue par la bricole, Askik n'avait d'autre moyen de défense contre les moustiques que de souffler de biais sur ses joues ou frissonner violemment pour déloger les dards qui l'atteignaient à travers la chemise. Il en voulait aux pères qui lui avaient coupé les cheveux : la peau de sa nuque était raboteuse de piqûres. Il n'y avait pas que les moustiques. Rien n'arrêtait non plus les moucherons qui pénètrent les yeux et les narines et qui mordent au front, sous la chevelure, ni les gros taons gris qui prennent un malin plaisir à s'entortiller dans les cheveux.

— Aïe! Arrête! J' suis pris!

Lafortune s'était coincé le pied entre deux rondins. Numéo ne s'en rendit pas compte et continua à pousser. Lafortune s'affala de tout son long, le canot lui écrasa l'épaule droite. Askik et Numéo se précipitèrent à son aide, mais déjà le vieux voyageur se relevait en arrosant d'invectives le canot, les maringouins, et Numéo qui ne s'était pas arrêté à temps.

287

Se reposer était impossible. La chaleur, les moustiques, la puanteur étaient insupportables.

— Milieu! Milieu! cria Lafortune, icitte!

Il ajouta un paquet de fourrures aux vivres que portait déjà Askik. Le garçon tituba sous la charge, chercha à se rétablir en portant les mains à la bricole, mais fut empêché par le recueil d'articles qu'il serrait sous le bras. Askik allait poser sa charge pour glisser les papiers dans sa chemise, mais Lafortune les lui arracha haineusement.

— Que l'yâb emporte ta paperasse! Avance, Milieu!

Puis rassemblant toutes ses forces, Lafortune précipita au loin les articles de maître Prosy. S'étant ainsi soulagé, le voyageur inspecta la coque du canot, la trouva intacte, et reprit son calvaire avec un grognement aigu.

Askik jeta un coup d'œil coupable vers le recueil d'articles. Un coin d'emballage était déchiré: l'écriture fine de maître Prosy se tachait lentement d'eau brune. Askik pouvait encore récupérer le paquet, Lafortune ne s'occupait plus de lui. Mais la chaleur et les maringouins lui avaient enlevé la moitié de son jugement: les quelques pas à faire vers les papiers lui parurent sans fin. Askik comme les autres n'avait plus qu'une idée en tête: fuir. Il emboîta le pas aux hommes en espérant ne plus jamais revoir maître Prosy.

Ils n'avaient pas fait deux cents pas que Lafortune s'exclama d'un ton désespéré.

— Ahh! les amis, je n'en peux plus!

La proue du canot s'écrasa dans la boue avec un grand éclaboussement. Lafortune tituba encore quelques pas. Même libéré de sa charge, il demeurait courbé, livide.

— Pose tes paquets, *nisim,* ordonna tranquillement Numéo. Aide-moi à trouver du bois.

Malgré la touffeur, ils allumèrent un feu, et lorsque les flammes furent bien prises, Numéo y jeta des branches de peuplier feuillues. Une fumée laiteuse enveloppa les voyageurs, les protégeant momentanément contre les moustiques.

— Quand j'étais jeune, marmotta Lafortune, la Compagnie nous donnait une prime pour passer par ici. On avait peur du Portage Savanne : on en parlait longtemps d'avance. Et pourtant, à l'époque, il y avait un chemin. Ah, bon Dieu ! se lamenta-t-il. Regardez-nous !

Comme de fait, ils avaient mauvaise mine, leurs visages ruisselant de sueur et de sang, la peau bouffie par les piqûres, les pantalons reluisant de vase grise.

— Ah ! Pourvu que le Portage Prairie soit à sec ! Priez que la prairie soit à sec !

Ils burent un peu d'eau tiède d'une vessie de bœuf. Aussitôt qu'ils quittèrent la boucane, les moustiques leur tombèrent dessus avec d'autant plus d'appétit qu'ils avaient attendu.

Une demi-heure plus tard, ils atteignirent les côtes d'un petit lac embroussaillé, le traversèrent, firent un nouveau portage, et se trouvèrent sur le lac de la Hauteur des Terres, un marécage qui envoie ses eaux à l'est comme à l'ouest. Cette mare est le trait d'union entre deux immenses réseaux hydrographiques : à l'est les Grands Lacs et le Saint-Laurent ; à l'ouest et au nord, les fleuves menant à la baie d'Hudson et l'Arctique. A partir de ce petit marais, se draine la moitié du Canada. C'est ici, autrefois, que les voyageurs baptisaient les « mangeurs de lard », les canotiers qui s'aventuraient pour la première fois dans le Nord-Ouest.

Par bonheur, le Portage Prairie était relativement sec, la piste des anciens voyageurs praticable. Ils traversèrent une forêt de pins blancs, fortement escarpée et, après plusieurs heures de marche, en faisant de plus en plus de pauses, ils débouchèrent sur une hauteur rocheuse. Deux cents pieds plus bas, un lac. Un lac semblable à tous les autres. Askik fut déçu. Il s'était attendu à un changement de paysage, peut-être même à une ville, tant Lafortune avait montré d'excitation en escaladant cette colline. Au lieu de cela, la forêt s'étendait indéfiniment, roulante et sombre, brisée çà et là par une falaise grise ou le scintillement d'une nappe d'eau.

Lafortune, pourtant, avait l'air content. Il fumait sa pipe en s'accotant à un rocher, savourant le vent frais et l'absence de moustiques. Il se souvint d'Askik et lui cria :

— Tu quittes ton pays, garçon ! C'est la fin des terres d'En Haut. D'ici jusqu'à Montréal, les terres baissent.

— Est-ce qu'on est loin de Montréal ?

— Un mois. Un mois et demi. Selon le temps qu'il fera. Selon la vieille.

— Est-ce qu'on est déjà au Canada ?

— On est dans le haut Canada.

— Mais... Askik contemplait la forêt en contrebas. Ça ne peut pas être le haut Canada. C'est plus bas !

— Parce qu'on est encore dans le Nord-Ouest. Le haut Canada est plus bas que le Nord-Ouest, mais plus haut que le bas Canada, trancha Lafortune du bout de sa pipe. Ça s'appelle le haut Canada par rapport au bas Canada. Ça n'a rien à voir avec le Nord-Ouest.

— Qu'est-ce que c'est ? demanda Numéo en voyant la confusion se répandre sur le visage du garçon. Askik fit semblant de ne pas l'entendre.

Il n'était pas vrai, malgré ce que disait Lafortune, que le courant les portait après la Hauteur des Terres. Ils devaient ramer tout aussi fort qu'avant, sauf dans les rapides où, pour la première fois, l'eau coulait dans la bonne direction.

Au Portage du Chien, où la forêt fait une nouvelle chute de quatre cents pieds, Lafortune pointa du doigt une colline toute proche.

— Y a une grande statue de chien là-haut. Les Naturels l'ont mise là pour rappeler une bataille entre Ojibwés et Sioux.

Askik voulut s'y rendre sur le coup. Mais Lafortune refusa parce qu'il ne voulait pas perdre de temps, et Numéo crut imprudent d'envahir la demeure d'un manido inconnu.

Le lendemain, Lafortune supprima les pipées et força l'allure pendant toute la journée. Le fort William n'était plus loin. Il avait l'intention d'y passer la nuit. Vrai, le vieux fort était en grande partie abandonné, mais c'était toujours mieux, disait-il, que de dormir en pleine brousse.

Ils descendaient la rivière Kaministiquia à vive allure, sautant les rapides, acceptant tous les risques plutôt que de mettre pied à terre. Autrefois, les pesants canots du Nord faisaient une dizaine de portages et de décharges sur la Kaministiquia : Lafortune n'en fit que trois.

— Ramez ! hurlait-il lorsque approchaient les eaux bouillonnantes. Les trois se penchaient sur les avirons, tiraient de toutes leurs forces pour lancer le canot comme une flèche à travers les bouillons. Les rochers effleuraient la coque d'écorce, la charpente craquait, des vagues embarquaient, mais le canot surgissait vainqueur des rapides. Les voyageurs se retrouvaient brusquement en eau calme, le cœur pompant au diable vert, l'estomac se balançant encore au mouvement du torrent. Les hommes riaient, les cheveux et les chemises plaqués au corps par les embruns : Askik sortait l'eau du canot à l'aide d'une grosse éponge qu'il tordait avec un air de triomphe.

Pourtant, ils n'atteignirent pas le fort William mais durent camper à deux heures du fort, au Portage de la Montagne. Numéo et Askik eurent du mal à convaincre Lafortune de s'arrêter, malgré la noirceur qui rendait la navigation dangereuse. Ils campèrent le long de la piste, sur un sol raboteux, parmi des pins rabougris. Un mauvais camp, il aurait fallu déménager. Mais ils pouvaient difficilement avancer — la piste plongeait dans un ravin obscur — et Lafortune refusait de revenir ne serait-ce que d'un pas. Le grondement des chutes les tint éveillés une partie de la nuit. La cataracte devait être toute proche, mais ils n'osaient la visiter, de peur de s'égarer dans les bois, et de tomber du haut des falaises. Ça s'était déjà vu.

Le ciel se recouvrit durant la nuit. Une pluie fine les réveilla. Le jour naissant les trouva assis autour d'un feu crachotant, enveloppés de couvertures mouillées.

291

Ils étaient trempés jusqu'aux os. Les paquets de four-rures, par contre, étaient bien au sec sous le canot.

Dès qu'ils purent voir leurs pieds, ils se remirent en marche. La piste faisait une chute vertigineuse, jusqu'au fond d'un ravin. Elle était recouverte de schistes rouges, friables et traîtres. En y mettant le pied, Lafortune glissa et fit une partie du trajet sur le fond de culotte. Chose étonnante, il se releva en riant de joie. Peut-être la même chose lui était-elle arrivée quarante ans plus tôt. Ils durent faire plusieurs fois le trajet pour descendre les fourrures et les vivres. Lorsqu'ils se retrouvèrent enfin au bas de la falaise avec tout leur fourniment, il faisait plein jour.

— Au fort William, voyageurs ! cria Lafortune. Le pire est fait !

Ils lancèrent leur embarcation avec un « Youppe ! » retentissant. Ils traversèrent une petite anse d'eau calme, et piquèrent dans le courant. Au même moment, le rugissement des chutes redoubla.

Askik et Numéo faillirent laisser échapper leurs avi-rons devant le spectacle terrible. Même Lafortune, qui avait déjà vu les chutes, retint son souffle d'étonne-ment.

La Kaministiquia plonge cent vingt pieds dans un grand chaudron de roche noire. Au sommet, les eaux grondantes se divisent en deux, fendues par un rocher qui surplombe le vide. Le bouillonnement des eaux remplit d'embruns cette vaste cuvette. Une douzaine de ruisselets dégoulinent le long des parois vertigineuses. Les Canadiens disent les « Grandes Chutes ». Les Indiens disent *Kakabecka,* parce que la pierre fend l'eau.

— Allons, mes bourgeois ! En avant !

Ils avaient l'aviron fringant ce matin-là. Le lac Supé-rieur était tout proche, Lafortune avait promis de leur faire visiter les ruines du fort William : c'était un jour de congé qu'ils entamaient.

Deux heures plus tard, ils entendirent les cris des mouettes, sentirent l'eau se tasser sous le canot.

292

— On est arrivés les gars ! Un dernier coup ! exulta Lafortune.

Redoublant d'ardeur, ils contournèrent un dernier coude et entrèrent de plein fouet dans l'armée britannique.

XI

La rivière était obstruée de péniches lourdes où se débattaient de petits hommes en tunique écarlate. Les rames s'entrechoquaient, les péniches entraient les unes dans les autres, des bonshommes aux visages pourprés criaient à fendre l'air.

— Ben parle au yâb..., murmura Lafortune.

En apercevant le canot peinturluré et les trois voyageurs en guenilles, les hommes écarlates se crurent attaqués. Un jeune commandant au visage pâle ordonna à ses rameurs d'intercepter le vaisseau ennemi. Mais comme ils durent, pour ce faire, tourner bout pour bout leur embarcation, l'offensive mit du temps à partir. Courtois, Lafortune approcha son canot de la péniche. Ce geste prit de court le jeune commandant : il n'avait pas d'armes. Voyant que les trois indigènes n'en avaient pas non plus, il s'empara d'un aviron, le tint en travers du corps comme un fusil et déclama :

— *You're French ?* Je vous awwête ! Et après un moment, doutant de sa propre autorité : *In the name of Her Majesty !*

— Milieu ! aboya Lafortune. Qu'est-ce qu'il dit ?

— J' sais pas, répondit piteusement Askik. J' comprends pas l'anglais.

— *Prisoners, forward !* ordonna l'adolescent en pointant vers la berge. Un petit fort avait été érigé dans une clairière.

— Allons voir ça !

En trois coups de rame le canot atteignit la berge. La péniche et son équipage écarlate commencèrent par sui-

293

vre, et partirent au lieu dans une direction indétermi-
née.

Le colonel Garnet Wolseley était à la mode : anglais,
arrogant, raciste, le choucou de la bonne société canadienne. Il aimait tuer, ne s'en cachait pas, et avait
acquis la conviction, après quatre campagnes et autant
de blessures, que ses supérieurs étaient des ânes.

En Birmanie, dans une jungle infestée de rebelles, il
s'était battu en gants blancs et tunique rouge, bouton-
née jusqu'au menton, comme à la parade.

A Sébastopol il avait eu l'amère déception de voir les
Français mieux ravitaillés et dirigés que les troupes de
Sa Majesté.

A Pékin, il avait vu la discipline se volatiliser durant
le pillage du Palais d'Été tandis que les officiers, *clubmen* de leur véritable état, se remplissaient les poches.

Partout dans l'Empire, il avait vu les signes d'une
incommensurable incurie, comme si la défaite de Buo-
naparté, cinquante ans plus tôt, avait endormi une fois
pour toutes les dirigeants d'Angleterre. L'armée était
répartie dans quatorze colonies ; le transport coûtait
cher, les régiments étaient rarement relevés. Les
hommes prenaient des concubines, élevaient des
poules, et n'allaient plus à l'exercice. L'armée de
l'Empire se désagrégeait tandis que les sept ministères
chargés de son commandement se chicanaient ou ne se
parlaient plus.

Dans ce fouillis dangereux, Garnet Wolseley avait
tenté d'introduire un peu de lumière. Il avait publié un
recueil de règlements, le vade-mecum du simple soldat,
pour parer à l'ignorance des officiers. Le War Office
n'avait guère apprécié. En fait, ils étaient plutôt rares à
Londres à goûter les talents réformateurs de Garnet
Wolseley. Il accumulait les ennemis, sa carrière stag-
nait. Depuis neuf ans, il était au Canada, une colonie où
il ne se passait rien. Grâce au ciel, il y avait les Métis !
L'insurrection des Métis de la Rouge avait été peu de

chose au début. Les sang-mêlé ne contestaient pas absolument la cession de leur pays au Canada, mais demandaient à revoir les termes de l'annexion. Le gouvernement canadien répondait en dépêchant des troupes dans ses nouvelles possessions. Et pourtant, comme les préparatifs avaient traîné ! Le Premier ministre canadien, John A. MacDonald, les avait nargués longtemps avec sa valse-hésitation. Y aller, ne pas y aller ? Peut-être ne se serait-il jamais décidé si Riel n'avait eu la bonne idée de fusiller un Anglais. Et encore... Le corps expéditionnaire avait été baptisé de tous les noms — expédition punitive ou mission de paix — pour apaiser à la fois l'Ontario qui demandait à venger le fusillé, et le Québec qui voulait ménager les sang-mêlé francophones. On avait de peine et de misère recruté soixante-dix-sept volontaires français au Québec. Soixante-dix-sept sur mille, c'était déjà trop, selon Wolseley. Mais les politiciens avaient exigé cette participation francophone. Question d'unité nationale.

N'importe. Les troupes étaient en route. Le corps expéditionnaire campait sur le seuil du pays sauvage, prêt à s'élancer à travers cinq cents milles de forêts. Un territoire hostile, et largement inconnu. Lorsqu'il apprit l'arrivée dans le camp de trois voyageurs qui descendaient du pays sauvage, Wolseley les fit venir. Il ordonna à son aide de camp, un jeune instituteur de Toronto, de ranger les cartes et de préparer le thé.

Les trois voyageurs entrèrent au camp sous escorte armée. Le camp était entouré de tranchées et de levées de terre, par crainte des Féniens. Des soldats en bretelles et bras de chemise s'exerçaient à charger des canons de six livres. Ils s'exécutaient l'un après l'autre, comme de bons danseurs soucieux de l'ensemble. Quand tombait la mèche, les hommes étaient au garde-à-vous. Askik attendait chaque fois la détonation. Au lieu de cela, les soldats se détendaient et s'adressaient un bref regard de félicitations comme pour dire : « Rien à dire. On les aurait eus ! »

— *Come in, gentlemen, come in !*

La voix sortait d'une hutte en planches. Il faisait sombre à l'intérieur. Lafortune donnait la main à un homme plus grand que lui. L'étranger avait les cheveux blonds et une calvitie naissante toute rose. La moustache était plus sombre que la chevelure, et se terminait par deux pointes minutieusement roulées et cirées. Malgré l'uniforme et la calvitie, l'intendant général adjoint du Canada avait l'air d'un adolescent. Il avait trente-sept ans.

— *Tea, gentlemen ?* Ah ! Notre interprète !

Un soldat vieillissant entra pesamment dans la hutte : un des soixante-dix-sept volontaires francophones. La conversation put s'engager. L'aide de camp, assis à une table pliante, s'apprêtait à prendre des notes. Le colonel Wolseley posa sa tasse dans sa soucoupe, et commença.

— Nous nous rendons au fort Garry assurer la passation paisible des pouvoirs de la Compagnie de la baie d'Hudson au dominion du Canada. Les États-Unis nous interdisent le passage sur leurs territoires. Nous devons donc emprunter la vieille route des canots. Or, comme cette route est délaissée depuis bientôt quarante ans, les renseignements que vous pourrez nous donner sur les niveaux des eaux et l'état des portages nous seront d'un inestimable secours.

— Pardon, monseigneur, interrompit Lafortune avec un ton gouailleur. Vous allez vous rendre à la Rivière Rouge dans vos gros bateaux ?

— C'est exact.

— Avec ces petits messieurs que nous avons vus en entrant ?

Lafortune s'esclaffa franchement. Cela parut effroyablement grossier à Askik. Ce grand monsieur à moustache était si gentil ! Mais l'officier ne sembla pas offusqué. En fait, il paraissait n'avoir rien entendu. Seul l'aide de camp fulminait. L'interprète canadien-français regardait par la fenêtre.

— Mais vous n'arriverez même pas à remonter la Kaministiquia ! s'écria Lafortune qui s'étonnait du visage impassible du militaire.

296

— Nous l'éviterons. Mes hommes construisent une route à travers la forêt jusqu'au lac Shebandowan.

Lafortune cessa de rire. Il avait remonté la Kaministiquia des dizaines de fois, en perdant des canots et des hommes. Jamais il ne lui était venu à l'esprit de contourner la rivière par un chemin.

— Bon, admettons, monseigneur. Et après ?

— Et après ? Le lac des Mille-Lacs, le lac des Pluies, le lac des Bois, la rivière Winnipeg...

Lafortune était atterré. Cet Anglais construisait un bout de chemin et tout le reste devenait pour lui une promenade du dimanche.

— Certaines de ces rivières sont dangereuses ! La Winnipeg surtout. D'autres sont presque à sec...

— C'est pour cela que vos renseignements nous seront précieux. Mais nous reviendrons là-dessus. Nous avons tout notre temps, puisque vous nous ferez l'honneur de demeurer quelques jours parmi nous. Parlez-moi des indigènes.

— Des Métis ?

— D'abord des Indiens que nous rencontrerons en chemin.

— Calmes. Rien à dire.

— *Well, well...* Lord Granville se trompe donc, nous ne serons pas massacrés.

— Pardon ?

— Lord Granville est un éminent personnage de Londres, où on se spécialise dans la fabrication d'éminents personnages. Il s'est opposé à notre expédition. Voyez-vous, monsieur Lafortune, on craint que les Indiens ne nous exterminent en chemin, et que les Métis ne nous annihilent à fort Garry.

Lafortune rigola de nouveau, mais cette fois, il s'y glissait de la servilité, un désir de plaire.

— Ne craignez rien là-dessus. Riel ne se battra pas.

— Et pourquoi donc ?

— C't' un beau parleur. Mais il ferait de mal à personne.

297

— Il a pourtant fait fusiller Thomas Scott.

— Un vaurien.

— Un Anglais, monsieur, précisa le militaire avec le même air impassible.

L'officier anglais posa sa tasse sur la table, à côté des *Pensées* de Marc Aurèle et de l'*Imitation de Jésus-Christ*. Askik admira ses ongles propres et roses. L'officier examina les haillons de Lafortune et d'Askik. Numéo ne semblait pas l'intéresser. Il congédia ses visiteurs d'un mouvement affable de la main.

En sortant, Lafortune accosta l'interprète canadien avec un joyeux « Salut, compère ! On ne serait pas du même pays par hasard ? » L'interprète était un petit homme grisonnant au visage criblé de vérole. Il rougit et s'éloigna à grands pas, comme s'il n'avait rien entendu. Lafortune brailla à fendre l'air :

— Tu pourrais me dire bonjour, espèce de mal élevé !

— Farme ta yeule ! chuchota le petit homme en revenant prestement sur ses pas. J' te donne un bon conseil, garçon : installe-toi près de la rivière et bouge pas. La nuit surtout. Le camp est rempli d'orangistes.

— Des orangistes ? demanda Lafortune en promenant ses yeux sur les arbres avoisinants.

— Des Anglais, tête de noix. Ils haïssent les Français. Ils aiment encore moins les Sauvages. Surtout les Métis ! siffla le petit homme en jetant les yeux sur Askik. Ils ont hâte de tuer des Métis !

— Comment ça ? demanda Lafortune incrédule. Ton bourgeois parle de faire la paix, rien de plus.

— Pouah ! (L'interprète cracha avec un malin plaisir.) Ils vont le pendre vot' Riel. Et toute sa bande. C'est moé qui vous le dis.

— Et toi qui nous le dis, qu'est-ce que tu fais là-dedans ?

Mais l'interprète s'éloignait déjà en haussant les épaules.

— C'est vrai qu'ils vont tuer des Métis ? demanda Askik.

— Bah! répondit Lafortune. S'ils tirent comme ils rament...

Lafortune passa trois matinées de suite en compagnie des commandants de l'expédition. Il commença par leur tracer le parcours sur les cartes et se brouilla complètement : Lafortune connaissait les lacs et rivières de vue. Les suivre sur papier le déboussolait. Alors, accotant sa chaise au mur, les yeux levés au plafond, Lafortune refit son voyage en sens inverse, rappelant chaque portage, chaque marais, tandis que les officiers inscrivaient des données sur leurs cartes. Ils posaient de minutieuses questions sur la force des rapides, l'inclinaison des pentes, la profondeur des eaux. Ils voulaient savoir, en particulier, où se trouvaient les principales bandes indiennes. Autant demander l'emplacement des chevreuils dans la forêt.

Lafortune n'omit aucun détail. Par orgueil professionnel, et par désir de plaire. Et pourtant, lorsqu'ils demandaient avec insistance : « Mais où se trouve au juste l'entrée de ce portage ? » Lafortune devait leur répondre : « Vous trouverez sur place. Il faut chercher un peu. »

Les commandants fronçaient les sourcils, et Lafortune se reprochait de n'avoir pas noté tous ces détails en chemin. Alors il en rajoutait, offrait de pleines chaudières de renseignements sur toutes les embûches réelles et possibles qui attendaient les lourdes péniches. Lorsqu'il termina son récit, les cartes étaient noires d'avertissements. Lafortune les contempla avec fierté, les commandants avec effarement.

Le quatrième jour, en entrant dans la cabane du colonel, Lafortune vit les militaires assis en demi-cercle, les mains vides, sans tasses ni crayons. Il n'y avait plus de chaise pour lui : il se tint debout.

— Monsieur Lafortune, commença le colonel Wolseley, nous avons pris en considération vos commentaires et avertissements. Peut-être avons-nous sous-estimé les difficultés du parcours. Peut-être les avez-vous exagérées. Toujours est-il que vous êtes le dernier homme à

299

avoir emprunté cette route. Vous êtes en mesure de nous épargner un temps précieux. Aussi dois-je vous demander de nous accompagner jusqu'à fort Garry.

Lafortune demeura souriant et affable longtemps après que le colonel eut fini de parler. C'est que l'interprète prenait tout son temps. Lorsqu'il rendit la dernière phrase, Lafortune faillit tomber à la renverse.

— Retourner ! Mais j'en reviens ! Retourner ?

Comme plaidoirie c'était faible, il le sentait bien, mais l'étonnement lui clouait la langue. Un officier aux moustaches très noires intervint. C'était un Canadien, il pensait avoir le tour avec les gens du pays.

— Vous toucherez le salaire normalement consenti aux bateliers, ainsi qu'une prime — généreuse — pour vos services d'éclaireur...

— Et vous aurez, reprit le colonel Wolseley, la satisfaction d'avoir servi votre patrie. Vous êtes originaire du bas Canada, je crois ?

Leurs paroles n'atteignaient plus Lafortune. Il voyait branler tous ses rêves : couvent, plumard, et mère cuisinière. Rassemblant enfin ses esprits, Lafortune chercha une sortie, et la trouva.

— Monseigneur, j'aurais bien aimé vous venir en aide, mais ce n'est pas possible. Je voyage avec un Naturel et un enfant. Sans moi, ils sont perdus. J'ai donné ma parole que l'enfant atteindrait Montréal...

— Ils emprunteront le bateau-vapeur jusqu'à Toronto, le train jusqu'à Montréal. Je m'en charge.

— C'est que j'ai moi-même des affaires à régler à Montréal. Des affaires *commerciales*, insistait Lafortune, qui pensait toucher une corde bien anglaise.

— Le devoir, monsieur Lafortune, prime l'intérêt.

Lafortune se fâcha.

— Toute ma vie j'ai travaillé comme un chien pour sortir du Nord-Ouest, et toé tu vas m'y ramener ? Comme ça ?

Mais la colère passait mal dans la traduction. L'interprète rendait tous ces mots avec un ennui indicible, et en multipliant les formules de politesse.

300

— Allons, monsieur Lafortune, trancha le colonel, je ne vous demande pas le sacrifice suprême. Vous serez de retour à Montréal avant l'hiver. Je vous le promets.

Lafortune baissa les yeux. Lorsqu'il les releva, il avait changé de contenance.

— Bien, monseigneur. Je vous guiderai. Mais j' vais d'abord aller parler à mes deux compagnons. Je dois leur donner quelques conseils.

— Il vaudrait mieux, je pense, que vous les attendiez dans le fort. Je ferai venir le garçon.

Askik trouva Lafortune accroupi sur le sol à l'ombre d'une baraque. Le prisonnier était flanqué de deux soldats : le plus jeune souffrait d'une acné prononcée. Askik guettait leurs fusils avec inquiétude ; il n'avait pas oublié les avertissements de l'interprète. Mais Lafortune le rassura.

— N'aie pas peur, Milieu, ils ont hâte de chasser du Métis, mais ils ne savent pas de quoi ç'a l'air. Ça va mal garçon. Wolseley m'emmène avec lui !

Il attendit une expression de commisération et n'en reçut pas : Askik était encore trop jeune pour comprendre le malheur des autres.

— Je n'ai pas la force de faire deux fois le voyage. Maintenant je sais que je vais mourir dans les Terres hautes. Pourtant, soupira-t-il en regardant tournoyer les mouettes, pourtant j' suis venu bien près de m'échapper. On a fait un bon bout de chemin ensemble, Askik. Vous allez devoir continuer sans moi. Le canot est réparé. Chargez-le cette nuit, soyez prêts à partir de bonne heure.

L'interprète canadien-français se dirigeait vers eux de son pas insolent. Lafortune parla plus vite.

— Une fois rendu à Montréal, vends mes fourrures — demande l'aide des pères — place l'argent dans un compte en mon nom. Si j' suis pas de retour à ta majorité, l'argent est à toi.

— Qu'est-ce que tu viens faire ici, serpent ? lança

Lafortune à l'interprète. T'as sali ton trou? T'en cherches un autre?

— Attention, bonhomme! répliqua le volontaire, piqué. Un soldat, ça compte plus qu'un voyageur!

— Tiens! Un serpent qui parle! J' gage que t'en avais jamais vu, Askik.

— Le garçon doit partir! glapit l'interprète d'un ton méchant. Son visage prenait un teint rose terreux lorsqu'il se fâchait.

— C'est bon, Askik, va-t'en. Tu expliqueras au Naturel. C'est un bon Sauvage, je pensais le voir dételer bien avant ça...

— Ça suffit, dehors!

— Hé dis don', serpent, tu faisais quoi avant de te chauffer chez les Anglais?

— Ta gueule va te coûter cher, mon maudit! J' peux te rendre le voyage difficile!

— Y sera encore plus difficile que tu ne le penses, paysan!

En traversant les remblais, Askik se retourna une dernière fois vers Lafortune. Le vieux voyageur s'était recroquevillé sur lui-même, la tête entre les genoux, les poings sur les oreilles, refusant de voir et d'entendre ces Canadiens qu'il avait cherché toute sa vie à retrouver.

En descendant vers la rivière, Askik rencontra les soldats revenant de l'exercice : des adolescents rieurs, roses, aux cheveux blonds ou roux, heureux d'être des soldats, de faire un travail facile, plaisant, et honorable. Ils virent à peine l'enfant métis, et pourtant Askik était mal à l'aise. Il sentait confusément que son parti n'était pas le leur, qu'il était plus étroitement lié à Lafortune, déchu et faible, qu'à ces jeunes guerriers. Leur teint frais, leur langue étrange, leur propreté congénitale, la facilité avec laquelle ils se plaisantaient, tout cela intimidait Askik. Il se sentait très petit, très brun, très timide. Il avait hâte de retrouver Numéo, de s'asseoir près du feu, dans sa vieille couverture qui sentait la fumée et l'humus.

Ce besoin l'humilia. Numéo aussi était du mauvais

parti. Être bien avec Numéo c'était admettre que jamais, jamais, il ne serait l'égal de ces jeunes hommes blonds. Il ne posséderait jamais leur supériorité riante, ni ce dédain amusé qui plissait joliment leurs lèvres lorsqu'ils passaient devant les familles ojibwées installées en bordure du camp. Au fond de lui-même, Askik leur donnait raison. Au fond de lui-même, il les vénérait déjà. Il était métis, donc il était différent, il était moindre.

Il rentra au camp, vaincu. Le seul fait de rentrer au camp était un échec, et pourtant qu'avait-il d'autre à faire ? Il passa la soirée à douter de lui-même et de son avenir.

Pour le distraire, Numéo entama l'histoire improbable de *Wapos,* le Lapin. Mais Askik s'enveloppa la tête dans la couverture et se coucha. Les jeunes Anglais, pensa-t-il, n'écouteraient sûrement pas une histoire de lapin.

Il faisait pleine nuit. Askik était éveillé et se demandait pourquoi. Une ombre courait de bord et d'autre dans le camp.

— Lève ! Lève ! Grouillez-vous !

L'ombre trébucha sur des paquets.

— Je vous avais dit de charger le canot ! Faut-tu que je fasse toutte moi-même ?

Askik n'en croyait pas ses oreilles.

— Lafortune !

— Chut ! (Une main calleuse s'abattit sur sa bouche.) Farme-la, torrieu ! Pensais-tu que le vieux Lafortune allait se laisser prendre par une bande de bottes vernies ? Un voyageur, ça compte plus qu'un commis de magasin, comme dirait le picoté. Envoye, garçon ! Grouille !

Ils chargèrent le canot en un tournemain, le cœur dans la gorge. Chaque clapotis, chaque pas leur crevaient les tympans. Comment les gardes n'entendaient-ils pas ?

303

Lafortune et Askik étaient dans le canot, les avirons suspendus au-dessus de l'eau. Numéo poussa des jambes et sauta agilement à sa place. Le canot s'envola, filant sans bruit sur l'eau parfaitement étale.

— Adieu les culottes serrées, marmotta Lafortune en ramant. Bon voyage ! Bons bouillons ! Que la Vieille vous chavire. La prochaine fois que vous mettrez la main sur un voyageur, ouvrez l'œil !

Les avirons entraient et sortaient de l'eau sans plus de bruit qu'une loutre qui plonge. Le canot laissait derrière lui un V grandissant que la lune accentuait. Mais les soldats veillaient-ils seulement ?

Les rives de la Kaminisitiquia se déroulaient à vive allure des deux côtés. Soudain la terre s'arrêta, comme retenue par une crainte subite. Le canot s'aventura seul sur la baie du Tonnerre, antichambre de Kitché-Goumi, le Grand Lac.

L'air frais soulevait une épaisse brume que la lune argentait. Lafortune ne voyait pas à deux pieds devant le canot. La brume s'élevait en formes fantasques et luminescentes : des femmes aux couvertures déchirées se promenaient sur l'eau froide, des vieillards aux bras crochus descendaient soudain dans ses profondeurs. Par moments, les voyageurs se trouvaient dans un nuage opaque, d'autres fois, ils traversaient une clairière d'eau noire entourée d'arbres phosphorescents.

Ils ramèrent toute la nuit. La lune se coucha. Au milieu de la baie le brouillard se dissipa. Épuisé, Askik enfonçait de moins en moins l'aviron. A l'invitation de Numéo, il se roula en boule au fond du canot et s'endormit. Lorsqu'il se réveillait, de loin en loin, il voyait le rebord du canot et ses coutures de *watap*, le firmament étoilé, et la silhouette de Numéo se balançant patiemment, résolument, au-dessus de l'eau. Quand le ciel se mit à rosir devant le canot, ils virent une pointe de terre qui barrait leur chemin : la côte orientale de la baie du Tonnerre. Au-delà de cette pointe, le large. Lafortune leur fit doubler le cap pour s'installer sur l'extrémité sud-est de la pointe, en vue du

304

lac Supérieur. Il était temps de s'arrêter. En chauffant les terres, le soleil brassait les vents sur la surface glacée de Kitché-Goumi. Les vagues se levaient.

Ils se cachèrent dans la forêt, craignant que Wolseley n'ait envoyé des soldats à leur poursuite. Ils dormirent jusqu'au soir.

L'officier canadien étudiait nerveusement le bout de ses bottes.

— Ils sont partis, sir. Le voyageur et les deux Sauvages. Déguerpis.

Wolseley leva un œil amusé de son miroir à raser.

— Déguerpis ? Échappés plutôt ?

— *Why... yes, sir.*

— *Never mind, leftenant.* Je soupçonne notre monsieur Lafortune d'avoir exagéré la difficulté du parcours. Pour nous en dissuader, sans doute. Pour protéger ses amis métis. Qu'en dites-vous, lieutenant, pourrons-nous nous passer de lui ?

— *Yes, sir !* L'officier canadien partit rassuré. Un corps expéditionnaire de Sa Majesté pouvait-il réellement dépendre d'un voyageur canadien français ?

Endossant l'ample veston kaki qu'il affectionnait envers et contre tout le monde au War Office, le colonel Garnet Wolseley sortit prendre l'air en attendant l'heure du Conseil. Le chemin du lac Shebandowan était presque terminé. L'expédition allait pouvoir reprendre sa marche.

Il faisait étonnamment frais. Les étés sont trop courts dans ce pays, pensa Wolseley. Mais où trouver ailleurs ce parfum d'épinette, ces rocs gris aux lichens orange, les rivières écumantes qui jaillissent de forêts insondables ? Le Canada le hanterait jusqu'à la fin de ses jours.

Son heure avait sonné : il l'ignorait encore. Comment pouvait-il savoir, en arpentant les rives de la Kaministiquia, que la Prusse avait envahi la France, que l'armée française s'écroulait, que le Parlement britannique, apeuré par le désastre d'outre-Manche, s'apprêtait enfin à agir ? En moins d'un an le haut commandement militaire allait être refondu, la vente des grades proscrite, le service militaire raccourci. Autant de mesures prônées par Garnet Wolseley et une poignée de jeunes officiers pour qui la guerre était aussi une science. Londres allait les écouter, après les avoir méprisés.

Tous les honneurs étaient réservés à Garnet Wolseley : vainqueur des Achantis, gouverneur de Chypre, conquérant du Caire, libérateur de Karthoum, commandant en chef des armées de l'Empire, baron et vicomte. Son nom deviendrait synonyme de succès. *All Sir Garnet !,* dans le langage du peuple, signifierait un jour : « Ça va ! »

Et pourtant, sa vie tout entière allait ressembler à cette expédition vers la Rivière Rouge. Le corps expéditionnaire franchirait cinq cents milles de forêts et de rivières, une distance plus longue que celle franchie par Napoléon entre le Niémen et Moscou : ses lourdes péniches allaient survivre à quarante-sept portages, ses soldats deviendraient des bateliers habiles. Et tout cela finirait dans le silence, sous une pluie battante, dans un fort Garry abandonné, Riel et ses Métis ayant pris la fuite. L'expédition de la Rivière Rouge, à peine remarquée ailleurs dans l'Empire, allait être oubliée aussitôt.

Ainsi, Sir Garnet Wolseley allait passer trente ans à courir d'escarmouche en escarmouche, à s'user dans les accrochages de l'Empire. Il chercherait toute sa vie une lutte digne de ses dons et mourrait le 26 mars 1913, à la veille de la plus grande guerre de l'histoire de l'humanité.

XII

Ils longèrent la côte nord du lac Supérieur, voyageant surtout de nuit, pour éviter les vagues, et parce que Lafortune était un déserteur. Ils passèrent plusieurs jours en dégradés, échoués sur une berge étroite et rocailleuse, guettant le moment où le lac décolérerait. Par temps calme, ils ramaient jour et nuit.

A leur gauche, un paysage redoutable : des falaises hautes de plusieurs centaines de pieds, des rivières grondant au fond des sombres crevasses, des soufrières fumantes, des cavernes où le lac mugissait et soufflait. A leur droite, l'eau sans fin.

Dix jours plus tard, ils firent escale à la baie des Crêpes. Autrefois, les voyageurs y mangeaient le reste de leur farine puisqu'ils étaient certains de toucher de nouvelles provisions le lendemain au Sault Sainte-Marie. Mais Lafortune dérogea à la tradition. Il y avait des soldats au Sault : il n'avait pas l'intention de s'y attarder.

Il faisait pleine nuit lorsqu'ils pénétrèrent la rivière Sainte-Marie qui relie le lac Supérieur au lac Huron. En tournant la Pointe aux Pins ils virent les lumières du village américain sur la rive droite. En face, la forêt canadienne demeurait sombre et sauvage.

Ils ramaient vite, et silencieusement. Ils allaient dépasser le village quand se dressèrent devant eux des ombres géantes. Le canot d'écorce passait entre des vaisseaux lourds, aux coques de poutres, aux amarres de chaînes. Un vapeur au mouillage chuintait tranquillement en rejetant des étincelles.

Lafortune croyait perdre la raison. Comment d'aussi lourds navires avaient-ils franchi les rapides ? Numéo et Askik étaient médusés : d'où venaient ces béhémothes ? Comment faisaient-ils pour flotter ?

Ils virent des lanternes s'agiter au loin, du côté américain. Des hommes allaient et venaient dans leur lumière. Puis, devinant un mouvement au-dessus des hommes, ils virent, stupéfaits, les mâts d'un navire avançant au milieu des terres, loin de la rivière.

C'en était trop pour Lafortune qui pensait assister à des diableries : il n'avait jamais vu d'écluses.

— Sacrons le camp ! siffla-t-il. Ramez ! Ramez !

Quelques instants plus tard, navires, écluses et lanternes avaient disparu. La noirceur était aussi complète, la rivière aussi tranquille qu'avant.

— Ils ont creusé un canal, marmotta Lafortune qui commençait à comprendre. Là où les voyageurs avaient joué leur vie dans des canots légers, des messieurs passaient dans des navires de fer. Lafortune se sentit ridicule dans son canot d'écorce qu'il faisait aller avec les bras. Ridicule et démodé. Il ne restait plus rien des voyageurs. Rien du tout.

Au lac Nipising il chercha longtemps quatorze croix de bois qui, du temps de sa jeunesse, marquaient l'endroit où tout un équipage avait péri. Ces quatorze croix étaient connues dans tout le Nord-Ouest. Lafortune ne les trouva pas. Il fouilla rageusement les broussailles et, à la nuit tombante, vint se rasseoir au feu, sale et morne.

Huit jours plus tard, ils lançaient leur canot sur la rivière des Outaouais.

— Regarde, Askik, s'écria Lafortune en désignant la rive gauche, c'est le bas Canada ! Et là, en face, le haut Canada.

Askik fut déçu. Il n'y avait pas de différence entre les deux rives. Si ce n'est que les collines du bas Canada avaient l'air un peu plus élevées que celles du haut Canada. Un autre non-sens, qu'il se garda bien de relever.

D'abord ils ne virent que de mauvaises huttes, de loin en loin : des abris de bûcherons. Puis, frappante par son isolement, une ferme avec une maisonnette en bois rond, une vache, et un bout de champ cultivé. Plus ils avançaient, plus la distance entre les habitations se rétrécissait, plus les cultures et les troupeaux étaient importants. Des paysans les hélaient, en français, depuis leurs cours : « D'où venez-vous ? » La réponse : « La Rivière Rouge » provoquait des exclamations, ou des silences étonnés, chez les vieux surtout. Un jeune homme qui gardait des vaches leur demanda encore : « C'est où ? », ce qui acheva de déconcerter Lafortune.

Les derniers jours du voyage passèrent très vite. Par la suite, Askik regretta d'en avoir si peu retenu et, en particulier, d'avoir négligé Numéo. Le chasseur cri,

...ià peu bavard, devenait tout à fait silencieux. Lors-
...e surgit devant eux le village d'Aylmer, avec ses tours
...glise étincelantes, ses rues en quadrillé et ses maga-
s..., l'Indien se montra tout aussi étonné, sinon plus,
q... Lafortune et Askik. Mais il semblait regarder ces
n...veautés de loin, comme un homme qui a déjà
l'...rit ailleurs.

... seule question que posa Numéo de tout le voyage
vi... au retour du village. « Combien de jours encore
p... Montréal, *nitotem*? » Quand Lafortune répondit :
« ...ois », Numéo eut l'air satisfait.

...ramèrent une partie de la nuit, dépassant de
gr...ds trains de bois qui descendaient l'Outaouais. Ces
im...enses radeaux de bois rond qu'on appelait des
« ...es » s'acheminaient au gré du courant vers les
sc...les en aval. Des « cageux », chargés de conduire le
b...à bonne destination, vivaient sur les radeaux dans
de...abris de branchages. Quand ils furent fatigués de
ra...r, les trois voyageurs hissèrent leur canot sur un de
ce...adeaux et s'endormirent autour d'un bon feu pen-
d... que la rivière les portait lentement vers Montréal.
...a dernière nuit, ils campèrent au pied du Long
S...lt, une suite de rapides qu'ils avaient traversés sans
...arquer. Le feu éparpillait les ombres des arbres, et
j...it des pâleurs sur le plafond de la forêt. Askik
...vait jamais vu d'aussi grands pins. « C'est le cli-
...t! » disait fièrement Lafortune. Depuis leur arrivée
...Québec, il prenait des airs de petit seigneur faisant
...siter son domaine.

— C'est ici, garçon, qu'est mort Dollard des
...rmeaux. Et ses compagnons. Massacrés par les sau-
...ages. Mais y en ont tué toute une bordée avant! Pas la
...eine de traduire pour not' Naturel, il le prendra mal.

Lafortune ne savait plus où mettre ses jambes. Elles
se pliaient et se dépliaient spasmodiquement. Il suçait
nerveusement sa pipe éteinte et jetait des regards
d'envie vers son canot. Ramer toute la nuit, entrer à
Montréal au jour levant aurait fait son affaire. Mais
allait-il se retrouver dans la noirceur?

— Ah, garçon ! soupira-t-il enfin, tu peux pas savoir ce qu'est le mal du pays ! Quarante ans que j'ai passés dans le Nord-Ouest ! Et pas une seule journée où je n'aie souhaité de revenir au pays ! J'ai fait faire le calcul par un commis : quarante ans, c'est quinze mille jours. Quinze mille jours ! souffla Lafortune tandis qu'un regard d'horreur passait sur son visage. Quinze mille fois que je me suis dit que j'aurais mieux fait de rester à la maison. Non, tu peux pas savoir...

Après un moment de silence, il continua.

— Le pire, c'était aux fêtes. Le Jour de l'An surtout. Pris dans une cabane grande comme ma main, dans un champ de glace, pas une femme en vue : parfois j'avais que mes chiens pour me tenir compagnie. Et savoir que ce jour-là, au Québec, ma parenté fêtait et veillait, et, peut-être même, parlait de moi ! Nos hommes passaient Noël à boire et à se battre. C'était leur manière à eux de ne pas mourir de chagrin.

Et quelques-uns, murmura Lafortune en se baissant vers la chaleur du feu, quelques-uns qui n'en pouvaient plus ou qui avaient trop bu, partaient dans la chasse-galerie. Ils appelaient le démon à leur aide : « Emporte-nous en Canada, vieux Malin ! Si on n'est pas revenus avant l'aube, si on frappe un clocher d'église en chemin, nos âmes t'appartiendront ! » Ils prononçaient les mots magiques et youppe ! le canot les emportait dans les airs !

Askik voyait les canots de la chasse-galerie filant au-dessus des forêts et rivières gelées, faisant en une nuit le voyage qui leur avait coûté deux mois. Les canots de maître fonçaient sur les hameaux du Saint-Laurent où les voyageurs invisibles s'engouffraient dans les maisons en fête. Vers la fin de la nuit, hagards, livides de fatigue et de chagrin, ils remontaient dans leurs canots et s'envolaient comme le vent vers le Nord-Ouest. Quelques-uns restaient, incapables de s'arracher à leurs foyers paternels, perdus pour l'éternité.

— On s'est trompés, garçon, conclut Lafortune. On aurait dû demeurer icitte, au Québec, parmi les nôtres.

Ça nous a servi à quoi de courir les bois pendant toute une vie ? On a enrichi les Anglais, on a fait des Métis, on est revenus tout aussi pauvres qu'en partant.

Askik passa une mauvaise nuit. Il rêvait que maître Prosy le prenait par l'oreille et le ramenait au Portage Savanne chercher son manuscrit. Il se réveilla à l'aube, l'âme inquiète. La brume avait envahi la forêt : les pins paraissaient encore plus lourds. Au loin, très loin, un pic donnait des coups hésitants dans un arbre creux. Numéo dormait sans bruit. Lafortune se remua en poussant un grognement et un soupir.

L'enfant se pelotonna sous sa couverture, la joue collée au plancher odorant de la forêt. Il n'avait plus envie d'atteindre Montréal, ne voulait pas entrer au collège, ne voulait plus connaître ses bienfaiteurs. Il voulait voyager toujours avec Lafortune et Numéo, ramer de lac en rivière, jusqu'aux mers de glace s'il le fallait, loin des jeunes hommes blonds et des regards dédaigneux. A quoi bon apprendre à lire et à écrire puisqu'il ne serait jamais comme eux ? Comment deviendrait-il un grand homme s'il n'arrivait même pas à soutenir le regard d'un Blanc ? Il songea à Mona et ressentit pour elle un vif élan de tendresse. Elle avait tout compris. C'est vrai qu'il n'avait pas envie d'être un grand homme. Sa place était avec elle, parmi les siens. La forêt d'ici lui paraissait trop belle, trop propre. Il regrettait les arbres rabougris, les bois embroussaillés du Nord-Ouest. C'était moins beau, mais cela leur appartenait. Askik décida de rentrer à Saint-Boniface.

Un corbeau poussa un râle aigu. Lafortune se retourna sur le ventre, ouvrit un œil, inspecta la forêt sans comprendre, puis se leva d'un bond.

— Lève nos hommes, lève ! Ah, la belle journée ! *Mino-gisigow !* cria-t-il avec exubérance à Numéo.

Fallait-il qu'il soit de bonne humeur pour se risquer en cri !

— Dernier jour, voyageurs ! Ce soir, nous soupons à Montréal ! A Montréal !

Et pourtant, Lafortune ne donnait pas signe de partir. Il savourait ces derniers moments. Dans quelques heures, il quitterait pour toujours l'état de voyageur. Il avait le temps de déjeuner une dernière fois en forêt, de siroter lentement son thé en se disant dix fois, cent fois, que la rame que voilà serait la dernière qu'il empoignerait, que l'arbre aux écailles monstrueuses ne le verrait plus jamais repasser, que le canot renversé sur la rive ne lui fatiguerait plus jamais les reins.

Une suite de notes coléreuses leur tomba sur la tête. Un écureuil roux était assis sur une branche et leur adressait un torrent d'injures.

— Regarde, *nisim,* dit Numéo.

Askik leva à peine les yeux. Il n'avait que faire d'écureuils. Il sentait bien maintenant que son plan était ridicule. Lafortune allait-il faire demi-tour aux portes mêmes de Montréal ?

— J'aime *Alikwatsas,* continua l'Indien. Il est petit, il est faible, mais c'est un grand guerrier. Les buses et les chouettes l'attaquent dans les arbres, le renard l'attend au sol, et pourtant il ne se cache pas. Il se tient en vue dans les branches et crie très fort. Il est défiant et rusé. Il court au sol comme s'il avait la taille d'un ours. Il n'a pas d'armes, mais il a de l'audace. Il n'a pas honte de sa faiblesse.

La petite bête s'était tue, comme pour mieux suivre son éloge. Askik la regarda plus attentivement. L'écureuil les dévisageait effrontément, les quatre pattes bien écartées en position de fuite, la queue levée haut, prête à diriger le bond.

Lafortune s'étira et empocha sa pipe.

— Assez jasé, nos hommes. Y est grandement le temps que je rentre à la maison !

La distance qui les séparait de Montréal était plus grande que ne le pensait Lafortune. Il se faisait déjà tard lorsqu'ils virent une chapelle sans prétention au bord de l'eau.

— Sainte-Anne ! hurla Lafortune, hors de lui. C'est la chapelle des voyageurs. On venait prier icitte avant de partir ! On faisait chanter des messes avant de monter dans le pays d'En Haut !

Arrachant sa tuque bariolée, Lafortune se leva sur les genoux et, les mains jointes, pria avec ardeur.

— Merci sainte Anne de m'avoir ramené dans mon pays ! Le voyage a été long, mais j' suis reconnaissant quand même. Mauditement reconnaissant ! Ah Seigneur ! cria-t-il, la chapelle !

Des larmes rayaient ses joues, ses mains brunes tremblaient d'émotion, il avait l'air à la fois extatique et affligé. Reprenant enfin l'aviron, il recommença à ramer lentement, tête nue, les cheveux gris au vent.

Le soleil approchait l'horizon lorsqu'ils atteignirent les quais de Lachine. Leur voyage était terminé.

Il y avait près du quai un grand entrepôt où s'entassaient autrefois les marchandises destinées au Nord-Ouest. Quelques employés flânaient près de la porte, occupant leur fin de journée à bavarder. Ils furent saisis d'étonnement en voyant accoster trois voyageurs en canot d'écorce. Lafortune mit pied à terre, fit quelques pas droit devant lui, puis s'immobilisa, les yeux fixes comme un somnambule. Le plus âgé des employés, un vieillard aux cheveux blancs, alla à sa rencontre.

— Salut, voyageur. Te revoilà chez vous. D'où viens-tu ?

— De la Rivière Rouge, murmura Lafortune.

— Ah... un homme du Nord. Ça doit faire trente ans que je n'ai pas vu de canot pareil.

— C'est un bon canot, bredouilla Lafortune. J'aurais mis des plumes aux pinces, mais j'avais pas de plumes.

— C'est pas grave. Ces coutumes-là sont oubliées.

Le soleil couchant incendiait la poussière au-dessus des champs de foin. De lourds chariots chargés d'herbe attendaient près des hangars. Lafortune n'avait jamais rien vu d'aussi beau.

— Est-ce qu'on t'attend, voyageur ? demanda le vieillard.

— Hein ?

— As-tu de la parenté, des amis, qui peuvent te recevoir ?

— Non.

313

— Alors je t'offre le gîte. Moi aussi j'ai été voyageur. Mais j' suis jamais monté dans le Nord-Ouest.

— T'as bien fait, l'ami, t'as bien fait.

Les deux hommes s'éloignaient déjà quand Lafortune se souvint d'Askik.

— Le garçon ! Y doit se rendre au séminaire des sulpiciens.

— Rien de plus facile, trancha le vieillard. Ces chariots partent pour la ville. Albert ! fit-il en se tournant vers les employés, trouve une place pour le petit !

Lafortune se laissait emporter par son hôte lorsqu'il s'entendit demander :

— *Nitotem,* que fais-tu du canot ?

Numéo était resté au bord de l'eau, l'aviron à la main. Il regardait Lafortune avec un demi-sourire.

— Le canot ? Mais que veux-tu que j'en fasse ?

Puis, se rappelant que Numéo n'avait presque rien touché pour ses peines, Lafortune le prit familièrement par les épaules et déclara :

— T'es un bon Sauvage. J' te donne le canot.

— *Kinanaskomitin, nitotem,* répondit Numéo, merci !

Quand Lafortune fut enfin parti, ce fut au tour d'Askik de demander :

— Que vas-tu faire du canot, Numéo ?

— Je m'en retourne chez moi, petit frère.

— Tu ne veux pas voir Montréal ?

— Non. J'ai déjà beaucoup vu. Je vais retrouver ma femme. Nous n'aurons plus jamais d'enfants. Mais il y a beaucoup de morts parmi les Cris maintenant. Peut-être y aura-t-il des enfants qui auront besoin de nous. Si je pars maintenant, je serai chez moi avant les glaces. Avec l'argent que j'ai reçu de ton oncle, j'achèterai des provisions pour l'hiver.

Par moments, parce qu'il était encore un enfant, Askik pouvait agir sans orgueil, sans égard pour les apparences. Il enlaça Numéo de toutes ses forces.

— Je veux retourner avec toi, Numéo.

— Non, tu dois rester. Ce qui était bon pour moi ne l'est plus pour toi. Reste, et apprends les manières des Poilus. Ce sont eux, désormais, qui décideront de tout.

— Mais je ne les aime pas !

— Tu les aimeras peut-être. Eux aussi sont tes parents.

— Tu ne forcerais pas un de tes fils à rester ! objecta Askik.

— Mes fils étaient des Muskégos. Tu es un Métis. Reste.

— J'ai peur, Numéo.

— Souviens-toi d'Alikwatsas, petit frère. Sois brave. Un jour, tu visiteras ma loge, et je serai fier de te recevoir. *Kitôm kawapmitin, nisim.*

Askik renifla une larme, et s'avisant des regards curieux des employés, se sépara de Numéo.

La même voix qui lui avait parlé au fort William lui sifflait maintenant qu'il était honteux d'embrasser un Indien devant des Blancs.

— *Kitôm kawapmitin,* Numéo.

Les charretiers s'arrêtèrent une partie de la nuit dans une buvette, une maison sale et basse qui portait les éclaboussures du chemin. Du haut du tas de foin, Askik voyait des ombres jouer sur les vitres maculées de boue. Dans cette maison, il y avait une femme qui poussait de grands rires aigus ; c'était presque toujours le signal de disputes furieuses entre les hommes. Ils ne repartirent qu'aux petites heures, ayant bu et juré tout leur soûl.

Bidou, le charretier avec lequel voyageait Askik, semblait particulièrement sombre au sortir de la buvette. Il monta dans les ridelles, abattit rageusement les rênes sur les croupes des chevaux et, penchant la tête dans le vide, perdit tout intérêt pour son métier.

L'herbe fanée, si accueillante au premier abord, se recouvrait de rosée froide. Askik songea à Numéo qui couchait en forêt, près d'un feu. Numéo aurait-il abandonné son petit frère s'il avait su à quel genre d'hommes il le confiait ?

Une main rude le réveilla. Il faisait encore noir.

— T'es arrivé. Descends !

Askik glissa jusqu'à terre et se meurtrit le genou sur une surface dure. Avançant droit devant lui il vit une grille de fer, la saisit et ne bougea plus. Bidou claqua de la langue. Le chariot disparut.

Pendant très longtemps, il ne vint personne. De temps en temps, un chien aboyait au loin, toujours le même. De l'autre côté de la grille venait un bruit d'eau : y avait-il un ruisseau ? Vers le matin, Askik entendit un grand cri de peur, suivi de marmonnements d'ivrogne. Et puis rien. Son genou enfla et cessa de lui faire mal ; sa main, posée sur le fer glacé, devint insensible. Peut-être malgré tout arriva-t-il à dormir, car il ne vit pas les tours de Notre-Dame sortir de l'ombre. Lorsqu'il leva les yeux, elles étaient déjà là, penchées sur lui, pesantes, noires, et vertigineuses, plus hautes que tout ce qu'il aurait pu imaginer. Il n'eut pas le temps de s'écrier que la Banque se dressa en face, un géant trapu aux épaules massives et aux dents de pierre étonnamment longues.

Les livreurs qui se rendent de très bonne heure au marché Bonsecours forment une confrérie spéciale. Ils roulent pendant que les autres dorment, ils voient en premier ce que la nuit a laissé dans les rues de la ville. Ce matin-là, l'un d'eux raconta qu'il avait vu un enfant agrippé à la grille de la place d'Armes, un enfant à la peau brune et aux habits anciens, qui tenait sous le bras une robe de bison. La nouvelle fut accueillie par des rires et des sarcasmes. Les gars qui s'en retournaient par Notre-Dame promirent d'ouvrir l'œil, mais, bien entendu, il n'y avait pas d'enfant.

Troisième partie

VIEILLETERRE

I

— Je vous en prie, messieurs !

Un homme qui n'était plus tout à fait jeune demandait le silence. Désespérant de se faire entendre, il s'empara d'une bouteille vide et l'écrasa contre la table. Ses voisins furent aspergés d'éclats de verre, ce qui provoqua une nouvelle poussée de rires, et enfin, le silence.

— Merci, mes seigneurs. Vous connaissez, je pense, la cause de nos réjouissances — Gauthier, brave cochon, veuillez descendre de la table — nous sommes ici, donc, pour accueillir fraternellement le sieur... comment encore ?... Launay ?... Non ? Ah ! *de* Launay !

L'assistance hua copieusement la particule.

— De Launay, donc, gentilhomme campagnard, étudiant de son état, fraîchement débarqué dans notre ville de Montréal, aspirant noceur aux Trois Grosses Muses !

Tandis qu'une salve de hurlements saluait la candidature du sieur de Launay, l'Orateur prenait appui sur la table pour se retenir de tomber.

— Ce digne monsieur, donc, demande à entrer dans notre congrégation. Son répondant est le sieur Morin, son cousin. Et le sieur Morin, nous le savons, est un sacré buffle. (Nouveaux applaudissements.)

— Mais que savons-nous de ce de Launay ? s'écria

soudain l'Orateur en lançant le bras en demi-cercle, ce qui faillit l'entraîner dans une pirouette. Il avait le teint pâle et les yeux injectés de sang. Le contraire eût été étonnant, car il y avait plus de fumée que d'oxygène dans les Trois Grosses Muses.

— Que savons-nous de lui ? Rien ! Mais diantre ! Que savez-vous de moi ?

— Trois fois rien ! hurlèrent les convives.

— Un bel escroc ! criaient d'autres.

Et l'Orateur, levant la voix au-dessus de toutes les autres, tonitrua :

— Aussi vous proposé-je d'accueillir en notre sein Son Excellence de Launay !

L'Orateur tomba lourdement sur sa chaise tandis qu'éclatait un tonnerre de vivats et de bravos.

— Frères, supplia-t-il d'une voix rauque, à boire ! Je me suis dépassé !

Insensibles aux belles paroles, des femmes vieillissantes déposaient sur la table des miches de pain et des bols fumants de ragoût de boulettes. Les convives s'attaquèrent aux plats avec une rapacité qui laissa pantois le jeune de Launay.

— Dégainez, monsieur ! lui cria l'Orateur en exhibant son couteau. Ces chiens ne vous laisseront rien !

Le nouveau venu inspecta les boulettes grises qui flottaient dans une huile jaunâtre.

— A vrai dire, conclut-il, je n'ai pas tellement faim.

— Alors vous avez bien choisi votre état, monsieur. Car les étudiants ne mangent pas souvent.

— Hmmf ! Regarde-lui le bec ! grogna un autre dîneur en mâchant des boulettes et du pain. Penses-tu que not' de Launay a souvent faim ? Ça sent le papa riche d'icitte.

— Ce Gros-Jean, expliqua l'Orateur, s'appelle Martin. Il nous reproche notre parler de femmelettes et préfère, pour sa part, les mâles accents de la Beauce.

— Mange de la marde !

— C'est fait, mon ami.

Quelqu'un appela de l'autre bout de la table.

320

— Où est Mercredi ?

De Launay poussa un petit rire, puis posant la main sur la bouche, s'excusa.

— Mercredi ? Quel nom bizarre ! C'est un nègre ?

Martin s'arrêta de mâcher, la bouche pleine. Il songea un moment à tout régurgiter dans son assiette, pour mieux répondre, mais faisant effort sur lui-même, avala le tout d'un seul trait. Ayant repris son souffle il avança un doigt menaçant au-dessus de la table.

— Bouche-la, fifille ! La prochaine fois que tu riras d'un de mes amis, j' t'étouffe dans ton jupon, compris ?

— Mercredi, répondit l'Orateur pour détendre l'atmosphère, est de retour dans ses terres.

Des rires s'élevèrent. Martin émit un dernier grognement et se remit à ses boulettes.

— Mercredi, continua l'Orateur en s'adressant au jeune de Launay, est un membre de longue date. Un personnage tout à fait extraordinaire que vous aurez, j'espère, le plaisir de connaître.

L'Orateur eut un mouvement d'impatience qui lui tordit la bouche, soit qu'il se fatiguât de ses plaisanteries, soit qu'il fût en proie à cet écœurement qui saisit les buveurs vers le milieu de la soirée, avant que l'alcool ne les ait complètement insensibilisés.

— Mercredi, reprit-il d'une voix plus sourde, est arrivé à Montréal il y a quinze ans. On l'a découvert un matin accroché à la grille de la place d'Armes. Il arrivait tout droit de la Rivière Rouge, en canot s'il vous plaît. Ce n'était pas le premier Métis à faire des études chez nous — Louis Riel en est un autre — mais Mercredi était bien différent. Il parlait mal le français, et ce qu'il avait comme croyances faisait lever les cheveux des bons pères. Farouche. Ne parlait à personne. Toujours seul. Il ne recevait jamais de nouvelles de ses parents. Un matin, au dortoir, les pères l'ont surpris à dormir sur le plancher : il n'avait pas l'habitude des paillasses. Ils lui ont enlevé sa robe de bison, il a mordu un père au mollet ! Les punitions le laissaient froid. Au début, les autres l'appelaient le p'tit sauvage, ou le Métchiffe, en se moquant de son accent. Mais il s'attaquait à n'importe qui, même les plus grands. Et comme il fallait l'assommer pour qu'il se tienne tranquille, on a fini par lui laisser la paix. M'étonne qu'il ne soit pas mort de chagrin ces premières années !

— Et maintenant ? lança de Launay, qui commençait lui aussi à s'ennuyer. Mais l'Orateur ne s'occupait plus de lui.

— Ce qui a préservé Mercredi, c'était sa rage d'apprendre. Il était doué pour les langues. Il savait déjà le cri et l'ojibwé, mais ce n'était pas au programme. Connaissez-vous le cri, de Launay ? Le latin à côté est du baragouinage pompeux.

— Et maintenant ? insista de Launay, qui était grand lauréat de thème latin.

— Eh bien maintenant, Alexis Mercredi est apprenti avoué chez messieurs Leclerc et Juneau, rue Notre-Dame. Il emplit ses journées de requêtes et de brefs, et passe ses congés, qu'on lui laisse nombreux, dans le domaine de ses bienfaiteurs, les Sancy de Vieilleterre.

De Launay se redressa sur sa chaise.

— Il connaît les Sancy ?

— Leur protégé. Au début, il avait peu de communications avec eux, il ignorait même leur nom, je crois. C'est uniquement lorsque les pères l'ont jugé présentable que Mercredi a rendu sa première visite à Vieilleterre.

— Il est là maintenant ?

— Pour les fêtes.

— C'est incroyable ! Un Métis qui entre comme ça chez les Sancy !

— Comme ça ! confirma l'Orateur qui goûtait, en fin connaisseur, à la jalousie qui s'allumait dans les yeux du jeune de Launay.

— Et qu'est-ce qu'il compte faire votre Mercredi, dans l'avenir ?

— Que ne fait-on pas avec l'appui des Sancy ? Avocat, commerçant, homme d'État...

— Un homme d'État brun ! s'esclaffa de Launay, soulagé.

— Brun, soit, interrompit l'Orateur. Mais riche.
Vous êtes laiteux à souhait, de Launay, mais avez-vous
de l'argent ?

— C'est injuste.

— Tout se paie, mon cher de Launay. Et Mercredi a
payé cher.

Il était tard. Les convives reprenaient leurs manteaux
et se disputaient une demi-douzaine de galoches parfaitement identiques.

— Doucement, mes bœufs, doucement, marmotta
l'Orateur en se frayant un passage vers la porte. Avec
des égards qu'on n'accordait qu'à lui, les convives lui
passèrent un cache-nez et une tuque.

— Tiens ! dit l'Orateur. Me semblait en avoir une
bleue.

La petite foule s'égrena le long des rues sombres du
port, entre les bureaux et les entrepôts, et déboucha au
pied de la place Jacques-Cartier. Un vent glacial fouettait la pente.

— Ciel, que la bise est fraîche !

Des cris et des éclats de rire provenaient d'une
buvette américaine, seul établissement ouvert à cette
heure. Les fenêtres suintantes du saloon étaient cuiras-
sées de glace. Un homme sortit, tituba dans deux ou
trois directions, puis remonta lourdement la place vers
la rue Notre-Dame.

— Voilà l'agneau d'immolation ! A moi, mes braves !

Les étudiants rattrapèrent l'inconnu. C'était un
homme lourd, barbu, profondément ivre. En lui prodi-
guant des tapes dans le dos, en riant de ses farces
informes, les étudiants le dirigèrent doucement vers une
glissoire qui traverse la place Jacques-Cartier en descendant vers le fleuve. En furetant un peu, ils trouvèrent une luge à patins de bois.

— Votre carrosse est prêt, mon gentilhomme. Holà,
laquais, un coup de main je vous prie !

Ils installèrent leur victime sur la luge, et en lui
conseillant de bien se tenir, le précipitèrent en bas de la
côte. Le traîneau disparut dans la noirceur, l'homme

cramponné bêtement à son siège, le menton sur la poitrine. Les étudiants tendirent l'oreille. Le traîneau se rendit plus loin qu'ils ne l'avaient espéré. La descente se termina par un bruit de dérapage et un ouf ! mou.

— Messieurs, proclama l'Orateur, je déclare la séance levée. Bonne nuit. Mauvais rêves !

La société se dissolva en petits groupes qui s'enfoncèrent dans les rues environnantes. Il faisait trop froid pour causer.

De Meauville — c'était le nom de l'Orateur — demeura seul un moment. Lorsqu'il vit l'ivrogne remonter la pente en boitant, il se mit lui-même en marche vers son logis. Il habitait le grenier d'une maison de commerçants, rue Saint-Jacques. Il était le plus démuni du groupe. Et pourtant, à une époque où tous les jeunes collaient des particules à leurs noms, de Meauville avait droit à la sienne. Il était un noble authentique, fils d'un seigneur ruiné par les réformes de 1854. Malheureusement, son nom constituait tout son capital.

Il régnait un froid de mort dans la maison : les propriétaires se couchaient tôt, les feux étaient éteints depuis longtemps. De Meauville se glissa tout habillé dans son lit. L'oreiller était glacé, il remit sa tuque. Une lumière livide entrait par la lucarne et lui donna envie, sans qu'il sache pourquoi, de fumer. Il ne restait presque plus de tige à sa pipe.

« C'est vrai que c'est injuste, pensa-t-il en aspirant la fumée brûlante. Me voici, seigneur vieillissant en train de geler dans un garni de troisième ordre. Tandis que Mercredi, petit-fils de chasseur cri et de coureurs canayens, se chauffe tout doucement à Vieilleterre. Sacré Mercredi ! »

Un remuement se fit entendre dans le coin, sous la table. Un petit rat escalada nerveusement la chaise, puis la table. Il fouilla un moment parmi les livres et les assiettes, puis s'immobilisant, fixa l'étudiant de ses yeux fiévreux.

— Désolé, Brutus, rien à manger ce soir.

— J'hésite ! J'hésite ! Non, ce n'est pas la peine de répéter, je vous comprends parfaitement. Mais j'hésite.

— Mais quand je vous dis, mon oncle, que c'est une affaire en or ! Les actions sont à la baisse depuis six mois. Tout le monde attend la faillite, personne ne sait que Luger Brothers va reprendre l'affaire en main. Mais vous connaissez la Bourse. Ce genre de secret ne se garde pas !

— Oui, oui. Mais il me manque des liquidités.

— Et vos forêts ? Vendez ! Les Américains paient mal, mais vous avez grand de terre.

— Le bois debout, c'est sûr. Tes actions me font peur.

Les deux hommes rirent gentiment de leur peur. Ils avaient fait une dizaine de fois ce débat des terres contre les valeurs. Eugène Sancy jouait le rôle du grand propriétaire terrien demeuré paysan dans l'âme et qui se méfie des écritures. Son neveu, Hubert, faisait le jeune businessman, habitué de la Bourse et des techniques nouvelles, amasseur de fortunes faciles. Tout cela était faux. L'oncle avait son fauteuil à la Bourse, le neveu possédait des terres. Mais en affaires, la moitié du plaisir vient de la parlote. Employer un vocabulaire occulte et se comprendre, s'offrir des millions et faire semblant d'y croire, est un jeu respectable.

Les deux hommes s'étaient réfugiés dans l'étude et siroteraient du porto, les pieds levés sur la grille du foyer. A travers la porte fermée, ils entendaient les servantes qui passaient et repassaient en préparant le réveillon de Noël.

— Mon oncle, comment va votre scierie ? Vous aviez des ennuis avec votre contremaître, je crois ?

— C'est réglé. Alexis en revient justement.

— Ah ! votre protégé.

— Lui-même.

Hubert étudiait les flammes à travers son porto.

— Un jeune homme étonnant ce Mercredi, ne trouvez-vous pas ?

— C'est mon avis.

— Et pourtant, la première fois que vous l'avez vu, je parie qu'il vous a fait une tout autre impression.

— Comment ça ?

— Il était un peu... revêche.

— Alexis a eu du mal à se faire à nos manières. Mais il n'a jamais manqué de gratitude.

— Il ne parle jamais de rentrer chez lui ?

— Pour quoi faire ? Il a perdu trace de sa famille. Tandis qu'ici, il a des amis, un avenir. Dans quelques mois, il pourra plaider devant les tribunaux.

— Vous ne craignez pas que son teint ne le désavantage ?

— Il ne sera pas le premier avocat canadien français à avoir la peau un peu brune. Et il n'a plus d'accent.

— Qui est son père ?

— Un chasseur, je crois.

— Étrange. Le père chasse, le fils plaide.

— Nos pères chassaient aussi, il n'y a pas si longtemps.

— Moui. A-t-il à peu près nos idées ?

— Ben voyons. Ce n'est pas un sauvage !

— Bien sûr que non. Mais il est tout de même d'un autre milieu, d'une autre culture.

— Non, il n'y a pas de différence. Au début, oui, il avait des idées un peu particulières. Un jour, il a vu notre cuisinière arracher des carottes dans le jardin. Il a demandé du tabac pour planter dans les trous, en signe de reconnaissance à la terre.

Les deux hommes rirent un moment.

— Et maintenant ? insista le neveu.

— Rien, vous dis-je. Aucune différence d'avec nous. Un Canayen, un vrâ de vrâ !

Eugène Sancy s'abaissait rarement jusqu'au parler populaire. Lorsqu'il le faisait, il s'attendait à ce qu'on le note. Son neveu le gratifia d'un sourire, qui disait : « Je sais que vous employez cette expression à dessein. »

— Mais ne trouvez-vous pas, mon oncle, qu'il lui reste un fond... pardonnez-moi mais je ne trouve pas d'autre mot, un fond sauvage, imprévisible ?

— C'est un entêté, je vous l'accorde. Mais mettez-vous à sa place. Pas de famille. Arrivé dans un milieu étrange. Parmi des enfants qui en savaient deux fois plus long que lui.

— Heureusement que vous l'avez pris sous votre aile, mon oncle.

— Je n'ai pas eu à m'en repentir. Alexis me rend de bons services. Et ma femme l'aime comme un fils. J'ai bon espoir qu'il devienne un jour l'intendant de Vieille-terre.

— Ne trouvez-vous pas, mon oncle, qu'il passe beaucoup de temps avec ma cousine ?

— Elisabeth ? Alexis est un frère pour elle.

— Et vous, mon oncle, est-il un fils pour vous ?

— Hé ! hé ! je n'irais pas jusque-là...

Une servante entra faire de la lumière : le jour tombait. Mme Sancy passa par la porte ouverte. Elle était une femme corpulente, plus grande que son mari, ce qui la condamnait à porter toujours des chaussures plates. Sa démarche n'en était que plus lourde. Contrairement aux deux hommes, Mme Sancy parlait avec l'accent du peuple.

— Alors, les affaires se font à la noirceur maintenant ? dit-elle.

— Par mesure d'économie, ma tante, plaisanta Hubert. Pour ménager le kérosène.

— Mon neveu, si vous tenez à épargner, commencez par changer de tailleur. Avec ce que vous portez, je me fournirais en carrasine pendant toute une année.

— C'est bon, j'ai compris, s'esclaffa Hubert. Céline ! jeta-t-il à la servante. Des ciseaux ! Je vais me dénuder !

Les lampes allumaient dans la pièce des reflets d'acajou, de dorure, et de cristal. Hubert n'y fit pas attention. Il avait l'habitude du luxe. Ce qui l'impressionnait était le silence qui entourait la maison et qui se concentrait dans cette pièce. Plus d'une fois, des ordres partis de cette étude avaient convulsé la Bourse, jeté dans l'émoi toute la rue Saint-Jacques. Et pourtant, le calme de Vieilleterre demeurait entier, inaltérable.

— Je vous envie, mon oncle, de vivre à la campagne.

— Comme il neige ! s'exclama Mme Sancy en s'approchant de la fenêtre. Pourvu que le chemin soit passable !

— Alexis ! Il est tard ! J'ai froid, le souper doit être prêt. Il faut rentrer ! Il va faire nuit ! On va se perdre !

— On peut suivre le chemin !

— J'ai froid !

Askik riait franchement. Il tournait autour d'un cèdre en cherchant les branches les plus fournies. Les enfants étaient déjà rentrés avec l'arbre de Noël : il ne restait plus qu'à cueillir les rameaux de cèdre pour les couronnes. Askik prenait tout son temps, parce que cela contrariait Elisabeth, et parce qu'il aimait Elisabeth.

Il ne l'avait pas toujours aimée ; c'était même plutôt récent. En rentrant de l'Outaouais, il avait pensé à elle comme à tous les autres membres de la famille, ni plus ni moins. Tout le long de la route, il avait brusqué les cochers, exigé qu'ils passent sans se chauffer devant les relais et les buvettes, parce qu'il avait hâte de se retrouver dans la grande maison de Vieilleterre, parmi ses amis. Mais la neige avait fermé les chemins. Les maîtres de poste, n'attendant plus personne, avaient donné le foin aux chevaux et s'étaient retirés au chaud. Son cocher s'était même perdu dans les champs. En fin de compte, Askik était arrivé très tard à Vieilleterre. En entrant dans la maison, il avait aussitôt retrouvé les visages familiers et pourtant, par un curieux effet de la fatigue ou du destin, il n'en avait vu qu'un seul. Au milieu de tous ces gens qui riaient et le bousculaient en le débarrassant de son manteau et de ses paquets, il y avait Elisabeth. Les autres n'étaient que des ombres.

Elle était telle qu'il se l'imaginait toujours : grande, un peu maigre, le sourire légèrement moqueur. Elle portait la robe grise semée de petites roses qu'elle affectionnait pour les jours de semaine. Elle avait relevé ses cheveux sur la nuque comme elle le faisait toujours lorsqu'elle avait du travail.

Elisabeth n'avait pas changé. Et pourtant, en posant le regard sur elle, Askik comprit pour la première fois qu'il l'aimait, qu'elle serait sa femme, et qu'il en était décidé depuis toujours.

— Alexis ! cria la jeune femme excédée. Je pars sans toi !

— J'arrive ! J'ai fini. Askik sortit du bois en emportant une brassée de cèdre. Il calait jusqu'à la taille dans la neige poudreuse. Elisabeth l'attendait sur le chemin vicinal.

— Le cèdre sent bon ! dit-il en lui présentant le bouquet.

— C'est bien le moment ! J' suis à demi gelée. Rentrons !

Ils marchaient à grands pas. La forêt, le chemin, les prairies disparaissaient graduellement derrière un voile bleu-gris de neige et d'obscurité. « Je passerais toute ma vie dans ce pays, pensa Askik. Je passerais toute l'éternité sur ce chemin avec Elisabeth. » Des fenêtres éclairées piquaient l'ombre par endroits. Comme c'était bon de voir des hommes dans un paysage. Comme on se sentait fort, et appuyé.

— Je déteste décembre ! siffla Elisabeth. Il fait toujours nuit !

— Pas moi. Regarde comme tout est paisible. Les arbres, les animaux dorment. Même les hommes se reposent.

— Mais justement, se plaignit Elisabeth, il ne se passe rien ! Je ne comprends pas que papa insiste pour passer les fêtes ici, alors qu'on serait tellement mieux à Montréal ! Là, du moins, il y a de quoi s'occuper l'hiver. Au lieu de s'encabaner ici comme des paysans !

— Que ferais-tu de plus à Montréal ? demanda

Askik en prenant ce ton de grand frère taquin qu'exècrent les femmes.

— Je ne sais pas moi ! Sortir, lire, discuter, aller au théâtre, au bal, recevoir mes amis — tous mes amis sont là-bas !

Askik se tut un moment, blessé qu'elle fît si peu de cas de sa présence. Mais à bien y penser, lui-même passait le clair de son temps à Montréal, dans l'étude de Mes Leclerc et Juneau. Il n'y avait pas de quoi s'offusquer.

— C'est vrai, la ville a son bon côté, dit-il. Askik venait de se résoudre à vivre tous ses jours à Montréal, pour elle.

— Ah ! voilà enfin la maison ! s'écria Elisabeth. Je n'ai jamais eu aussi froid de ma vie !

— Mais qu'est-ce qui vous a pris ? s'écria Mme Sancy en les voyant entrer. Pépère attend depuis une demi-heure !

A vrai dire, Pépère n'attendait jamais personne. Lorsque Elisabeth et Askik prirent place à la table, le vieillard avait déjà avalé la moitié de sa soupe. C'est lui, Albert Sancy (autrefois Sansouci), qui avait jeté les bases de la fortune familiale en achetant la seigneurie de Vieilleterre. Mais il y avait déjà belle lurette qu'il ne s'en occupait plus. Lorsqu'il se mettait en tête d'intervenir, c'était presque toujours à contretemps : il ordonnait qu'on rentre le chanvre, alors qu'il ne s'en récoltait plus depuis dix ans ou demandait qu'on attelle des chevaux morts et rendus à la poussière.

Ils se contentèrent, pour souper, d'un potage et de viande froide, en prévision du lourd réveillon qui les attendait après la messe de minuit. Après le repas, les Sancy se retirèrent prendre quelque repos avant la messe.

En quittant son lit quelques heures plus tard, Mme Sancy jeta un œil inquiet par la fenêtre et nota avec satisfaction que le temps s'était calmé. Les étoiles demeuraient invisibles, mais il avait cessé de neiger.

— Le bon Dieu veille à sa fête ! proclama-t-elle tout

330

haut. A Céline qui versait de l'eau chaude dans un grand bol à mains elle demanda :

— Tout est prêt ?

— Fin prêt, madame. Je ne me souviens pas d'avoir vu une plus belle oie.

— Les enfants sont levés ?

— Oui, madame.

— Auguste a déblayé l'entrée ?

— Jusqu'à la clôture. Y dit que le chemin est ben allable.

— Bon, alors tout est prêt.

Sur le lit qu'elle venait de refaire, Céline étendit une robe de taffetas bourgogne aux dentelles très sombres. En voyant faire sa servante, Mme Sancy eut deux pensées. Elle se demanda si la robe convenait vraiment à une messe de minuit. Elle songea ensuite que Céline était une aide précieuse, et se demanda comment faire pour retenir dans sa maison cette servante fine et débrouillarde. Céline était une fille du village. Elle passait tout son temps à Vieilleterre, mais comment savoir si elle ne les déserterait pas un jour pour un jeune colon ?

— Quel âge as-tu, Céline ?

— Vingt-quatre ans, madame. Bientôt catherinette ! plaisanta la jeune femme.

« Vingt-quatre ans, songea Mme Sancy. Pourtant, elle n'est pas laide. Un visage plaisant. La peau saine. Les seins lourds, les hommes aiment ça. Les cheveux trop noirs, presque sauvages, mais épais. Même mon Elisabeth, pensa Mme Sancy, n'a pas d'aussi beaux cheveux. »

— Tu ne penses jamais à te marier, Céline ?

— Non, madame, répondit la servante en épinglant une broche de jais au corsage de sa maîtresse. Elle avait répondu d'un ton si net, si résolu, que Mme Sancy se rassura presque.

— D'habitude, une fille de ton âge veut partir une famille...

— J' suis bien où j' suis, madame.

331

— Ton père buvait, pas vrâ ?

— Comme un cochon.

« Ça ne veut rien dire, pensa Mme Sancy. Une jeune femme a beau se convaincre que tous les hommes sont des vauriens, il en vient toujours un qui a l'air d'une exception. » Puis ayant médité un peu plus, la maîtresse prit son parti.

— Ta robe bleue est propre, Céline ?

— Bien sûr, Madame, répondit la servante étonnée.

— Va la mettre. Tu nous accompagneras à la messe.

— Ben voyons, Madame... et le réveillon ?

— Rosalie s'en occupera. Tout est prêt. Va vite t'habiller. Ne te refais pas les cheveux, t'as pas le temps. C'est très bien comme ça. Va ! Va vite !

Céline se retira de mauvaise grâce. Elle avait attendu toute la journée ce moment de paix lorsque les maîtres seraient à l'église. « Pi j'aurai l'air de quoi à côté de Mademoiselle ? pensa-t-elle en regagnant sa chambre. Les gens du village diront que je tire du grand, que je me prends pour une Sancy ! »

Elle passa d'un trait la robe de coton bleu que lui avaient offerte ses employeurs. Heureusement, le col montait haut et se passait à peu près d'ornements, car Céline n'avait pas de bijoux, pas le moindre collier de laiton. Elle se donna quelques coups de brosse dédaigneux, et quitta la chambre en se faisant une grimace dans la glace.

— Que fais-tu tout endimanchée ? s'écria la grosse Rosalie en voyant descendre Céline.

— Et toé ? riposta Céline. Retourne à la cuisine et veille à ce que rien ne brûle ! Je m'en vais à la messe avec Madame.

Rosalie vira sur ses talons avec l'air d'avoir surpris un sacrilège. « C'était ben la peine de me presser », pensa Céline. Elle était seule. Personne n'était encore descendu. Elle fit deux fois le tour de la grand-chambre, et ne trouvant rien à y faire, vint s'asseoir sur un banc, près de la porte. Son instinct lui disait de courir à la cuisine, de sauver les sauces et les pâtisseries que

Rosalie malmènerait infailliblement. Mais que faire en robe du dimanche ? Les carrioles attendaient devant le perron. A travers les vitres givrées, elle entendait le vieux Paradis qui sermonnait les chevaux. L'un d'eux agitait son harnais avec impatience. « Le gros noir », pensa Céline.

Alexis Mercredi entra dans la pièce.

— Elisabeth est descendue ? demanda-t-il.

— Non, pas encore.

— Vous venez avec nous, Céline ?

— C'est Madame qui le veut.

Et puis, comme s'ils s'étaient donné le mot, tous les Sancy descendirent à la fois, riant et gesticulant.

Elisabeth portait une robe de satin bleu clair, du même teint que celle de Céline, mais infiniment plus seyante. La coupe très serrée lui relevait les seins. Un rang de perles tranchait sur la voilette de la gorge. Ses cheveux blonds étaient tressés en diadème, comme pour dire à tous qu'elle n'était plus la jeune fille qu'ils avaient jusqu'alors connue.

Askik perdit toute assurance en la voyant. Elisabeth n'était plus sa petite promise, mais une femme belle et forte, une femme comme il en voyait parfois au théâtre, dans les rangées chères où l'on parle anglais. Il se sentit trop jeune, trop grossier, pour posséder une aussi superbe créature, et pourtant, au fond de lui-même, il exultait déjà d'avoir une jolie femme. Il s'en rengorgeait, tout en n'osant plus lui adresser la parole.

— Mes félicitations, cousine ! dit Hubert en baisant galamment la main d'Elisabeth.

Les parents suivaient le geste avec des yeux souriants. Askik enviait l'aisance du jeune agent de change. Lui n'avait pas cette facilité, ne trouvait jamais le mot aimable ou le geste qu'il fallait. Son charme, sa valeur, se disait-il, étaient tout autres. A ces moments-là, tout son passé lui remontait à l'esprit et Askik s'imaginait volontiers plus courageux, plus résistant que les hommes qui l'entouraient. Ils avaient de jolies manières et pouvaient réciter des vers de mémoire, mais avaient-ils eu froid et faim comme lui, avaient-ils affronté des ours, côtoyé des guerriers sioux ? Askik devenait plus silencieux, plus brusque et tranchant, croyant ainsi se rendre intéressant. En fait, on se demandait quelle mouche l'avait piqué.

Une fois dehors, Askik voulut prendre les rênes mais Mme Sancy l'en empêcha.

— Non, non, Alexis ! T'es trop casse-cou. Assieds-toé là ! Elle lui désignait la banquette arrière. Askik s'y plia de bonne grâce, trop heureux de voir reconnaître ses qualités de conducteur téméraire. Mais il eut le déplaisir un instant plus tard de voir Hubert prendre les guides et Elisabeth s'asseoir à ses côtés. Le vieux Paradis installa les chauffe-pieds au fond des carrioles, borda les passagers dans leurs couvertures en peau d'ours, et quand tout le monde fut prêt, lança les chevaux avec un hiaa ! graveleux.

La nouvelle neige n'offrait pas plus de résistance que du duvet, les patins coulaient sur la glace en dessous. Des deux côtés du chemin filaient de grands sapins gris tachetés de neige. Les passagers gardaient le silence, ne voulant pas s'exposer le visage au froid. Chacun demeurait enveloppé dans ses fourrures et ses pensées. Quant à Askik, il contemplait Elisabeth. Jamais elle n'avait été aussi belle ! Il ne voyait que ses yeux encadrés de fourrures, mais c'étaient les yeux les plus ravissants du monde. Lorsqu'elle tournait la tête et coulait un regard de biais vers Hubert, les cils gracieux faisaient gémir intérieurement Askik.

« Je mourrais pour cette femme ! » jura-t-il au fond de lui-même, et aussitôt, imagina mille et une façons de donner glorieusement sa vie.

Le village était presque en vue quand Askik s'avisa de la présence de Céline, assise à côté de lui. Elle avait choisi elle-même la banquette arrière, toute honteuse de monter dans la carriole des maîtres. Elle s'était détourné le visage et regardait obstinément dans le noir, la tête légèrement inclinée hors du traîneau comme pour bien marquer aux passants qu'elle ne faisait pas

334

partie de cette compagnie. Askik sentait la chaleur de son corps sous la couverture. Elle avait le nez un peu long et les cheveux vraiment très noirs, mais elle n'était pas laide. A Vieilleterre, Askik la suivait souvent des yeux. Ses seins lourds, ses hanches bien arrondies l'excitaient. (Elisabeth ne lui faisait jamais cet effet : la preuve, selon lui, que son amour pour elle était pur.)

Saint-Aimé-de-Vieilleterre était un gros village doté d'une meunerie, d'un magasin et d'une forge. Le village avait été incendié par les Anglais en 1759 : les paysans avaient reconstruit sur place, le seigneur avait rebâti à la campagne.

Bien que les Sancy ne fussent pas nobles, ils avaient fini par acquérir le vernis, et certains privilèges, de leurs prédécesseurs. Les villageois les plus âgés ou obsé- quieux donnaient volontiers du « monseigneur » à Eugène Sancy, ce qui n'était pas pour déplaire à madame la Seigneuresse. A l'église, le banc d'honneur leur était réservé : les Sancy faisaient leurs dévotions en foulant du pied les tombes des six seigneurs de Vieille- terre.

Faute de place, Askik ne put s'asseoir dans le banc seigneurial. Il dut suivre la messe de l'autre côté de la grande allée, avec Céline. Le curé était myope et avait du mal à déchiffrer le missel, malgré les lampes à huile qu'on venait d'installer. La première messe donna un avant-goût de l'éternité aux paroissiens qui se pres- saient trop nombreux dans la petite église. Vers le milieu de la seconde messe, on dut ouvrir les portes et étouffer les poêles à bois pour ne pas défaillir de cha- leur.

Mme Sancy ne comprenait rien au latin. Elle récita deux fois son chapelet, feuilleta distraitement son mis- sel en prononçant ici et là une prière réconfortante, et jugeant qu'elle avait fait sa messe, revint à ses calculs habituels. Elle embrassa tendrement du regard son pro- jet préféré, Hubert et Elisabeth, assis côte à côte, aussi ennuyés l'un que l'autre. Ils n'étaient cousins que de nom ; Hubert avait perdu sa mère alors qu'il était encore bébé, son père s'était remarié avec la sœur d'Eugène Sancy. En déplaçant un peu le regard, Mme Sancy retrouvait Askik et Céline.

Dans leurs riches habits de fête, les Sancy faisaient une tache de luxe dans cette assemblée de gros lainages. Elisabeth attirait les regards de toute l'assistance, et n'y était pas insensible. Askik voyait les regards admiratifs des hommes, les coups d'œil envieux des femmes. Il brûlait d'indignation parce qu'il n'était pas à côté de sa promise, à la place de ce cousin falot. Il aurait voulu que tout Saint-Aimé sache dès maintenant qu'Elisabeth et lui formaient un couple.

Au troisième introït, Céline se trouva mal. Les travaux de la journée, la chaleur de l'église, l'odeur des corps mal lavés lui faisaient lever le cœur. Askik nota son souffle précipité et comprit, avec agacement et alarme, que sa voisine allait être malade.

— Qu'est-ce qui se passe ? demanda-t-il, en tâchant de ne pas donner l'impression d'une intimité entre la servante et lui.

Céline baissait la tête, pour être le moins visible possible. Elle marmonna rapidement, comme pour s'excuser :

— Je me sens faible, ça va passer.

— Tu devrais sortir prendre l'air.

— Non, non ! Ce n'est rien. Se lever au milieu de la messe, remonter la grande allée devant des centaines d'yeux curieux ? Quelle honte pour ses maîtres ! Des vagues de nausée lui passaient sur le cœur. Si seulement les lampes ne fumaient pas tant : l'odeur du pétrole était insupportable. La sueur lui perlait au front : elle était couchée en deux et ne s'en rendait pas compte.

A la fin de la messe, il sembla à Céline que la foule mettait un temps incalculable à s'effiler par le goulot des portes. Dans le vestibule, Céline se sentit défaillir et dut, malgré elle, s'agripper au bras d'Askik. Celui-ci voulut d'abord s'écarter, mais voyant que la servante allait sûrement tomber, accepta de la soutenir, pour éviter un déshonneur plus grand. Les deux jeunes gens sortirent de l'église complètement mortifiés : elle, parce qu'elle croyait attirer le ridicule sur ses maîtres, lui parce qu'on le voyait au bras d'une servante malade en gros capot de laine, tandis qu'Hubert escortait Elisabeth.

Lorsqu'il installa Céline au fond de la carriole, elle murmura : « Merci, Alexis », ce qui acheva de l'irriter. Elle ne lui disait jamais « Monsieur » comme les gens du village, mais l'appelait toujours par son prénom.

En montant dans la carriole, Elisabeth vit la servante affalée sur le siège arrière. Askik piétinait à quelques pas du traîneau.

— Elle est malade ? lui demanda Elisabeth. Mais Askik haussa les épaules comme pour dire : « Comment veux-tu que je le sache ? »

Askik demeura taciturne tout le temps du retour. Sur la banquette avant Hubert et Elisabeth riaient aux éclats en singeant les bafouillages du curé. Mme Sancy leur faisait des reproches pour la forme depuis l'autre voiture. Arrivée à la maison, Céline put descendre seule de voiture : elle monta immédiatement à sa chambre.

III

La batteuse menait un vacarme à casser les vitres. L'épais plancher de madriers vibrait sous les bottes des travailleurs. La poussière de blé s'amoncelait partout. Il faisait froid, les épis éclataient facilement.

Askik était venu à la batterie inspecter la nouvelle trépigneuse, importée des États-Unis. Un cheval monté sur un tapis roulant faisait tourner un grand volant qui actionnait la batteuse.

— Alors, ça marche mieux comme ça ? hurla Askik au contremaître, un petit homme sec dont le nez et le menton se rejoignaient presque.

— Beaucoup mieux ! répondit Auguste Paradis. Y a fallu habituer la jument — le tapage lui faisait peur — mais en lui bouchant les oreilles, on en est venu à bout.

La jument grise piétinait sagement dans sa trépigneuse, les oreilles pleines de chiffons cirés.

— Avant ça, continua le contremaître, avec le timon, y avait moins de bruit, mais le cheval s'énervait à avancer et à reculer.

Ils sortirent de la grange en s'époussetant. Le vieux Paradis avait une fine couche de poussière blonde entre les poils de son menton.

— Il fait froid, dit Askik, qui ne savait trop comment parler au taciturne contremaître.

— L'hiver c'est comme ça, trancha l'autre.

Ils marchèrent un moment en silence.

— Remarquez, dit Paradis, c'est pas la peine de battre plus vite s'il n'y a pas plus de grain à battre. Cet automne, une partie de la récolte est restée dehors. Il nous faut de nouvelles tasseries. J'ai voulu en parler à Monsieur Sancy, mais ça ne s'est pas adonné...

— Je lui en parlerai, assura Askik.

— J' fais mon possible, comprenez. Mais j' suis pas le maître.

— Vous aurez les tasseries.

— Bon. Vous m' rassurez. Y est temps que Vieilleterre ait un intendant.

— Je ne suis pas l'intendant.

— Et tandis que vous y êtes, rappelez-lui que la cabane à sucre a brûlé durant l'été. S'il veut des sucres, c'est le temps de bâtir.

— Je lui ferai la commission. Mais je ne suis pas l'intendant. Je rentre à Montréal demain.

— Hmmf! ben puisque vous allez de ce côté, arrêtez dire un mot à Dubois en haut du rang. Ses clôtures sont en ruine, ses vaches entrent dans not' orge à tout bout de champ.

— J'en prends note.

Ils étaient arrivés à la maison du contremaître. Askik allait continuer tout droit lorsque Mme Paradis sortit précipitamment, un châle jeté hâtivement sur les épaules.

— M'sieur Mercredi! Ben le bonjour. Tenez, fit-elle

en lui tendant un paquet. Apportez ça à mademoiselle Céline, voulez-vous ? C'est un bout de couture qu'elle m'a demandé pour madame.

Askik prit le paquet de mauvaise grâce. Il trouvait vexant ce rapprochement que faisaient les gens entre Céline et lui. Cette malencontreuse sortie de messe faisait courir des bruits à leur sujet. On disait que Céline était enceinte, que c'est pour cela qu'elle avait failli s'évanouir durant la messe.

— Dites-lui bonjour de ma part, fit Mme Paradis en tremblant de froid.

Askik lui tourna le dos et s'éloigna à grands pas.

— Un drôle d'oiseau, marmotta Mme Paradis à son mari.

— Mais il fera un bon intendant.

— J' cré pas, fit-elle en se sauvant vers sa cuisine. Y est sauvage, pi y restera sauvage.

Askik déposa le paquet à la cuisine. Céline remuait des bocaux dans le garde-manger ; il se retira sans lui parler. En coupant court par la salle à dîner, il rencontra Rosalie qui rangeait des serviettes fraîchement empesées. En le voyant entrer, la grosse fille se leva d'un bond.

— Monsieur Hubert est parti ce matin ! lui lança-t-elle avec un air d'intense curiosité. Une lettre est arrivée lui demandant de partir.

— Partir où ?

— A Montréal. Et comme si elle pressentait la prochaine question, Rosalie ajouta, en roulant les yeux d'un air entendu :

— Mademoiselle Elisabeth ne part que demain.

Une joie brusque s'empara d'Askik. Elisabeth ne partait que le lendemain. C'est donc qu'ils voyageraient ensemble. « Elle aurait pu partir avec Hubert, se dit-il, mais elle a préféré m'attendre ! »

Il monta en coup de vent à sa chambre, s'empara d'un livre de poèmes, et se jeta de tout son long sur le lit. Il tenta de porter son attention sur les vers, mais il n'entendait que le tumulte en dedans de lui-même. Plus de doute possible, elle l'aimait. Elle avait porté son choix sur lui. Il avait triomphé ! Hubert était rentré à Montréal, la queue entre les jambes, en prétextant des affaires. Sans doute le cousin avait-il fait sa demande le soir précédent, et essuyé un refus.

Il crut perdre la raison de bonheur. Il avait envie d'ouvrir grand les fenêtres et de hurler victoire devant toute la paroisse. Au lieu de cela, il s'appliqua à avaler quelques vers, pour se calmer. Mais comme ces paroles étaient ternes et pompeuses comparées aux sentiments qui l'enflammaient ! Ne trouvant rien dans le recueil qui pût traduire fidèlement sa joie authentique et neuve, il se précipita à sa table de travail, et plume en main, se mit fébrilement à écrire. Car il se piquait d'être un peu poète. Il traça le nom d'Elisabeth, en grandes lettres fluides au haut de la page, puis s'arrêtant à la première ligne, s'étonna que tout le reste ne vînt pas de soi. Il gratta quelques mots, biffa. Il avait l'impression de devoir éclater d'amour, et pourtant son inspiration n'allait jamais plus loin que « Ma bien-aimée, ma colombe, mon amour... » Il écrivait, rayait, chiffonnait des feuilles de papier aux trois quarts propres, et les lançait rageusement au panier. Petit à petit, à force de papier et de ratures, son excitation se dissipa. Il s'arrêta enfin, épuisé, mais tranquille.

En descendant dîner, il ressentit de nouveau cette joie calme et certaine qu'il avait connue quelques jours plus tôt. Il se reprocha d'avoir douté, de s'être laissé troublé pour si peu.

Un amoureux aime tout le monde. Askik croisa Céline dans l'escalier et la gratifia d'un regard chaleureux et bon, lui pardonnant de tout son cœur pour l'embarras qu'elle lui avait causé. Il lui souhaitait de connaître un jour le bonheur qu'il partageait avec Elisabeth.

Pourtant, pendant le dîner, Elisabeth ne lui adressa pas un mot, pas un regard qui fût à lui seul. Discrétion excessive, jugea Askik, mais comment le lui reprocher ? L'énervement du départ lui donnait tant d'éclat ! Elle était deux fois plus jolie qu'à la messe de minuit parce que mise plus simplement. Ses cheveux blonds ramenés gentiment sur la nuque chatoyaient comme une belle étoffe sous la lampe à pétrole. Elle distribuait des sourires à droite et à gauche en parlant des soirées, des concerts et des pièces qui l'attendaient à son retour. Le nom d'Hubert revenait un peu souvent dans ce torrent de paroles, mais après tout, pensa Askik, avoir le sens de la famille est aussi une vertu. Il se sentait même une pointe de sympathie pour le malheureux cousin.

— Alexis, demanda M. Sancy entre deux tranches de mouton, tu es allé à la batterie ? Ça marche ?

— Beaucoup mieux, oui. Mais il faut de nouvelles tasseries.

— Et alors ? Nous avons les moyens ?

— Oui, quoique la récolte est un peu faible.

— Alors fais bâtir.

— Et la cabane à sucre ?

— De même. Tu peux commander le bois à la scierie. Demain, tu iras dans le village embaucher des charpentiers.

— C'est que... demain je rentre à Montréal.

M. Sancy fit la moue, la fourchette suspendue au-dessus de son assiette. Puis il prononça « Bon ! » et continua à manger.

Après le dîner, quand Askik et Elisabeth furent montés préparer leurs valises, les époux Sancy restèrent un long moment à table.

— Mais qu'as-tu à me regarder comme ça ? dit Eugène Sancy à sa femme.

— Tu me feras pas accroire, mon homme, que tu ne sais pas ce qu'a rapporté la récolte.

— Je le sais.

— Ni qu'il te fallait une tasserie.

— Je le savais. Mais il est temps de former notre Alexis. De l'initier aux affaires de la seigneurie. D'ailleurs, il a un penchant pour la terre, c'est Paradis qui le dit !

— Bah ! Paradis !

341

— Un bon engagé, mais pas comptable pour deux chelins. C'est pour cela qu'il me faut un intendant. Si mes projets aboutissent, j'aurai moins de temps à consacrer à la terre. Il est temps que quelqu'un s'occupe en permanence de Vieilleterre. Je l'ai trop négligée.

— Alexis se voit plutôt avocat.

— Non, c'est un homme de la terre.

— Alors pourquoi le laisses-tu retourner en ville ?

— C'est la saison morte. Je le ramènerai pour les semailles. Je veux l'initier petit à petit. J'ai demandé à Paradis de lui exposer toutes les affaires courantes, tout en demandant ma permission pour les dépenses, comme de raison.

— Elisabeth a été bien déçue de ne pas partir aujourd'hui, fit Mme Sancy en revenant à son sujet préféré.

— Ç'aurait pas été convenable. En l'envoyant avec Alexis, on évite les racontars. Alexis et Elisabeth, aux yeux du monde, c'est comme frère et sœur.

Askik ne put s'endormir. Le voyage qu'il ferait le lendemain, son avenir tout entier lui semblaient si riches de promesses que le sommeil était impossible. Il se proposait de faire des choses merveilleuses et avait hâte de commencer. Il avait résolu d'être un excellent mari, un père tendre et sage. Il deviendrait un grand avocat, et pourquoi pas, un grand homme d'État. Il se sentait une âme d'orateur, mieux, de conciliateur. Il était issu de deux races ennemies ; qui mieux que lui pouvait réunir les peuples disparates du Canada ? « Heureux les artisans de paix, se souvint-il en tressaillant d'émotion, car ils seront appelés fils de Dieu. » Il sanglota presque de joie et remercia Dieu de lui avoir enfin dévoilé sa vocation. Sa chambre lui parut petite, étouffante. Saisissant son manteau, il descendit en faisant le moins de bruit possible, et sortit par la cuisine. En poussant la porte du dehors, il déclencha un tourbillon de vapeur glacée. Comme il faisait froid ! Pas un souffle, pas un bruit. Tout était dur, rigide, gelé. Les arbres ne remuaient pas

342

la moindre brindille, sûrs de casser au premier mouvement. Même les étoiles avaient un éclat fixe.

Askik déneigea un petit banc sous un orme massif. Il ricana en songeant à Hubert, douillettement enroulé dans ses beaux draps à Montréal ; Hubert ne serait certainement pas descendu par un froid pareil.

Il tira de sa poche une petite pipe élégante que lui avait donnée Mme Sancy pour Noël. Le grésillement du tabac, les bouffées de fumée qu'il rejetait dans la nuit lui rappelèrent une autre époque.

— *Atsahkossak!* murmura-t-il en levant les yeux vers les étoiles. Comme tout cela était loin ! Quel chemin parcouru depuis ce temps ! Quelle route invraisemblable ! Où étaient ses parents ? Vivaient-ils encore ? Savaient-ils seulement sur quelle prodigieuse trajectoire était lancé leur enfant ? Et Mona ? Il eut un sourire. Souvent, pendant ses premières années à Montréal, il avait songé à cette petite fille courageuse. Son exemple l'avait consolé. Où était-elle aujourd'hui ?

Le froid le chassa de dessous son orme. En revenant à la maison, Askik promena son regard sur la campagne québécoise, si peuplée, si travaillée, si humaine.

« Comme on est bien ici ! » pensa-t-il.

IV

Le lendemain, il monta en carriole avec l'intention ferme de déclarer son amour, de dévoiler ses projets d'avenir, et d'inviter Elisabeth à s'y associer. Il ne doutait pas un moment de la voir s'enflammer pour la générosité et la grandeur de ses ambitions.

Mais en prenant place dans la voiture, il fut pris de gêne, et se tut. Elisabeth aussi se taisait, le regard tourné vers la vitre de portière, les pensées volant loin devant la carriole. Chaque arbre dépassé, chaque clôture conquise la plaçait un peu plus près de Montréal. Elle semblait vouloir hâter la voiture à force de concen-

343

tration : parler, lire, lui semblaient comme autant de distractions fâcheuses.

Lorsque la carriole s'arrêta un quart d'heure à peine après le départ Elisabeth s'insurgea.

— Pourquoi t'arrêtes-tu ? cria-t-elle au cocher assis dehors.

— On est chez les Dubois, mam'selle. Le monsieur doit leur parler, rapport à leurs vaches sauteuses.

— C'est vrai, j'avais oublié, soupira Askik en descendant de voiture. Je reviens tout de suite.

Quel soulagement de sortir ! Leur tête-à-tête avait mal commencé. Fonçant à travers la cour, les mains dans les poches, la tête basse, Askik se heurta presque à la bicoque de ses voisins. Les Dubois ne vivaient pas richement : des murs en billots non équarris, un toit de souches fendues, des fenêtres de toile. Un peu plus loin, une baraque entourée de fumier servait d'étable et de bergerie. Quelques vaches maigres, crottées jusqu'aux hanches, se frottaient à des arbres qu'elles avaient écorcés et tués depuis longtemps. Un seul mouton promenait sa laine pisseuse à travers la cour.

— Qu'est là ? cria un homme lorsque Askik frappa à la porte.

— Je me nomme Alexis Mercredi. Je viens de la part de votre voisin, M. Eugène Sancy.

La porte s'ouvrit sur un homme court, maigre, aux cheveux gris et ébouriffés. Il portait des culottes sombres à bretelles. Son sous-vêtement lui servait de chemise. Il était en bas de laine. Derrière lui, dans la pénombre, Askik crut discerner deux ou trois formes humaines.

— Cossé qu'y a ? demanda Dubois d'un ton bourru. Il faisait en parlant un bruit de bulles qui éclatent, comme s'il avait de la glaire plein les poumons. Askik ne put s'empêcher d'examiner ses côtes maigres, et les poils jaunes qui s'échappaient à l'encolure de sa combinaison.

— Vos clôtures, monsieur Dubois, sont en mauvais état. L'été dernier, vos vaches sont passées dans nos champs...

— *Nos* champs ?

— Je suis l'intendant de Vieilleterre.

— Première nouvelle.

— Depuis peu. Mais pour revenir à vos vaches : il va falloir que vous les reteniez chez vous. Ce printemps donc, je vous suggère de réparer vos clôtures...

Une quinte de toux plia Dubois en deux. Dans le temps de dire, il devint écarlate. Il étouffait, la tête cramoisie, les veines lui sortant du cou. Askik crut un moment que son voisin allait mourir sur place. Quand Dubois se releva, il déclara simplement :

— Pas capable.

— Alors, vos enfants ? fit Askik en scrutant la demi-obscurité de la cabane.

— Morts.

— Vous avez des amis, de la parenté. Organisez une corvée.

Dubois ne répondit pas. Il dévisageait le visiteur d'un air sardonique. Ses yeux s'étant faits au demi-jour de la pièce, Askik pouvait distinguer une femme, assise au bord du lit, et une très vieille personne — homme ou femme — enveloppée d'une couverture, la tête renversée sur le dos d'une berceuse. Askik s'inquiéta de laisser passer le froid, et fit mine d'entrer pour refermer derrière lui. Mais Dubois lui barrait le chemin et ne reculait pas d'un pouce. De toute manière, il faisait à peine plus chaud à l'intérieur, et il y régnait une odeur insupportable d'excréments. Le vieillard, de toute évidence, ne se maîtrisait plus.

— Aut' chose ? demanda Dubois.

— Voyons, monsieur Dubois ! Askik lui versa un regard compatissant. L'homme lui faisait pitié. Mais il devait être raisonnable.

« Vous ne pouvez laisser vos vaches dévaster les champs de vos voisins. Mettez-leur des carcans, ça ne coûte rien. Embauchez un gamin du village pour les garder... »

Dubois lui ferma la porte au nez, sans rudesse, tranquillement, posément, comme si son visiteur avait cessé

345

d'exister. Askik demeura un moment devant cette porte, ne sachant trop que faire. Puis il retraça ses pas à travers la petite cour. Les ormes sifflaient tristement dans leurs bancs de neige. Au loin, dans les champs, la terre et le ciel se mêlaient dans la grisaille.

« Comme la campagne est morne ! pensa Askik. Comme c'est froid. » Il avait hâte de retrouver les lumières de la ville.

Ils repartirent de mauvaise humeur. Elisabeth était indignée d'avoir attendu. Askik crut qu'elle était fâchée parce qu'il ne se déclarait pas, mais sa visite chez les Dubois lui enlevait le goût de parler d'amour.

Ils entrèrent en ville à la tombée du jour. Askik s'assombrissait à mesure que défilaient les rues. Le voyage s'achevait, il n'avait encore rien dit, rien avoué. Elisabeth, au contraire, s'animait de plus en plus. Elle nommait les rues, les magasins, les restaurants, cherchait des connaissances parmi les passants, s'écriait d'enthousiasme devant les toilettes élégantes, riait aux éclats des accoutrements qui lui paraissaient de mauvais goût. En entrant dans les quartiers riches, il lui sembla qu'il n'y avait rien de plus beau que ces grandes maisons éclairées au gaz, derrière leurs arbres séculaires. Lorsque la voiture s'arrêta enfin devant la demeure des Sancy, Elisabeth posa un baiser fraternel sur la joue d'Askik, et riant de joie, monta les marches deux à deux.

Askik habitait loin de là, dans la basse ville. Pourtant, il congédia le cocher et rentra chez lui à pied. Les rues sombres, la neige sale, le jour mourant au-dessus du fleuve, s'accordaient parfaitement à son état d'âme : il voulait en profiter au maximum, se vautrer jusqu'aux yeux dans sa mélancolie.

Quelle ne fut sa surprise en voyant monter la côte un être long, maigre comme un épouvantail, revêtu d'une longue cape noire qui battait dramatiquement la cloche.

— Monseigneur Mercredi, entonna l'homme en noir, bien le bonsoir.

— Maître de Meauville, répondit Askik en riant, je vous salue !

— Ma présence dans ce quartier vous étonne-t-elle ? Je me rends chez le Bœuf. Je suis attendu. Joignez-vous à nous.

C'était moins une invitation qu'un ordre. Askik accepta. Il ressentait soudain l'envie furieuse de vivre, de boire et de faire des dégâts pour se venger de sa journée déplorable. Il empoigna le bras de son ami avec fougue.

— Cher Mercredi, vous m'avez l'air d'humeur à casser des pots et des mâchoires ce soir.

— Je me contenterai des pots.

— Mais pourquoi ?

Dans son costume de Mort-Errante, de Meauville était encore plus pâle que d'habitude, tandis que la lumière tombante rendait la peau d'Askik presque noire. Plus d'un piéton, en les voyant venir, traversa la rue.

— Nous faisons peur, frère Mercredi. Vos allures d'Iroquois sont remarquées.

Le Bœuf était un Irlandais, ancien soldat de Sa Majesté, qui avait appris à faire la cuisine dans les tranchées de Sébastopol. Dans sa cuisine fumaient deux marmites : la première contenait de la soupe, l'autre de la viande. Le dîner coûtait quinze cents, un lit pour la nuit, guère plus.

Le restaurant était comble. Assis à de longues tables, un peuple disparate se régalait d'un seul et même mets. Ouvriers, charbonniers, matelots, garçons d'écurie, et même quelques engagés d'agricoles fraîchement débarqués en ville et qui cherchaient du travail. En remontant les longues rangées, Askik et de Meauville humaient tour à tour le charbon, le crottin, le bran de bois, et la poussière de blé.

Des étudiants avaient accaparé un bout de table à l'avant de la pièce. De Meauville s'avança vers eux, rabattit poétiquement son capuchon, et leur déclama en guise de salutation :

347

— « Et nous rêvions gloire, amour, et fortune...
Et comme en rêvant l'homme s'étourdit,
Nous nous découpions des fiefs dans la lune,
Le soir, en allant souper à crédit(¹). »*
Mais ce fut à peine remarqué.

— Je ne fais plus effet, grommela de Meauville en s'asseyant. Un conseil, Mercredi : ne devenez jamais un vieux jeune homme, cela ennuie. Voilà, c'est mon conseil. Et maintenant, une demande : pouvez-vous me prêter quinze cents ? Merci, mon prince. Alors, comment s'est passé le séjour à Vieilleterre ? Toujours épris de votre héritière ?

— Plus que jamais. (On déposa devant eux de la soupe, du ragoût et de la bière.) Et j'ai tout lieu de croire, continua Askik, qu'elle m'aime aussi.

Un regard d'agacement tordit les traits de l'Orateur.

— Avez-vous des preuves de son amour ?

— Pas de preuves, mais des signes.

— Des signes ! railla de Meauville. Des aperçus, des quasi-certitudes. Des fantaisies à cheval sur des hasards...

— Comment peux-tu le savoir ? Askik était piqué. Il soupçonnait l'Orateur d'être jaloux.

— Elle a un cousin riche, rétorqua de Meauville. Très riche...

— Et alors ?

— Et alors, toi tu n'as rien. Une petite place d'avoué...

— Je suis l'intendant de Vieilleterre.

De Meauville s'arrêta étonné.

— C'est vrai ? Tu es l'intendant ?

— C'est vrai, marmotta Askik, comme s'il avouait une chose déshonorante. On m'initie aux affaires de la seigneurie.

De Meauville parut réfléchir : sa gouaillerie s'était envolée, son visage reflétait une sincérité inhabituelle. En se penchant, il prit doucement le poignet de son compagnon.

(1) Louis Fléchette.

— C'est très bien, Alexis, très bien. Mes félicitations. Tu vivras à la campagne. Je t'envie.

— On veut me faire marier avec une servante.

— Et alors, elle n'est pas repoussante ?

Askik haussa les épaules.

De Meauville resserra sa prise sur le poignet d'Askik.

— Accepte ! Tu es sans famille, sans moyens ! Ne songe plus à Elisabeth, on ne te la donnera pas. Sancy t'offre une place, prends-la ! Une femme ? Tant mieux ! De quoi as-tu peur ? Tu ne seras pas rivé à la terre. Des avocats, il en faut aussi à la campagne. Dans quelques années, tu auras ta terre, ton moulin ou ta scierie. Tu seras ton maître à toi.

Askik frissonna. Il s'était vu grand, on lui proposait de se faire petit.

— *Hé frènde,* cria de Meauville au serveur, *agène bire* ! Je suis prodigue en conseils ce soir, Mercredi. Voici le dernier. Je te le donne gratuitement, pour rien, par amour. A chaque âge, Mercredi, il vient un train. Tu peux monter, accepter le dépaysement, ou laisser passer. Mais il ne reviendra jamais. Ton train est en gare. Si tu restes sur le quai à en attendre un meilleur, peut-être regretteras-tu le premier.

— Tu déraisonnes, de Meauville.

— Non, je récapitule. La naissance que tu n'as pas eue, les études que tu n'as pas faites, une fine jambe entrevue un soir de bal et que tu n'as jamais caressée, tu ne peux pas y revenir. C'est fait. C'est fini. Passe outre !

Askik buvait trop, s'en rendit compte, et commanda un autre pichet de bière. Les étudiants aussi avaient écarté leurs assiettes et buvaient dru. Les convives devaient se pencher au-dessus des tables pour se comprendre, tant il y avait du tapage. Un charretier s'époumonait sur une ruinebabines, d'autres cognaient sur les tables à l'unisson. Des voix coléreuses s'élevaient à mesure que coulaient la bière et le gin. Une fumée âcre de gros tabac gris voilait les lampes à huile.

De Meauville renonça à se faire comprendre : soit qu'il désespérât de faire entendre raison à Mercredi, soit qu'il en eût assez de crier. A la table prochaine, des fiers-à-bras luttaient du poignet en beuglant comme des taureaux.

— Mar-tin ! Mar-tin ! Mar-tin ! scandaient les étudiants en voyant le Beauceron se faufiler à travers les tables. C'est uniquement lorsqu'ils étaient en boisson qu'ils osaient railler le gros notaire. Martin eut une grimace de dégoût. Il allait repartir, mais apercevant Mercredi et de Meauville, il se dirigea vers eux. Il manquait de chaises à la table : Martin en prit une aux voisins, des immigrants irlandais qui protestèrent violemment. Martin sortit sa blague à tabac, bourra sa pipe, et tira quelques bouffées avant de parler.

— Salut, Mercredi. Quelqu'un te cherche. Un pouilleux est allé te demander au logis. Ton propriétaire s'en plaint dans tout le quartier.

— Qu'est-ce qu'il me voulait ?

— Pas dit.

— Il va revenir ?

— Pas dit non plus.

Les Irlandais discutaient à mots couverts en lançant des regards hargneux vers le gros Martin.

— Quoi de neuf ? demanda le notaire qui, malgré sa force, préférait laisser à d'autres le fardeau de la conversation.

— Apprenez, dit de Meauville, que vous adressez la parole à l'intendant de Vieilleterre.

— Hmmm.

Martin approuva de la tête.

— Mais monsieur hésite, continua de Meauville.

Martin secouait la tête.

— C'est bien ce que je lui disais. On lui offre même une femme.

— Hmmm.

Nouvelle approbation.

— Mais monsieur préfère l'héritière.

Martin eut l'air fatigué. Se berçant sur les pattes arrière de sa chaise, il inspectait le plafond.

— Alors, que vous semble, digne Martin ? Faut-il dédaigner la servante pour la maîtresse ?

350

Après un moment de réflexion, Martin retira la pipe de sa bouche et déclara :

— Une paire de fesses en vaut une autre.

— Cru, mais juste.

Là-dessus, Martin disparut. Sa chaise dérapa. Il s'écrasa sur le plancher avec un boum ! retentissant. Les étudiants se turent, glacés. Les Irlandais riaient à s'étouffer.

Martin n'était pas encore relevé qu'il lançait son premier coup de poing. La victime le reçut en plein dans les côtes, et se plia avec un cri de douleur.

La foule explosa, divisée en un clin d'œil en patriotes irlandais et français. Piment inespéré, il y avait dans la salle des marins anglais sur lesquels tout le monde pouvait taper. Pichets et jurons volaient dans trois langues. La bagarre promettait d'être des plus réussies, lorsque le propriétaire, Joe Beef, émergea de ses appartements privés. Voyant qu'il était trop tard pour mettre le couvercle sur les flammes, il appela le serveur.

— *C' mon Jimmy. Let's get the girls.*

Les girls sommeillaient au sous-sol. Affectueuses et enjouées, elles ne demandaient rien de mieux que d'aller s'ébattre au rez-de-chaussée d'où venait tout ce tapage excitant.

— Allez mes jolies, amusez-vous bien !

Le serveur attendait nerveusement en haut de l'escalier.

— *Okay Jimmy,* lui cria Joe Beef, tu peux ouvrir !

Jimmy ne se fit pas prier. Il s'élança du sous-sol, traversa la salle en trois bonds, et s'enferma dans la cuisine. Les habitués de la taverne prirent bonne note de son passage et se mirent en route vers la sortie. Mais les autres, trop occupés à se noircir les yeux, ne virent pas entrer les deux ourses.

Malvina était la plus espiègle. C'est pour cela qu'on lui mettait une muselière. Voyant deux lutteurs s'embrasser sur le plancher, elle se dressa sur ses pattes arrière, fit quelques pas, et s'écrasa sur eux. Mary, plus méthodique, vidait la section estudiantine. Elle procédait rangée par rangée, prenant beaucoup de plaisir à voir ses bipèdes s'élancer comme des sauterelles. Elle faisait de temps en temps un petit détour par la porte pour les empêcher de sortir trop vite. Hélas, malgré toutes ses précautions, son plaisir ne dura pas. Dans le temps de le dire, la salle était vide, l'excellent Joe Beef cadenassait la porte d'entrée. Il ne restait plus que les deux lutteurs qu'avait assommés Malvina, et ceux-là n'amusaient plus personne. Mary se dressa sur son séant et poussa une longue plainte.

V

La petite rue Saint-Vincent fait un trait d'union entre le marché et le palais de justice, entre le commerce et le contentieux. En 1884, les poursuites étaient à la mode. De huit heures du matin jusqu'à six heures le soir la petite rue résonnait des pas inquiets de requérants et d'intimés, les mains crispées sur des brefs d'assignation, les regards noyés dans le souci qu'ils avaient pour eux-mêmes. Et bien que la rue fût infestée d'un bout à l'autre d'avocats et de notaires, certains jours on eût dit que la moitié des passants couraient chez Mes Leclerc et Juneau. Malgré son éclatant mal de tête, Askik avait donc peu de chance de passer une matinée tranquille. En pénétrant dans le bureau surchauffé, un généreux restant de bière lui remonta à la gorge.

— Tiens, c'est Mercredi ! s'exclama un grand clerc qui pelletait du charbon dans le poêle. Vous avez la joue enflée. Vous avez dû vous battre. Et vous êtes en retard.

Lecorbu adorait trouver des torts à Mercredi. Depuis vingt ans qu'il libellait des brefs et des factums, des mandats et des contrats, Lecorbu n'avait jamais plaidé, n'avait jamais reçu de ses employeurs l'offre d'entrer en association. Sa manie du détail, de la formule exacte lui barrait le chemin. Scrupuleux, zélé, honnête, il incarnait les vertus tant exaltées par les hommes d'affaires, mais dont tout le monde se passe avec joie. Ne comprenant pas ce qui le bloquait dans sa carrière, Lecorbu ne pouvait accepter qu'un Métis le surpasse en se montrant désinvolte, inexact et plutôt paresseux.

— J'espère que vous n'étiez pas hier soir à la taverne de Joe Beef, siffla Lecorbu, il y aura de l'esclandre. Deux hommes blessés. Beef est en Cour. C'est honteux. Honteux! Êtes-vous malade, Mercredi?

Askik pouvait à peine ouvrir les yeux tant il avait mal à la tête.

— Écoutez, Lecorbu. Je passe prendre un café au Richelieu. Je suis de retour dans...

— Tut! Tut! Et madame Gingras? Vous l'oubliez?

Non, il ne l'avait pas oubliée. Askik la voyait déjà par la fenêtre, une octogénaire rondelette qui remontait la rue Saint-Vincent en soufflant sur les flocons de neige qui avaient l'effronterie de se poser sur son manchon.

— En passant, reprit Lecorbu, on vous a demandé durant votre absence. Un loqueteux. Très sale.

— Qui était-ce?

— Il n'a pas laissé de nom. Il a dit qu'il reviendrait. Je ne l'ai pas revu. Tant mieux.

Askik passa le gros de la matinée à démêler une des innombrables chicanes qui opposaient Mme Gingras à ses débiteurs. Lorsqu'il put enfin s'échapper, il courut d'un trait au Richelieu, sans prendre son manteau, pour donner le change à Lecorbu.

Le restaurant était à peu près vide. Les serveurs dressaient les tables pour midi. Seuls quelques oisifs s'attardaient encore au déjeuner. L'un d'eux, un homme jeune aux moustaches en guidon et au costume trop clair pour la saison, agitait son pince-nez en signe de reconnaissance. Askik sourcilla, et prétendit ne pas l'avoir vu. Mais l'autre lança un « *Hoa old boy!* » si retentissant qu'Askik s'empressa de le rejoindre, ne serait-ce que pour le faire taire.

— Mercredi! s'écria Grandet, comme vous avez l'air

piteux ce matin ! Garçon ! du café et des œufs très graisseux pour ce pécheur ! Nuit mouvementée ? Vous
n'étiez pas chez le Bœuf du moins ? Toute la ville en
parle ! C'est à peine croyable : deux chenapans écrasés
par un ours ! Ha ! *Great fun !* Quelles coutumes nous
avons ! Alors, on ne travaille pas aujourd'hui ? C'est
comme moi, les affaires sont lentes. *Still, never mind !*
Ça ira mieux !

— Pourquoi, Grandet, les choses iraient-elles
mieux ? grommela Askik qui n'était pas d'humeur à
souffrir des optimistes.

— Mais parce qu'elles le doivent, *old boy !* Ah, voici
votre déjeuner. Vous permettez que je retourne à mon
journal ? Mon cigare ne vous gêne pas ? *Capital !*

Askik s'efforçait d'ingurgiter un petit coin d'œuf frit
lorsque Grandet se redressa d'un bond en hurlant de
derrière son journal.

— *Great day !* Gordon entre au Soudan !

Askik écarta son assiette, se versa un autre café, et
demanda avec résignation :

— Qui est Gordon ?

— *What ?* s'écria Grandet en rabattant son journal.
What ? Charles Gordon ? *Chinese Gordon ?* Il lança les
yeux au plafond comme s'il s'attendait à le recevoir sur
la tête. Mais voyons, Mercredi, c'est le plus grand commandant de l'Empire !

— Grandet, fit Askik en se couvrant les yeux d'une
main, je n'ai jamais rencontré de Canadien français qui
prît plus d'intérêt que toi aux affaires de l'Empire britannique.

— Mais il le faut ! Anglais, Français, Métis, Indien,
nous sommes tous sujets de Sa Majesté, tous serviteurs
de l'Empire. Songez-y ! Toutes ces races réunies dans
une seule œuvre civilisatrice et fraternelle ! C'est beau,
c'est noble ! D'ailleurs, vous-même, mon cher, êtes plus
concerné que tous !

— Comment cela ?

— Il y a deux ans, lorsque nos armées ont conquis
l'Égypte, qui en était le commandant ?

— Gordon ?

— Wolseley ! cria Grandet avec un air de triomphe.
Sir Garnet Wolseley ! Celui-là même que vous avez rencontré ! Or, le Soudan est un vaste désert qui borde
l'Égypte. Ses habitants sont fanatisés par un certain
Mahdi musulman. Pour assurer la sécurité de ses nouveaux sujets égyptiens, Sa Majesté doit pacifier le Soudan. Et pour ce faire, elle envoie qui ?

— Wolseley ?

— Gordon ! s'exclama Grandet, le visage lumineux.
Gordon, l'ami intime de Wolseley. Vous voyez comme
tout cela se tient, et comme tout cela vous touche personnellement !

— Est-ce qu'il n'y a pas déjà eu une bataille par là ?

Le visage de Grandet se rembrunit, il baissa les yeux.

— L'été dernier, hélas. A El Obeid. Le colonel Hinks
et ses dix mille hommes, annihilés ! Dix mille braves
tombés au champ d'honneur !

— Combien d'hommes aura Gordon ?

— Il y va seul. La seule réponse à faire à ses sauvages !

— J'espère qu'ils sauront l'apprécier. Excusez-moi,
Grandet, je dois retourner au bureau.

— Bien sûr, *old chap !* Notre petite conversation m'a
plu. *We must do it again !*

Askik n'avait pas quitté la pièce, que Grandet était de
nouveau plongé dans les nouvelles de l'Empire, ce
vaste amalgame de nations sœurs où il ne se passait rien
qui ne le touchât personnellement.

En entrant au bureau, Mercredi se heurta à Lecorbu,
visiblement hors de lui.

— Mercredi ! J'exige que vous nous débarrassiez de
ce gueux ! Il déshonore l'étude, il effraie les clients.
Mme Ladouceur a failli avoir une crise de nerfs en le
rencontrant dans les marches !

— Mais de qui parlez-vous ?

— De ce misérable qui est venu hier ! Celui qui vous
cherche.

— Il est revenu ?

— En votre absence ! Absence notée, soit dit en passant.

— Il n'a pas laissé de nom, pas de message ?

— Rien. Trop pressé. Il regardait tout le temps pardessus son épaule. Très nerveux. Un repris de justice, j'en mettrais ma main au feu. J'ai déjà vu des canailles de sa variété. Je ne l'ai pas ménagé. Il ne se présentera pas ici de sitôt !

— Comme de raison, un repris de justice dans un cabinet d'avocat, ça ne convient pas.

— Parfaitement ! Ici nous faisons du droit propre !

Pendant plusieurs jours, Askik attendit un nouveau signe de l'inconnu puis l'oublia. Il préparait sa première cause. Le cas était désespérément banal. Pour réveiller le juge, et lui faire sentir tout le poids de l'enjeu, Askik avait préparé un exposé éloquent où il rattachait les circonstances du litige aux fondements mêmes du Code civil. « Votre Honneur, allait-il dire, l'intégrité du Contrat, du Code, et de la Justice, dépend de votre jugement. » Il imaginait un juge fatigué, usé par les mesquines chicanes et par les lieux communs d'avocats, un juge disant au fond de lui-même : « Si j'entends encore une fois *dura lex sed lex,* je tue », il imaginait ce juge reprenant soudain vie, en se rappelant le sens véritable de son rôle.

Il ne l'avouait à personne. Mais le sentiment d'être voué à une grande œuvre ne le quittait plus. Comment expliquer autrement que le destin l'ait tiré du pays sauvage, l'ait introduit dans une famille riche et cultivée, l'ait initié aux mécanismes mêmes du pouvoir, le droit et l'argent ? Était-il possible que la Providence ait provoqué une telle conjonction de talents et de possibilités pour n'en rien faire ? Askik admettait, parfois, par honnêteté, que tout cela pouvait être un enchaînement de hasards, que cette préparation extraordinaire pouvait ne pas avoir d'aboutissement, mais c'était à peine croyable.

C'était une journée à demeurer chez soi. Le soleil s'était éteint au milieu de sa course. La neige virevoltait dans les cours assombries. Accouru de l'autre bord du fleuve, le vent trébuchait dans la petite rue Saint-Vincent, donnait des coups de pied dans les fenêtres, et repartait en ronchonnant. Lecorbu avait allumé les lampes de bonne heure. Agenouillé devant le poêle, il faisait de son mieux pour inciter la fumée à faire un tour dehors. Askik s'ennuyait à sa table de travail, sa vue se brouillant sans cesse sur un contrat qu'il remettait au propre. Même ses rêveries lui paraissaient insipides par cette fin de journée d'hiver.

Il faisait tout à fait nuit lorsqu'un enfant enrubanné de laine frappa à la porte, marmotta quelques mots indistincts dans son cache-nez, et disparut.

— C'est pour vous, prononça dédaigneusement Lecorbu en remettant une note glacée à Askik. Des cristaux de neige restaient collés dans les plis du papier.

Askik ouvrit la lettre, reconnut l'écriture élancée de son ami de Meauville, et lut : « Un miracle, mon frère, j'ai deux billets pour le concert de Mme Albani, ce soir. Je vous attends aux Muses. »

— C'est du pouilleux ? demanda Lecorbu.

— Vous pouvez fermer tout seul ce soir ? lui demanda Askik.

— Hmff ! Je ferme le bureau depuis vingt ans. Jugez si j'ai besoin de votre aide.

— Évidemment non, fit Askik en saisissant son manteau.

Un air d'horreur passa sur les traits de Lecorbu.

— Comment ! bredouilla-t-il, vous partez en ce moment même ! Vous n'avez pas fini votre travail ! Messieurs Leclerc et Juneau ne sont pas encore partis ! Ils remarqueront votre absence ! Ils me demanderont des explications ! Le vieux garçon bafouillait de terreur.

— Eh bien, dites-leur que je rentrerai plus tôt demain, répondit Askik.

Il sortit du bureau en sifflant. Pauvre Lecorbu ! Allait-il finir par comprendre que les patrons sont prêts à toutes les indulgences pour les employés profiteurs et n'en consentent aucune aux dévoués? De toute manière, Askik devait sa place au patronage d'Eugène Sancy. Il ne craignait pas ses employeurs.

Les carrioles des maîtres attendaient devant le perron.

— Ça ne sera pas long! cria Askik aux cochers à moitié gelés. Ceux-ci haussèrent les sourcils comme pour dire : « Qu'est-ce que t'en sais? »

Askik ne portait pas de cache-nez parce que cela lui paraissait enfantin. Il le regretta en descendant la longue rue Notre-Dame. La tête inclinée, les mains aux oreilles, il passa sans voir le séminaire où il avait reçu le nom d'Alexis.

— Comment t'appelles-tu? avait demandé le prêtre, un Français de France à l'accent impénétrable.

— Askik.

— C'est ton sobriquet. Quel est ton nom?

— Askik.

— C'est impossible. Le prêtre qui t'a baptisé a dû te donner un nom chrétien. Réfléchis bien. On ne t'a jamais appelé... Alexandre, Albert, Adélard, Alexis...

— Oui, avait soufflé Askik.

— Alexis?

— Oui. Ce nom lui avait plu. Et comme il était issu d'une culture où l'on change communément de nom en changeant d'état, Askik s'était vite accommodé avec Alexis.

— Alexis Mercredi..., avait noté avec satisfaction le prêtre.

Par les nuits de tourmente, c'est connu, les enseignes de buvettes se balancent au vent en grinçant poétiquement. L'enseigne des Trois Grosses Muses se taisait, rouillée solidement à sa hampe. La taverne portait en lettres demi-effacées un nom banal : A la Belle Fermière, A la Bonne Rincette, ou autre platitude répétée une demi-douzaine de fois sur les cinq cents buvettes de la ville. C'étaient les étudiants qui l'avaient distinguée du nom des Trois Grosses Muses. Des mouches mortes traînaient dans les carreaux des fenêtres, le poêle fumait, les serveuses étaient laides, mais on y avait les coudées franches, les pipes se vidaient sur le plancher, et les constables y mettaient rarement le nez.

Assis seul à une table près de la cheminée, de Meauville sirotait un hot scotch. Il avait rejeté son manteau sur le dos de sa chaise et posé ses bottes sur la grille, à quelques pouces de la marmite à soupe.

— Ah ! Mercredi ! Heureux de vous voir. Je craignais que le méchant Lecorbu ne vous ait enfermé pour la nuit. Si vous n'y voyez pas d'inconvénient, nous ferons un petit dîner en tête à tête avant d'aller entendre l'illustre Albani.

— Volontiers. C'est une Italienne ?

— Canadienne. Une petite fille de Chambly. Elle a fait fortune à l'étranger. Nous habitons un pays ingrat. Je vous sers, dit-il en remuant la soupe, ça vous évitera la visite des Furies. Alors, cher Mercredi, quoi de neuf ?

— Vous savez que Gordon est entré au Soudan ? fit Askik avec gravité.

— Comme je voudrais y être !

— C'est bon, je laisse tomber.

— Ce sont des nouvelles à vous que je demande. En particulier, il me tarde de savoir si vous accepterez ce poste d'intendant.

— Ça dépend.

— Ça dépend... des projets d'avenir d'une certaine jeune femme ?

— En somme, oui.

— Vous lui avez parlé ?

— Non. Ses parents sont encore à la campagne. Je ne peux pas décemment lui rendre visite en leur absence.

— Et dès que les parents seront de retour en ville ?

— Je recevrai un mot m'invitant à dîner, comme d'habitude. Je demanderai à m'entretenir avec M. Sancy. Je lui exposerai mes intentions.

— Vous demanderez la main de sa fille ?

— Non, pas tout de suite. Je veux... tâter le terrain tout d'abord.

— Excellent. J'espère que vous avez bonne vue.

— Bonne vue ? Pourquoi ?

— Nos sièges sont dans la dernière rangée.

Ils arrivèrent en retard, et durent gagner leurs places dans le noir. Marie-Emma Lajeunesse, alias Mme Albani, autrefois de Chambly, avait entamé la célèbre aria de la *Somnambula* qui, vingt ans plus tôt, avait projeté sa carrière hors du Canada. La salle était bondée. Dans la pénombre du parterre, on voyait reluire des galons, des perles et des faux cols amidonnés. Dans les loges, telles des étoiles placées très haut au-dessus de la cohue, des diamants. Les francophones, dans le parterre, voyaient Emma Lajeunesse, une célébrité mondiale issue de leur milieu. Les anglophones, dans les loges, voyaient Mme Albani, une habituée de la cour, amie de la lointaine et mythique impératrice Victoria. Le parterre attendait les loges pour applaudir.

Askik était au comble du bonheur. Tout ce qu'il admirait, tout ce qu'il convoitait était réuni dans cette salle surchauffée. Il exultait d'être assis parmi les banquiers, industriels et gouverneurs du Canada, à goûter comme eux à un spectacle que n'auraient pas compris les neuf dixièmes de ses compatriotes. Il voyait les rangées du parterre comme autant d'échelons à gravir. Il se voyait déjà dans les premiers rangs, flanqué de fils et de filles, Elisabeth à ses côtés. Lui, somnolerait après une dure journée au Conseil. Elle, le laisserait faire avec un sourire indulgent. Vieillir, de cette manière, devait être intéressant.

Il ressentit un élan de gratitude pour ces gens qui donnaient un sens à la société, qui la dirigeaient, l'encadraient, et lui servaient d'exemple. Pouvait-il y avoir d'art sans leur savoir-faire, de traditions sans leur vigilance, de musique sans leur argent ? Askik songea, avec humilité et ravissement, qu'il serait appelé un jour à les servir.

A l'entracte, après que Mme Albani eut quitté la scène, tous les regards grimpèrent aux loges. Il était temps de faire un relevé de noblesse. On ne comptait plus les Knights, trop nombreux, et parfois même, canadiens. On cherchait les nobles authentiques, le sang rare et importé.

Tous les regards finissaient dans la loge du gouverneur où essaimaient des dames anglaises en robes sombres mais somptueuses, leurs filles en couleurs gaies, des militaires en tuniques écarlates ou noires rehaussées de dorures. Askik enviait ces jeunes hommes aux fines moustaches. La plus lourde affliction de sa vie était d'être imberbe : un legs de ses ancêtres indiens.

— Ami Mercredi, lui chuchota de Meauville, voici le moment d'exercer votre vue.

— Comment ? rétorqua Askik, l'air agacé. Il craignait une nouvelle raillerie, inconvenante sans doute.

— Dans la baignoire à l'avant droite, insista de Meauville, tout près de la scène. Que voyez-vous ?

Askik vit un jeune homme guère plus âgé que lui en uniforme de hussard, au milieu d'un petit groupe d'admirateurs.

— Qui est-ce ?

— Un duc. Un des innombrables petits-fils de Victoria. En voyage autorisé, loin de son impériale mémé. Ce n'est pas lui qui nous intéresse.

— De Meauville, vous allez trop loin, riposta Askik, je vous interdis de parler...

Askik s'arrêta net. Eugène Sancy venait d'entrer dans la loge du duc et se faisait présenter. Comment, il est en ville ! pensa Askik, stupéfait. Sancy se tourna à demi, étendit la main vers l'ombre, et fit émerger, resplendissante, Elisabeth. Ses cheveux dorés flambaient mieux que toutes les tiares.

Les dames anglaises se taisaient en la voyant passer, les barbons rajustaient leurs monocles. Seule Elisabeth semblait ignorer l'effet qu'elle produisait. Elle avança vers le duc, fit une révérence empreinte d'insouciance, et ne donna sa main à baiser que lorsque Sa Grâce eut tendu la sienne. Elle semblait dire, par toute sa personne : « Je suis jeune, je ne connais pas les coutumes mondaines. Je suis heureuse de vous rencontrer, mais j'ignore votre rang. » Lorsque le duc lui fit un compliment, Elisabeth se retourna vers son père avec un sourire radieux, comme un enfant qui demande à garder le cadeau qu'on vient de lui faire. Elle respirait tant de fraîcheur, elle y mettait si peu d'artifice, que les matrones les plus sévères sentirent passer sur leur cœur un vent de mai. Une vieille demoiselle d'honneur fit asseoir Elisabeth à ses côtés et trouva charmant son accent français. Comme une fillette qui ne pense pas encore à l'amour, Elisabeth ne jeta plus le moindre regard vers le duc, mais s'entretint de bon cœur avec les vieilles dames, devenues aussi enjouées qu'elle. Le duc fit semblant de s'intéresser aux nombreux visiteurs qui voulaient lui presser la main, mais il se rapprochait des femmes en ramenant sans cesse les yeux sur la jolie Canadienne française. Lorsque se leva le rideau, les ladies insistèrent pour retenir Elisabeth avec elles. Elles chassèrent Eugène Sancy en promettant de bien surveiller sa fille : se pliant de bonne grâce à leur demande, le maître de Vieilleterre retourna seul à sa place.

L'obscurité tomba comme un baume sur Askik. Un violent orage avait, en quelques minutes, tout saccagé, tout jeté par terre en lui. Il entendait vaguement les trilles de Mme Albani, comme de grands éclats de rire provenant d'une pièce voisine. Curieusement, il se comportait tout à fait normalement. Il avait continué à s'entretenir de mondanités avec de Meauville alors que tout s'effondrait en lui, avait continué à étudier l'assistance, tout en s'entendant rugir de douleur. Alors, quel était son état, le vrai ? Était-il agonisant, ou indemne ? Choqué, ou indifférent ? Fallait-il sortir du théâtre en sifflant de beaux airs, ou se jeter sous les roues d'un train ? La rage, l'insouciance, la douleur se succédaient à une vitesse si vertigineuse dans son âme qu'il n'en pouvait saisir aucune. Comme les couleurs sur une roue de loterie. Peut-être devait-il attendre que la roue s'arrête sur une seule émotion, et décider ensuite. Indifférence, je sors prendre une bière. Douleur, je me tue.

En sortant du théâtre, Askik aperçut l'équipage des

Sancy. Eugène Sancy s'apprêtait à monter en voiture lorsqu'il vit approcher le jeune Métis.

— Ah ! Askik ! Tu étais au concert ? Divin, n'est-ce pas ? Quelle voix !

— Je ne savais pas que vous étiez en ville...

— Depuis quelques jours. Tu dois venir nous voir. Ma femme vous écrira. D'ailleurs, fit Eugène Sancy en le grondant, j'ai à te parler. Tes employeurs ne sont pas satisfaits de toi. Mais ça peut attendre ! On gèle ! En avant, Georges ! Bonne nuit, Alexis !

Elisabeth n'avait rien dit. Assise au fond de la carriole, le visage à moitié recouvert de laine, elle dévisageait Askik d'un air amusé. Ses yeux lumineux semblaient dire : « M'as-tu vue ? N'est-ce pas que j'ai brillé ce soir ? Comme la vie est belle ! »

En la voyant, Askik sentit la roue ralentir et s'arrêter : douleur.

— Mercredi ! cria de Meauville en le retrouvant. Un grog, pour se réchauffer avant le coucher ! Je paie !

— Merci, non, répondit tranquillement Askik. Je dois rentrer de bonne heure au bureau.

— Mercredi, vous vous sentez bien ?

— Tout à fait, de Meauville. Pour le lui prouver, Askik posa sur son ami un regard parfaitement impassible, un visage où ne se lisait rien. Encore un cadeau de ses ancêtres indiens.

Askik descendit comme d'habitude la rue Saint-Paul, mais passa droit devant son immeuble. Traversant le port abandonné, il vint enfin au bord du Saint-Laurent. Quel déchaînement ! Le vent régnait en maître sur les étendues glacées du fleuve. Ce qui n'était que bourrasque dans les rues était ouragan ici. Des nuages de neige traversaient l'obscurité, comme de gigantesques fantômes filant en bordure de la ville. Askik songea aux hantises de son enfance, au wetiko, aux spectres qui jouaient la nuit dans la cheminée de sa maison. Comme il les avait fuis. Et comme il les retrouvait ! A deux pas de Montréal, de ses concerts et procès, vivait la Première Terre de Pennisk et Numéo. Ni les banques, ni les prétoires, ni même les sottes églises avec leurs tours prétentieuses n'en arriveraient à bout. Askik se retourna une dernière fois sur Montréal, sur ses vaines lumières plantées dans une terre qui n'en voulait pas. Au fond de lui-même, Askik maudit le sort qui l'avait amené dans ce pays, qui l'avait jeté parmi ces orgueilleux étrangers. Il maudit les Sancy et leur argent, Elisabeth et sa beauté, les Anglais et leurs titres, les Poilus et leurs moustaches cirées. Se retournant vers le fleuve, il sentit sourdre le douloureux besoin des plaines, cette nostalgie étouffante qui l'avait tant de fois visité durant ses premières années au séminaire, et qu'il avait cru oubliée. Il songea avec mélancolie à ses parents, à sa maison, à son peuple.

« Je n'en suis plus très loin, pensa-t-il. Au-dessus de cette tempête, il y a le Chemin du Loup. Mène-t-il vraiment aux plaines éternelles, au tipi de Pennisk ? Pourquoi pas ? Pourquoi les Poilus auraient-ils raison en tout ? »

Il descendit sur la glace. Comme il faisait noir ! Il se mit en marche, à la recherche des grands trous pratiqués par les glaciers.

La neige était profonde. Il enfonçait à chaque pas. Il se reprocha de n'avoir jamais noté où se trouvaient les pistes des traîneaux à glace. Même un homme qui cherche à mourir peut souffrir du froid. Bébonne soufflait à cœur joie. Askik porta ses gants aux oreilles, et bientôt eut les doigts et les oreilles gelés. Les cristaux de neige lui cinglaient les joues et le front. Ses cuisses étaient de pierre, ses pieds le faisaient souffrir. Se retournant, il ne vit plus rien de la ville : la neige l'avait occultée. « Tant mieux, pensa-t-il. Je suis perdu. Je suis seul. Mais où sont ces trous ? »

Il marcha longtemps, chaque pas lui coûtant un effort. Le vent lui tirait des larmes qui gelaient en lui scellant les paupières. Il se dégantait, faisait fondre la glace avec ses doigts qui avaient de moins en moins de chaleur. Il dut se résigner à avancer les yeux mi-clos, comme dans un rêve lorsqu'on sent approcher un danger mais qu'on ne peut garder les yeux ouverts.

364

Askik trébucha sur un remblai de neige et de glace. De l'autre côté, il y avait un creux. Les glaciers avaient répandu de la paille sur l'eau pour empêcher la glace de se former trop solidement.

« Ça y est, se dit Askik. Suffit de sauter. Il faut plonger creux, pour que le courant me prenne tout de suite. Pas de retour possible. Dieu, que j'ai mal ! » Ses membres à demi gelés hurlaient de douleur. Ce sera bientôt fini, leur promit-il. Plus de froid, plus de déceptions. Il songea une dernière fois à Elisabeth assise dans la carriole. Regretterait-elle sa dureté ? Se reprocherait-elle de l'avoir écarté ?

Mais au fait, lui dit une voix intérieure, comment saura-t-elle que tu t'es suicidé ? C'est vrai, pensa-t-il. Ils croiront que je me suis enfui, que je suis rentré à la Rivière Rouge. Je mourrai en pure perte. J'aurais dû laisser une note ! Quel imbécile je suis ! Quel raté !

Mais pourquoi dis-tu qu'elle t'a rejeté ? reprit la voix. Tu n'es pas allé la voir, tu ne lui as pas écrit. C'est plutôt toi qui l'as abandonnée.

— Et le duc ? s'exclama Askik. Il grimpa sur le remblai, plia les genoux pour s'élancer dans l'eau.

Mais au dernier moment, le corps se grippa, la bête se révoltait à l'idée de l'eau frigide. S'il faisait froid à la surface, qu'est-ce que ce serait sous la glace ? La petite voix pernicieuse continuait : rien n'est perdu, rien n'est décidé. Pourquoi veux-tu qu'elle t'accorde plus d'importance qu'aux autres prétendants ? Tu dois te battre, la gagner, la mériter !

Il tourna le dos au trou et se mit résolument en marche. Il avait soudain envie de travailler dur des nuits entières, de rosser des jolis ducs, d'imposer le respect, de créer une vaste fortune. La piste des traîneaux à glace offrait une surface dure et unie. Il vit bientôt apparaître les lumières de Montréal. « J'ai dû tourner en rond, pensa-t-il, tout étonné d'être si près de la rive. Pourvu que je ne me sois rien gelé. » Cette pensée l'accabla. A quoi bon ces nouvelles résolutions s'il avait le visage déformé par le gel ? Quelle femme l'accepterait alors ? Se couvrant le visage des mains, il courut si fort qu'en arrivant chez lui, il avait chaud un peu partout.

Le lendemain matin, Askik arriva au bureau bien avant Lecorbu et étonna tout le monde par son zèle.

VI

Le soleil d'hiver entrait à pleines fenêtres et n'éclairait rien. Les boiseries noirâtres, le marbre gris, les tentures kaki avalaient le jour comme une éponge. A l'entrée de la salle, une gravure jaunie donnait quarante ans de moins à l'impératrice. Le poêle à charbon ronflait : les employés de la cour s'assoupissaient de chaleur et d'ennui.

Les bancs du public étaient remplis : locataires, épiciers, rentiers, vendeurs de chevaux. Les uns affichaient le regard indigné des victimes ; les autres, la bravade des médiocres petits trompeurs qui montent toujours les mêmes combines, et qu'on prend toujours dans les mêmes pièges. Les uns et les autres, chasseurs et gibier, s'indignaient de voir leurs avocats fraterniser de l'autre côté de la barre, en attendant le juge.

— Debout ! La séance est ouverte. Monsieur le juge Duvernay préside. Dieu sauve la reine !

Un homme court entra à pas pesants. Sa perruque lui battait les bajoues. Il avait l'air maussade, non pas comme un justicier qui s'apprête à châtier les méchants, mais comme un homme qui n'a pas envie de travailler.

Les causes se succédaient sans changer de ton. Plaignants et défendeurs avançaient timidement, bonnets en main. Les avocats jargonnaient un moment, le juge rendait une décision, les parties repartaient avec leurs avocats se faire expliquer le jugement. A petits griefs, petite justice.

— Tremblay contre Lafontaine ! aboya le greffier. Qui représente le demandeur ?

Askik s'éclaircit la voix.

— C'est moi... Votre Honneur. Sa voix avait un trémolo fluet, ridicule. Il tremblait de tout son corps. Cette cause si simple de prime abord lui semblait maintenant d'une complexité effarante. Il regrettait de l'avoir acceptée. Il n'était pas prêt à plaider. Lecorbu était encore le plus sage.

— Qui représente le défendeur ?

— Moi ! répondit une voix de stentor. Un avocat à la crinière blanche, aux gestes de comédien, s'avança vers le lutrin.

— Alors maître, je vous écoute ! dit le juge en posant la joue dans la main. Il avait un accent paysan. Il était blasé à souhait.

— Votre Honneur, commença Askik d'une voix chevrotante, mon client, boucher de son état, a livré le 15 juillet...

— Son nom, maître !

— Faites excuse ?

— Le nom de vot' client. Y a un nom ?

— Tremblay, Votre Honneur. Arthur Tremblay.

— Continuez !

— Le 15 juillet, donc, au matin, M. Tremblay a livré deux quartiers de mouton au restaurateur Albert Lafontaine, qui les a laissés dans sa cour. La viande s'est gâtée, comme il se doit en pleine canicule. M. Lafontaine a refusé de payer.

Askik prenait de l'assurance. Il pouvait même lever les yeux sur le juge de temps à autre.

— Cette cause, Votre Honneur, quoique simple en apparence, a de profonds retentissements sur notre droit civil, et comme je m'efforcerai de l'expliquer, sur les fondements mêmes...

— Vous avez un récépissé ?

— Votre Honneur ?

— Un reçu. Un billet accusant réception de la viande.

— Les parties faisaient affaire depuis longtemps et se passaient d'écritures. D'ailleurs, n'eût été la coupa-

367

ble négligence du défendeur, cette harmonie subsiste-
rait encore...

— Le défendeur reconnaît-il avoir reçu la viande ?
grogna le juge en se tournant vers l'autre partie.

L'avocat à la crinière se leva, refoula les manches de
sa toge d'un geste dramatique, et, faisant la moue,
répondit :

— Que la viande se soit trouvée dans la cour à un
emplacement donné, à un moment donné, nous ne le
nions point. Mais qu'il y ait eu négligence de la part de
M. Lafontaine, ça nous le nions très énergiquement.

— Vot' client attendait-il la viande du plaignant ce
matin-là ?

— Moui, je le crois. Mais la viande était avariée.
Enfin, *mutatis mutandis.*

— Alors il me semble, messieurs, que vos clients par-
tagent le blâme. Monsieur Tremblay, à l'avenir, obtenez
un reçu. Monsieur Lafontaine, veillez don' à l'arrivage,
hein ? Bon, ben, je condamne le défendeur à payer au
demandeur le prix d'un quartier de mouton. Frais de
cour partagés. Ça va comme ça ? demanda le juge au
greffier qui fit oui de la tête en prenant des notes. En
passant, fit soudain le juge en se tournant vers Askik,
vous êtes nouveau, vous ?

— Oui, Votre Honneur.

— Ben la prochaine fois maît', commencez donc par
l'essentiel. Des principes, c'est bon. Un reçu, c'est
mieux. Bon. Y en reste combien avant le dîner ?
demanda le juge Duvernay en se penchant vers le greffier.

Grandet attendait à la sortie, pince-nez et canne au
garde-à-vous. Il salua Askik d'une tape énergique dans
le dos.

— *Well done, old man !* Un début prometteur. Quelle
raclée vous avez donnée à ce grand imbécile ! C'est
comme moi. Pas de quartier !

— Vous plaidiez ce matin ?

— Non, non. Je viens fouiller les cages. Les clients
ne viennent pas ? Je les traque !

— Vous en avez trouvé ?

— Deux ou trois. Un menuisier de Saint-Charles qui a défoncé le crâne de sa femme à coups de marteau. *Very promising.* Je l'ai presque dans le sac. Alors ? déjeuner au Richelieu pour célébrer votre baptême du feu ?

— Merci, j'ai du travail. En passant, Grandet, qu'est-ce qui vous attire dans le droit criminel ?

— Le drame de la vie, *old boy* ! Les passions des médiocres. Les sordides détails de l'existence mis à nu. Le suspense du prévenu qui attend de savoir s'il aura la liberté, la prison ou le nœud !

— Et ça rapporte ?

— Ouf... moyennement. Mais nous criminalistes travaillons d'abord par amour de notre science. Le parquet est notre laboratoire. Exemple, dans cette salle, fit-il en désignant une porte fermée, une femme accusée d'avoir tué sa sœur. Elle est laide, la sœur était belle. Les deux, du reste, bêtes comme leurs pieds. Un jour, la laide pousse la belle dans le puits et lui laisse tomber une roche sur la tête. Le père croit que sa belle s'est envolée et la voue à tous les diables. Une semaine plus tard, il trouve que l'eau a mauvais goût. Le procureur de la Couronne demande la pendaison, la défense prétexte la folie. Qui gagnera ? Qui jouera l'autre ? Et enfin — mais ça on ne le saura jamais — qui a raison ? Avoue que c'est plus intéressant que tes chicanes de bouchers !

— Mais moins payant, n'est-ce pas ?

Grandet enfilait des gants de chevreau très élégants et très peu faits pour l'hiver.

— Moui, avoua-t-il en étudiant ses gants, c'est moins payant.

En rentrant au bureau, Askik trouva une note de Mme Sancy l'invitant à dîner le soir même. Il n'en fallut pas plus pour le mettre au comble du bonheur. Depuis sa conversion sur le Saint-Laurent, tout marchait en sa faveur. Ses employeurs le félicitaient de son assiduité, il avait à peu près réussi son premier procès, et voilà que les Sancy lui ouvraient de nouveau leur

369

porte. Lecorbu même lui témoignait un peu plus de respect, ou tout au moins, ne renâclait plus du nez en passant devant sa table.

A dix-huit heures très précises Askik rangea ses livres, salua Lecorbu avec un mélange tout anglais de politesse et de sécheresse, et s'envola à toutes jambes. Arrivé chez lui, il envoya promener la porte d'entrée, fonça dans l'escalier, et atteignait déjà le second étage lorsqu'il s'entendit durement rappeler.

— Monsieur Mercredi, un message pour vous !

Sa propriétaire l'attendait au pied de l'escalier, une femme musclée, qui ne badinait pas sur les convenances.

— J'espère que ça va bientôt finir ces histoires ! braila-t-elle. Réglez vos affaires avec ce pouilleux et qu'il ne revienne plus dans ma maison !

Elle lui tendait un chiffon de papier informe.

— Y allait partir comme la première fois, sans laisser un mot. Je lui ai fait savoir ce que je pensais de ces manières de sauvage ! Je lui ai dit de mettre par écrit ce qu'il avait à dire et de sacrer le camp ! J' veux pas la police icitte ! C't' une maison honnête icitte !

Askik déplia un papier d'emballage à viande, et lut en crayon très faible :

« Un om ki vous a fètte bokou de bin ya lontam pâti kruèlement é me dmande de vou lfaire savoér. Je sré demin à fontène. Midi. Lèssé pas tombé un vra ami.

Je signe pas. Je crin le troub. »

— C'est important, du moins ? demanda la propriétaire en faisant semblant de ne pas avoir lu la lettre.

— Pas tellement. De quoi avait l'air cet homme ?

— J' vous ai déjà dit ! Tout p'tit, lette, pi sale. L'air coupable s'il faut le dire. J' veux pas la police icitte, compris ?

— C'est bon. Je le verrai demain. Il ne reviendra plus.

Askik monta à sa chambre. Qui était ce « vra ami » ? De quoi souffrait-il ? Pourquoi devait-il passer par un si pauvre intermédiaire ? Askik songea à tous ceux qui l'avaient aidé ou enseigné depuis son arrivée à Montréal. Tous étaient prêtres ou marchands. Aucun n'était susceptible de « pâtir cruellement ». Et d'ailleurs, quelque chose lui disait que ce n'était pas parmi ses vrais bienfaiteurs qu'il fallait chercher. Il relut la note et fronça les sourcils. Le mystère devenait vite désagréable. L'inconnu lui demandait d'acquitter une dette de reconnaissance. Qu'espérait-il ? De l'argent ? Des services légaux ? Une entrée chez les Sancy ? Au fond de lui-même, Askik sentait déjà naître de l'irritation contre cet impertinent qui voulait monnayer des services oubliés depuis longtemps. Et pourquoi choisir une fontaine comme lieu de rendez-vous en plein hiver ? Askik ne connaissait qu'une seule fontaine, celle de la place d'Armes. Peut-être ce lieu avait-il quelque rapport avec son « vrai ami » ? Il chiffonna le papier et le jeta à la corbeille.

Sa chambre était grande, simplement meublée. Ses fenêtres donnaient sur le bureau des Douanes ; en tassant la tête, il apercevait le port et les mâts des navires embâclés. Les meubles étaient solides, bien assortis, sans luxe. Mme Sancy avait choisi un style convenant à un jeune homme bien appuyé, mais qui n'a pas encore fait sa fortune. En ouvrant son armoire, Askik sortit un habit à pan, un gilet à fleurs en damas doré, une chemise et un faux col blancs, un nœud papillon noir. Le costume lui avait coûté les yeux de la tête, mais Askik était bien décidé à rivaliser d'élégance avec les beaux cousins et les noblaillons de passage. Il se frotta énergiquement le visage au gros savon, s'étrilla le crâne, puis revêtit ses nouveaux habits en prenant soin de ne rien plisser. Lorsque fut complétée l'opération, il vit dans le miroir un jeune homme bien représentatif de sa race : plus grand que la moyenne, bien proportionné, les cheveux et les yeux noirs. Sa peau brune et saine avait un éclat de santé que n'arrivait pas à ternir l'air de bureau ou la nourriture de taverne. Il se trouva beau ; il l'était en effet.

Les rues étaient gelées, il n'avait pas à craindre pour ses pantalons. Il décida de marcher, pour économiser le prix d'une course en carriole.

En sortant de chez lui, Askik crut voir une ombre s'effacer à l'angle d'un immeuble. Le port était tout proche, il n'était pas rare de voir rôder des matelots ayant raté un départ. La plupart de ces laissés-pour-compte s'égaillaient à l'arrivée de l'hiver : peut-être celui-ci n'avait-il pu se caser.

Askik traversa à grands pas la place d'Armes. « Je viendrai », pensa-t-il en voyant la fontaine aux vasques gelées. La curiosité reprenait le dessus. Il songea un moment à son « vra ami », puis tourna ses pensées vers Elisabeth. « Cette fois, jura-t-il, je ne me laisserai pas prendre de court. Je ferai le nonchalant, l'homme tranquille, confiant. Les femmes aiment les hommes qui n'ont pas besoin d'elles. Et si Hubert est là, plus de timidité ! Je suis plus grand que lui, plus fort aussi. Je lui ferai sentir mon assurance. On verra bien qu'il n'est qu'une femmelette à côté de moi. Tiens... encore ! »

Un homme s'était tapi derrière une haie, et se croyant découvert, avait filé dans la ruelle.

« On me suit ! C'est peut-être le pouilleux, le messager ? Un voleur peut-être ? Qu'il vienne toujours ! » Askik serra son bâton à crampons. Il s'imagina arrivant chez les Sancy, blessé, un coup de couteau à l'épaule, mais victorieux, ayant assommé un meurtrier célèbre. Il arriverait escorté par des constables, non, par le chef de police. On le transporterait dans la maison où Elisabeth, refoulant ses larmes, mais raffermie par le courage du blessé, panserait sa plaie. Askik se retourna dans la rue, souhaitant de tout son cœur être attaqué, mais ne vit personne. Des meurtriers, lorsqu'il en faut...

Il s'étonna de voir tant de lumière chez les Sancy. En montant les marches du perron, il vit avec amertume que la grande pièce était pleine de monde. Askik s'était cru le seul invité, il tombait en pleine réception.

— Alexis ! Te voilà enfin ! Mme Sancy l'embrassa maternellement sur les deux joues. Mais comme t'es bien habillé, mon Alexis ! T'as payé comptant j'espère ! Les emprunts, y a rien de tel pour perdre les jeunesses !

Eugène Sancy traversa le foyer, un plateau de verres à la main, une servante confuse derrière lui.

— Alexis, cria Sancy, heureux de te voir, mon garçon ! Mais quelle élégance ! Comme tu vois, je fais le service maintenant.

La servante rougit jusqu'aux oreilles.

— Monsieur m'a pris le plateau des mains, madame !

— Ben le revlà ! s'esclaffa Sancy en se débarrassant des verres. Elisabeth ! cria le bonhomme, viens saluer Alexis !

Elisabeth se fraya un passage à travers les invités, et toute riante, vint prendre Askik par le coude.

— Te voilà enfin ! Viens vite ! Il y a quelqu'un ici qui dit te connaître !

— Qui est-ce ?

— C'est une surprise !

— Il est dans la grand-chambre ? demanda Askik en jetant un coup d'œil soupçonneux par la porte.

— Voyons, Alexis ! gronda la jeune femme. Grand-chambre, ça fait tellement campagne ! Ici, on dit salon. T'es pire que pépère !

Le salon était rempli de lumière, de musique et de mousseline. Un quatuor exécutait des écossaises et des valses. Eugène Sancy ne connaissait rien à la musique mais avait ordonné qu'on joue du léger et du vivant. Pas de pleurnicheries. La serre de Vieilleterre avait été pillée : il y avait des fleurs sur toutes les tables, dans tous les coins. Les invités s'émoussaient les esprits au champagne et au sherry. Ils parlaient fort, ne s'écoutaient pas toujours, et riaient à faire tinter les chandeliers. Elisabeth passa à travers la foule avec une maîtrise parfaite, donnant un coup de tête par-ci, un sourire ou un mot aimable par-là. Malgré toute sa résolution, Askik se sentit mal à l'aise. Tout le monde le regardait, personne ne voulait soutenir son regard. Il éveillait la curiosité, il se sentait comme une bête rare, un sauvage bien dressé en habit de cérémonie. Moi bon Métis. Moi bien parler. Moi pas pisser dans les crachoirs.

Il y avait dans la salle un petit îlot de personnes qui ne riaient pas, qui parlaient peu, qui semblaient même s'ennuyer. C'est vers ce groupe que le dirigeait Elisabeth. Qu'elle était belle, Elisabeth! Comme elle régnait sur cette assemblée! Elle portait aux oreilles deux diamants sertis dans de l'or. Du nouveau. Un cadeau de ses parents, sans doute. Askik ressentait à la fois le plus intense des bonheurs, et la plus cruelle des angoisses. Le bras de la jeune femme, passé négligemment sous le sien, était plein, et rose, et gracieux : des veinules bleues se devinaient à peine sous la peau. Les mains étaient fines et belles, et pourtant, elle les joignait n'importe comment comme pour dire : « Je sais que je suis belle, je n'ai pas à poser. »

— Alors, vous ne vous reconnaissez pas? demanda Elisabeth en souriant d'excitation.

Askik dut ramener son attention sur un homme maigre, blême, assis au milieu du petit groupe d'ennuyants. Il sentit bouger quelque chose au fond de lui-même ; peut-être en effet connaissait-il ce maigrichon. Mais il était tellement irrité d'avoir à partager Elisabeth qu'il ne chercha pas à reconnaître l'inconnu. L'homme se leva. Il était plus grand qu'Askik, il avait les joues picotées, le cou brûlé par le rasoir, les dents en mauvais état. Les yeux le cherchaient à travers des verres épais. Il avait l'air tout aussi mécontent qu'Askik de cette rencontre.

— Bonjour Askik, dit l'inconnu en lui donnant son nom métis. Tu ne te souviens pas de moi? Étienne Prosy.

Askik faillit tomber à la renverse. Il demeura un moment bouche bée à contempler son ancien instituteur. Il entendait Elisabeth gazouiller à ses côtés, happa au passage les mots « grand poète », « retour d'exil » et « comme le monde est petit », mais ne put saisir le reste. Il eut peur de voir son passé déballé devant une assistance gourmande, mais se rassura en regardant Prosy. Lui aussi semblait mal à l'aise. Lui aussi voulait tirer un trait sur ses années à la Rivière Rouge.

Mais Elisabeth était en campagne. Elle avait résolu d'animer ce petit groupe de taciturnes qui faisaient tache dans sa soirée.

— C'est incroyable, n'est-ce pas ? dit-elle en prenant à témoin les invités, se retrouver ici, comme ça ! Depuis combien de temps vous êtes-vous perdus de vue ? demanda-t-elle avec l'entrain d'un enfant qui veut une histoire.

— Ouf... quinze ans ? hasarda Prosy. Plus ou moins.

— Quinze ans ! s'exclama Elisabeth en jetant des regards de ravissement à la ronde. Son manège réussissait. D'autres invités venaient se joindre au groupe, verres en main.

— Et vous faisiez la classe à Alexis ? Mais au fait, comment l'avez-vous appelé tout à l'heure ?

— Askik, répondit Prosy, qui prenait conscience d'être au milieu d'auditeurs attentifs. Mais j'étais moi-même très jeune à l'époque, ajouta-t-il.

— Askik ! dit Elisabeth en posant la main sur le bras du jeune Métis. Tu ne m'as jamais dit que tu avais un nom pareil !

Askik lui pardonna à cause de sa main.

— Qu'est-ce que ça signifie, Askik ? demanda-t-elle.

Askik fit un signe vague de la tête.

— Rien de précis, je crois...

— Au contraire, objecta Prosy. La beauté des noms indiens c'est justement qu'ils ont presque tous une signification. J'ai quelque peu étudié les langues indiennes, voyez-vous. Askik, je crois, signifie « marmite », n'est-ce pas ?

Tout le monde éclata de rire. Non pas par méchanceté, mais le vin faisait effet. Et ce n'est pas tous les jours qu'on rencontre un Marmite Mercredi. Elisabeth riait plus que tous les autres, et les larmes aux yeux, lui tapait le bras amicalement.

— Mais voyons ! grondait-elle, ne prends pas ça au sérieux. C'est joli, Askik ! Et elle s'esclaffait de nouveau.

Askik réussit un petit sourire. Il ne voulait pas avoir

l'air piqué. Il tâcha de détendre ses mâchoires, de se décrisper les mains, et de rire un peu.

— Les noms indigènes, continuait Prosy, sont en général assez pittoresques. Le nom Mercredi, par exemple, une déformation de l'écossais McCready ou Mac-Gregor, est coloré en soi, mais présente aussi un cas singulier de prédisposition. Le mercredi, expliqua-t-il d'un air spirituel, étant le milieu de la semaine, à moitié chemin entre le dimanche et le samedi, et le Métis étant lui-même à moitié chemin entre deux civilisations...

C'était déjà moins drôle. Elisabeth voulut le lancer sur un autre sujet.

— Monsieur Prosy, expliqua-t-elle aux convives rassemblés, revient d'un long séjour à l'étranger...

— Hélas oui. J'étais associé au gouvernement provisoire de 1869. Quand l'ennemi est arrivé, j'ai choisi l'exil. A Chicago, en fait. Mais comme vous le savez, j'ai continué à parler à mon pays à travers ses journaux, ce qui m'a valu ici des ennemis, et non des moindres.

— Quel courage d'être revenu ! proclama une voix narquoise.

— L'amour de la nation, mon jeune ami, fait fi des menaces.

La conversation s'arrêta net, et comme le quatuor choisit précisément ce moment-là pour changer de partition, un silence gênant s'abattit sur la salle. Jetant les yeux autour de lui, Prosy sentit qu'il perdait son monde : il revint sur ses pas.

— Te souviens-tu, Askik, le soir, après les classes, comme tu avais peur de rentrer chez toi ? A cause du — comment encore ? — du we-ti-ko ?

On entendit les ordres chuchotés du chef d'orchestre, la musique recommença, les invités se détournèrent en parlant de neige et de beau temps. Elisabeth gratifia le petit cercle d'ennuyeux d'un sourire magnanime, et s'enfuit de l'autre côté de la salle. Prosy avait eu son heure de gloire.

Askik se leva pour chercher à boire. Il traversa la grand-chambre en évitant les regards. Il songea à prendre son manteau et partir, mais ces sorties indignées sont impossibles à réussir. Alors, que faire ? Poser deux bonnes gifles sur les joues blafardes de Prosy et le jeter dehors dans la neige ? Excessif. Après tout, qu'avait fait Prosy sinon rappeler ce que tout le monde savait, qu'Alexis Mercredi était un Métis. « Je me suis leurré, pensa Askik. Je suis le seul ici à me voir en petit Blanc élégant. » Ou peut-être après tout les convives n'accordaient-ils aucune importance à sa race ? Ils avaient ri de son nom d'enfance, comme ils riraient de leurs propres sobriquets d'écoliers. Askik se reprocha d'avoir mal réagi, d'avoir paru vexé et maussade. Il résolut de changer d'air. Il reconnut un avocat d'une firme rivale, un jeune anglophone, parlant français. Se joignant à son groupe, Askik tâcha de se rendre plaisant. Il leur raconta même, parce qu'ils insistaient, des récits de son enfance. Ces contes firent sensation. Les dames frissonnaient délicieusement en imaginant des ours noirs sortant de leurs tanières ou des bisons blessés chargeant tête basse les cavaliers métis. Toute la soirée y passa. Askik avait beau changer de cercle, la conversation revenait chaque fois sur son passé. Il s'y résigna.

Minuit venait de sonner. Les servantes ouvrirent les portes coulissantes de la salle à dîner pour exposer un réveillon magnifique. Les invités finissaient leurs verres et passaient dans l'autre pièce en poussant des « Oh ! » et « Ah ! » devant les dindes farcies, les homards, les tourtières, les blanquettes de veau et les côtelettes d'agneau. Un gigantesque bouquet de lys trônait au milieu de la table.

Askik était fatigué, mais content de lui-même, persuadé d'avoir définitivement vidé le sujet rocambolesque de son enfance. Il ne sentit pas la moindre irritation lorsque Prosy vint le retrouver près de la table à vins, dans le salon abandonné.

— Je vous félicite, Askik, je vois que vous vous tirez bien d'affaire. Prosy lorgnait le gilet doré de son ancien élève. Askik nota pour la première fois que le costume de Prosy était propre, mais usé. Le col, en particulier, était élimé.

— Est-ce vous, demanda Askik, qui m'avez fait parvenir un message dernièrement ?

— Pas du tout ! Je ne savais même pas que vous étiez à Montréal !

— Vous n'avez pas besoin de mon aide ? insista Askik à voix basse.

Prosy eut l'air blessé.

— Apprenez, monsieur Mercredi, que la fortune, surtout imméritée, n'autorise pas à prendre de haut ses anciens bienfaiteurs. C'est vrai que mes affaires ne marchent pas des plus rondement, mais je subviens à mes besoins. Et j'en tire une modeste fierté.

— Excusez-moi, vous avez raison. Askik eut pitié de l'homme pâle et déçu. De Meauville, pensa-t-il, aura un jour cette mine-là. Offrant un verre à son ancien instituteur, il lui demanda encore :

— Quand avez-vous quitté la Rivière Rouge ?

— Quelques mois après vous.

— Vous n'avez pas revu mes parents ?

— Je regrette, non. Avez-vous toujours ces articles que je vous ai confiés ?

— Perdus dans des rapides, mentit Askik.

— Dommage, soupira Prosy. Bien entendu, je ne publierais plus aujourd'hui ces enfantillages. Mais comme souvenir...

— Vous dînez ? fit Askik en tendant la main vers la salle à dîner.

— Pourquoi pas ? Mais si vous me permettez un commentaire, fit Prosy en ramenant les yeux sur le costume d'Askik, les gilets fleuris ne sont plus à la mode. Croyez-moi, un homme de votre race doit éviter les couleurs criardes.

La conversation roulait à fond de train tout le long de la table. Les servantes passaient entre les chaises, comme des guêpes à un pique-nique, les mains chargées de bols fumants de légumes et de pommes de terre. Eugène Sancy faisait merveille : son assiette ne se désemplissait pas, sa femme le grondait, ses voisins l'applaudissaient. Hubert, assis loin d'Elisabeth, gardait la mine renfrognée. Elisabeth l'avait-elle enfin mis à sa place ? Askik lui adressa un sourire amical. *Vae victis,* ma vieille !

— Je parie que vous ne mangiez pas si bien chez les sulpiciens, badina Robert Simpson, le jeune avocat anglais.

Askik allait répondre quand un gros jeune homme, passablement ivre, bredouilla :

— Ni dans vos wigwams.

Sa femme lui pinça le bras, mais l'homme beugla :

— Y a pas de mal, y s'en vante depuis le début de la soirée !

Askik fit semblant de n'avoir rien entendu.

— Les cuisiniers du séminaire, plaisanta-t-il, ont le mérite de m'avoir gardé vivant quinze ans dans un immeuble venteux, humide et froid.

— On dit, reprit Simpson, que les séminaristes sortent diplômés ou morts.

— Généralement moitié l'un, moitié l'autre.

— Parle ben en maudit pour un sauvage, grommela le malotru.

Cette fois, Askik le regarda en plein dans les yeux, pour le réduire au silence. Peine perdue. L'homme était trop ivre. Sa femme, une blonde maigre qui avait eu la mauvaise idée de se coiffer en macarons, piquait du nez et se mordait la lèvre de honte. Askik eut pitié d'elle et se détourna.

— Parce qu'un vra sauvage, continua le soûlard en riant, aurait dit : motché l'un motché l'aut' !

— Gérard ! Gérard ! lança Eugène Sancy de l'autre bout de la table, tu vas gêner notre Alexis ! Tranquille ! ou je te scalpe ! Les convives éclatèrent de rire.

— Mais l'intervention de Gérard a du bon, ajouta Sancy en se levant lourdement de sa chaise. Les invités se turent, les regards tournés vers l'aimable bonhomme.

— Mes amis, enchaîna Sancy, ma maison est trop grande pour ne pas être remplie à l'occasion. Merci d'être là ! Vous vous demandez quel est le sens de cette fête : vous le saurez bientôt. Mais auparavant, je désire

379

saluer mon Alexis — ou faut-il dire Askik ? — n'importe, notre Alexis qui a plaidé aujourd'hui sa première cause. Un franc succès : il n'a pas tout à fait gagné ni tout à fait perdu. Il garde son client, et ménage ses confrères !

Des rires et des applaudissements fusèrent tout le long de la table. Les voisins d'Askik lui tapaient dans le dos. Elisabeth applaudissait plus fort que tous. Elle cria « Bravo, Alexis ! » en le couvrant d'un regard chaleureux.

— Un premier procès, continua Sancy, vaut toujours la peine d'être noté, mais jamais plus qu'aujourd'hui. Car notre Alexis n'est pas né dans une famille de juristes aisés, ni chez des habitants cossus, ni même chez des ouvriers pauvres où il aurait appris tout au moins les rudiments de notre langue et culture. Non. Alexis est né dans un autre monde, une autre culture, je dirais même à une autre époque. Il a fait plus de chemin dans ses vingt-quatre ans que j'en ai parcouru dans mes cinquante et quelque. Je vous invite donc à lever votre verre à maître Alexis Mercredi, avocat, ami des Sancy, intendant de Vieilleterre.

Les chaises grattèrent le plancher, une houle de verre de cristal surgit vers le plafond.

— Alexis ! clamèrent les invités.

— *Hear ! Hear !* cria Simpson.

— Un bon p'tit sauvage ! balbutia le gros homme ivre, qui faillit perdre pied en se levant.

Askik croyait rêver. Tous ces gens aux manières exquises, aux costumes élégants et riches le dévisageaient en souriant. Il découvrait pour la première fois qu'il était aimé, admiré. Elisabeth en particulier rayonnait de fierté et de bonheur. Comment avait-il pu se sentir mal à l'aise parmi ses amis ? C'est vrai qu'il était différent d'eux, qu'il venait de très loin. Mais pourquoi en avoir honte ? C'est ce qui lui donnait sa valeur ! Jamais, plus jamais, il ne cacherait son origine métisse ! Ah ! comme il accomplirait de grandes choses pour ces hommes et femmes qu'il aimait ! Comme il les rendrait fiers de lui ! Askik allait se lever, tenter quelques remerciements, mais Sancy était toujours debout.

— Mes amis, reprit-il, tandis que les autres se rasseyaient, vous avez déjà trop patienté. Il est temps que je vous apprenne la cause de nos réjouissances !

Eugène Sancy s'arrêta. Il baissa les yeux sur sa femme, qui l'encourageait du regard. Puis Sancy étendit la main, et prit celle de sa fille. Elisabeth levait vers lui un visage lumineux, transfiguré par la joie et l'anticipation. Ses yeux brillaient, ses lèvres s'entrouvraient sur un demi-sourire. En voyant ce regard qu'échangeaient père et fille, Askik sentit son sang se glacer. Sa bouche se dessécha, une douleur insupportable le prit à l'estomac. Jamais, jamais de sa vie il n'avait ressenti pareille angoisse. Il jeta un regard panique vers Hubert, mais celui-ci contemplait tristement les motifs de la nappe. La moitié de l'éternité s'écoula avant que Sancy n'ajoute enfin :

— Je suis heureux de vous annoncer que je serai, aux prochaines élections nationales, le candidat libéral dans la circonscription de Saint-Aimé.

Un « Ah ! » d'étonnement échappa à tous les convives, suivi d'une explosion d'applaudissements. Les hommes bondissaient sur leurs pieds, renversaient des chaises sur la moquette, et hurlaient : « Bravo, Sancy ! » Les femmes, demeurées assises, battaient des mains en échangeant des signes de tête approbateurs. L'orchestre attaqua « Il est en or ! Il est en or ! » Eugène Sancy levait les deux mains, pour calmer l'assistance, et, n'y arrivant pas, se courba humblement sous les vivats.

— San-cy ! San-cy ! San-cy ! scandaient les invités, déjà atteints du virus électoral. Dans la province de Québec, une élection, ça se prend toujours.

Askik reprenait vie. Il applaudissait comme les autres, mais ses jambes tremblaient. Il avait eu, pendant quelques instants, l'horrible pressentiment que Sancy annoncerait les fiançailles de sa fille. Emporté par le soulagement et la gratitude, Askik tapa des mains jusqu'à se faire mal. Il mit un long moment à comprendre que si Eugène Sancy était élu aux Communes, la famille tout entière déménagerait à Ottawa. Tout d'abord, cela lui parut comme une nouvelle manœuvre de son destin pour le rapprocher encore du pouvoir. Puis les paroles d'Eugène Sancy lui revinrent en esprit : « Intendant de Vieilleterre. »

« N'importe, pensa Askik, je trouverai le moyen. Je serai son secrétaire personnel, je le convaincrai de mon utilité. Il faut que j'aille à Ottawa. Il le faut ! » Et il hurla à tue-tête :

— Vive le député Sancy ! Vive les Rouges !

Les vivats s'apaisèrent. Eugène Sancy put conclure.

— Mes amis, il est tard. Dans les jours qui viennent, j'aurai besoin de votre aide. D'ici là, bonne nuit, bonne lutte !

Un dernier hourra mourut presque aussitôt. Les convives étaient fatigués. Les musiciens entamèrent un « Bonsoir, mes amis, bonsoir » plus lent que nature, parsemé de fausses notes. A présent les invités avaient hâte de partir. Le vestibule grouillait de foulards, de galoches, de bâtons. Chaque fois que s'ouvrait la porte on entendait les chevaux dehors qui tapaient du pied.

— Bien le bonsoir, bien le bonsoir, chantonnait inlassablement Eugène Sancy.

— Revenez nous voir, y a pas de gêne, ajoutait sa femme.

Elisabeth donnait la main aux invités en s'accotant à une petite table.

Askik ne chercha pas son manteau, mais demeura en arrière, en familier de la maison. Il vit Hubert, revêtu d'une élégante pelisse de vison, quitter la maison sans un regard pour Elisabeth.

Quand tout le monde fut parti, Eugène Sancy revint dans le salon se servir à boire.

— Eh bien, mon Alexis ! Que penses-tu de mon projet ?

— Excellent, monsieur. J'y concourrai de toutes mes forces.

— J'y comptais bien, mon garçon, j'y comptais bien !
fit Sancy en lui adressant un clin d'œil. Santé, Alexis !

— A la vôtre, monsieur. Vous aurez besoin d'un
secrétaire à Ottawa, je crois pouvoir...

— Le secours le plus précieux que tu puisses
m'apporter, interrompit Sancy, est de me décharger de
Vieilleterre. Allons, mon garçon, pourquoi cette face de
bœuf ? Ce ne sera pas pour l'éternité ! Le temps que je
m'installe dans la capitale, et puis nous verrons....

— Pourtant, monsieur...

— Voyons, voyons... fit Sancy en levant un doigt au-
dessus de son verre. Je te demande de veiller aux biens
de ma famille, pendant quelque temps. Ce n'est pas
trop demander, j'espère ?

Il n'ajouta pas : « Après tout ce que j'ai fait pour
toi », mais la phrase était là, palpable, entre eux deux.

— Bon, bon ! concéda Sancy, qui voyait qu'il avait
gagné. Alors, pour un été seulement. Tu veilleras aux
semailles et aux récoltes. L'automne venu, tu seras
libre. C'est entendu ? Parfait ! Tu peux coucher ici, si tu
veux. Enfin, à toi de décider. Bonne nuit, Alexis !

Le bonhomme monta son escalier en soufflant
bruyamment du nez. Demeuré seul, Askik écouta les
bonnes, dans la salle à dîner, qui maugréaient en des-
servant la table. Toujours elles qui se couchaient les
dernières, et bien entendu, sur pied à l'aube ! Une
grande femme entra dans le salon, un plateau à la main,
et s'arrêta net en y trouvant Askik.

— Mon manteau, dit Askik avec le plus d'aigreur
possible.

VII

Montréal ne dormait plus. Impossible de sortir sans
voir annoncés des jeux, des bals, des concerts. Les grelots de carrioles sonnaient jusqu'aux petites heures, les
employés rentraient le matin fatigués mais heureux.

Des braseros flambaient sur le fleuve où s'attroupaient à toute heure patineurs, raquetteurs, et joueurs de curling. Il faisait un temps froid et magnifique, la ville tout entière s'en donnait à cœur joie. Le carême approchait.

Askik plaidait tous les jours et se faisait remarquer. La plupart des juges tiennent moins à approfondir le droit qu'à rentrer à la maison. Askik coupait au plus court. Il éliminait la doctrine, ne retenait que la jurisprudence la plus connue, s'en tenait aux faits. De plus, maître Mercredi avait la stupéfiante habitude d'être bref dans les causes qu'il sentait perdues d'avance. Les clients s'en offusquaient à l'occasion ; les avocats et les juges étaient saisis d'admiration pour ce jeune homme qui savait perdre sans verbiage. D'ailleurs, gagner ou perdre lui était indifférent. Les problèmes de ses clients l'ennuyaient. D'autant plus qu'ils mentaient à peu près tous. Askik était arrivé à la conclusion qu'il ne serait vraiment riche qu'au jour où il cesserait de traiter des affaires des autres, pour ne plus s'occuper que des siennes. Toutes ses énergies portaient maintenant sur la création d'un petit capital à investir.

Il fréquentait moins les Trois Grosses Muses, et passait ses heures libres au Richelieu. Les commerçants et banquiers finirent par apprécier la compagnie de ce jeune avocat qui savait les écouter. Même le juge Duvernay le saluait d'un coup de tête bourru lorsqu'ils se trouvaient ensemble au déjeuner. Le juge ne s'attablait jamais seul, mais mangeait et fumait avec la haute finance de Montréal. On disait qu'il avait investi lourdement dans le Canadien-Pacifique, ce qui expliquait sa mauvaise humeur constante.

Askik s'était lié plus étroitement avec Elzéar Grandet, toujours aussi anglophile, toujours aussi démuni. Mais s'il menait mal ses propres affaires, Grandet s'entendait merveilleusement à celles des autres. Pas un marchandage, pas un revers de fortune n'avait lieu à Montréal sans que cela aboutisse tôt ou tard dans ses grandes oreilles oisives. Grâce à lui, Askik connaissait de vue les financiers de la ville, pouvait repérer leurs maisons sur la montagne, savait reconnaître leurs équipages dans la rue.

Il apprenait aussi à connaître les Anglais. Non pas qu'il eût ignoré leur existence : les Anglais avaient un doigt dans toutes les transactions. Mais jusque-là, Askik les avait sentis comme une présence d'arrière-fond, puissante mais vague. Leurs conventions, leurs ambitions, leurs dédains lui étaient profondément étrangers. Il se mit à leur école, s'initia avec infiniment de peine aux romanciers anglais et ne sortait plus sans une grammaire ou un exemplaire du *Star* sous le bras. Il trouvait dans la pensée anglaise un aplomb, un souci du concret, qui lui semblaient faire défaut dans la société canadienne française. Les nationalistes francophones gribouillaient leur indignation, rappelaient des injustices passées, menaçaient de déclencher la révolte ; les Anglais donnaient à peine la réponse. Leur pouvoir était solidement assis, ils n'avaient rien à craindre de ces latinistes bavards qui dédaignaient de vendre des pois ou des clous. Et c'était bien là, pensait Askik, le nœud de la discorde. L'apprenti écossais rêvait de fonder son propre commerce ; le collégien français voulait monter à la tribune ou à l'autel. Ils étaient déjà maître et serviteur ; le premier le savait, le second non. Askik, lui, avait compris.

Certes, il ne trouvait pas que du bon chez les Anglais. Leurs journaux suintaient de mépris pour les autres races, ils avaient pour les Indiens et les Métis un dédain à peine qualifiable. Mais qui ne méprisait pas les autochtones ? Même les Français voulaient les refaire à leur image, et jusqu'aux immigrés, Italiens et Chinois crachaient sur les premiers habitants du pays.

Askik se gardait bien d'ânonner les Anglais comme le faisait Grandet, sachant fort qu'il ne serait jamais admis dans leur société. Mais, au fond de lui-même, il regrettait d'être tombé chez les serviteurs. Il résolut de travailler dur, d'épargner, et de devenir son propre maître.

Mais comment épargner lorsqu'on a une Elisabeth à conquérir ? Askik avait refait sa garde-robe, en choisissant des vêtements plus sobres, plus simples et, chose curieuse, plus chers. En écartant la mise en garde de Mme Sancy contre les emprunts, il avait enfin remplacé son vieux manteau. Une pelisse et un bonnet de pékan neufs pendaient dans sa garde-robe. Il les sortait souvent, mais attendait le Carnaval pour les promener en public.

Il entrait peu de lumière dans le parloir des Sancy. Les fenêtres étaient occultées d'épais voilages. Un grand palmier, symbole d'Empire, trônait près de la fenêtre. Le piano, que personne ne jouait, était recouvert de dentelle, de photographies et de bibelots. L'unique son venait d'une pendule sous globe, au tic-tac discret, aux chiffres dorés.

« Quelle paix, pensa Askik, quelle stabilité ! »

Il était couché sur le divan, en bras de chemise, les mains derrière la tête. Son regard dérivait, s'accrochant au reluisement d'un bec à gaz, ou aux arabesques du plafond. Las, il ramenait les yeux sur le dossier du divan et s'aventurait dans un lacis de feuilles et de vignes taillées dans le velours cramoisi. Il suivait les pistes tortueuses, essayait de revenir à son point de départ, se perdait, somnolait.

Des pas sourds dans le couloir, trois coups feutrés à la porte. Georges apportait un bol d'eau chaude et une serviette. Askik se leva en se frottant les yeux.

— Merci, Georges. M. Sancy est de retour ?

— Oui, monsieur.

— Et mademoiselle ?

— Elle est rentrée il y a une demi-heure.

— Oh ! la la ! Je crois que j'ai froissé ma chemise !

— Ce n'est rien, monsieur. Eulalie la repassera pendant que vous vous lavez.

Georges sortit, la chemise au bras. Askik trempa un bout de serviette dans l'eau brûlante, se frictionna les joues et le front. Il se sentit rafraîchi, fort, joyeux, en excellente disposition pour l'épreuve qui l'attendait.

« Je dois la faire rire, pensa-t-il. Si elle rit, je suis sauvé ! » Il enfila sa chemise, encore toute chaude du fer à repasser, boutonna le col avec précision.

En approchant de la salle à dîner, il entendit le rire clair d'Elisabeth. « Je pars gagnant, se dit Askik, elle est de bonne humeur. »

Elisabeth avait passé l'après-midi chez une amie, et régalait sa mère de potins frais.

— Tu te souviens de la fille Lemieux ? disait Elisabeth d'un ton excité. Son père possède les moulins à Gatineau. Il cherche partout un gendre. Le bonhomme a enfin trouvé son parti. — Alexis ! Viens, écoute ! On invite le futur mari et ses parents à dîner. Mais la dinde de mère serre tellement le corset de sa fille pour lui donner du buste que mademoiselle s'évanouit dans sa soupe ! Vous imaginez ça ?

Elisabeth dut s'interrompre, prise d'un fou rire.

— Mais c'est triste ça ! cria Mme Sancy avant de s'esclaffer à son tour.

Après un moment, Elisabeth put continuer en hoquetant.

— Ses futurs beaux-parents l'ont cru épileptique, et le bonhomme Lemieux est quitte pour se trouver un autre gendre !

Askik rigola de son mieux, quoique le récit lui parût plutôt pathétique. Mais il était prêt à tout pour entretenir cette gaieté chez Elisabeth.

— Voilà une compagnie comme je les aime ! s'exclama le bonhomme Sancy en entrant dans la pièce. Bonjour mes cœurs ! Bonjour Alexis ! Quelle est cette histoire d'horreur, Elisabeth ?

— C'est pourtant vrai, c'est Julie qui me l'a racontée !

— Il ne faut pas rire des malheureux. Ce Lemieux a mis toute sa fortune dans le bois. Une mauvaise affaire. Bien mauvaise.

— Eulalie, cria Mme Sancy, vous pouvez servir !

— Tiens ! J'ai vu le juge Duvernay aujourd'hui, lança Sancy en dépliant sa serviette. Il m'a dit beaucoup de bien de toi, Alexis !

— Bien sûr ! enchaîna Elisabeth. Alexis est le meilleur avocat de Montréal.

— Mais quel homme morose ! continua le père.

— On dit que ses affaires vont mal, expliqua Askik.

— Le chemin de fer, oui, je sais. Mais il s'inquiète pour rien. Le gouvernement ne laissera pas sombrer l'entreprise. Il y aura une subvention, ou un prêt. Sur ma foi ! Et je le lui ai dit.

— Et vous, monsieur ? demanda Askik d'un air trop grave. Comment vont vos préparatifs d'élection ?

La question parut surprendre Sancy.

— Ah... mais bien, bien... Au fait, j'en ai entendu une bonne ce matin au club ! Le père Renaud, vous savez, le marchand d'huile ? Il est entré en association. Et avec qui selon vous ? Hein ?... Vous ne devinez pas ? Lecompte !

— Non ! Ce n'est pas possible ! Oh !

— Eh oui, parfaitement ! triompha Sancy. Nos compères avaient pour principe de se détester. Maintenant, ils feront affaire ensemble. Que voulez-vous, c'est l'époque qui le veut ! La naphte, c'est l'énergie de l'avenir, mais les Américains ont le monopole...

— Et l'électricité ? demanda Askik, qui voyait passer Dame Chance.

— Comment l'électricité ?

— Le château de glace, cette année, sera éclairé à l'électricité. Il paraît que c'est de toute beauté !

— Dans les châteaux de glace, oui ! Mais c'est cher. Et c'est dangereux. Non, non, la naphte, vous dis-je. Voilà l'or de l'avenir !

— C'est vrai, Askik ? demanda Elisabeth, les yeux grands ouverts. Illuminé à l'électricité ? Ça doit être beau !

— Ce sera magnifique ! lui assura Askik. Je suis passé aujourd'hui. Ils ont coulé une grande patinoire tout autour du château. Samedi soir, il y aura une mascarade, à patins !

Puis jetant les yeux tout autour de la table, il conclut énergiquement :

388

— Nous devrions tous y aller !

— Ho ! Ho ! éclata Sancy. Ma femme à patins. Je vois ça d'ici !

— Ben, tu vois mal, mon homme ! riposta madame. Les mascarades à patins, c'est bon pour les jeunesses.

— Alors nous pouvons y aller, maman ? demanda Elisabeth. J'inviterai Julie !

— J'y vois pas de mal, répondit la mère. Alexis pourra vous accompagner. Eulalie, la soupe !

Et ce fut tout. Eulalie servit la soupe. Askik resta un moment éberlué par cette victoire si facile. Sa première sortie avec Elisabeth ! Il avala du poulet, des carottes, des pâtisseries, et ne goûta rien.

Samedi. Askik sentit en ouvrant les yeux que la journée durerait une éternité. C'était tôt. Beaucoup trop tôt. Il n'avait rien à faire, tout était prêt. La carriole était retenue, le restaurant l'attendait à dix-neuf heures, ses habits étaient brossés et repassés. Il avait déjà vécu sa soirée mille fois en esprit, était mort de cent morts pour chaque détail à régler. Après de pénibles débats intérieurs, Askik avait même commandé une nouvelle paire de bottes, des merveilles en cuir rouge. A d'autres les informes galoches ! « Tout est prêt », murmura Askik en se dévisageant dans le miroir. Il lui restait douze heures à se faire du mauvais sang. Douze heures à soupçonner le cocher de trahison, à craindre que le majordome ne les place près de la porte, ou que le cordonnier ne s'enivre ! Douze heures avant de rencontrer Elisabeth. Elisabeth ! Était-elle aussi nerveuse que lui ? Il la voyait en fourrure blanche, mignonne et malhabile en patins, s'appuyant de tout son poids sur lui. A mourir de bonheur !

Il dévala l'escalier de son immeuble en faisant détonner chaque vieille marche. Mais une fois dans la rue, où aller ?

« De Meauville ! pensa-t-il soudain. De Meauville voudra bien déjeuner. Il a toujours faim ! »

Il partit à la course, dévorant les rues, glissant dans les carrefours, et manqua de se faire écraser par un voyage à foin. « Maudit fou ! » hurla le conducteur, en tentant de calmer ses chevaux. Askik détala en riant aux éclats. Jamais il n'avait couru aussi vite ! Les immeubles défilaient à une allure étourdissante, les passants se tassaient contre les murs. En arrivant chez de Meauville, il monta l'escalier à vis et se jeta contre la porte.

— Ho ! ami de Meauville ! cria-t-il en tambourinant si fort contre la vieille porte que les gonds tintèrent. De la visite, monseigneur ! Lève, lève !

Après un moment de silence, le visage de l'Orateur parut à la porte. Il avait l'air un peu vexé.

— Entrez, Mercredi, dit-il en retrouvant son flegme. Je vous sens communicatif.

— Sortons, plutôt ! Je vous offre le déjeuner !

— Peine perdue ! soupira de Meauville en se recouchant. Monseigneur ne mange pas.

Il avait la peau grise, les yeux rouges. Une meurtrissure vert et jaune lui faisait une étoile malsaine au-dessus du sourcil droit.

— Veillée chez Joe Beef ? demanda Askik en riant.

— Aux Muses, mon cher. Est-ce croyable ? Les mœurs se détériorent.

— Vous avez rendu de bons coups du moins ?

— Ils sont de plus en plus jeunes, Mercredi, et je ne fais que vieillir. Ils me détestent.

Il avait effectivement l'air d'un vieillard, étendu sur sa maigre paillasse, la main sur les yeux, la tête renversée parce qu'il avait moins mal ainsi. Le papier du mur s'épluchait au-dessus de sa tête, la table de bois rude était jonchée de contrats à moitié copiés et de bouts de chandelles rongées par les souris. Il manquait un carreau à l'unique fenêtre : un chiffon sale tenait dehors le vent. Des dessins de nus, naïfs et prétentieux, s'éteignaient au mur.

— Je crois que je vais changer de vie, Mercredi, murmurait l'Orateur. Vous l'ai-je dit ? Je serai peut-être instituteur de campagne. Qu'en pensez-vous? Ah, pardon... Vous êtes là, tout frétillant de vie, et moi qui vous ennuie avec mes histoires de raté.

— Mais pas du tout! objecta Askik. Mais il ne trouva rien à ajouter.

— Alors allez-y, soupira de Meauville. Qu'avez-vous à me dire?

— Je sors avec Elisabeth! Ce soir! Au Carnaval!

De Meauville souleva une paupière, contempla Askik en silence. Son mal de tête lui referma bientôt l'œil.

— Mes félicitations, Mercredi.

C'était trop laconique. Askik se sentit piqué.

— Vous ne croyez toujours pas qu'elle puisse m'aimer? demanda-t-il. Et au fond de lui-même il ajouta : parce que vous êtes jaloux.

De Meauville fit un effort sur lui-même et se redressa à moitié dans son lit.

— Ne vous fâchez pas. Je n'ai pas tous mes esprits. Non, je vous souhaite d'être aimé, de tout mon cœur. Mais souhaiter n'est pas garantir. Que voulez-vous? Les vieux rêveurs sont méfiants. Soyez méfiant, Mercredi.

Askik était déçu. Il était venu partager une nouvelle vibrante et belle. Et l'autre lui tenait des discours de comptable : prudence, méfiance, garanties.

Comme s'il perçait la pensée de son jeune ami, de Meauville ajouta tristement :

— C'est ma seigneuresse de mère qui m'a appris à pontifier. Peut-être en allant me soigner chez les paysans...

— En Beauce, peut-être? plaisanta Askik.

L'Orateur eut un petit sourire d'enfant.

— Oui, peut-être. Et vous, ce soir, si vous avez envie de jaser, je serai ici, toute la soirée. Y a pas de gêne, comme disent nos Canayens.

— Merci, ce soir j' n'aurai pas le temps. Avez-vous besoin de quelque chose? De la nourriture, du café?

— Merci, non, fit de Meauville en se recouchant.

391

— Je peux payer, si vous n'avez pas de quoi.

Mais de Meauville faisait lentement signe de la main, comme pour dire : « Laissez-moi. » Il avait le bras à travers le front, la mâchoire se serrait et se desserrait lentement. Le bas du visage était aussi gris que sa vieille robe de chambre.

Askik traversa d'un seul pas le garni glacé et, en atteignant la porte, se retourna une dernière fois vers son ami. « Quelle misère, pensa-t-il, il faut le tirer de là. » Il lança tout haut : « Salut, de Meauville ! » mais il n'y eut pas de réponse. Askik sortit en refermant doucement la porte.

Il passa la journée tout entière à attendre et, malgré tout, faillit être en retard. Les premières heures parurent sans fin, les dernières s'enfuirent en un clin d'œil. Askik revint tard du cordonnier, et dut s'habiller à la hâte. Il se précipita dans la carriole en se demandant s'il n'oubliait rien. Il était mécontent de lui. Le manteau de pékan le grossissait de trente livres, et ses belles bottes chères n'avaient pas l'effet voulu auprès de la fourrure. Pour se donner de l'assurance il imagina qu'il était un commerçant riche et établi rentrant chez lui dans sa propre carriole. Mais il ne ressentait pas cette paix qui accompagne les hommes de bien. Son cœur battait nerveusement, il avait un nœud à l'estomac, il se sentait à la fois déchu et exalté.

Nuit enchanteresse ! Les lampes à gaz jetaient des ronds de lumière sur la neige, les piétons regagnaient leurs foyers en souriant, même les chevaux avançaient d'un pas plus allègre. Le Carnaval allait commencer ! En passant par le centre ville, Askik vit des murailles et des statues de neige et un peu plus loin, Carré Dominion, les créneaux encore sombres du château de glace. Dans quelques heures, ces mêmes places désertes se peupleraient de fêtards et de feux de joie.

La carriole s'arrêta. Askik entra dans la cour des Sancy. La neige craquait sous ses bottes neuves, une fumée de charbon flottait dans l'air glacé, les étoiles brillaient entre les hautes corniches. « Mon Dieu ! pria Askik, merci pour ce monde. Bénis Elisabeth et moi. Apprends-nous à nous aimer. »

Les marches de la maison étaient fraîchement déneigées. Cette marque d'attention le toucha. Il voulut entrer sans frapper, comme il en avait l'habitude, mais changea d'avis en songeant qu'Elisabeth tenait peut-être à être avertie de son arrivée.

Askik laissa tomber plusieurs fois le heurtoir. Personne ne vint lui ouvrir. Il frappa à poing fermé. Toujours rien. Le cocher toussotait discrètement dans ses mitaines. Askik entra. Le vestibule et le salon étaient sombres, désertés. Un peu de lumière venait de la cuisine. Des éclats de voix résonnaient à l'étage. Askik gravit les premières marches de l'escalier et héla poliment :

— Bonsoir ! Il y a quelqu'un ?

Personne ne répondit. Les voix retentissaient toujours, on eût dit une dispute. Des pas précipités allaient et venaient dans les chambres. Askik s'impatienta.

— Allô ! M'entendez-vous ?

Les voix se turent. Des pas approchèrent. On alluma une lampe en haut de l'escalier. Une servante se pencha par-dessus le garde-fou.

— C'est vous, monsieur Mercredi ? Qu'est-ce que vous faites là ?

— Mais voyons ! Je viens prendre mademoiselle Elisabeth. Nous allons au Carnaval ce soir !

La servante porta la main à la bouche, poussa un « Oh ! » perçant, et s'enfuit. Abasourdi, Askik resta figé dans l'escalier, son bonnet à la main, ses bottes dégoulinant sur le tapis persan. Il n'attendit pas longtemps. Des pas revinrent presque aussitôt, accompagnés cette fois d'une madame Sancy hagarde et essoufflée. La grosse femme descendit l'escalier, prit Askik par le coude, et le dirigea énergiquement vers la porte.

— Ah, mon cher Alexis ! Je suis toute bouleversée ! Une nouvelle incroyable, terrible... Elisabeth...

— Elle est malade ? s'écria Askik.

— Hein ? Non. Non ! Elle est invitée au bal du gouverneur ! L'invitation est arrivée cet après-midi seulement. Quel malheur ! La robe ! La coiffure ! En si peu de temps ! Tu t'imagines ! L'invitation vient du grandduc, c'en est sûr ! Ma pauvre Elisabeth est au bord des larmes ! Faire ça à une jeune fille ! Ah ! ces Anglais ! s'écria la brave dame en levant les bras au ciel.

Elle était hors d'elle, ne savait plus si elle devait jeter Askik dehors ou pleurer à chaudes larmes sur son épaule. Et pourtant, son désarroi était faible à côté de celui d'Askik. Il se laissa pousser jusqu'à la porte, mais une fois sur le seuil, se raidit.

— C'est avec moi qu'Elisabeth devait sortir ce soir, insista-t-il.

— Comment ? demanda madame Sancy, étonnée par sa résistance.

— Elisabeth et moi, poursuivit Askik. Nous allions au Carnaval ce soir.

Mme Sancy mit un moment à comprendre, puis se frappa le front de la main.

— Ah ! C'est vrai ! Excuse-moi, Alexis. J'avais complètement oublié. Avec toute cette agitation, tu comprends... Mais vas-y, toi, au Carnaval ! Tu rencontreras certainement quelqu'un que tu connais !

— Mais c'était entendu. J'ai tout préparé. J'ai eu des dépenses...

— Des dépenses ? (La grosse femme le poussa enfin dans le porche.) Des dépenses pour une mascarade ? Ah ! le jeune fou ! Enfin, mon mari te remboursera, tu le sais bien.

— Et le cocher ?

— Alexis, je t'en prie...

Elle avait la main sur la poignée. Askik était au désespoir. Pourquoi s'exprimait-il si mal ? Pourquoi parler d'argent et du cocher quand seule comptait Elisabeth ? Pourquoi Madame Sancy feignait-elle d'être si obtuse ?

— Elisabeth et moi, bafouilla Askik, devions sortir... ensemble.

— Écoute, Alexis ! (Elle le rabrouait d'un air mater-

nel.) Tu vois bien qu'on est pressés, que tout va mal...
Maintenant, tu vas nous excuser... Reviens dimanche.
Elisabeth sera là. Elle te racontera sa soirée, pi toé...

— Non ! Askik le hurla presque au visage de la
grosse femme. Elle recula d'un pas, stupéfaite.

— Mais voyons, mon Alexis ! Qu'est-ce qui te
prend ? Ma fille est invitée au bal du gouverneur et tu
veux que je l'envoie patiner au Carnaval ? Voyons don !

— C'est avec moi qu'elle devait sortir ! reprit Askik
d'un air buté. Avec moi !

Mme Sancy se tut, interloquée. Elle notait pour la
première fois le riche manteau, les bottes neuves, le
bonnet de fourrure. De perplexe, son regard devint
soupçonneux, puis incrédule, puis méchant. Le sang lui
monta au visage.

— Mais es-tu fou ? siffla-t-elle. Pensais-tu... mon Elisabeth... avec toé ?

— Madame ! cria une servante du premier étage.
Mademoiselle Elisabeth pleure ! Le corsage est trop
grand !

— J'arrive ! rugit la maîtresse, et se retournant vers
Askik elle aboya d'une voix furieuse : Pi toé, dehors !
Que j' te revoie pu icitte, charogne ! Dehors !

Askik ne se contenait plus. Il étouffait de haine, sa
vue se brouillait. Il avait envie de frapper, d'étrangler.
Sa voix tremblait comme s'il allait pleurer. Il hurla à
fendre l'air :

— J' suis aussi bon que vous. Aussi bon !

Madame Sancy était livide de rage.

— Dehors que j' te dis ! Penses-tu que j' vais donner
ma fille à un sauvage ? Tu m'écœures !

Eugène Sancy arrivait en courant, en mules et robe
de chambre. Il saisit sa femme par les épaules.

— Mais calmez-vous, mon amie ! Calmez-vous !
Qu'est-ce qui se passe ?

Askik eut honte. Honte d'avoir crié, honte d'avoir
fait accourir le digne Sancy qui avait l'air un peu ridicule en pantoufles. Askik cherchait une excuse. Comment, en effet, avait-il pu croire... Mais c'était trop tard.

Madame Sancy avançait un doigt tremblant vers Askik et d'une voix chargée de révulsion braillait :

— Il veut Elisabeth. Il s'imagine que j' vais lui donner ma petite fille ! A lui !

— Comment, Alexis ? demanda le bonhomme. Il interrogeait le jeune homme des yeux, cherchant un démenti, une explication.

— Il veut Elisabeth ! hurla la grosse femme.

Honneur à Eugène Sancy. Il ne perdait jamais le nord. Il retira sa femme de quelques pas, et dit d'une voix ferme :

— Alexis, vous voyez dans quel état se trouve ma femme, partez. Je vous convoquerai à mon bureau. Sortez, s'il vous plaît.

Askik sortit, sa fureur tombée, la tête vide. Il referma même derrière lui. Une fois sur le perron, il vit qu'il n'avait plus son bonnet, et cela lui parut parfaitement indifférent. Comme c'était silencieux, dehors ! En traversant la cour, il vit les étoiles, et la nuée blanche de son haleine.

— Il fait froid ! s'étonna-t-il. Comment se fait-il que je ne m'en sois pas rendu compte auparavant ?

Il s'arrêta à la barrière, indécis. Sa vue s'était accrochée à un petit buisson à moitié recouvert de neige. Cet arbuste lui parut amical : il avait les membres frêles et tordus, il devait avoir froid, mais il se donnait quand même la peine d'être sympathique.

— Monsieur ! appela le cocher, mes chevaux gèlent ! Qu'est-ce qu'on fait ?

Askik leva des yeux questionneurs. Que faire en effet ? Rester, partir ? Geler ? Tuer ? Bah !

— Il n'y a plus rien à faire, répondit Askik. Ramenez-moi à la maison.

VIII

Les chemins étaient dans un état épouvantable. La pluie creusait des rigoles dans la glace, des fondrières dans la boue. Les chevaux perdaient pied, la voiture était jetée dans tous les sens, le cocher maugréait de toute son âme. Et pourtant, lorsqu'il ralentissait l'allure des bêtes, une voix sévère s'élevait de l'intérieur de la diligence : « Plus vite ! »

— Vous allez faire mourir les chevaux !

— Plus vite !

Le cocher ravalait sa rage, et faisait claquer les guides.

— Avancez ! Avancez ou not' intendant vous passe sur le dos !

L'intérieur de la diligence était sombre, et sentait le crin de cheval moisi. La vitre ne finissait pas de s'embuer ; l'intendant avait renoncé à voir dehors.

« Le printemps, pensa-t-il. Quelle saison morne ! D'où vient cet engouement pour le printemps ? De France, sans doute. Pas d'ici. »

Une roue tapa dans une ornière, de l'eau bourbeuse jaillit de dessous la portière. Askik avait tout le corps meurtri par ces cahots. N'importe, il avait hâte d'être à Vieilleterre, de reprendre les choses en main. La lettre de Paradis ne l'avait pas rassuré. Les préparatifs d'ensemencement étaient à peine entamés. Les fossés étaient négligés : une partie de l'exploitation était menacée d'inondation.

Les Sancy étaient à Ottawa. En apprenant la candidature probable du maître de Vieilleterre, le gouvernement lui avait aussitôt offert un fauteuil aux Finances. Il était convenu qu'Eugène Sancy entrerait au Conseil des ministres à la mort — imminente, espérait-on — du député conservateur de Saint-Aimé. Sancy avait négocié serré, avait laissé savoir à ses proches et aux journaux que s'il entrait au gouvernement, ce n'était pas pour enterrer ses idéaux de libéral, mais pour changer les choses. Heureusement, un vent de réalisme balaya à ce moment même les amis de la famille Sancy. Ceux qui avaient applaudi son adhésion à la cause des Rouges saluèrent son entrée chez les Bleus.

En montant dans le train qui le mènerait à Ottawa, Sancy avait eu la mine distraite, anxieuse, d'un homme qui s'attelle à une lourde charge. Les reporters l'avaient noté. Ils avaient aussi remarqué la fille du politicien, une jeune femme de grande beauté qu'on disait liée à l'aristocratie anglaise. Contrairement à son père, Elisabeth ne montra pas la moindre réticence à monter dans le train.

La diligence s'arrêta. Agacé, Askik entrouvrit la portière et mit la tête dehors. Il pleuvait légèrement. Le cocher était descendu de son siège et marchait à pas lents vers une grande croix, érigée en bordure de la route.

— Où allez-vous ? cria Askik.

Le cocher se retourna et haussa les épaules innocemment.

— Ben faire mes dévotions !

— Avancez !

Mais l'homme s'était agenouillé : même un intendant ne pousserait pas l'audace jusqu'à interrompre ses prières.

Battu, Askik commença par se caler au fond de la diligence froide, puis il descendit à son tour.

C'était une croix de chemin dernier cri : grandeur nature, peinte en blanc, surmontée d'un toit de pagode. Le Christ mort était peinturluré de rose et de rouge, les plaies rendues avec une attention d'anatomiste. Les anciennes croix, deux billots d'arbre cloués l'un sur l'autre, disparaissaient. Elles faisaient trop sauvages.

— Relevez-vous, grommela Askik en approchant le cocher. Vous attraperez froid. Vos chevaux se reposeront bien sans vos prières.

Le cocher, vraie tête de mule, poursuivit un moment

encore ses dévotions, puis, se signant, se leva en geignant.

— On s'inquiète pas assez des jouaux, monsieur. Ce sont de bons serviteurs, mais il faut les laisser souffler et pisser de temps à aut' !

— Et vous, Dumoutier, demanda Askik en enfilant ses gants, êtes-vous un bon serviteur ?

Le cocher se ressaisit, flairant un piège.

— Sûrement, monsieur. Vous n'avez pas à vous plaindre de moi ?

— Non, Dumoutier. Pas encore.

Le cocher s'éloigna à pas rapides. Il se soulagea les reins en compagnie de ses chevaux.

La brume et la pluie recouvraient tout le pays. La glace du fleuve pourrissait : d'immenses taches noires se répandaient sur la neige. Une maison coquette en pierre des champs était perchée sur la rive. Des rideaux de couleur et des géraniums égayaient les fenêtres, des dahlias gelés s'accotaient aux murs. La cour était un joyeux ramassis : un tombereau, deux minuscules tasseries, des tas de fumier, une petite étable.

— Voilà le problème du Québec, songea Askik. Un peu de pêche, un peu de culture, un peu de chasse. Ils consomment ce qu'ils récoltent et ne produisent rien pour l'exportation. Une économie de subsistance en plein XIXe siècle. Et ils se demandent ensuite pourquoi les Anglais mènent tout. Non, c'est pis encore : ils ne se le demandent même pas. Dumoutier ! lança-t-il durement. Nous partons !

Le cocher monta sans rechigner. Il avait hâte de se débarrasser de ce dangereux passager.

Askik rumina de sombres pensées pendant tout le reste du voyage. En reconnaissant un village qu'il croyait dépassé, il lança un coup de pied dans la paroi de la diligence ; le cocher, apeuré, lança ses chevaux à une allure sans bon sens.

Askik ne pensait presque plus à Elisabeth. Elle était encore là, au fond de lui, une douleur sourde qui s'estompait peu à peu, mais il ne faisait jamais appel à son souvenir. Un restant de désespoir le surprenait encore, parfois, le soir surtout, mais c'était peu de chose comparé aux douleurs des premiers temps. Il se guérissait d'Elisabeth, tout en sachant qu'il ne serait plus jamais le même.

Eugène Sancy avait attendu de longues semaines avant de convoquer Askik à son bureau ; il l'avait traité généreusement, en fils prodigue. Son entrée au gouvernement était secrètement arrêtée, Vieilleterre lui pesait, il devait absolument s'en décharger. Askik refusa d'abord, puis de guerre lasse, accepta. Sancy racheta les dettes du jeune homme et lui fit cadeau d'un pur-sang vieillissant. Askik vendit le cheval, ses meubles et son manteau de pékan.

Deux colonnes de brique rouge marquaient l'entrée de Vieilleterre. La cour, le bois, la maison lui parurent plus grands qu'à son départ. Le jour touchait à sa fin, les roues de la diligence faisaient éclater de grandes nappes de glace dans l'allée. En voyant le petit banc sous l'orme où il avait rêvé à un avenir heureux aux côtés d'Elisabeth, Askik eut un sourire amer. Quelle naïveté ! Et comme il se sentait vieux, désabusé, à présent ! Il n'attendait plus rien de la vie ; seul le devoir accompli lui procurait encore une sèche satisfaction.

Les gens de la maison l'accueillirent froidement. Son arrivée les dérangeait. Vieilleterre s'était fait une routine confortable qui ne laissait pas de place à un maître. En voyant descendre de voiture le nouvel intendant, chacun se demanda avec inquiétude ce que présageait cette arrivée.

Le vieux Paradis faisait exception. Il attendait au pied du perron, trépignant de joie. Lorsque Askik eut enfin les deux bottes sur le sol de Vieilleterre, Paradis lui saisit la main en s'écriant : « Bien aise de vous voir, monsieur ! » Ce n'était pas un compliment, c'était la vérité. Paradis était profondément heureux d'abdiquer sa charge.

— J'ai forcé les chevaux, Paradis, répondit Askik sans émotion, veillez à ce qu'on les soigne bien.

— Ce sera fait, monsieur.

— Puis venez dîner avec moi. Apportez les comptes, les registres, les reçus, tous les papiers, tout.

Le vieillard rayonnait. Rosalie fonça vers la diligence en bredouillant :

— J' vais prendre vos sacs, m'sieur !

— Il n'y a que celui-ci, dit Askik en emportant une petite valise.

— Nous avons préparé votre chambre habituelle, fit Céline. Elle le vouvoyait, ce qui était neuf, mais le dévisageait sans respect. En la voyant, Askik se rappela qu'il n'était plus dans cette maison qu'un employé.

— Demain, je déménagerai dans la chambre de l'économe, près du bureau.

— Bien, monsieur.

L'intendant s'enferma dans sa chambre. Rosalie prit définitivement peur en se rappelant sa mine sombre et ses habits ternes. Les engagés murmuraient contre lui en bouchonnant les chevaux crevés. Madame Paradis le trouvait plus maigre, plus « sauvage » que jamais. Céline seule s'en retourna indifférente à ses travaux : elle avait résolu de ne rien changer à ses habitudes.

Le lendemain de son arrivée, Askik envoya tout le monde aux champs. Les herbes et les saules avaient envahi les canaux de drainage, il fallait tout arracher, en piochant d'abord la croûte de neige et de glace qui restait. Chaque coup s'accompagnait d'un juron. Askik se rendit sur les lieux, mais sagement, évita de mettre la main à la tâche.

— On n'en viendra pas à bout sans aide, fit Paradis en l'éloignant des engagés. Nos hommes sont mous.

— Les autres canaux peuvent attendre jusqu'à l'été. Celui-ci est le plus pressant. Mais j'irai embaucher des hommes au village.

Askik leva le visage au vent, un vent du Sud refroidi par la neige, imprégné de terre mouillée.

— Ça sent bon, n'est-ce pas, Paradis ? Le dégel a commencé aux États ! Tiens ! Ce n'est pas la cabane des Dubois qu'on voit là-bas ? Est-ce que leurs vaches se promènent encore chez nous ?

401

— Les Dubois sont au charnier. Morts durant l'hiver. Autant que je sache, les vaches se sont sauvées dans les bois.

— La terre est-elle à vendre ?

— Ça ne vaut pas cher...

— J'irai quand même faire un tour.

— Avez-vous l'intention de glaiser cette terre, demanda Paradis, en désignant le champ.

— Pourquoi glaiser ?

— La terre est usée. On a eu huit minots de l'acre l'an dernier. J'ai pensé que cette année on la laisserait se reposer...

— La jachère est du gaspillage. Nous sèmerons de la luzerne. Ça régénère le sol et nous aurons plus de foin pour le bétail. Plus nous aurons d'animaux, plus nous aurons de fumier, plus la terre sera riche. Les Anglais ne font plus de jachère et produisent plus que nous.

— Ben alors y sont plus fins que moé, grogna Paradis, parce qu'à ma connaissance, la terre se repose pas en travaillant.

— Vous avez fait de la jachère toute votre vie, et vous dites vous-même que la terre ne produit plus.

— Des mauvaises récoltes, ça arrive.

— Et les bonnes se préparent. Toutes nos techniques sont à revoir, déclara Askik. Nous épuisons le sol en semant toujours du blé, nous jetons encore le fumier à la rivière au lieu d'engraisser le sol, les champs sont inondés au printemps et meurent de sécheresse l'été...

— N'empêche, interrompit Paradis avec humeur, qu'on a toujours mangé à not' faim !

Le vieillard le dévisageait effrontément, les dents serrées, la casquette renfoncée. En lui s'indignaient dix générations de paysans canadiens qui avaient toujours mangé à leur faim, qui avaient été leurs petits maîtres, et qui étaient morts en léguant la même parcelle de terre dont ils avaient eux-mêmes hérité. Pendant ce temps, des survenants aux ambitions plus grandes avaient tout accaparé.

Tout cela, Askik aurait voulu l'expliquer aux engagés

402

qui n'en finissaient pas de s'étirer après chaque poignée d'herbe arrachée. Mais les hommes se seraient moqués de lui. Enfourcher son joli demi-sang, galoper à travers le rang jusqu'au village était infiniment plus attrayant. Il lança son cheval au galop en criant :

— Je vous enverrai des hommes !

L'air était vif et léger. Le grand bai renâclait de plaisir. C'était le cheval d'Elisabeth. Mais elle venait rarement à Vieilleterre, et montait plus rarement encore. Askik s'était tout de suite entendu avec l'animal. « C'est mon sang métis qui parle », se disait-il. Après tout, ses voisins d'enfance passaient bien les trois quarts de leur vie à cheval. Il riait tout haut en se souvenant de leurs chasses au bison. Mais il ne croyait plus beaucoup à ce passé. Comment se fier aux impressions d'enfance ? Parfois, en voyant la campagne trop grasse, trop docile, il lui venait la nostalgie des plaines aux herbes rêches. Mais pas souvent.

IX

La lumière blanche et crue d'après-Pâques entrait à pleines fenêtres. Une « truie », un petit poêle rondelet, ronflait tranquillement dans son coin. De temps à autre, un morceau de charbon tombait à travers le gril en faisant un toc ! aimable. Matés, disciplinés, les comptes de Paradis renaissaient sur un papier neuf, dans un registre odorant. Le soleil progressait régulièrement à travers la pièce : lorsqu'il atteignait le grand classeur d'acajou, Rosalie apportait du thé et des petits gâteaux. Parfois, se lassant de tant d'ordre, Askik faisait seller le grand bai d'Elisabeth, et galopait vers les champs où il n'avait rien à faire. Il s'étonnait d'avoir à donner si peu d'ordres. Tout se passait comme si la seule présence d'un intendant suffisait à faire marcher les choses. Paraître exigeant constituait le gros de ses fonctions.

Paradis raclait ses bottes sur le grattoir du perron. Il entra sans frapper, l'air excité.

— Joseph Lambert du village est icitte. Y dit avoir acheté nos pétaques. Y veut tout charger dans sa waguine !

— Laisse-le faire. J'ai vendu les patates.

— Mais ce sont nos pétaques de semence !

— Les patates se donnent. Ce n'est pas la peine d'en semer. On ne plantera pas de pois non plus. Ce n'est pas rentable.

— Ça fait des années qu'on plante des pois et des pétaques !

— A présent, ça ne rapporte plus.

— J'ai les meilleures semences au pays ! cria Paradis. Et vous vendez ça au premier venu ! Mais qu'est-ce qu'on va faire cet hiver sans pétaques ni pois ?

— On en achètera.

Paradis eut l'air blessé. Acheter ce qu'on peut produire soi-même ? Dépendre d'étrangers pour son manger ? Alors pourquoi pas le pain et le lait ? Pourquoi ne pas mendier au village après la messe ? Le jeunot comprenait-il seulement ce qu'il avait fait ? Vendre ses semences à lui, Paradis, qui avait passé des heures et des heures au soleil, à sélectionner les meilleurs plants, à purifier les races ? Ses patates faisaient l'envie du comté !

— Mais qu'est-ce qu'on va planter au juste ?

— Du foin. De l'avoine. Je vais acheter des vaches à lait. Établir une fabrique à beurre. Toute la province se tourne vers le laitier. Il est temps que nous fassions de même.

— Le beurre ! Mais j' connais rien au beurre, moé !

— Ce n'est pas grave, j'ai trouvé un homme...

Askik s'arrêta. Paradis était devenu gris. Il tordait sa casquette entre ses doigts sales.

— Voyons, Paradis, reprit Askik en adoucissant la voix. On ne peut plus continuer de cette manière : quelques cochons, une poignée de poules, une demi-douzaine de vaches à moitié sèches, du blé à huit minots de l'acre... Vieilleterre se ruine.

— J'ai toujours fait pour le mieux...

— Je sais, je sais. Et vous aurez toujours une place ici. Mais les temps ont changé. On ne peut plus se contenter de faire vivre son monde.

— Et Gendron ? lança Paradis en levant des yeux accusateurs. Gendron s'est toujours occupé des vaches. Qu'est-ce que je vais lui dire ?

— Rien. Envoyez-le-moi.

Paradis hésita, la main sur la porte.

— Vous allez trop vite, m'sieur. Il faut laisser le temps aux gens de s'accoutumer.

— Vieilleterre n'a plus de temps, Paradis. Si nos affaires ne se redressent pas d'ici le printemps prochain, il faudra peut-être tout vendre : les terres, la maison, le bétail, tout.

Le verdict écrasa Paradis. Askik ressentit une pitié sincère pour ce vieil homme qui se heurtait pour la première fois à la dure loi du profit.

— Il y a longtemps que vous vivez ici, n'est-ce pas, Paradis ?

— Je suis né à Vieilleterre, sous le dernier seigneur. Lui n'aurait jamais vendu. Jamais.

— Les temps changent.

— Mais c'est pas mieux. Ah non ! se lamenta le bonhomme en sortant, c'est pas mieux !

— Bénissez, Seigneur, cette terre... Le goupillon décrivait deux ou trois arcs au-dessus des têtes, les gouttes d'eau flambaient un moment au soleil avant de se perdre dans les labours. La foule reprenait sa marche : les hommes d'abord, les femmes ensuite. Les avés se fondaient les uns dans les autres, scandés par le rythme des pieds sur la terre molle.

« Pourquoi prions-nous au juste ? se demandait Askik. Il faudrait pourtant se mettre d'accord ! Demandons-nous du temps froid pour le blé, ou de la chaleur pour le maïs ? Dieu va-t-il pousser la grêle dans les autres paroisses ? Éloigner la foudre de nos étables ? Il ne l'a pas fait par le passé : pourquoi insister ? »

Pas la peine de poser la question au curé. Il marchait à grands pas, le front lisse de tout doute. Sa chasuble dorée battait au vent comme un étendard. Le cortège descendait l'un après l'autre les chemins de la paroisse. Tous les champs avaient droit à une prière. Lorsqu'ils s'arrêtèrent devant les sillons de Vieilleterre, Askik cessa d'ironiser et pria avec ferveur. Autant mettre les chances de son côté.

Une fois sorti de son rang, Askik commença à s'ennuyer et à souhaiter la pluie, pour mettre un terme à la procession. De gros nuages accouraient de l'autre côté du fleuve en dessinant des réseaux d'ombre sur les labours. Un vent humide faisait claquer la grande bannière d'église.

C'était le temps des minous. Les enfants en arrachaient de pleines poignées aux saules qui peuplaient les fossés. Les arbres lointains avaient une aura de verdure. Un merle opposait son chant clair au bourdonnement des hommes.

De temps à autre, au profit d'un tournant, Askik jetait les yeux sur Céline, dans le groupe des femmes, à l'arrière. Elle priait avec méthode et sérieux, de la même manière qu'elle nettoyait des framboises ou reprisait des draps. Lorsqu'elle surprenait un regard d'Askik, elle ne baissait pas les yeux, ne faisait pas semblant de ne pas l'avoir vu. Elle le regardait en plein dans les yeux, sans amitié, et sans intérêt.

— Quel glaçon ! murmurait Askik en se détournant. Mais le regard de Céline, son corps gracieux et plein lui demeuraient à l'esprit.

Paradis marchait devant lui, tête nue, la casquette entre les mains. Ses vieilles bottes cicatrisées étaient astiquées, il portait l'habit noir de ses noces. Il s'inclinait devant chaque champ, priait pour que tous, sans exception, aient à manger et se vêtir pendant l'année. Un chrétien peut se brouiller avec ses voisins ; il ne peut pas leur souhaiter la misère.

Les premières gouttes de pluie s'aplatirent sur les riches brocarts de la chasuble. Le prêtre leva les yeux au ciel. Les nuages se resserraient : l'averse pouvait durer. Il sonna la retraite. La foule se replia vers la grange des Beauchemin. Ils en étaient à quelques centaines de pas quand le ciel s'ouvrit : une pluie fumeuse, torrentielle, comme on n'en avait pas encore vu cette année-là. Les fidèles se ruèrent sans honte vers la grange. Les plus dignes, tel Paradis, arrivèrent trempés jusqu'à la peau.

Aidé des syndics, le curé enleva précautionneusement la chasuble. Une vieille ménagère inspecta l'étoffe et la prononça hors de danger. Les enfants de chœur déposèrent les cierges et le seau d'eau bénite sur le rebord d'une fenêtre, les syndics accotèrent la bannière à une solive : on pouvait maintenant attendre la fin de l'averse. Après un premier emmêlement, la séparation des sexes se refit instinctivement. Les femmes de leur côté parlaient jardin et enfants ; les hommes, massés devant la porte, regardaient tomber la pluie et se demandaient s'il y en avait trop ou pas assez.

Askik demeura en dehors de la conversation. Il avait repéré Céline adossée à un montant, à l'arrière de la grange. Ses cheveux mouillés s'étaient détachés du chignon, des mèches dégoulinantes pendaient le long de ses joues. Elle non plus ne prenait pas part aux discussions mais fixait distraitement la paille à ses pieds. Malgré l'épaisse combinaison qu'elle portait en dessous, sa robe détrempée moulait encore plus que d'habitude ses seins lourds. Elle n'avait pas de châle pour se recouvrir. En la voyant, Askik ressentit une flambée de désir qui le stupéfia. Finies les satisfactions de comptable ! Sa bouche se dessécha, son cœur lui pilonna les côtes. Il eut envie de Céline comme jamais il n'avait désiré Elisabeth. Il ne l'aimait pas, mais brûlait de la posséder. Chaque doigt, chaque cheveu de la femme lui paraissait soudain désirable. Sa froideur ne faisait qu'exacerber son désir. Les autres hommes la convoitaient-ils aussi ? Comment ne pas la vouloir ? Nue, elle n'aurait pas été plus désirable. Askik détourna les yeux, de peur qu'elle ne le surprenne. Il était convaincu que tout le monde dans la grange pouvait lire ses pensées sur son visage. Il allait sortir quand une main de fer l'agrippa par le bras.

— Monsieur Mercredi, je crois ?

Le prêtre le fixait en plein dans les yeux. Un petit homme râblé, fils de paysan, demeuré paysan. Il ne se présenta pas : son identité ne pouvait faire de doute.

— Je me suis laissé dire, commença-t-il, que vous reprenez en main Vieilleterre. Et que vous avez des projets. Lesquels ?

Il le demandait sans détours, ne s'excusait pas de se mêler aux affaires d'autrui. Tout ce qui se passait dans la paroisse était de son ressort.

— Ce n'est un secret pour personne, répondit Askik avec froideur, que je compte mettre sur pied une fabrique à beurre...

— Parfâ ! Parfâ ! Les terres s'appauvrissent. Y est temps que nos habitants apprennent du neuf. Vous leur servirez d'exemple.

— Il faut plus que l'exemple, monsieur l'abbé, répliqua Askik avec hauteur, il faut des fonds.

— Et peut-être vot' maître sera-t-il assez bon pour nous en fournir. Mais revenons à nos oignons : vous avez des engagés chez vous. Des gens qui ont passé toute leur vie à Vieilleterre...

— Ils y demeureront...

— Bien aise de l'apprendre, interrompit le prêtre à son tour. Il serra plus fort le bras d'Askik. Mais ça ne suffit pas. Si vous leur enlevez leur fierté, le salaire ne vaut plus rien.

— Monsieur l'abbé, sauf votre respect...

— Ta ! Ta ! Ta ! chantonna le prêtre en levant un doigt épais. D'ordinaire quand on dit ça, c'est qu'on a l'intention d'en manquer.

Askik s'énervait. Il n'avait plus l'habitude d'être interrompu.

— Nos employés, expliqua-t-il, sont habitués à de vieilles techniques qui ne conviennent plus...

— Elles ont convenu ben assez longtemps, monsieur Mercredi. Personne n'en est mort. Apprenez-leur les nouvelles méthodes. Enseignez-les p'tit à p'tit. Soyez un père pour eux. Si Dieu vous a donné de l'instruction, c'est pour que vous la partagiez.

— Je regrette, mais je n'ai pas le temps...

— Prenez le temps, monsieur Mercredi. Les hommes ne changent pas vite. Il faut toute une vie, des fois, pour se défaire d'un tout p'tit péché. Pi vous, vous voudriez tout corriger du jour au lendemain ? En quel honneur, monsieur Mercredi ? Qu'est-ce qui vous presse tant ?

— L'argent, monsieur le curé. Nous devons terminer l'année avec un profit.

— Un profit ? Pour quoi faire ? La terre est payée. Vous mangez à vot' faim. Si vous faites pas de profit cette année, vous en ferez l'an prochain.

Ce prêtre manquait de manières. Il interrompait à tout bout de champ. Askik n'aimait pas ses favoris en côtelette, son accent plus habitant que nature, son regard suffisant qui disait : « Vous discutez, mais vous obéirez. » Il se sentit rougir, ce qui mit le comble à son agacement.

— C'est précisément cette façon de penser, l'abbé, qui nous tient à genoux devant les Anglais. Cette manière de rapetisser les choses. De se contenter de sa petite vie, de ses petites manières !

Un silence gêné s'abattit sur la foule. Les gens s'évitaient du regard, tout honteux d'entendre dire des impertinences à leur curé. Même Askik sentit qu'il se compromettait. Mais pour se taire, il faut être sûr de soi.

— Tant que nous dédaignerons les affaires, les Anglais mèneront tout au Canada. Tant que nous nous contenterons de prier pour de bonnes récoltes au lieu de fumer convenablement le sol, nous achèterons leurs produits au lieu de vendre les nôtres. Tant que nous nous satisferons d'un petit pain, le gros sera pour les autres !

Des murmures de mécontentement couraient dans la foule. Pour qui se prenait-il ce Métis ? Mais le curé n'avait pas bronché. Lorsqu'il reprit la parole, ce fut avec la même autorité tranquille et nasillarde.

— Vous n'êtes pas d'icitte, monsieur Mercredi. Le Québec est un vieux pays. Ses habitants sont patients. Ben patients. Ils courbent l'échine, ils sont ben endurants. Des fois, c'est vrai, ils s'endorment. Mais si vous vous mettez à leur donner des coups de bâton, vous n'êtes pas mieux que les Anglais.

Bien dit ! Une rumeur de satisfaction s'éleva dans la grange. Rien à dire, monsieur le curé savait boucher les trous !

La pluie avait à peu près cessé. La bannière sortit bravement sous les nuages gris, les pipes disparurent, les avés recommencèrent avec ferveur. Askik nota que Céline avait un petit sourire en sortant de la grange.

Les hommes engagés n'aiment pas le changement. Toute ferme a ses rites ; ils en sont les gardiens. Lorsque arrivèrent les premières vaches à lait, des hollandaises, on les trouva antipathiques. Lorsque débarqua un bœuf de race qui avait coûté trois cents dollars, la révolte gronda pour de bon. Personne, à Vieilleterre, ne gagnait cent dollars dans son année. Les engagés mirent un point d'honneur à dorloter la demi-douzaine de vaches canadiennes qui restaient, et à rudoyer les étrangères.

A compter de ce moment, Askik dut régner par la peur. Les labours de l'automne précédent avaient été bâclés, des mottes grosses comme des crânes traînaient dans les champs. Askik fit herser et épierrer avant de semer : une tâche supplémentaire, imprévue, qui fit grogner les hommes. Ils revenaient constamment des champs avec des attelages ou des dents de herse brisées. Lorsque arriva le temps de semer la luzerne, les engagés se plaignirent que les graines trop fines grippaient leurs semoirs mécaniques. Ils perdirent une partie de la semence dans de supposées tentatives d'ajustement. Après quelques jours, épuisé, à bout de reproches, Askik cessa de se fâcher, n'afficha plus qu'un visage impassible. Les engagés se dirent, en ricanant, qu'ils avaient maté le Métis.

La fin des semences fut pour Askik comme une première sortie de prison accordée à un détenu. Il se réveilla, le lendemain des travaux, avec un profond sentiment de reconnaissance. Il demanda à Paradis d'occuper les hommes à de petites besognes dans la cour, pour ne pas avoir à les affronter de nouveau.

Pour se persuader que ses efforts n'étaient pas tout à fait perdus Askik visita le chantier de la fabrique. La charpente était en place. Les chambres de maturation et les bassins de refroidissement prenaient forme. Le maître d'œuvre, un gros homme grisonnant qui avait élevé une bonne douzaine de fabriques à beurre en Estrie, était satisfait des matériaux, enchanté du débit du puits artésien.

— Du beurre, proclamait-il, vous en aurez tant que vous aurez de lait.

Askik sella lui-même le bai, trop heureux de se passer des engagés, et sortit de la cour au galop. « Je suis comme mon père, pensa-t-il avec ironie. Dès que ça va mal, je saute en selle, je m'échappe ! »

La campagne respirait d'aise. Les hommes et les plantes étaient heureux d'en avoir fini avec l'hiver, avec le carême et les rogations, avec l'épierrement et les semences, heureux de ne rien faire pendant quelques semaines. Les récoltes levaient partout. Les plants minuscules, faciles à distinguer de près, créaient au loin de grands pans d'un vert uni. Les oiseaux nicheurs se disputaient bruyamment les arbres et les roseaux.

La première ferme sur son chemin appartenait à un dénommé Lavergne. En passant devant le pacage, Askik compta trois vaches canadiennes, de race bretonne et normande. Belles bêtes, bien en chair. Des veaux forts. Cela promettait.

— Tiens ! s'exclama le fermier en voyant Askik, ce serait-y not' voisin qui nous rend visite ? Ben oui !

C'était un homme jeune, guère plus âgé qu'Askik, à

411

la moustache noire et florissante. Il avait l'avant-bras musclé, veiné, gros comme une patte d'ours, et pourtant, il ne chercha pas à écraser la main d'Askik, comme le font les fiers-à-bras. Un autre homme, celui-là âgé d'une soixantaine d'années, sortit de l'étable, le chapeau de paille à la tête, une fourche à la main. Lavergne père.

— Donnez-vous la peine d'entrer, fit le père en esquissant un pas vers la maison.

— Merci, répondit Askik, j'ai d'autres visites à faire.

— Qu'est-ce qu'on peut faire pour vous ? s'enquit le fils.

— En fait, j'espère que nous pourrons nous rendre des services mutuels. Je viens acheter votre lait. Je construis une fabrique à beurre. J'aurai mon propre troupeau de vaches à lait, mais ça ne suffira pas. Comme vous le savez, les débouchés ne manquent pas à l'étranger pour notre beurre.

— Ouais..., fit le fils en se grattant le menton. C'est que j'ai quat' enfants. Ils boivent tout notre lait. J'en aurai ben peu à vous vendre.

— Vous êtes bon éleveur. En achetant deux ou trois autres vaches, vous aurez amplement de lait pour la vente. En nourrissant bien vos bêtes, vous pourriez me livrer pour trois cents livres de beurre par année. A dix cents la livre...

— Ah, ben attendez... c'est qu'on tire pas grand lait passé novembre. Le foin manque, comprenez...

— Vous avez planté des patates ce printemps ? Donnez-les aux vaches. Bouillies, bien sûr. Et votre blé. Je vous vendrai un peu de fourrage, vous aurez du lait à longueur d'année.

Lavergne fronçait les sourcils. Se lever tous les matins, hiver comme été, pour traire les vaches ? Si on ne pouvait se reposer l'hiver, à quoi bon vivre de la terre ?

— Ouais... acheter des vaches..., agrandir l'étable..., acheter du foin. Ça fait ben des dépenses !

— Mais c'est d'un rapport sûr ! Il n'y a pas que les

412

États-Unis qui prennent notre beurre, mais aussi l'Angleterre, le Brésil. On parle même de l'Inde, du Japon !

— J' préfère pas, trancha le fermier en grattant le sol du pied. J' vous remercie quand même.

Le bonhomme derrière lui l'appuyait de la tête. Askik n'en revenait pas. Préférer ne pas faire d'argent ? Ce Lavergne n'avait pourtant pas l'air d'un imbécile.

— Mais raisonnez un peu, voyons. Le blé ne rapporte plus. Le Nord-Ouest en produira bientôt en abondance. Je vous offre le moyen d'augmenter vos revenus, d'agrandir votre ferme...

Une pointe d'irritation se glissa dans la voix de Lavergne.

— Ça fait deux cents ans que ma famille vit sur cette terre. Vous allez tout de même pas nous dire comment gagner not' vie ?

Une femme était sortie sur le perron, un bébé dans les bras, deux enfants dans les jupes. Deux garçons plus âgés avaient cessé de taquiner le chien en entendant leur père changer de ton.

Askik remonta en selle. Lavergne père et fils retrouvèrent aussitôt leur bonhomie de commande.

— Revenez nous voére ! entonna le père.

— Passez chez Ferland, ajouta le fils. Y a des vaches, lui. Vot' affaire l'intéressera peut-être.

La prochaine ferme n'inspirait pas confiance. La maison et l'étable se dressaient dans une plaine rase, l'aversion du paysan canadien pour les arbres ayant, dans ce cas, opéré à merveille. Une demi-douzaine de vaches hébétées par le soleil rôtissaient sur leurs flancs. Elles avaient les côtes un peu trop voyantes. Dans la cour, un chien faible en chair mais fort en crocs s'égosillait au bout d'une chaîne. Une poule solitaire se sauva sous une tasserie, seule rescapée d'un massacre oublié. Dans un minuscule enclos attenant à l'étable, un bœuf aux yeux jaunes enfonçait dans le fumier.

Askik s'attendait à voir sortir un second Dubois, sinon le fantôme du premier. Au lieu de cela, il vit approcher un homme dans la quarantaine, vigoureux, frais rasé. Il portait une chemise carretée de couleur vive, des pantalons en excellent velours côtelé, des bottes plus belles encore que celles d'Askik.

— Ça m'a tout l'air de monsieur Mercredi, fit Ferland en tendant une main amicale. Entrez donc !

Ferland le fit passer dans la grand-chambre, par la porte d'honneur. Askik allait de surprise en surprise. La pièce était tendue de papier de qualité ; le divan, en brocart et bois sculpté, rivalisait avec celui des Sancy. Une grande glace biseautée augmentait la lumière du jour. Une table de jeu, beau travail de marqueterie, occupait le centre de la pièce.

— C'est beau chez vous ! s'exclama Askik en reprenant de l'optimisme.

Le fermier se gonfla l'estomac de satisfaction. Sa femme entra avec une carafe de vin cuit. Elle portait une robe à fleurs, simple mais coquette, l'air neuf.

— A la vôt', monsieur Mercredi ! Le fermier lampa le contenu de son verre.

— Je vois que vous êtes un homme prospère, monsieur Ferland.

L'autre levait les mains pour protester, mais Askik lui coupa la parole.

— J'ai une bonne affaire à vous proposer. L'occasion d'augmenter vos revenus, répéta-t-il en croyant avoir affaire, cette fois, à un homme de sens. Ferland jeta un regard inquiet à sa femme, mais garda le silence.

« Je construis une fabrique à beurre. Je suis prêt à acheter votre lait. A bon prix. Je me charge du transport. En agrandissant quelque peu votre troupeau, vous vous assurerez un bon revenu, un avenir sûr pour votre femme et vos enfants...

— Prendrez-vous un aut' verre, monsieur Mercredi ? fit le bonhomme en saisissant la carafe. Évelyne ! Apporte don' du gâteau pour monsieur !

— Merci, non. Non, pas de gâteau non plus. Pensez aux avantages que vous aurez à vous convertir au lait. Le foin n'épuise pas le sol, il résiste mieux que le grain au gel et à la sécheresse...

414

— Ça c'est mon plus âgé ! s'écria fièrement le paysan, en voyant entrer un grand adolescent, que la mère poussait dans le dos.

— Beau garçon, dit Askik. A vous deux, vous pourriez facilement traire de dix à douze vaches. Je paie dix cents la livre de beurre, ferme, beau temps mauvais temps. Pensez-y. Plus jamais à la merci de la fluctuation du prix du blé...

— Ben voyez-vous, du blé, j'en vends pas tant que ça...

— Je m'engage à acheter votre surplus de foin au prix du marché. La demande est excellente aux États-Unis. J'ai commandé une presse à foin...

— Ah, c'est commode ça, ben commode...

— Et il n'est pas impossible que je produise dès cette année du fromage...

— Du fromage ! s'exclama le bonhomme d'un ton de stupéfaction intense. Ben parle au yâb !

— ... ce qui accroîtra d'autant les débouchés pour le lait. Je pense qu'en homme d'affaires vous saisirez tout de suite les bénéfices à réaliser.

— Ah... oui, concéda Ferland avec un petit coup de tête. Mais... c'est ben des dépenses.

— Des investissements, corrigea Askik.

— Ah comme de raison. Mais... des investissements, c'est de l'argent. De ce côté-là, ça ressemble pas mal à des dépenses.

— Et tout cela ? (Askik désignait en souriant l'élégant mobilier de la grand-chambre.) Vous avez dû l'acheter avec de l'argent, non ?

— Ben oui, justement.

— Et vous ne dépensez pas tous vos revenus sur l'ameublement, n'est-ce pas ? Vous en consacrez une partie à votre exploitation ? Eh bien, je ne vous propose rien d'autre que de réinvestir une part de vos revenus, pour augmenter votre capacité de production.

Ferland se taisait.

— Enfin, reprit Askik, si vous ne pouvez acheter six vaches d'un coup, commencez par en acheter trois... deux... une.

L'adolescent avait disparu, la mère s'affairait dans la cuisine.

— Ben j' vais y penser ! s'écria Ferland, comme s'il voulait se faire entendre de la ferme voisine. J' vais certainement y penser ! Encore un p'tit coup, monsieur Mercredi ? Un dernier, voyons ! Non ? Dommage !

La politesse québecoise exige beaucoup de gaieté au départ. Ferland était positivement hilare, souriant, riant, se tapant les cuisses jusqu'à la sueur.

— Je suis tous les après-midi à Vieilleterre, précisa Askik. Réfléchissez bien à ma proposition. Envoyez-moi une note par votre garçon.

— Ah pour ça, comptez sur moé !

— Enfin, n'attendez pas trop. J'accepterai une quantité limitée de lait. Quand j'aurai tous les engagements qu'il me faut, il sera trop tard pour que vous changiez d'avis.

— Ah ça se comprend ! C'est justice !

— Mes hommages à madame.

— Trop aimable !

Le bœuf avait calé jusqu'aux jarrets. Il dévisagea Askik d'un air indifférent, mine de dire : « Cette fois-ci, je me laisse aller. »

Dans toutes les fermes qu'il visita, Askik se heurta à la même joviale indifférence. Tout le monde trouvait son idée excellente, personne ne s'engageait à lui vendre du lait. Askik croisait sur le chemin des paysans en calèche de luxe, derrière des chevaux de race. Plus d'un intérieur l'étonna par sa richesse. Mais dans les cours d'étables, il ne trouvait que des vaches plus ou moins négligées.

Il entra chez lui, après la tombée du jour, en se demandant si l'industrie laitière n'était pas cause perdue dans la province de Québec.

X

La solitude lui pesait. Les engagés l'exécraient, Rosalie le fuyait, et Céline ne lui prêtait aucune attention. Même les gens du village lui battaient froid depuis son altercation avec le curé. Askik cherchait un prétexte d'évasion, une excuse pour visiter Montréal lorsque arrivèrent, coup sur coup, deux lettres.

La première était de Grandet. Il demandait s'il y avait du travail à la campagne pour un criminaliste.

Sur la seconde enveloppe Askik reconnut l'écriture fine et élancée de l'Orateur, et vit avec étonnement que la lettre portait le cachet d'un village de la côte nord.

« *Cher rustre,*
(Je peux dire "rustre" car cela vient de rus, *"campagne", et que nous y sommes tous les deux.)*
J'ai osé. Je suis instituteur suppléant dans un collège pour garçons. J'aurai un poste à l'automne. J'ai réparé de mes mains une vieille barque. Après les classes, je fais de la pêche sur le fleuve, ou je griffonne des rubriques pour le journal local.
Toutes les mamans du pays me cherchent une femme. Ils sont de riches paysans, je suis un seigneur désargenté. Peut-on envisager alliance plus heureuse ?
Je me guéris lentement de ma pédanterie.

De Meauville.

P.S. *Ce malheureux qui te cherchait l'hiver dernier a refait surface au printemps. En apprenant que tu étais parti, il aurait fait une crise de désespoir. Je tiens cela de Lecorbu qui, bien entendu, n'a pris aucun renseignement utile.* »

Askik rangea les lettres avec amertume et ne songea plus à Montréal. A quoi bon y retourner, puisqu'il n'y avait pas de travail ? Le pays, pensa-t-il, était bien mal fait puisqu'il enterrait ses hommes probes dans des trous perdus, et ouvrait grand les portes aux profiteurs. Quels profiteurs ? Askik n'aurait pu le dire, mais il jura de retirer à tout jamais son concours à la société, de ne plus lire de journaux, de ne plus suivre la politique, de ne plus s'occuper que de son fond de campagne, tel de Meauville. Mais plus il se limitait à Vieilleterre, plus il se sentait seul et déchu.

Le printemps ne dura pas. Une chaleur oppressive s'installa au début de juin. Les pluies avaient laissé partout des flaques et des mares qui donnèrent naissance à d'immenses nuées de moustiques. Les chevaux mouraient de fièvre, le bétail ne s'aventurait plus dans les pacages et maigrissait à vue d'œil. Le soir, la campagne tout entière empestait la fumée de foin moisi qu'on brûlait dans les cours pour éloigner les insectes.

Les maîtres souffraient comme leurs animaux. Dans toutes les paroisses on enterrait les bébés qui n'avaient pu résister au lait sur, à l'eau d'étang, aux fruits verts, au lard rance, au pain rassis. La diarrhée faisait beaucoup d'anges dans ces années-là au Québec. Les petits corps étaient inhumés sans cérémonie à côté d'arrière-grands-parents à moitié rendus à la glaise.

Parqués sur leurs lopins de terre pierreuse, les paysans jetaient à nouveau les yeux vers les manufactures des États-Unis, où travaillaient un si grand nombre des leurs. Le Vermont et le Maine les hantaient au lit comme à l'étable. Ils imaginaient une vie meilleure, idyllique : dix petites heures de travail par jour, un salaire fixe, une maison coquette dans un village francophone. Nombre d'entre eux lançaient un ultimatum à la Fortune : cette année, ou je pars !

L'esprit d'exode atteignit même les engagés de Vieilleterre. Ils devenaient insolents, dédaignaient leur travail, se vantaient des prouesses qu'ils déploieraient en usine. Lorsque Askik leur reprocha un bout de sarclage bâclé, le plus fort d'entre eux, un dénommé Beaudry, un gaillard à bouteille, planta son doigt dans la poitrine de l'intendant et lui intima de changer de ton.

— Penses-tu que j'ai besoin de toé pour vivre ? grogna-t-il. J' pourrais me trouver une place dans une usine comme ça ! et il claqua les doigts pour le prouver.

Askik encaissait sans mot dire. Il courbait la tête, parce qu'il avait besoin de ces hommes. Lorsqu'ils allaient au village, les engagés se vantaient à qui voulait entendre qu'ils avaient « un bon p'tit intendant ben élevé ».

C'était une fin d'après-midi suffocante. Askik s'apprêtait à déserter son bureau qui donnait à l'ouest et chauffait comme un four après deux heures. Paradis entra, les traits chargés de contrition. Il déballa sa mauvaise nouvelle sans ambages, sans excuses, parce qu'il trouvait cela plus honnête.

— Une des nouvelles vaches est morte, annonça-t-il. Elle est entrée dans le champ de luzerne et a gonflé.

Pauvre Paradis. Il était sincèrement attristé, même si ces grandes hollandaises ne lui disaient rien de bon. Mais Askik se crut seul atteint. Une colère noire lui monta aux yeux. Il voulut hurler des invectives au contremaître, mais ne put s'ouvrir la bouche tant il était furieux. Sans prendre son chapeau de paille, il sortit de la pièce à grands pas. Les engagés se turent en le voyant traverser la cour. Paradis suivait.

De loin, on eût dit une grande fleur blanche éclose dans la luzerne. La vache était tombée en plein festin. Le foin déjà haut rendait la marche difficile : Askik arriva le premier, le cœur battant d'effort et de colère. Il nota machinalement le flanc boursouflé, les yeux exorbités, la langue couverte de bave verte. Une plaie petite et rouge, entre les côtes, où Paradis avait planté son couteau, dans l'espoir de dégonfler l'animal. Des mouches s'agglutinaient aux orifices.

— Par où est-elle passée ? demanda Askik.

Paradis montra du doigt. Quelques minutes de marche les ramenèrent au pacage. La clôture de perches était intacte, tout était en ordre. Askik tourna un regard questionneur vers Paradis.

— J'ai replacé la perche, expliqua le vieil homme,

pour empêcher les autres vaches de passer. C'est celle-citte qui était à terre, expliqua-t-il en posant la main sur la perche supérieure.

— Mais elle n'est pas brisée ! Comment est-elle tombée ?

Paradis baissait les yeux, résigné et malheureux.

— Qui a fait ça ?

— Je ne sais pas, répondit Paradis. Je les ai mis à sarcler le blé d'Inde. Un d'eux aurait pu venir icitte sans que je le voie.

Askik se détourna. Il ne voulait plus voir personne. Il fixait obstinément son troupeau de hollandaises au loin. Lâches ! Ingrats ! Meurtriers !

— On reviendra l'enterrer ce soére, proféra Paradis avec douceur. Une belle vache. C'est ben de valeur.

— Non, répliqua Askik d'une voix blanche. Pas ce soir. Attendez trois ou quatre jours. Puis envoyez les hommes l'enterrer.

— Mais voyons, objecta patiemment le vieux contremaître. Dans trois ou quatre jours, par cette chaleur ? Elle sentira.

— Tant pis pour eux ! trancha Askik en s'éloignant. Vous les enverrez samedi. Pas avant !

— Ne faites pas ça, monsieur ! implora Paradis. Il faut commencer les foins la semaine prochaine. Il me manque déjà des hommes ! Si vous devez les punir, attendez l'hiver, après les battages !

Quelle chaleur ! Askik se sentait étourdi, nauséeux. Que faisait-il parmi ces sauvages ? Sans se retourner il lança avec dégoût :

— C'est bon ! Faites comme vous voudrez !

La campagne était déserte. Les oiseaux et les criquets se taisaient, abrutis de chaleur. Le toit de zinc de l'église, au loin, flambait comme un mirage d'eau. Pas un nuage, pas un souffle. Même les trembles étaient au repos. Askik notait tout cela avec application, pour se persuader qu'il n'avait rien d'autre en tête. Les affronts des engagés, se disait-il, ne l'atteignaient pas. Les affaires de Vieilleterre lui étaient indifférentes. Il s'en lavait les mains. Mais pendant ce temps, une autre voix au fond de lui-même jurait : « Je les écraserai ! »

Des rires de femmes venaient du jardin. Céline et Rosalie avaient dressé un épouvantail et le couronnaient d'un vieux chapeau de paille. En voyant Askik, les deux femmes se turent. Rosalie eut l'air effrayée. Même Céline baissa un moment les yeux. Donc elles savaient. Se moquaient-ils tous de lui ? Même Céline ? Même Paradis ?

— Regardez ! dit Céline avec une gaieté forcée. C'est notre nouvel engagé !

Askik dévisagea l'épouvantail silencieux, un affreux gaillard de paille et de frusques.

— Est-il bien obéissant ?

— Il fait tout ce que je lui demande, répondit Céline.

— Alors c'est un engagé bien extraordinaire.

— Mais j' lui demande seulement ce qu'il peut faire.

— Rien de plus ?

— Jamais.

— Ne peut-il rien apprendre de neuf ?

Céline adressa une moue comique à l'épouvantail.

— Oh... oui. Mais pas vite.

— Vous savez qu'ils ont tué une des vaches ?

Rosalie s'enfuit à pas de loup. Céline lui lança un regard de reproche.

— Pourquoi dites-vous cela ? Vous ne savez pas s'ils l'ont tuée...

— Quelqu'un a démonté la clôture. Ça ne s'est pas fait tout seul.

Céline baissa les épaules, défaite.

— C'est méchant, reconnut-elle. Ils n'auraient pas dû faire ça.

— Mais ils l'ont fait. Alors que devrais-je faire, moi ?

— Vous ne savez pas qui a baissé la clôture ?

— Non.

— Alors ne faites rien.

— Rosalie doit savoir qui a fait le coup. Les engagés tournent continuellement autour de ses jupes. Je peux la questionner.

— Elle a déjà bien assez peur de vous comme ça ! Ils ont tous peur. C'est pour cela qu'ils font des bêtises.

Elle s'était penchée pour ramasser des bouts de ficelle et d'étoffe au pied de l'épouvantail. Ce geste en rappela un autre dans l'esprit d'Askik. Il vit une fillette aux cheveux sales cueillant des os dans un bosquet.

— Vous me rappelez quelqu'un.

— Qui donc ?

— Une petite fille que j'ai connue, il y a longtemps. Quand j'étais moi-même enfant. Elle avait un peu vos manières. Elle s'appelait Mona, mais nous disions Moun-na.

— C'était une Métisse ?

— Oui. Ça vous choque ?

— Pas du tout. Mme Sancy dit que je dois avoir du sang indien. A cause de mes cheveux.

— Pourquoi acceptez-vous de me parler aujourd'hui ?

— Parce que vous avez l'air malheureux.

— Par charité, donc.

— Pour vous empêcher de faire des méchancetés.

— Je suis méchant ?

— Plus vous êtes seul, plus vous êtes mauvais.

— Donc, vous ne me laisserez plus seul ?

Il ricana durement, pour se moquer de lui-même. Mais Céline s'éloignait déjà vers la maison : elle ne répondit pas. De nouveau, Askik crut voir Mona, avançant dans une plaine embrumée, petite, seule et indomptable.

XI

La luzerne fleurissait. Les engagés avaient balayé le fenil. Askik battait la campagne à la recherche de faucheurs. Il voulait des hommes habiles, capables d'en remontrer à ses propres employés. Tous vantaient leurs faux et leurs coups de poignet, chacun voulait un

422

salaire d'exception. Plus la réputation d'un homme était grande, plus on le payait, car un bon faucheur donne l'allure à tous les autres.

La nuit précédant la fauchaison, Askik dormit à peine. Il se réveillait d'heure en heure, persuadé d'avoir entendu de la pluie sur le toit. Il s'assoupit vers la fin de la nuit et rêva qu'un grand troupeau de vaches gonflées dévastait ses champs. Il se réveilla en sursaut et se précipita à la fenêtre. Les étoiles étaient pâles, mais bien visibles : le ciel était dégagé, le temps demeurait sec et beau.

Transporté de joie, Askik dévala quatre à quatre les marches de l'escalier. Des femmes du village s'affairaient déjà dans la cuisine. Céline veillait à tout, dirigeait tout, sans avoir l'air de commander.

Les faucheurs qui avaient passé la nuit dans la grange commençaient à se réunir dans la cour. D'autres arrivaient à pied des fermes voisines. La fumée de pipe se répandait déjà dans l'air matinal. On comparait les faux, certaines plus célèbres que leurs hommes, on leur donnait des petits coups de pierre à aiguiser, pour en évaluer la résonance.

Paradis commandait. Lorsqu'il jugea le nombre suffisant, il donna l'ordre du départ. En passant par le pacage, les hommes contemplèrent avec curiosité les vaches hollandaises.

Paradis disposa les faucheurs selon leur force, afin de mettre les meilleurs en évidence. Le soleil pointait tout juste lorsque le travail commença. Ceux qui croyaient avoir une réputation à défendre avançaient à grands coups rythmiques, et surveillaient leurs rivaux du coin de l'œil. Paradis, qui n'avait plus la souplesse voulue pour manier la faux, passait de planche en planche, jugeait de l'uniformité de la coupe, ralentissait les jeunes moins expérimentés qui risquaient de s'essouffler en allant trop vite.

— La journée va être longue, leur disait-il. Vaut mieux ben couper que couper vite. Tranchez bas : c'est là qu'est le foin.

Comme un mécanicien qui va de moteur en moteur, Paradis réglait la marche de sa grande machine. Après un moment, le frottement des faux dans l'herbe devint plus lent, mais plus régulier.

— Ça va ben, ça va ben ! se disait Paradis en trottant de part et d'autre. Qui c'est qui est en tête ? Le jeune Lavergne ? Un beau garçon ! Du beau travail ! Un mouton crèverait de faim derrière lui.

Paradis était pris d'une allégresse fofolle. L'air frais, la rosée, la présence des travailleurs l'excitaient. Il se sentait redevenu adolescent. Ses vieilles jambes ne tenaient plus en place. Ses mains lui démangeaient. Il avait apporté sa vieille faux à tout hasard. « Au cas où un autre briserait la sienne », avait-il dit. Il cracha sur sa pierre à aiguiser et la passa amoureusement sur le fil du tranchant.

— Envoye le père ! cria un faucheur en voyant Paradis s'atteler à la tâche. Un hourra s'éleva des hommes. La vue de Paradis se brouilla mais les pieds et les poignets retrouvèrent les mouvements qu'il fallait. Une riche brassée de luzerne, lourde et molle, s'abattit sur le sol, tranchée à ras de terre. Le père y allait lentement, méthodiquement, imbriquant les coups de faux les uns dans les autres, ne laissant rien debout. Les jeunes pouvaient faucher pour la gloire : lui travaillait par amour. Un droit de vieillesse.

Passé le premier engouement, et mis à part les chefs de file qui continueraient à se défier jusqu'aux étoiles, la plupart des faucheurs commençaient à trouver le temps long. Des souris et des mulots détalaient parfois devant la faux. Près de l'étang, un faucheur découvrit un nid de canards. Un lièvre les divertit un moment en zigzaguant parmi les hommes. Mais c'étaient de brèves distractions ; le travail, lui, semblait sans fin.

Le soleil commençait à taper fort. La rosée s'évapora dans l'espace d'une heure, les faux glissaient moins facilement à travers la luzerne. Les hommes affûtaient plus souvent leurs faux. La luzerne coupée dégageait un parfum capiteux et sucré. Des abeilles sillonnaient le champ en tous sens, rasant la cime des luzernes, obligées de finir leur récolte avant que les hommes ne terminent la leur.

Askik était demeuré dans la cour pendant toute la matinée. Le maniement de la faux demande un long entraînement ; il était assez avisé pour ne pas s'y risquer. Il brûlait d'aller aux champs, mais craignait d'avoir l'air ridicule à se promener parmi les faucheurs, les mains dans les poches. Il surveilla la traite des vaches et la préparation du fenil, mais tout cela se faisait très bien sans lui. Se trouvant dans le chemin de tout le monde, Askik finit par s'enfermer dans son bureau où il pouvait tout au moins donner l'apparence de travailler. Mais tripoter des papiers ne le consola pas. Il songeait aux jeunes hommes qui fauchaient le foin. Ils avaient le même âge que lui ; ils étaient d'habiles travailleurs, pères de famille. Askik par contre ne savait rien faire de ses mains, et dépendait entièrement des autres pour sa subsistance. Cette chance inouïe qui l'avait tiré des plaines commençait à lui paraître suspecte. Il avait beau se donner des allures de commerçant anglais, il avait été formé, lui aussi, à pérorer, à préférer les romans à la réalité, à paresser au nom de l'esprit. Ces hommes qui l'entouraient avaient des objectifs accessibles, des plaisirs sincères, une foi simple. Lui, par contre, n'avait jamais un sentiment tout uni. Pas un attendrissement qui ne fût doublé de sarcasme, jamais d'engagement qui ne fût taché de doute. Tous ses désirs tournaient au dégoût. Toutes ses résolutions se dissolvaient dans le scepticisme. Les habitants avaient raison de le mépriser. Il était vicié. Un homme dénaturé par des poursuites orgueilleuses.

Se détester est parfois bien agréable. Askik se préparait à mener à fond son procès lorsque Céline vint frapper à la fenêtre.

— Venez ! Nous allons aux champs.

— C'est que... j'ai du travail ici, objecta Askik en désignant vaguement ses papiers.

— Vous nous aiderez au fanage. C'est facile.

Un vent du Sud s'était levé. Le foin séchait rapidement. Les femmes plus âgées s'égaillaient le long de la route pour tâter la luzerne fauchée. Les plants devaient être assez élastiques pour retenir leurs feuilles, assez secs pour ne pas fermenter au fenil.

Askik s'était retrouvé, sur les instances de Céline, aux guides d'un grand chariot chargé d'enfants. Chaque cahot faisait monter un carillon de cris perçants qui devait s'entendre des milles à la ronde. Les mères marchaient en apostrophant les petits qui menaçaient de débouler sous les roues. Askik avait espéré que Céline prendrait place à ses côtés, mais elle marchait avec des filles du village ; elles riaient aux éclats en échangeant des histoires qu'Askik n'entendait pas. Pourtant, il n'était pas mécontent. Du haut du chariot, il pouvait promener le regard sur cette mer ondoyante et fleurie qu'il avait créée. Sans lui, cette terre exsangue aurait été appelée une fois de plus à rendre un blé chiche et invendable. Au lieu de cela, il avait fait surgir une riche toison verte qui emmagasinait le soleil, injectait de l'azote dans le sol, et embaumait la campagne. Askik calcula de nouveau les rendements de beurre et de lait qu'il attendait. En voyant les abeilles qui parcouraient le champ, il résolut d'étudier l'apiculture durant l'hiver, si toutefois le prix du miel le justifiait.

La fièvre des projets l'avait repris, il ne doutait plus de son utilité. « Que vous le vouliez ou non, se disait-il en voyant les femmes et les enfants, que vos hommes y consentent ou non, je vous enrichirai. Je vous apprendrai à épargner et à devenir puissants. Et tant pis si vous me méprisez, puisque j'arrive, à votre insu, à améliorer vos conditions de vie. »

Ils s'arrêtèrent sous un petit bosquet qui avait appartenu autrefois aux Dubois. Les enfants s'envolèrent à la recherche de baies et de fraises sauvages. Les femmes déballèrent le repas du midi en posant dans l'herbe des chaudrons, des sacs, et des cruches.

— La soupe est prête ! cria une grande fermière. Mais les faucheurs continuaient à travailler, tête basse,

avec la suprême arrogance des mâles à l'œuvre.
Madame Paradis capta le regard de son mari et lui fit
farouchement signe d'arriver. Paradis se déplia, adressa
quelques mots à ses confrères, et le travail s'arrêta.

— Alors, ça fauche ben ? demanda la grande fermière.

— Pas mal, pas mal, répondit un faucheur taciturne.

Plongés dans leurs pensées depuis l'aube, les
hommes avaient du mal à se délier la langue. Ils arrivaient à pas lents, leurs chemises de toile trempées de
sueur, les bottines verdies par la luzerne. Ils se passèrent des cruches d'eau fraîche avant de s'asseoir dans
l'herbe, à l'ombre.

— Belle récolte ! dit Paradis à Askik. Il en manque
un peu par bouttes, le printemps prochain faudra semer
un peu plus serré. Mais c'est une belle récolte.

— Aurez-vous fini cette semaine ?

— Pourvu que le beau temps tienne. Mais il faudrait
plus de bras. A vot' place, l'été prochain, j'irais chercher des faucheurs de l'aut' côté du fleuve.

— L'été prochain, dit Askik, nous aurons des fau-
cheuses mécaniques. La faux est bonne sur les petites
surfaces. Pour nourrir les troupeaux que j'envisage,
nous devrons doubler la production de foin. Pour cela,
il faut des machines.

Paradis ne dit rien. Il accota sa faux contre un arbre,
loin des enfants, et s'en alla rejoindre sa femme. Le
vieux contremaître se laissa choir raidement dans
l'herbe. Il accepta sans mot dire son bol de soupe et son
quignon de pain. Mais, au lieu de manger, il contempla
tristement les travailleurs échoués comme lui sous les
arbres.

— Qu'est-ce qui te prend, Auguste, demanda sa
femme, t'as pas faim ?

— J' suis pas fâché d'être vieux, ma femme. J'ai vécu
au bon moment. J'en remercie le bon Dieu.

Sa femme le fixait du regard et attendait une explication.

— Vois-tu ces jeunes-là, reprit Paradis en désignant

427

un groupe d'adolescents. C'est leur première fauchaison. Y se donnent ben du mal pour apprendre. Mais ça ne servira à rien. On va les remplacer par des machines.

— Les jeunes aiment les machines.

— Ah, j' cré ben, soupira Paradis en trempant un bout de pain. Mais j' suis ben content d'avoir connu aut' chose.

En s'asseyant près de Céline, Askik crut entendre les rires étouffés des filles du village. Céline ne montra aucun embarras. Ni grand plaisir non plus. Elle lui servit de la soupe et du lard, comme aux faucheurs. Askik ressentit une certaine gêne à partager le repas des travailleurs, lui qui avait passé la journée assis. Mais l'appétit vint rapidement à bout des scrupules.

— Les hommes disent que c'est une bonne récolte, dit Céline. Tu peux être fier.

— Pourquoi ? Ce n'est pas moi qui l'ai fait pousser. Je n'ai pas fauché.

— C'est pas ta place, répondit Céline avec ce bon sens qui ne souffrait pas de réplique. Tu étudies. Et tu décides. C'est ton travail.

— Les autres, dit Askik en montrant les faucheurs au repos, ne croient pas beaucoup à mon travail. Ils croient que les idées me viennent toutes faites à l'esprit, sans le moindre effort.

Céline ne put répondre. Elle non plus ne savait trop en quoi consistait le travail d'Askik. Elle savait à peine lire et écrire. A l'âge où auraient dû commencer ses études, les paysans avaient brûlé l'école du village pour ne pas payer la taxe scolaire. Elle s'imaginait qu'un homme instruit sortait du collège tout fait, ayant assimilé une fois pour toutes les connaissances qu'il lui fallait. Comme une recette de gâteau qu'on n'oublie plus. De toute manière, elle savait, elle, que les paysans n'aiment pas être dirigés par des travailleurs. L'oisiveté est la preuve de supériorité qu'ils exigent de leur maître, qu'il soit curé ou intendant. Ils peuvent railler les gens lettrés, les détester même, ils ne s'attendent pas moins à ce que les maîtres vivent en maîtres. Askik était le seul à trouver inconvenant de partager la soupe des faucheurs. Mais tout cela, Céline ne pouvait l'expliquer.

Askik ne s'étonnait pas du silence de la jeune femme. Elle parlait peu de toute manière. Il la trouvait belle dans sa robe de travail en grosse toile, assise sous un jeune tremble. Il se sentait amoureux de Céline et ne se doutait pas de l'abîme qui les séparait.

« Comme c'est étrange, pensait-il. Voici l'existence que j'ai toujours recherchée, celle que ce matin même je croyais ne jamais trouver. Les champs, le soleil, les travaux de la terre, une femme gracieuse et simple : comme de Meauville a raison ! Qu'ai-je besoin des tracas de la ville ? Que m'importent les voitures de luxe, les salons, et les tribunaux ? Elisabeth était jolie : elle m'a envoûté. Mais Céline est bonne : elle m'a transformé. Non, je ne suis plus le même. Je me guéris lentement de mon cynisme. Je crois que je deviendrai, moi aussi, un être bon. »

— Tiens, monsieur Lavergne ! s'exclama Céline en voyant approcher le jeune cultivateur.

— Monsieur Mercredi, mademoiselle...

Lavergne s'accroupit devant Askik, le chapeau de paille à la main. Askik lui envia sa belle moustache, son visage viril et avenant.

— Avez-vous changé d'avis sur mon offre ? demanda Askik.

Lavergne eut l'air embarrassé.

— Non... j'y ai ben réfléchi, mais j' suis pas fait pour être laitier. J'ai pas ça en moé. En fait, j' suis venu vous demander conseil. Vous êtes avocat, je crois. Une vieille tante de ma femme est morte sans testament. Je me demandais si on avait droit à une part de l'héritage.

Parce qu'il devenait bon, Askik réprima son impatience, et aida Lavergne à voir clair dans le fourmillement de vieilles tantes, jeunes tantes, neveux et cousines qui respiraient encore du côté de sa femme. Pour finir, il lui conseilla de renoncer à tout espoir d'un héritage, de ne pas jeter son argent dans un procès.

Mais Lavergne n'était pas aussitôt parti qu'un deuxième habitant le remplaçait. Celui-là entretenait une chicane de clôture avec son voisin. Un troisième se plaignait d'un pont municipal délabré. Un quatrième, d'une source d'eau polluée par un tas de fumier. La moitié du comté y passa. Chacun avait un litige secret, une écharde injuste dans la peau. Quand ils en avaient contre leurs voisins, les disputes pouvaient durer des années. Mais lorsqu'ils se heurtaient à plus forts qu'eux, les habitants n'avaient qu'un recours : plier, se taire. Ils ignoraient tout des lois, ne savaient pas lire et signaient d'une croix. Comment, dans ces conditions, tenir tête ? Pendant cette seule heure du midi Askik s'engagea à arbitrer une dispute de bornage, à écrire au ministère de la Voirie, et à intervenir auprès d'un secrétaire de fabrique. Les cultivateurs le remerciaient avec politesse, mais sans effusion. Sans doute trouvaient-ils normal qu'Askik leur vînt en aide. Il avait reçu de l'instruction, il lisait et flânait pendant qu'eux travaillaient. Or, tout privilège a un pendant. Même un habitant peut exiger certains services d'un intendant.

Les hommes reprirent leurs faux, les femmes et les adolescents se mirent au fanage. Ils retournaient le foin avec de courtes fourches de bois, pour assurer un séchage uniforme. Au début, Askik trouva la tâche plaisante. Le parfum de la luzerne, le chant des criquets l'enchantaient. Il se sentait uni à la terre et à la paysannerie. Après une heure il commença à souhaiter une distraction. Son dos lui faisait mal : il n'avait pas l'habitude de travailler penché. Après deux heures, il rêvait de son bureau. La monotonie du travail l'assommait. Il n'en revenait pas de voir ces femmes infatigables qui tournaient et empilaient le foin avec une attention soutenue. Comment s'intéresser à une tâche aussi bête ? Le soleil s'était sûrement grippé, la journée s'étirait à n'en plus finir. Nouvelle collation à six heures, puis reprise des travaux jusqu'à la brunante. On alla chercher les chevaux. Le foin coupé aux premières heures du jour fut chargé sur les wagons. Enfin, quand les chariots furent pleins, les femmes épaulèrent leurs fourches et se remirent en marche vers la maison. Askik voulut pousser un soupir de soulagement : il n'en eut pas la force. Il avait le dos et les épaules perclus, les paumes écorchées par la fourche rugueuse. Il se promit de mieux respecter à l'avenir la division des tâches entre habitants et « gens lettrés ».

XII

— Pas si fort, Rosalie ! Tu fais du pain, pas des briques !

La grosse fille fit entendre un grognement qui était peut-être un juron. Quand elle était de mauvaise humeur, Rosalie laissait faire ses muscles, et tant pis pour la pâte qu'elle broyait au fond de la huche.

— Il y a des jours, lui dit Céline, où t'es comme du pépique. On ne sait pas par quel bout te prendre.

— Ben, ne me prenez pas pantoutte ! beugla Rosalie, laissez-moé tranquille !

Madame Paradis poussa un long soupir. Les humeurs de Rosalie étaient insondables : il fallait laisser passer. La vieille dame approcha son tricot pour compter les mailles. Céline écossait des pois à la grande table.

— Comme ça c'est certain, dit Madame Paradis, les Sancy ne reviendront pas cet été ?

— Non, répondit Céline. Ils restent à Ottawa. Alexis a reçu la lettre hier.

— Tu l'appelles Alexis maintenant ! railla Rosalie qui pensait planter un trait. Céline fit la sourde oreille.

— C'est dommage, continua Madame Paradis, j'aime quand la maison s'emplit un peu.

— Ottawa est loin, et sans doute que Monsieur est occupé.

— Ah, ben j' préférerais qu'ils reviennent quand même. Ça nous ferait du changement. Pour moé, M. Sancy va finir par vendre Vieilleterre.

431

Rosalie s'insurgea.

— Qu'est-ce qui nous arriverait à nous autres ?

— Ah ça, ma fille... Madame Paradis leva les mains au ciel, et ce faisant rata un point. Elle dut recompter avant d'ajouter :

— Vous n'avez pas de nouvelles de Mademoiselle Elisabeth ?

— Non, rien.

Madame Paradis souriait à ses aiguilles.

— Elle a toujours été si jolie, si fine, mon Elisabeth. Je l'ai presque élevée, vous savez. Ah, j'espère vivre assez longtemps pour la voir mariée !

— J'en connais un, dit Rosalie, qui ne serait pas content.

Les femmes travaillèrent un moment en silence, chacune suivant le cours de ses pensées. Les mouches tapaient contre le grillage de la porte. Une libellule fit le tour du porche en cliquetant des ailes, et passa son chemin.

— Quien, fit Madame Paradis en regardant par la fenêtre. C'est mon Auguste ça, au fond de la cour ? Rosalie, t'as de bons yeux, regarde donc !

— C'est lui. Y est avec Monsieur Mercredi.

— Ah celui-là ! J' me demande ben ce qu'il peut encore manigancer. Depuis qu'y est là, mon Auguste n'a plus une minute de paix. Des granges, une fabrique, du foin à n'en plus finir...

— Pourtant, interrompit Céline, si Vieilleterre s'enrichit, les Sancy seront moins tentés de vendre.

— Hmmf ! On verra bien.

Il y eut un nouveau silence pendant lequel Rosalie jetait les yeux de Céline à Madame Paradis. Depuis le temps que cela lui chicotait ! Elle avait bien le droit de savoir ! Enhardie par la présence d'une troisième femme, Rosalie décida d'en avoir le cœur net.

— Au fond, dit-elle à Céline, le trouves-tu de ton goût, Monsieur Mercredi ?

Les yeux de Madame Paradis s'allumèrent. Bonne question. Mais la grosse fille s'y prenait mal. Madame Paradis voulut y apporter un peu de tact.

— Remarque bien, Céline, dit-elle de sa voix la plus maternelle, Monsieur Mercredi est un bel homme. Jeune, lettré, y a de l'avenir. J'ai entendu dire qu'il passera une seule saison à Vieilleterre. Après ça, comment savoir ? Il peut aller loin !

— J' te verrais ben à Ottawa, Céline, pas toé ?

Comme des chasseurs qui ont posé leurs appeaux et qui n'ont plus qu'à attendre, les deux femmes se turent, dévisageant Céline. Toute réponse ferait leur affaire. Aveu ou protestation, peu importe, leur idée était faite.

Mais Céline continuait à écosser, indifférente.

Madame Paradis réprima un mouvement d'agacement. Ce qu'elle pouvait être têtue cette fille !

— Me semble, moé, que c'est un bon parti. C'est un Métis, mais y se présente ben. Pi toé, ma fille... t'es pu jeune-jeune.

— M'sieur le curé dit que quasiment toutes les familles canadiennes ont du sang indien, offrit Rosalie d'une voix encourageante.

— Ben, pas toutes, précisa Madame Paradis. Ç'a pas d'importance, mais je sais que la famille Paradis descend en droite ligne des seigneurs de France.

— Nous aut' aussi, affirma Rosalie.

— Mais on n'est pas plus fins pour autant ! concéda Madame Paradis. Les enfants métis sont reconnus pour être beaux et forts !

— Comme de raison ! s'exclama Rosalie. Quand tu croises deux races de chats, t'as toujours de plus beaux minous.

La vieille dame rougit. Elle tolérait la balourdise. Pas l'inconvenance.

— Voyons, ma fille. On ne parle pas des hommes et des animaux de la même manière.

— Pourtant, y se font de la même manière !

— Ben y a des choses qui se disent pas !

— Ben, r'gardez Monsieur Mercredi ! C'est un bel homme. C'est la preuve que le croisement a du bon !

Madame Paradis empala ses pelotes de laine sur les aiguilles, et se leva.

— Tout ce temps-là, dit-elle sèchement, le souper de mon Auguste ne se fait pas.

Elle claqua deux fois la porte avant de sortir, pour éloigner les mouches, et ajouta de dehors :

— Tu fais ben de rester fille, ma Céline. Tu fais ben !

Céline lui sourit distraitement, mais n'arrêta pas d'écosser. Dans la cuisine, on n'entendait plus que le trépignement de la huche qui tapait des pieds sur le parquet. Le visage en sueur, les bras écarlates, Rosalie pétrissait de plus en plus fort, jusqu'au moment où, n'en pouvant plus, elle pouffa enfin.

— Mais l'aimes-tu, oui ou non ?

Céline rangea les écailles, prit le bol de pois et se dirigea vers l'évier. En passant, elle jeta un coup d'œil dans la huche.

— On dirait du vieux plâtre, dit-elle.

Céline prit un balai, le remit dans son coin, saisit un chiffon à essuyer, le relança dans l'évier. Tout ce commérage ! Elle se sentait insatisfaite et, pour la première fois depuis de longues années, indécise. Avait-elle bien choisi ? La cuisine lui paraissait petite et sale. Irrémédiablement sale. La maison même, ce grand vaisseau qu'elle avait eu tant de plaisir à gouverner, ne lui parlait plus. Qu'était-ce, Vieilleterre ? Un amoncellement de pièces vides, des draps embaumés, des meubles à préserver pour des maîtres qui ne revenaient pas.

Céline vint s'accoter à la porte. Elle jeta les yeux dans la cour, de la même manière qu'un pêcheur lance une ligne dans une rivière peu prometteuse : au cas où il se passerait quelque chose.

Il ne se passait rien. Madame Paradis avait regagné sa demeure. Son mari remuait des chaudières à la laiterie. Les engagés étaient sortis de l'étable au pas de course ; ils avaient hâte d'entamer leur samedi soir au village, hâte de boire jusqu'à vomir et de revenir aux petites heures en soignant des dents cassées.

Céline avait résolu toute petite de ne jamais prendre de mari. Le spectacle de sa mère bafouée lui avait appris qu'on ne vit pas vieux à la merci d'autrui. Mais peut-être, après tout, avait-elle choisi le mauvais métier ? Toujours faire le ménage des autres, n'avoir d'autre compagne que Rosalie, était-ce le mieux dont elle était capable ?

« J'aurais dû me faire sœur, pensa-t-elle pour la centième fois. Il y a de la place dans les ordres pour les femmes fortes. J'aurais pu compléter mon instruction, travailler dans une école ou un hôpital. Peut-être même devenir directrice. Mais qui donnerait des cours à une femme de mon âge ? On me mettra à la cuisine. Au lieu d'éplucher des patates pour six, j'en éplucherai pour cent. Je serai bien avancée ! »

Elle alla s'asseoir dans la berceuse, près de la fenêtre, embrassa ses genoux, comme elle avait vu faire sa mère lorsqu'elle tentait de s'échapper au temps présent pour retrouver les souvenirs de son enfance.

« Elle avait à peine mon âge, songea Céline avec stupéfaction. Elle était vieille et défaite, mais elle avait à peine mon âge ! »

Allait-elle encore se fâcher contre cette femme trop faible qui n'avait pas su la protéger ? Non. C'était étonnant, mais non. Même la colère ne pouvait surnager dans sa mare d'apathie. Ni colère ni joie. Rien que la fenêtre, la cour, et l'érable d'en face.

Un homme sortait de la cour à pas énergiques : Askik allait visiter sa nouvelle fabrique.

« En voilà un autre qui n'est jamais content, pensa Céline. Pourquoi ? Au fond, nous sommes peut-être tous des enfants mal faits, tous des pâtes à moitié levées. A chacun de nous il a manqué un ingrédient. Rosalie aurait voulu être belle. Je n'ai pas eu le père qu'il me fallait. Et Alexis... qu'est-ce qui lui a manqué ? »

Rosalie se retourna d'un bloc, les mains sur les hanches.

— J' monte à ma chambre ! J' me sens pas bien ! Elle avait pris sa voix la plus rude, mais les yeux trahissaient la peur. Elle mentait.

— C'est bien, Rosalie, répondit doucement Céline. Va te reposer. Je veillerai au pain.

Aussi soulagée qu'étonnée, Rosalie quitta la pièce en se persuadant qu'elle était, après tout, légèrement souffrante.

Céline resta un long moment dans la berceuse. Le soir venait. La grande cuisine s'emplissait d'ombres. Le criquet du garde-manger entama son chant de crépuscule. Le pain cuisait et ne levait pas.

Le menton sur les genoux, les yeux fermés, Céline s'efforçait d'imaginer une nuit profonde. Une ville immense. Et au milieu de la ville, un enfant métis, accroché à une grille, attendant le jour pour découvrir qu'il était abandonné.

XIII

Que faire du dimanche quand la messe est dite et le dîner passé ? Askik s'était carré dans le fauteuil de sa chambre, un roman anglais sur les genoux, une tasse de thé à portée de main. Le livre lui avait été envoyé par Grandet, qui craignait que son ami ne s'encroûte à la campagne. C'était une épaisse aventure gothique, très à la mode. Askik avait résolu d'en lire un chapitre par jour. Il se promettait aussi de parcourir les rapports judiciaires, et d'écrire des lettres après le souper. Au lieu de cela, il somnolait.

La maison dormait avec lui. Céline passait l'après-midi chez sa tante au village. Les engagés se remettaient de leur cuite. Paradis ne s'était pas montré de la journée.

L'impassible Ithaca sonnait les heures ; les aventures du chevalier anglais n'avançaient pas d'un trait. Askik avait beau pester, son esprit refusait de s'atteler. Une demoiselle d'honneur venait de se pâmer à la page dix-huit : de sa vie, Askik n'avait jamais vu une femme tomber en pâmoison. Alors...

Il était déjà tard quand, dépité contre lui-même, il saisit son fusil de chasse et sortit. Un petit chien jaunâtre qui couchait sous le perron accourut aussitôt en traînant le ventre et en pissotant d'excitation.

— Fais pas l'hypocrite ! gronda Askik. Je te connais. Tu vas mettre en fuite tous les lapins de la paroisse, comme la dernière fois.

Le cabot tapait joyeusement de la queue, mine de dire : « Pas du tout ! j'ai changé ! » et sans attendre d'invitation, il fendit la cour comme une balle, en direction des champs.

— Autant rester à la maison maintenant, grommela Askik. Mais il emboîta le pas. Tout plutôt que de travailler.

Les prés et les bois regorgeaient de pluie. Une brume voilait les forêts de pruches au loin. Askik se boutonna jusqu'au col, étonné qu'il fît si froid. Le foin poussait avec vigueur : la seconde récolte serait aussi riche que la première. Le blé jaunissait prématurément, vieilli par les semaines de chaleur, mais Askik n'en avait cure : le blé s'achetait bon marché.

Il franchit une clôture de pierre percée de grands chênes, et se trouva sur le lopin des Dubois. Personne n'avait voulu du petit champ rocailleux : laissée libre, la terre avait donné une étonnante mixture de blé, de roches et d'herbes sauvages. Le petit chien n'hésita pas un seul instant mais fonça tout droit, en habitué de la place. Il dessinait des cercles exubérants dans la grande herbe, aboyait comme un enragé et soulevait des proies qu'il était le seul à voir.

Au bout du champ pourrissait un tas de foin à moitié dévoré par les chevreuils. Dubois avait fait ses foins, mais n'avait pu récolter le blé. La maladie l'avait donc saisi vers la fin de l'été. Le grain avait mûri, puis versé ; l'homme était resté à la maison, impuissant.

Askik reconnut la triste allée qui menait à la maison, les grands ormes, les traces du chemin envahies par les herbes. Était-ce le ciel bas, le temps lourd ? Les arbres avaient l'air sombre et boudeur. « Vous n'êtes pas venu lorsqu'il était temps, disaient-ils, pourquoi nous importuner maintenant ? » De grands choux-gras bloquaient l'entrée de la bicoque. La porte était entrouverte : Askik hésita. Il s'attendait presque à retrouver les cadavres des Dubois à l'intérieur. Mais il n'y avait rien que du banal. Les rares objets de valeur avaient été emportés. Une table bancale s'appuyait contre un mur, une chaise était renversée sur le sol, le siège défoncé. Les toiles avaient été enlevées aux fenêtres : une chape de poussière recouvrait tout.

Derrière la ferme commençait la forêt. Un chemin de traîneau à bois montait dans la colline, serpentant à travers les arbres pour éviter les pentes trop raides. Le peuplier, l'érable et le frêne faisaient encore la loi, mais par-ci par-là se massaient déjà des cohortes d'épinettes.

Askik passa la crête de la colline, le chemin prit fin. Le petit chien jaune avait disparu. Bon débarras. Askik vérifia son arme et partit à travers bois. Il avait depuis longtemps écarté l'enseignement des Ojibwés qui feignent l'indifférence pour tromper le gibier. Le plus benêt des lapins ne se serait pas trompé sur les intentions d'Askik. Le doigt crispé sur la gâchette, les yeux furetant sous tous les arbres, il chassait avec un sérieux meurtrier, à la manière des Montréalais.

Mais le bois ne dura pas. Les arbres ne recouvraient plus que la crête rocailleuse de la colline. Les versants, plus fertiles, étaient largement défrichés. Les prés montaient inégalement dans la forêt, en carrés ou en méandres, selon la valeur du sol ou les accidents du terrain. Askik venait de déranger un troupeau de moutons lorsqu'il entendit le craquement d'un feu de bois. Il entra dans une clairière étroite, en forme de couloir. Tout au bout, à peine visible dans l'obscurité de la forêt, un petit homme mettait des branches en tas. Les flammes brillaient au fin fond du bûcher, retenues par le bois vert et l'humidité. Askik épaula son fusil et marcha vers l'inconnu, pour causer un peu et se désennuyer.

L'homme, qui traînait un petit arbre vers le feu, se redressa en entendant venir des pas.

— Paradis ! s'exclama Askik.

— J' cré ben, qu' oui, répondit le contremaître en hissant l'arbre sur le bûcher.

— Mais qu'est-ce que vous faites ici ?

Paradis eut un sourire espiègle, rare chez lui.

— Comment ça ? J' suis chez moé !

— Chez vous ? Vous avez acheté la terre des Dubois ?

— Pantoutte ! Les Dubois c'est de l'aut' côté de la montagne. Icitte, c'est chez moé.

— Ah ? Je ne savais pas que vous aviez de la terre.

— Ça fait pas longtemps. Je l'ai achetée du voisin. Y s'en occupe un peu pour moé. Ce sont mes moutons que vous venez d'effaroucher.

Paradis s'était assis sur une souche déracinée ; les mains sur les cuisses, il regardait brûler son feu.

— J' me fais un chemin, expliqua-t-il. Pour venir chercher le bois de chauffage.

— A quoi bon ? On ne manque pas de bois à Vieille-terre.

Paradis eut l'air gêné, presque contrit.

— C'est que, voyez-vous, j' vais me bâtir une petite maison, au printemps, en bas, là, près du chemin de la municipalité.

Son regard implorait l'indulgence. Mais Askik, pris de court par cette nouvelle, ne voyait que l'ennui que cela lui causerait.

— Vous quittez Vieilleterre ? lança-t-il sur un ton de reproche.

Paradis pendit la tête. C'est ça, il trahissait. Et pourtant, renier Vieilleterre, ses parents qui y étaient morts et les seigneurs qui la leur avaient confiée n'avait pas été facile. Mais cela, le jeune ne pouvait le comprendre.

— Comprenez, dit-il doucement, j'ai passé toute ma vie chez les aut'. Je me suis promis que je connaîtrais une fois avant de mourir le plaisir d'être sur ma terre à moé, dans ma maison à moé. J'attends ça depuis ben longtemps.

Askik était piqué au vif. Il pressentait le déplaisir qu'aurait Eugène Sancy en apprenant ce départ.

439

— C'est à cause de moi que vous faites ça, n'est-ce pas ?

— Pantoutte, pantoutte, voyons. J'ai senti ben avant vot' arrivée que les choses allaient changer. J' suis pas contre ça. Vous amenez des machines, des vaches, vous faites du beurre... C'est bien. Mais ça me dit plus rien. Y est temps de laisser ça aux aut'.

— Mais qu'est-ce que vous allez faire ici ?

— J'aurai une vache, quéques moutons, un jardin...

— Je ne parle pas de cela, fit Askik avec humeur. Vous n'êtes plus jeune, votre femme non plus. Et vous n'avez pas d'enfants. Dans cinq ou dix ans, qui aura soin de vous ?

— Ah ça...

Le vieillard ouvrit les mains toutes grandes.

— Ce n'est pas une réponse.

— Les réponses dans la vie, c'est plutôt rare.

— Vous me ferez pas accroire que vous n'y avez pas pensé, que vous préférez fermer les yeux sur l'avenir.

— Le bon Dieu nous a privés d'enfants. C'est à lui de nous tirer d'affaire.

— Il n'a pas tiré d'affaire les Dubois.

— Comment le savez-vous ?

— Je leur ai rendu visite l'hiver dernier. A votre demande, je vous le rappelle. Je n'ai pas senti que le bon Dieu tenait les comptes chez eux, ou alors c'est un mauvais intendant.

— Ne blasphémez pas, mon garçon.

— Pourtant vous travaillez, et c'est dimanche.

— J' fais rien que brûler. Le feu fait tout le travail.

— A Vieilleterre, on aurait soin de vous.

— J'en doute pas, j'en doute pas, reconnut tranquillement Paradis.

— Alors ?

Alors ? Paradis leva de nouveau les mains. Alors il s'en allait, voilà tout.

— Vous ne me faites pas confiance ?

Cette fois, Paradis ne put s'empêcher de sourire. Lui faire confiance ? Tourne-t-on le dos aux grands veaux ?

440

Fait-on confiance aux jeunes ? Mais il fallait répondre, sauver ce garçon ombrageux de lui-même...

— C'est pas pour faire le malcommode, dit Paradis, mais j' vivrai peut-être quéques années encore. Tandis que vous, ça m'étonnerait que vous soyez icitte longtemps.

— Comment ? s'indigna Askik. Je fais bien mon travail !

— Ah pour ça, oui. Mais à mon idée, vous ne travaillerez pas longtemps pour les autres. Trop d'instruction, pas de patience, ça fait pas un bon employé.

Askik se tut. Comment le nier ? Il sentait lui-même que sa situation devenait intenable. Le sentiment du temps perdu le rongeait jour et nuit. Il se croyait appelé à de plus grandes choses, mais quoi ? Rentrer à Montréal, draguer les fonds de prisons comme Grandet ? Ou alors, imiter de Meauville : rester à Saint-Aimé, enseigner et écrire, gagner la confiance des habitants et les défendre. Ces questions le travaillaient sans répit. Il ne s'en était ouvert à personne, de peur qu'on ne prenne ses aspirations pour de l'orgueil. Pourtant, il était certain de son humilité, sûr de ne rien chercher d'autre que l'occasion de servir. Mais servir comment ?

Le vieillard y avait-il songé ? « Il a deviné mon insatisfaction, pensa Askik, a-t-il trouvé le remède ? Les apparences trompent. Ces vieux habitants en savent plus long qu'ils ne laissent voir. Mais s'il a un conseil à me donner, pourquoi ne dit-il rien ? Attend-il que je le lui demande ? »

— Au fond, osa Askik, je devrais peut-être partir... quitter Vieilleterre.

— Vous avez tout vot' temps, ça ne presse pas.

— Je pourrais retourner à Montréal, plaider, peut-être même ouvrir ma propre étude.

Paradis approuva lentement de la tête.

— Ou encore m'installer dans le pays. Comme avocat ou instituteur. L'instruction est rare parmi les habitants. Je pourrais les aider, les défendre.

Nouvelle approbation.

441

— Plus tard, dans plusieurs années peut-être, je pourrais servir comme échevin. Ou député, mettons.

Paradis faisait oui de la tête, gravement, comme s'il méditait chacune de ces possibilités. Pourtant, il ne disait rien.

— Alors, qu'est-ce que vous me recommandez ? demanda Askik.

— Ah ben, tout ça est bon.

— Oui, mais qu'est-ce que je dois faire ? Partir ou rester ?

— C'est toutte bon.

— Mais quelle voie choisir ?

Paradis haussa les épaules.

— Ç'a pas d'importance, dit-il.

Vieux sans-cœur ! Évidemment, lorsqu'on refroidit déjà des bouts, le choix d'une carrière n'importe plus beaucoup. « Malgré tout ce qu'on dit, pensa Askik, il n'y a rien de plus rare qu'un vieillard sage. Les hommes vivent et meurent égoïstes : l'âge n'y fait rien. » Et pourtant, il avait presque cru à Paradis et à ses manières de vieux chrétien.

— Diable, qu'il fait froid, marmotta Askik en s'engonçant dans son manteau.

— Ah, le nordet amène toujours le temps frais.

— Mais c'est le mois d'août !

Paradis leva les mains. Et alors ?

Les flammes devenaient plus claires, plus orangées, à mesure que baissait le jour.

— Bon, eh bien je rentre, dit Askik en se levant.

— Prenez le chemin, dit Paradis en montrant le sentier qu'il avait taillé dans la forêt.

— Non. C'est plus court par la montagne.

— Y va bientôt faire noére. Vous allez vous perdre !

— Mais non, j'ai le temps !

Mais Paradis avait peut-être raison. La nuit venait. Les prés étaient des mares grises où se dissolvaient les moutons. La brume avait mangé le haut de la colline. Dans les bois, il faisait noir comme chez le loup. L'obscurité sourdait d'entre les racines, grimpait dans les branches. Askik crut un moment qu'il serait obligé de faire demi-tour. Mais il retrouva sans peine la piste des Dubois. Si facilement, en fait, qu'il en ressentit de la déception : ce n'était, après tout, qu'une journée très banale.

La forêt était silencieuse, saisie par le temps cru. Askik n'entendait que ses propres pas, sourds dans l'herbe, creux sur les ponceaux. Ses pensées couraient loin devant, traitant de mille et un projets, ne s'occupant plus des bois monotones. Dans son esprit, il avait déjà mis fin à sa promenade.

Une explosion d'ailes ! Une ombre grise !

— *Qui est ? Qui est ? Qui est ?*

Un geai s'éloignait en donnant l'alarme. Ses cris rauques retentissaient dans les profondeurs de la forêt. Askik s'était figé, les cheveux dressés sur la tête, les mains gelées sur le fusil. Son cœur battait à se fendre. Et pourtant, ce n'était qu'un geai. « S'il avait fallu que ce soit une perdrix, pensa-t-il, je serais certainement mort de peur. Quel chasseur ! »

Ah ! Comme l'attention vous revient après une bonne frousse ! Askik marchait plus vite, les oreilles et les yeux en état d'alerte. Chaque grincement d'arbre, chaque cri de hibou était noté.

La mare des Dubois était couleur de plomb. Askik fila entre les grands ormes et se trouva enfin sur le chemin de la municipalité. Il se sentit un peu rassuré : le chemin appartient à tout le monde.

Le soleil s'était couché sans percer une seule fois de la journée. Le vent courait en maître dans la campagne, traînant des paquets de bruine arrachés au fleuve lointain. La nuit s'installait. Une nuit sauvage et excessive. Une nuit à rester chez soi, à siroter des punchs, et à piquer du nez sur les rapports judiciaires.

Les fils télégraphiques poussaient des gémissements plaintifs, comme des âmes en peine implorant des prières.

D'abord, ce ne fut qu'un battement très faible entre deux bourrasques. Comme un filet de pluie tambourinant sur du sable. Rien de plus. Askik s'arrêta, pour mieux entendre. Il n'y avait que le vent dans l'herbe. Puis de nouveau, droit d'en face : pa-ta-ta, pa-ta-ta, pa-ta-ta. Cette fois, plus fort. Qu'est-ce que ça pouvait être ? Une auge dégouttant sur le chemin ? Une branche tapant contre un piquet de clôture ? Pa-ta-ta, pa-ta-ta, pa-ta-ta, le rythme s'accélérait. Askik plongeait le regard dans l'obscurité ; plus il s'efforçait de voir, plus ses yeux s'emplissaient d'ombres. Le bruit s'amplifiait. C'était de plus en plus fort. Quelque chose approchait...

Des pas ! Les pas d'un animal ! qui fonçait sur lui ! Askik resta cloué sur place, le fusil à l'épaule, les yeux fixés sur l'obscurité. Il ne se souvint de son arme qu'au dernier moment lorsque, les yeux brillants, la gueule ouverte, le petit chien jaune se jeta dans ses jambes.

Au même moment, une voix timide sortait de la noirceur.

— Doudou ! Doudou ! Où es-tu ? Reviens !

— Céline ?

Il y eut un moment de silence étonné, puis la voix revint, incertaine.

— Alexis ? C'est toi ?

Ils marchèrent l'un vers l'autre avec tant d'empressement qu'ils faillirent se heurter au milieu du chemin. Le petit chien jaune sautillait autour d'eux en jappant de joie, comme s'il avait eu beaucoup de mal à organiser cette rencontre.

— Ah ! je suis heureuse de te voir ! s'exclama Céline. Doudou, la paix !

— Pourquoi ? crâna Askik. Avais-tu peur ? Il n'y a rien à craindre !

— Tout de même, je préfère t'avoir là.

Ils se retournèrent vers la maison, marchant côte à côte, mais ne se donnant pas le bras. Céline avançait rapidement, les bras croisés sous le châle.

— Je visitais ma tante au village, expliqua Céline. J'ai oublié l'heure. Y a fait noir si vite...

— Moi, je suis allé chasser de l'autre côté de la montagne. Derrière chez les Dubois. Je n'ai rien pris. Mais j'ai fait une rencontre intéressante. Paradis s'est acheté une terre de ce côté.

— Oui, j' sais.

— Ah...

Ils marchèrent un moment en silence, puis Askik reprit la parole.

— Qui a trouvé les Dubois, l'hiver dernier ?

Céline frissonna.

— Pourquoi parler des Dubois ce soir ?

— Tu ne crois tout de même pas aux revenants ! s'exclama Askik, gouailleur.

— Moi non, reconnut Céline en baissant la voix. Mais ma grand-mère en a vu.

Askik eut froid dans le dos. Quel raisonnement ! Il poursuivit d'une voix plus sobre.

— Est-ce Paradis qui a découvert les corps ?

— Quels corps ?

— Ceux des Dubois, voyons.

— Les Dubois sont morts à l'hôpital de Sainte-Anne. Ils étaient pris des poumons.

— Comment ! s'écria Askik, ils ne sont pas morts à la maison ?

— Pourquoi cries-tu ? chuchota Céline en jetant des regards à la ronde. Mais non, ils ne sont pas morts à la maison. Où prends-tu ces idées ?

— Eh ben... non, j'ai dû mal comprendre. En passant par leur maison tout à l'heure...

Céline leva des yeux apeurés.

— T'as eu des connaissances ?

— Bien sûr que non. Penses-tu que Dubois reviendrait dans sa vieille chiotte !

— Ne dis pas ça ! souffla Céline. C'était du pauv' monde. Y ont ben souffert. Y faut pas rire des morts !

Askik jeta un coup d'œil secret derrière lui. Au cas où...

— Tu as déjà eu des connaissances, toi ? demanda-t-il.

— Moi, non. Mais je connais des gens...

Elle marchait rapidement, tête droite, les genoux bat-

445

tant énergiquement la robe. Sa mine disait : « Ne m'oblige pas à parler. »

— Eh bien, raconte !

— Vaut mieux pas.

— C'est parce que tu n'as rien à dire.

— Le mari de ma tante, jeta-t-elle avec un air de défi, a donné des connaissances trois ans de suite. Toujours le 12 décembre, le jour de sa mort. L'horloge de la grand-chambre s'arrêtait à huit heures sonnantes, l'heure à laquelle mon oncle s'est senti mal, et repartait à onze heures, quand il est mort. Chaque fois, ma tante faisait chanter des messes pour le repos de son âme. La quatrième année, y est pas revenu. Y était sorti de purgatoire.

Askik se sentait mal à l'aise. Des chapelets bâclés et des confesses esquivées, il en avait la conscience pleine. La perspective d'avoir à gripper des horloges après son trépas ne le réjouissait pas outre mesure. Il regrettait d'être si mal en règle. Il regrettait surtout d'avoir lancé Céline sur cette piste. Elle partageait la fascination du petit peuple pour le lugubre : les morts soudaines, les esprits pleureurs, les cadavres miraculeusement préservés... Elle continuait à mi-voix, ravie de faire peur, et s'épouvantant elle-même.

— Le père de ma mère, raconta-t-elle, vivait à Saint-Georges-des-Terres, de l'aut' côté du fleuve. L'hiver, y s'occupait de chauffer l'église. Quand y avait une messe le matin, pépère se levait en pleine nuit pour allumer la fournaise. Une nuit qu'il traversait le village, y a vu une bonne sœur qui bêchait, dans le jardin, derrière le couvent ! Elle sarclait !

Céline le fixait avec de grands yeux pleins d'émerveillement.

— Comment ? dit Askik. C'est tout ? C'est ton histoire ? Une sœur qui bêche ? Oui, c'est très épeurant.

— Mais c'était l'hiver ! protesta Céline. En plein hiver ! Dans la neige ! Mon grand-père s'était toujours moqué des sœurs : il les appelait les corneilles. Quand y a vu la sœur piocher dans la neige, y s'est approché, pour la taquiner un peu. Mais juste quand y est entré dans le jardin, la religieuse a levé sa main, comme ça ! dit Céline en reproduisant le geste avec une lenteur toute spectrale. Puis la sœur a disparu !

Elle laissa planer le suspense. Mais comme Askik se gardait bien de la relancer, Céline continua.

— Pépère était pas peureux ; mais tout de même ! Y est allé réveiller monsieur le curé. Y sont retournés au couvent. La bonne sœur était là, à la même place, à sarcler dans la neige. De temps en temps, elle se baissait, comme pour chercher quelque chose. Les hommes se sont approchés, elle s'est relevée, leur a montré sa main, et a disparu. Y avait pas la moindre trace dans la neige...

Céline leva les yeux, pour juger de son effet. Voyant qu'Askik était suffisamment impressionné, elle donna la clef de l'énigme.

— Le printemps suivant, dit-elle, en faisant leur jardin les sœurs ont trouvé un vieux jonc d'argent. Du genre que portent les nonnes. Une vieille du village a raconté qu'une religieuse, bien des années auparavant, avait perdu son jonc en piochant le jardin, et qu'elle l'avait cherché longtemps, longtemps. Le curé a pris le jonc, l'a enterré dans le carré des sœurs au cimetière ; pi on n'a jamais revu la sœur au jardin. Et mon grand-père s'est plus jamais moqué des bonnes sœurs.

La lune illuminait un carré de nuages raboteux. Un autre y aurait vu un jardin enneigé : Askik s'en garda bien. Il chercha une plaisanterie, et renonça. Ce n'est vraiment pas la peine de fanfaronner pour une femme qui s'ingénie à vous effrayer.

— A Sainte-Marthe, reprit Céline, y a un homme sans tête qui se promène sur la berge les nuits de tourmente. On dit...

— Tu ne crois pas vraiment à ces sottises, non ?

Céline baissa la tête. Elle détestait ce ton de monsieur que prenait parfois Askik. Elle n'était pas instruite, mais elle n'était pas sotte.

— Et dans le Nord-Ouest, riposta-t-elle, les gens n'ont jamais de connaissances ?

Askik fit semblant de ne pas entendre. Des connaissances ? Dans le Nord-Ouest, un homme pouvait rencontrer trois fois par jour un défunt ancêtre sans en faire un drame. Mais il y avait aussi, c'est vrai, les *mahtsé-manito,* les mauvais esprits. Étonnant comme tout cela lui remontait à la mémoire.

Céline, qui le voyait réfléchir, eut un sourire narquois.

— Tu n'as pas un peu peur toi-même des morts ?

— On dit que les morts aussi ont peur.

— Mais non ! fit-elle en haussant les épaules.

— C'est vrai. Le bruit, la lumière, un masque les effraient. On dit même que la présence d'un Blanc suffit à les éloigner.

Céline pouffa de rire, l'air incrédule.

— Un Blanc, expliqua Askik, est une chose étonnante, lorsqu'on n'en a pas l'habitude.

— Ici, c'est peut-être le contraire, dit Céline. Les morts canadiens ont peut-être peur des Métis !

— Comme de raison ! Imagine un pauvre fantôme québécois se promenant sur ses terres, et qui se heurte en pleine nuit à un gros Métis laid. Quel désagrément !

Céline éclata de rire. Doudou, qui traînait la patte depuis un bon moment déjà, leva les oreilles, agita la queue, et se rendormit en marchant. Céline posa la main sur le bras d'Askik.

— Je ne te trouve pas laid, lui confia-t-elle. Et si j'étais le fantôme, je me sentirais en pleine sécurité.

— Tu me déçois, répondit Askik en riant nerveusement. Je me croyais plus intimidant.

Mais elle, se détournant le visage, glissa son bras sous le sien.

— Pas intimidant du tout, murmura-t-elle, gênée malgré tout.

XIV

Le lendemain, il écrivit à Eugène Sancy, lui suggérant d'acheter la terre des Dubois. L'écorce de pruche, riche en tanin, se vendait sept dollars la corde. Avec cette seule ressource, Askik payait la terre. Et pourtant, ce n'était qu'un début. Askik proposait d'élever une porcherie sur la terre des Dubois. Les cochons se nourriraient à peu de frais, de blé et de petit-lait en provenance de la beurrerie, la porcherie serait trop loin pour empester Vieilleterre, et la cabane des Dubois pouvait abriter un employé en permanence. La seigneurie se doterait d'une terre et d'une nouvelle source de revenus, sans se fendre d'une piastre.

Askik était fier de sa lettre. Elle était sèche, nette, précise. Elle avait la manière incisive de Napoléon écrivant : « Si, dans deux heures, vous n'êtes pas sur la route de Naples, vous êtes fusillé. » C'est ainsi qu'il s'aimait : lucide, décidé. Comme un industriel anglais menant ses bureaux et navires à grands coups de télégrammes. Achetez ! Appareillez ! Partez ! Cependant, quand il regardait par la fenêtre, quand il voyait la ferme endormie et la morne forêt au loin, Askik se demandait de nouveau ce qu'attendait le destin pour le sortir de ce cul-de-sac. Il ouvrit la porte de son bureau, mit la tête dans le couloir, et cria : « Rosalie ! »

La grosse fille mit un long moment à se montrer, les yeux entrouverts, le visage écarlate, la joue marquée par des plis de draps.

— Voici une lettre pour M. Sancy, lui dit Askik sèchement. Remets-la à un engagé. Qu'il la porte au village. Sur-le-champ.

— Hein ?

— Tout de suite.

— Bien, monsieur.

Elle sortit de la maison à la course, brandissant la let-

449

tre comme un fanion, vociférant le nom de son engagé préféré. Une lettre pour le maître inspirait encore le respect.

Askik sortit à son tour. Le vent prenait les nuages de flanc et les disloquait. La chaleur faisait monter une lourde évaporation. Doudou était couché à l'ombre des dahlias. Il tapa deux fois de la queue mais ne se donna pas la peine de se lever. Les ouvriers mettaient la dernière main à un grand hangar à claire-voie où viendrait dormir la deuxième coupe de foin. Les coups de marteau sonnaient mat dans l'air humide. Un engagé empilait des restants de planches avec une lenteur consommée.

— Où est Paradis ? lui demanda Askik en cachant son agacement.

— Comment veux-tu que je le sache ? répondit l'autre. Mais il leva aussitôt un regard apeuré, sentant qu'il était allé trop loin. C'était un adolescent au menton couvert de duvet gris. En compagnie des engagés plus âgés, il était crâneur. Mais seul, face à l'intendant, il perdait pied.

— Va le chercher, ordonna Askik. Qu'il me retrouve à l'arrière de l'étable.

La chaleur et l'humidité atteignaient un paroxysme dans le parc à bœufs. La bouette, brassée et pilée par les animaux, engraissée de crottin sur deux pieds de profondeur, exhalait une odeur renversante d'ammoniaque. Il y avait là un tombereau, assis sur le cul, les ridelles feutrées de purin sec.

Paradis arriva en traînant des bottes chargées de boue.

— C'est le seul tombereau que nous avons ? demanda Askik.

— Y en a un aut' près du tas de bois. Mais y est en mauvais état.

— Vous pouvez le réparer ?

— J' cré ben qu' oui. Mais à quoi bon. Celui-ci suffit.

— Nos voisins ne se servent pas de leur fumier. J'ai

450

noté de gros tas dans le rang. Je leur paierai cinquante cents la tomberée. Nos hommes peuvent y aller durant leurs heures libres. Posez le fumier sur le bord des champs. On le répandra au moment des labours.

Paradis se grattait le menton.

— Les hommes aimeront pas ça.

— Tant pis, fit Askik en s'éloignant. Il se sentait puissant, résolu. Les hommes ont besoin d'être dirigés parce qu'ils ne reconnaissent pas leurs propres intérêts.

Il imaginait les engagés, dans vingt ans, se disant : « Monsieur Mercredi était un homme dur, exigeant. Mais ça marchait autrement à l'époque ! »

La vie a de ces tours... Askik avait passé partie de la nuit sous le grand orme, à l'endroit même où il avait rêvé, l'hiver précédent, de vivre heureux avec Elisabeth.

— Se peut-il que j'aie été malheureux pour cette femme ? se demandait-il. Mais alors, je ne comprenais rien à l'amour. Je souhaitais des émotions, du succès, de la passion. Je vivais sous le même toit que mon bonheur et ne le reconnaissais pas. Comment pouvais-je deviner que l'amour vrai est paisible et humble, qu'il n'attise pas l'envie, mais l'apaise ? Qu'il n'est rien de plus, parfois, que deux âmes échangeant des confidences sur un chemin de campagne par une nuit de mauvais temps ?

Bref, il avait résolu d'épouser Céline, de déménager au village, d'ouvrir une étude, d'acheter des terres. Il n'aspirait plus à l'Assemblée. Sa femme, reconnaissait-il, était très peu faite pour ce genre de société. Non, il demeurerait à la campagne, honnêtement, et emploierait son argent pour élever ses compatriotes moins fortunés. En leur louant ses terres bon marché, par exemple. Askik s'était résigné à son sort. On lui interdisait les premières places : ses fils y accéderaient. Il était allé trop vite en affaire. On ne transforme pas les familles en une seule génération. « Mon père était chasseur, se disait-il, je suis agriculteur, mes fils seront hommes d'État. »

La grande maison de Vieilleterre l'approuvait gravement. Les briques sombres, les pignons aigus, les hautes cheminées le regardaient avec bienveillance comme pour lui dire : « Nous sommes faits de la même étoffe. Nous nous méritons. »

Céline dressait la table dans la pergola, près du jardin.

— J'ai pensé qu'on pourrait déjeuner dehors, lui dit-elle en souriant.

— Où est Rosalie ?

— Couchée. Elle se sent mal.

— Nous serons seuls ?

Ils se regardèrent un moment, cherchant les mots, un peu gênés que leur ruse fût si transparente. Céline esquissa un petit sourire et rentra à la cuisine.

Il faisait frais, presque froid sous le toit de lierre. De temps en temps, une brise chaude et moite s'y glissait de l'extérieur. C'est Eugène Sancy qui avait fait construire la pergola après en avoir vu chez des collègues. Cela faisait très *country-manor*.

Céline revint, un plateau de service aux mains.

— Tu t'es levé tôt ce matin, dit-elle. Je t'ai entendu sortir.

— J'ai très peu dormi. Toi ?

Elle éclata de rire.

— Après toutes ces histoires de revenants, je pensais bien ne pas fermer l'œil de la nuit. Mais non, j'ai très bien dormi.

Askik en ressentit du dépit. Il serait donc toujours le seul à veiller ? Céline faisait le service. « Elle a de belles manières, pensa Askik. Non pas des manières plagiées, mais une grâce innée, réfléchie. Comme si chaque geste méritait d'être posé et contemplé. »

Ils s'assirent ensemble, comme mari et femme se retrouvant entre deux travaux pour partager un repas silencieux. Elle écarta la première son assiette. Les coudes sur la table, le menton dans les mains, elle contemplait les champs au loin.

— Comme la luzerne est belle. Il n'y a que toi, Alexis, qui trouverais du foin qui fleurit.

— Je dois t'avouer que les fleurs n'étaient pour rien dans mon choix.

— N'importe, c'est joli.

— Depuis combien de temps vis-tu ici, Céline ?

— Moi ? Douze ans, pourquoi ?

— Tu n'as jamais songé à partir ?

— Je suis heureuse ici.

— Assez heureuse pour y rester ?

Céline se troubla. Que pouvait-elle répondre ? Qu'elle avait fait le vœu de ne pas prendre de mari et qu'elle sentait faiblir sa résolution ? Comment pouvait-il lui poser pareille question ? La demandait-il en mariage ? Alors, pourquoi ne pas le dire ? Elle n'était pas certaine d'accepter, mais elle avait bien le droit d'entendre la demande.

— Où veux-tu que j'aille ? répliqua-t-elle en lui renvoyant la balle.

Askik s'arrêta court, comme un étourdi qui s'est avancé trop loin sur la glace et qui la sent soudain ployer. La terreur le prit. Deux mots de plus et il s'engageait. Pourtant, c'était ridicule. Il était sûr de lui, sa décision était prise. Pourquoi ne pas la demander immédiatement en mariage ? Certes, il ne lui avait pas fait la cour. Et alors ? Ce genre de chose devait se faire. Ils n'étaient plus de première jeunesse, ils étaient revenus l'un et l'autre de l'amour romantique. Ils se convenaient, c'était déjà beaucoup. Pourquoi ne pas lui parler ouvertement ?

Mais le calme parfait de cette jeune femme le déroutait. Elle ne rougissait pas, ne chiffonnait pas la nappe, ses yeux étaient secs. Elle se tenait parfaitement immobile, la tête légèrement inclinée pour lui épargner son regard. Ce n'est pas ainsi qu'Askik imaginait une jeune femme attendant le mot qui la comblerait pour toujours. C'était infiniment trop prosaïque.

— Ben, je ne sais pas, moi, répondit-il enfin. Tu pourrais te faire engager dans une grande maison à Montréal, ou travailler dans une banque...

Elle leva des yeux légèrement narquois. Askik se sentit envahi de honte. Quelle lâcheté ! Mais rien n'était perdu, il avait tout son temps. Ses intentions étaient les mêmes : il attendait seulement le moment propice pour se déclarer.

Ils finirent leur repas en silence. Céline versait le café lorsque l'engagé qu'on avait envoyé à la poste rentra dans la cour.

— V'là du courrier, dit-il, en plaquant un tas de lettres et de journaux sur la table. Il contempla Céline et Askik avec un sourire moqueur et ajouta : Vous êtes ben installés, mes moineaux. Faites comme chez vous.

Il sortit en riant. Askik jura de le congédier. Céline ne lui prêta pas attention.

Des gazettes agricoles, les débats de l'Assemblée (qu'Askik ne lisait plus), un ouvrage de spiritualité pour Madame Paradis, et — miracle ! — une lettre de Meauville !

En voyant l'écriture élancée, excessive de de Meauville, Askik fut pris d'un rire irrésistible. Le seul souvenir de l'Orateur suffisait à le mettre de bonne humeur. Il éventra l'enveloppe d'un coup de couteau, déplia la lettre, et lut goulûment en jetant des bribes à Céline.

— Il est professeur attitré... Il s'est acheté une maison. Minuscule, dit-il... Tiens, donne des cours le soir aux habitants. Leur apprend à lire... Ah non ! Non ! C'est impossible !

Askik éclata d'un rire si féroce, si exubérant, que Céline elle-même ne put s'en défendre.

— Mais qu'est-ce que c'est ? demanda-t-elle. Alexis ! Dis-moi ! Parle !

— Il est marguillier ! s'écria Askik, les larmes aux yeux. Le curé l'a nommé au conseil de la paroisse. Hou la la ! De Meauville marguillier !

Et il s'esclaffa de plus belle.

— Voyons, qu'est-ce qu'il dit encore ? Fait de la pêche, ça je le savais déjà... a adopté un vieux chien, ça le changera de son rat... et... Sacré de Meauville ! Il garde l'essentiel pour la fin !

Askik s'était levé debout, les yeux brillants d'excitation. Céline lui posa la main sur le bras, heureuse de le voir heureux.

— Qu'est-ce que c'est, Alexis ? Dis-moi.

— Ils viennent ici ! s'écria Askik. De Meauville et Grandet. Ils vont nous rendre visite ! Ils viennent nous voir !

Il ne se maîtrisait plus de joie, souriait et riait tout ensemble, le visage radieux comme un garçonnet qui vient de remporter une course au pique-nique paroissial. L'éternel insatisfait s'était envolé, l'intendant avait disparu. Céline découvrait avec étonnement un autre Alexis et, pour la première fois peut-être, ressentit pour lui quelque chose qui dépassait l'amitié.

XV

— Frère de Meauville, vous plaisantez...

— Pas du tout, embarquez.

Grandet lorgna dédaigneusement la grosse barque brune qui flottait au bout du quai.

— C'est tout ce que vous avez trouvé ?

— Mais qu'attendiez-vous ? demanda de Meauville en prenant place.

— Je ne sais moi. Un steamer. Un voilier à la rigueur. Mais cette coque d'huître...

— Il n'y a pas de vapeur à cette hauteur du fleuve. Voyez vous-même, l'autre rive est à portée de main. Cette barque fera bien l'affaire. Et je parie que notre pilote n'en est pas à sa première traversée.

Le pilote, un jeune paysan aux bras musclés et bruns, souriait jusqu'aux molaires. Depuis seize ans qu'il était au monde, jamais il n'avait vu quelque chose approchant Grandet. L'avocat portait un délicieux costume gris clair, avec gants et chapeau assortis, un manteau sombre jeté artistiquement sur les épaules, une chaîne en or à travers l'estomac. Il levait son pince-nez sur le fleuve, le baissait sur la barque, et roulait une fine canne à tête d'argent de plus en plus vite entre ses doigts nerveux.

— Grandet, le temps file et je vieillis...

— Eh bien justement, de Meauville, vieillir est une chose plaisante. Je comptais beaucoup là-dessus.

— Ton Wolseley a remonté le Nil dans des embarcations guère plus grandes que celle-ci. Et c'était plein d'Arabes.

— De Soudanais. Mais vous ne lisez pas les journaux.

Grandet poussa un soupir, jeta un regard sur la grève à la recherche d'un moyen de transport plus civilisé, et enfin, délicatement, descendit dans la barque.

— Il n'y a pas trop de courant au moins ? demanda-t-il.

Le garçon s'esclaffa pour de bon, son rire filant loin sur l'eau parfaitement lisse. Les rives massives du Saint-Laurent étaient teintées de rose par le soleil levant. Des deux côtés venait le tintement creux des clarines de moutons. Des vaches aux pis gonflés beuglaient aux portes d'étables. Une cloche d'église sonnait matines.

— Où sont les coqs ? bougonna Grandet. Je croyais qu'on entendait le chant du coq à l'aube. Cela fait partie de la mythologie de la campagne, non ?

— Ils dorment peut-être, plaisanta de Meauville.

— Alors les coqs sont plus fins que nous.

— Ils n'ont pas à traverser le fleuve. L'eau est plus calme à cette heure-ci.

— *Well*... j'avoue que ce n'est pas sans une certaine beauté.

— Vous faites de plus en plus Anglais, nota de Meauville en riant. Vous tournez la moitié de vos phrases en négations.

— Vous exagérez. Votre pays d'adoption ressemble-t-il à celui-ci ?

— Pas tout à fait, non. Le fleuve est plus large, les berges plus rocheuses, l'arrière-pays moins cultivé, plus sauvage.

— Alors vous avez bien fait de me rencontrer ici. Vous êtes un héros de la colonisation, de Meauville. Mais je ne vous envie pas.

— Pourquoi ? La vie de campagne vous conviendrait peut-être parfaitement !

— Permettez-moi d'en douter, fit Grandet en étudiant le pommeau de sa canne.

Les rames tranchaient nettement dans le fleuve, l'eau noire filait sans écume des deux côtés de la barque. On voyait apparaître sur la rive d'en face un clocher, des maisons, un quai.

— C'est là que nous allons ? demanda Grandet qui prenait de l'assurance en voyant arriver la terre. C'est là que Mercredi nous attend ?

— Je doute qu'il y soit à cette heure. Nous devrons l'attendre un peu. Le temps de déjeuner.

— *Capital Idea !* Je mangerais bien une omelette aux fines herbes.

Le garçon éclata de rire et, pour s'en excuser, rama avec plus de vigueur encore.

« Voilà ce que j'aurais dû être, pensait de Meauville en le regardant travailler. Je n'ai jamais été fort et brun et beau. Je n'ai jamais été jeune. J'aurais dû lire moins et ramer plus. »

De Meauville regardait s'éveiller les forêts sombres, les prés verts, les petites fermes aux murs rosis par le jour naissant. Des chiens aboyaient après leurs maîtres qui se dirigeaient à pas lourds vers l'étable. Un début de brise plissait la surface de l'eau.

« Dieu merci, je fais maintenant partie de ce miracle, pensa de Meauville. Je me suis enfin réveillé. »

— Nous voici à bon port ! ajouta-t-il tout haut.

— *Good Heaven !* s'exclama Grandet. On aurait fait demi-tour que je ne m'en serais pas aperçu ! Est-ce que tous vos villages sont identiques ? demanda-t-il au garçon.

— Non, monsieur, répondit l'adolescent. Y en a qui se ressemblent moins que d'autres.

— Ah oui...

Un vieillard attendait au pied de la jetée, à côté d'une calèche et d'un gros cheval noir. Il salua poliment les voyageurs.

— Messieurs de Meauville et Grandet ? Je me nomme Auguste Paradis. Monsieur Mercredi m'envoie. Je vous mènerai à Vieilleterre.

— Excellent ! fit Grandet en lui remettant son sac de voyage. Mais dites-moi, cher monsieur, y a-t-il une auberge au village où nous puissions déjeuner ?

— Le déjeuner vous attend à Vieilleterre. Nous y serons dans une demi-heure.

— Je m'étonne un peu, dit de Meauville, qu'Alexis ne soit pas ici pour nous accueillir.

— C'est le temps des foins, fit laconiquement Paradis, comme pour dire : « Et moi aussi j'ai autre chose à faire. »

Le gros noir était le préféré de Paradis. Un trotteur sans grâce ni rapidité, mais doté d'une grande puissance. Il remonta la berge, traversa le village et s'engagea dans la plaine sans changer une fois d'allure.

— Un beau cheval, observa de Meauville, qui cherchait une faille dans la taciturnité de Paradis. Cet animal vous connaît. Je me trompe beaucoup ou c'est vous-même qui l'avez dressé.

Paradis ne put réprimer un sourire d'orgueil.

— Oui, monsieur. Je l'ai dressé. Et sa mère aussi.

— Ça se voit. Sommes-nous déjà dans vos terres ?

— Non, monsieur. C'est plus loin. Dans le temps, tout cela faisait partie de la seigneurie, mais depuis 54, ça appartient aux censitaires.

— Pourtant, vos terres sont grandes.

— Not' seigneur était un homme avisé. Il en a racheté aux paysans. Les Sancy en ont rajouté. Et maintenant, monsieur Mercredi parle lui aussi d'acheter plus grand. Il veut bâtir une étable à cochons.

— *Oh dear !* dit Grandet avec une douleur sincère.

— Moé j' suis comme vous, dit Paradis en retrouvant sa morosité première.

Grandet regardait défiler les champs avec une moue

hautaine. Il ne connaissait rien aux travaux des champs et s'en félicitait.

— Qu'est-ce qu'ils font là-bas ? demanda-t-il en désignant un groupe de travailleurs.

— Ils fauchent le blé, répondit de Meauville.

— Mais il est encore vert !

— C'est pour éviter la verse. Le blé mûr se couche facilement sous le vent. En le coupant verdaud, ils évitent les pertes.

— Le grain doit être moins bon.

— Évidemment.

La calèche arriva au faîte d'un coteau. Paradis pointa du fouet et annonça laconiquement :

— V'là Vieilleterre.

Grandet siffla d'admiration. Le corps principal de la maison était, à n'en pas douter, d'inspiration anglaise : murs sombres, fenêtres treillagées, pignons aigus. Une aile plus basse, tout en toit, rappelait les maisons canadiennes. Mais cette aile aussi avait été revêtue de briques et de boiseries, ce qui lui donnait un air de mutant.

« Quelle lugubre maison », pensa de Meauville. Même le parc lui parut sinistre. Un plâtre de saint François, manchot, rongé par l'humidité, fixait aveuglément les sous-bois en attendant des oiseaux qui ne venaient pas. Des cannas sanguinolents fleurissaient à profusion dans le rond-point devant la maison.

Au grand dam de Grandet, la voiture passa droit devant l'entrée principale, et s'arrêta à la porte de la cuisine d'été. De Meauville sauta de la calèche en marche, saisit Askik par les épaules, et l'embrassa. Grandet, plus digne, mit toute son affection dans une poignée de main.

Askik demeura un instant éberlué.

— Mais comme vous avez changé ! s'écria-t-il enfin.

En fait, ce n'était vrai que pour l'un d'entre eux. Grandet, toujours porté au dandysme, versait maintenant dans l'authentique élégance. Il respirait la prospérité, l'assurance. Pourtant, c'était toujours le même Grandet.

De Meauville, par contre, était méconnaissable. L'Orateur était mort d'abandon sur la côte nord. L'homme qui lui survivait portait les cheveux courts, une peau hâlée, des vêtements simples. Manger trois repas par jour et dormir au chaud lui avait réussi. Il avait forci de trente livres au point que sa grande taille ne paraissait plus démesurée.

— J' peux partir ? demanda sèchement Paradis, qui claqua des rênes sans attendre de réponse.

— Adieu, le Taiseux, marmotta Grandet. Vous allez me manquer.

— Je vous ai installés dans la cuisine d'été, dit Askik en ramassant leurs sacs.

Grandet eut un air de vive déception.

— Nous ne couchons pas dans la maison ?

Askik s'arrêta, gêné. Il n'était qu'un employé : ses invités n'avaient pas droit aux chambres des maîtres. De Meauville allait intervenir quand Céline, demeurée jusque-là en retrait, s'avança.

— Nous avons pensé que vous seriez mieux à la cuisine d'été, dit-elle. C'est plus frais.

Grandet acquiesça d'une chevaleresque courbette et ne songea plus à protester. Il ne savait pas parler aux femmes.

— Je vous présente Céline Robitaille, fit Askik. Il eut envie d'ajouter : ... ma fiancée, mais ce n'était pas tout à fait vrai. De toute manière, pensait-il, les deux compères avaient compris.

Askik aida ses invités à ranger sacs et manteaux; puis les conduisit à la pergola où attendait le déjeuner. La fraîcheur de la nuit se dissipait tout juste. Les faucheurs, au loin, semblaient danser sur une mer verte.

— Du blé ? demanda Grandet.

— Du foin, répondit Askik.

Ce fut le dernier son que proféra Grandet pendant dix bonnes minutes. Les voyageurs affamés s'attaquèrent de bon cœur à leurs assiettées de lard et d'œufs au sirop d'érable, prenant un moment par-ci par-là pour engouffrer de grasses rôties, toutes dégoulinantes de confiture aux cerises sauvages.

— C'est du café ? demanda de Meauville en repoussant enfin son assiette. J'en prendrais volontiers. Le café est un phénomène très canadien. Savez-vous que nos ancêtres le buvaient sous le régime français ? Les Anglais ont imposé le thé. Et maintenant les Américains nous font redécouvrir le café. Cela nous ressemble, ne trouvez-vous pas ? Ne m'as-tu pas dit un jour, Alexis, que les Indiens américains sont fortement attachés au café ?

— Tandis que les tribus au nord de la frontière ne boivent que du thé, c'est vrai.

— C'est selon ses ennemis, conclut de Meauville.

— Quant à moi, déclara Grandet, en versant un darjeeling ambré, je vous laisse votre huile de tabac. Ce n'était pas la peine de coloniser l'Inde, d'étendre l'Empire jusqu'au pied de l'Himalaya, pour ensuite boire du jus de sauterelle.

— Exact ! rugit de Meauville en jetant le fond de sa tasse par-dessus la haie. Un peu de patriotisme, sacrédié ! *Tea, please!*

— *Hurray!*

Céline pouffa de rire. Il y avait longtemps que Vieilleterre n'avait entendu d'aussi grosses plaisanteries.

— A propos, comment va l'Empire ? demanda obligeamment Askik.

Grandet soupira, et posa sa tasse.

— On jurerait avoir affaire à des moines, dit-il. Comment pouvez-vous demeurer si ignorants de ce qui se passe dans le monde ?

— C'est un contrat, répondit de Meauville. Je ne m'occupe plus du monde, et le monde cesse de me tracasser.

— Eh bien, c'est une erreur. Parce que nous sommes tous concernés. Alexis en particulier, car...

— Encore Wolseley ?

— *L'adjudant-général, baron* Wolseley, précisa Grandet. Son ami, le général Gordon, est assiégé à Khartoum... vous le savez, n'est-ce pas ? Ah non ! Non ! Ce n'est pas possible ! On ne parle plus que de cela ! Partout les hommes de cœur s'inquiètent pour le sort de ce grand héros, même les dames organisent des thés en son honneur, alors que vous...

Les mains lui tombèrent. Un air de résignation s'inscrivit sur son visage. Il reprit ses explications en pressant le rythme comme pour dire : « Autant en finir puisque vous ne comprenez rien. »

— Si le pleutre Gladstone peut se départir de ses deux pence — c'est ce que le coût de l'expédition ajoutera à l'impôt —, s'il se rend enfin au cri du cœur de chaque homme, femme et enfant de l'Empire, qui, tous ensemble, clament *Save Gordon ! To Khartoum !*, si, je résume, une expédition de secours est enfin dépêchée au Soudan, il ne fait pas de doute que ladite expédition sera commandée par Sir Garnet Wolseley...

— Conquérant d'Égypte, confident de Gordon, et ton bienfaiteur à toi, expliqua de Meauville en se penchant vers Askik.

— Merci, j'avais compris.

Grandet se versa une nouvelle tasse de darjeeling, puis se rappelant à l'ordre, en offrit à Céline.

— Vous n'en prenez pas, mademoiselle ?

La jeune femme, qui s'était assise à la table sans déjeuner, refusa d'un grand sourire. Ses yeux brillaient de joie. Grandet lui paraissait la chose la plus drôle du monde. Il y avait longtemps, longtemps, qu'elle ne s'était ainsi amusée.

De Meauville prit la parole.

— En passant, Alexis — ce n'est pas tout à fait vrai que je ne lis jamais les journaux — il paraît que Riel est de retour dans le Nord-Ouest. Les Métis sont allés le chercher au Montana. Ils auraient des griefs à faire valoir. Certains prédisent de nouveaux troubles.

— Oh, ça m'étonnerait, interrompit Grandet avec un air d'autorité. Les Métis n'ont pas oublié la raclée qu'ils ont reçue la dernière fois.

De Meauville eut un sourire sarcastique.

— Raclée ? Il n'y a pas eu un seul coup de feu !

— Les Métis se croyaient en sécurité dans leurs

plaines lointaines. Wolseley leur a montré, par sa seule présence, qu'ils n'étaient pas hors d'atteinte des forces de l'ordre.

De Meauville éclata de rire.

— Grandet, vous avez l'âme d'un militaire. Je m'étonne que vous ne vous soyez jamais joint à une de ces expéditions dont vous parlez sans cesse.

Grandet rougit de plaisir... L'âme d'un militaire? Plutôt, oui... Et peut-être même d'un commandant. Combien de fois s'était-il vu en tunique écarlate, galonnée d'or, tenant ferme sous un Union Jack percé de balles et de flèches. Lui, blanc et blond, dans une mer de visages noirs hostiles. Il eût donné cher pour se trouver à la place de Gordon.

— Ça peut encore venir, dit-il modestement.

— A condition, plaisanta de Meauville, que ce soit sur le continent. Car vous souffrez plutôt mal les voyages sur l'eau.

Grandet s'insurgea.

— Oh! quel menteur! *Shame on you!* C'est à cause de cette traversée en passoire que vous m'avez fait subir tout à l'heure? Ah, mes amis, il fallait voir le navire!

Et les deux voyageurs, se bousculant et se grondant, entreprirent de raconter le voyage, chacun de son point de vue, tandis que Céline perdait le souffle de rire.

Dans cette petite fête toute bourdonnante de jeunesse, la grosse Rosalie tomba comme une bombe taciturne.

— Y en a qui se paient du bon temps, dit-elle en se plantant derrière Céline. Pi y en a d'autres qui travaillent!

Le sourire disparut instantanément du visage de Céline.

— J'arrive! dit-elle. Va m'attendre à la cuisine!

— Y a déjà longtemps qu'on t'attend à la cuisine.

— J'arrive! cria Céline, laide de colère.

Elle sentait fondre en elle sa délicieuse gaieté. Les larmes lui montaient aux yeux. Elle avait honte de s'être montrée grossière devant les visiteurs. Elle mesurait pour la première fois combien les gens de Vieille-terre étaient taciturnes et moroses. Quels rabat-joie que ces gros travailleurs, ces bêtes à devoir ! Même Alexis avait assisté au débat de ses amis en ne poussant qu'un bref sourire, de temps à autre.

Askik s'attendait à ce que ses compagnons le félici-tent, une fois Céline partie, de son choix d'épouse. Mais de Meauville murmura seulement : « Pauvre fille... » tandis que Grandet dévorait une rôtie froide.

— On est bien ici, observa-t-il en mâchant.

Le soleil les cherchait à travers le lierre. Un vent moelleux leur apportait le parfum du foin coupé.

— C'est charmant, reconnut de Meauville, mais je comprends qu'Alexis ne veuille pas rester ici.

— *What ?* s'écria Grandet en s'éveillant d'une rêverie digestive. Mais bien entendu qu'il va demeurer ! C'est splendide !

— Mais tout cela appartient à un autre, expliqua de Meauville. C'est beau, je l'admets. Grande maison, beau jardin, belles assiettes. Mais c'est... étranger à Alexis. Cela ne lui convient pas.

— *Rubbish !* Cela lui convient parfaitement ! Dieu sait ce qu'il a manqué de confort et de dignité dans la vie de notre pauvre ami...

— Ce n'est pas du confort, c'est du luxe, riposta de Meauville en s'échauffant. Et qu'est-ce que la dignité ? Des manières. Une façon de se mettre au-dessus de la vie...

— *Oh, come on !* Vous-même y avez tendu !

— De l'affectation, vous dis-je !

— On ne peut pas se renier comme ça ! Mais voyons, Alexis, vous ne dites rien ? Vous gardez le silence ? Cela vous concerne !

Askik semblait agacé. Jetant un regard absent à ses amis, il laissa tomber, indifférent :

— Je suis d'accord avec de Meauville. Je dois partir.

— Je veux bien, cria Grandet avec un air fin, mais pourquoi ?

— Parce que cette terre ne m'appartient pas.

— Mais vous espérez bien un jour posséder la vôtre ?
Peut-être même celle-ci ?

— Bien sûr.

— Vous voyez ! conclut Grandet avec un geste de
triomphe. Notre ami n'est pas insensible au raffinement,
et à l'ordre. Convenez, de Meauville, que vous avez tort.

— J'avoue même, ronchonna de Meauville, être
assez étonné, à nous entendre parler, que nous ne
soyons pas des millionnaires.

Un léger malaise s'empara d'eux. Ils sentirent pour la
première fois qu'ils étaient assis à la table d'un homme
riche, à salir ses fourchettes et à tacher sa nappe.

Askik déposa sa serviette.

— Je dois faire un tour aux champs. Je peux vous
laisser un moment ? Il ne les invita pas à l'accompagner, de peur que les paysans ne se rebiffent à la vue de
ces touristes oisifs.

— Parfaitement, fit Grandet, je crois que je ferai un
petit somme.

— Et moi, dit de Meauville, j'irai me promener dans
votre parc. Votre saint François a l'air de s'ennuyer.

Askik était d'humeur noire et s'en étonnait. Il avait
souhaité cette rencontre avec ses amis, l'avait attendue
avec impatience, avait emmagasiné un tas de drôleries
locales à leur raconter. Et pourtant, il s'ennuyait. Il
osait à peine se l'avouer, mais il regrettait déjà cette
visite qui bousculait son horaire et l'enlevait à ses travaux. Il était mécontent de Céline, qui avait répondu si
puérilement à Rosalie, mécontent de Grandet et de de
Meauville qui ne témoignaient aucun intérêt pour
l'exploitation qu'il dirigeait ou les plans qu'il échafau-
dait.

Mais peut-être après tout son attente avait-elle été
trop forte. Les premières retrouvailles sonnent toujours
faux. Il y a trop d'empressement à se raconter et à faire
impression. Il faut un temps pour que chacun retrouve
son naturel face à l'autre.

— Ce sera mieux ce soir, se dit Askik en sellant le
grand bai.

465

Irrité, distrait, il lança tout de suite son cheval au galop, malgré la petite distance qu'il avait à parcourir. Il fut au champ en un rien de temps. Le bai trouvait à peine son souffle lorsqu'il sentit le mors sur le palais. Fâché d'être interrompu en si bonne course, il se mit à renâcler et à tourner sur lui-même tout en mâchonnant le mors. Askik répondait par de secs coups de bride, qui n'arrangeaient rien.

Comment se fait-il que le malheur arrive toujours aux moments inopportuns, lorsqu'on est le moins disposé pour y faire face ? Askik mit un temps à saisir l'ampleur du désastre. On eût dit que le foin avait été arraché à la main. Par endroits, la faux avait mordu dans la terre, levant jusqu'aux racines ; ailleurs, elle passait à six pouces du sol, étêtant la luzerne, laissant les riches tiges. Le champ avait l'air raboteux, poqué, comme s'il était tombé de gigantesques grêlons. Une partie de la récolte était compromise.

Askik éperonna durement et lança le bai vers les faucheurs à l'autre bout du champ. Il vit Paradis qui se détachait du groupe ; Askik fonça droit sur lui. Il arrêta le cheval en pleine course, à quelques pieds du vieil homme qui ne broncha pas d'un pouce.

Askik demeura en selle, pâle, la voix chevrotante de fureur.

— Qui ? siffla-t-il.

Paradis avait l'air triste, défait.

— Nos hommes à nous.

— Pourquoi ?

— L'histoire du fumier.

— Les autres hommes ?

— Y travaillent à peu près correctement. Mais comme de raison, c'est pas un exemple à donner.

Askik retrouva toute sa voix. Il criait à fendre l'air :

— Pourquoi ne m'as-tu pas appelé ?

Le visage de Paradis devint rouge foncé.

— Parce que j'en ai assez de me plaindre comme un enfant chaque fois qu'un engagé fait une bêtise ! J'vais repasser plus tard avec une faucille.

466

Askik tira cruellement sur la bride. Le bai virevolta, faillit perdre pied et, l'œil fou de peur, se précipita du côté des faucheurs. Beaudry ne leva pas la tête mais continua tranquillement son travail. Quand le cheval fut presque sur lui, il donna un grand coup de faux qui visait les jambes de l'animal. Le bai hennit de frayeur et fit une embardée qui manqua de projeter Askik par terre.

— Oh pardon, dit le faucheur en levant de grands yeux innocents. Faut pas approcher comme ça, m'sieur Mercredi. J'aurais pu blesser vot' bête-là.

La colère d'Askik fondit d'un coup. Il eut honte de s'être emporté, honte d'avoir malmené son cheval. Il se redressa sur la selle, prit à plein le regard de l'engagé et lui parla d'une voix calme.

— Vous travaillez bien mal aujourd'hui, mon ami.

— Ah bon? L'engagé jetait des coups d'œil gouailleurs à ses compères. J'ai pas remarqué, m'sieur.

— Vous êtes peut-être fatigué.

— Ah ben... p't-être, oui.

— Je crois que vous avez besoin de repos, précisa Askik d'une voix neutre. Allez vous reposer.

L'engagé gardait un rictus au coin de la bouche. Mais l'inquiétude se glissait dans le regard.

— Comment ça, m'sieur? On n'a pas fini!

— Laissez votre faux. Allez vous coucher.

— Ben, si vous le dites... Il haussa les épaules, poussa un petit ricanement en distribuant des œillades à la ronde. Mais les autres avaient baissé la tête et travaillaient dur.

— Non, non, fit Askik en s'adressant aux autres engagés. Vous aussi, allez vous reposer. Vous êtes tous fatigués.

Les hommes se consultaient nerveusement du regard. Ils retrouvèrent leurs effets au bord du champ et prirent petit à petit le chemin de la ferme, en poussant des rires falots et en jetant une farce ou deux à leurs coparoissiens qui ne répondaient plus.

Le grand bai frissonnait, apeuré mais soumis. Les

faux laissaient une chaume courte, uniforme et propre. Les hommes retrouvaient avec soulagement la monotonie du travail bien fait. Paradis lui adressa un regard de gratitude. Mais Askik feignit ne pas le voir. Il se sentait comme un préfet de discipline qui patrouille une classe chahuteuse : seul et malheureux. Il attacha le bai dans une peupleraie ombrageuse et lui apporta un peu de luzerne en guise d'excuses. Prenant la faux d'un engagé, il fit le tour du champ en reprenant les endroits trop mal réussis.

Il travailla ainsi jusqu'au soir, muet et seul, se tenant à l'écart des autres. Quand à midi Paradis lui fit parvenir de l'eau et du pain par un enfant, Askik but plusieurs gamelles de file, et reprit sa faux. Le travail l'engourdissait et lui procurait une sorte de répit. Ses mauvais soucis tombaient comme de vieilles écailles, son esprit se vidait. Bientôt il ne lui resta que les courbatures, la brûlure du soleil, le grésillement monotone des criquets. Quand vint l'heure de la rentrée, il découvrit que sa main pouvait à peine s'ouvrir, tant elle avait épousé le manche. Il confia le bai à un garçon du village, et rentra à pied.

En coupant par le jardin, il entendit des rires et des éclats de voix. Grandet, en costume beige et canotier, était assis sur le petit banc sous l'orme et tournait un journal vers le couchant. De Meauville et Céline marchaient côte à côte dans la grande allée où s'allongeaient les ombres. Les rires clairs de la jeune femme couraient dans les bois environnants, puis s'éteignaient lorsque le couple disparaissait dans les zones d'ombre.

— *I do believe,* dit Grandet avec un clin d'œil, que de Meauville a fait une conquête.

De pâles papillons de nuit se pressaient aux moustiquaires de la cuisine d'été. La lampe à pétrole, posée sur la table, éclairait les restes d'un repas, des livres ouverts, des verres à moitié vides.

— Dieu, qu'il fait noir à la campagne, marmotta

Grandet. J'avais oublié ce que c'est que de vivre sans le gaz.

Ses deux amis sourirent, mais gardèrent le silence.

Un cri déchirant retentit dans le parc. Grandet sursauta si violemment qu'il se meurtrit les genoux contre l'envers de la table.

— Ce n'est rien dit Askik. Un renard qui appelle sa femelle. Il a dû tuer une souris, ou un oisillon.

Un air de détresse passa sur les traits de Grandet. Jamais, oh plus jamais il ne s'aventurerait au-delà de Repentigny !

Ils retombèrent dans le silence. Askik songeait aux poèmes qu'il venait d'entendre et qui réveillaient en lui le goût des lectures fortes. Grandet se désolait secrètement pour son pantalon crème, si peu fait pour une cuisine d'été. De Meauville avait été distrait, presque acariâtre de toute la soirée, et ne s'était adouci qu'aux dernières heures. Askik surprenait parfois de sa part un regard long et insistant. A deux ou trois reprises, de Meauville parut sur le point de parler puis, se ravisant, tournait la tête vers la fenêtre.

La nuit chaude vibrait de mille avertissements. Les engoulevents et les hiboux se répondaient dans les bois. Les criquets, bien tapis au pied des herbes, jouaient de leurs ailerons et attiraient sans le savoir les mulots aux dents aiguës. Les couleuvres glissaient silencieusement entre les choux en prenant des mantes, des crapauds et des chenilles. Tout autour de la cuisine d'été, on guettait, rôdait, mourait, tandis qu'à l'intérieur les humains à la vue débile en étaient réduits à écouter et deviner.

— Tiens, le Taiseux, murmura Grandet en voyant Paradis sortir de la nuit. Bien que les trois regards à l'intérieur fussent fixés sur lui, Paradis frappa poliment à la porte avant d'entrer. Askik lui tira une chaise.

— Un peu de vin fort, monsieur Paradis ?

Le vieil homme parut hésiter un moment, puis accepta la chaise et le verre.

— A la vôt', messieurs !

Il sirota respectueusement le vin, puis sortit sa bla-

469

gue. Une fois la pipe allumée, il entama ce long fil de propos aimables et vides que les paysans peuvent dérouler indéfiniment, lorsque l'heure est aux amabilités.

— On a fait une belle récolte, dit-il avec un air de satisfaction. Ben belle.

— Malgré nos hommes, rétorqua Askik. Qu'ont-ils fait cet après-midi ?

Paradis hésitait, embarrassé.

— Ce sont mes amis, dit Askik, ne vous gênez pas devant eux.

— Eh bien, les engagés ont fait ce que vous leur avez dit de faire : rien. J'espère que ça ne durera pas trop longtemps.

— Vous avez pu faire le train ?

— Avec l'aide de quelques garçons du village.

— Embauchez-les. Nous aurons bientôt assez de vaches pour nécessiter une présence continue dans la cour.

— Et nos hommes ?

— Faites-leur charrier du fumier pendant quelques jours encore. Puis je les congédierai.

— Ben voyons ! pouffa le vieil homme. J'aurai besoin d'engagés pour les battages !

— Du tout. Les yeux d'Askik eurent un éclat de colère. J'ai enduré assez longtemps ces fainéants. J'ai commandé une machine...

— Une moissonneuse ? Mais il faut encore du monde...

— Mieux que cela : une moissonneuse-lieuse ! C'est nouveau. Nous serons peut-être les premiers au Québec à en avoir. Avec cela, nous n'aurons plus besoin de personne. Une fois la moisson faite à Vieilleterre, nous ferons le tour de la paroisse en louant la machine aux habitants. Elle rapportera deux fois son prix. Je la conduirai moi-même, s'il le faut.

Paradis se taisait. Grandet et de Meauville suivaient l'échange sans mot dire, en tâchant de saisir l'enjeu.

— Y a des gens, dit enfin Paradis, qui aimeront pas ça.

— Je connais ceux qui n'aimeront pas cela, répliqua Askik. Nous n'aurons pas à les endurer longtemps.

— Il n'y a pas que les engagés. Les habitants aiment faire les récoltes à Vieilleterre. Ça leur met un peu d'argent dans les poches.

— Ils n'ont qu'à me vendre leur lait. Je paie comptant.

— Ce n'est pas la même chose.

— Bien sûr que non. Faire les battages à Vieilleterre est une affaire de quelques semaines ; élever des vaches à lait demande un travail à longueur d'année. Ils devront s'y résoudre. Voyez-vous, ajouta Askik en se tournant vers ses deux amis, l'habitant canadien a pris de mauvaises habitudes. La nature l'a gâté. Lorsqu'il s'est installé ici, la terre donnait quarante minots de l'âcre. Elle n'en donne plus que cinq. Les habitants n'engraissent pas leurs terres, ne les égouttent pas, sèment toujours la même chose. Ils ont pris l'habitude, dans les premiers temps, de ne travailler que l'été et de vivre de chasse l'hiver. Aujourd'hui, il n'y a plus de gibier, plus de bois, moins de poissons, la terre ne donne rien, et notre Baptiste est tout étonné de se retrouver pauvre. Il prend donc le parti de vivre petitement ; cela demande moins d'efforts et lui donne l'allure d'un chrétien.

— Vous noircissez un peu, objecta de Meauville avec douceur.

— J'exagère ? Admettons. Qui dirige le commerce, la justice, le gouvernement chez nous ? Quelle langue parle-t-on dans les bureaux ?

— Tout le monde convient qu'il y a injustice...

— Aucune injustice. Nous avons ce que nous méritons. Si nos campagnes étaient instruites, nos produits s'arracheraient à l'étranger. Notre beurre serait moins aqueux, notre cheddar plus mûr, et il y a longtemps que nous aurions enlevé le marché du bacon. Nos paysans seraient prospères. Au lieu de parquer leurs enfants sur des terres à roches, ils les enverraient au collège agricole ou en feraient des marchands. Ils n'auraient plus à s'exiler aux États-Unis pour manger. Et il y aurait enfin quelqu'un pour donner la réplique aux prêtres !

Un silence embarrassé suivit, comme il arrive toujours lorsque des évidences sont proférées avec passion. Grandet s'efforça par politesse de donner une suite aux idées d'Askik.

— Mais voyez-vous, Alexis, c'est un cycle infernal. Sans droits, il n'y a pas de prospérité. Sans prospérité, il n'y a pas de droits. Comment arriver aux premières places si notre langue même n'est pas reconnue ? Qu'en pensez-vous, de Meauville ?

De Meauville fit une grimace. Il leva les yeux sur la moustiquaire comme s'il songeait à s'envoler par la fenêtre.

— La langue, la foi, nos droits, soupira-t-il avec dégoût. Dieu, que c'est ennuyant d'être un peuple opprimé ! Toujours à se fouetter d'indignation, à sonder sa loyauté. Et il ajouta d'un ton moqueur :

« *Frémissant sous le joug d'une race étrangère,*
Malgré l'oppression, leur âme toujours fière
De la France savait garder le souvenir ! »

— Mais c'est du Crémazie..., protesta Grandet. Il ne craignait pas les conversations hardies, mais Crémazie, tout de même...

— Un poète de troisième ordre qui a vécu le nez dans le nombril, railla de Meauville. Un beau héros, qui représente parfaitement nos intellectuels. Nous nous pâmons pour la France, nous rêvons d'un peuple canadien plus héroïque, plus français, plus comme nous. Ah ! si seulement nous avions été un peu plus nombreux à Saint-Denis ! Si seulement l'habitant avait eu un peu moins peur pour sa terre et ses chelins ! Mais notre habitant se cherche-t-il un drapeau, un pays, une fierté nationale ? Pas du tout ! En veut-il ? Même pas ! Nous l'appelons à la résistance, il s'aplatit dans la glaise. Se peut-il qu'il soupçonne que tout cela servirait bien plus aux gens lettrés qu'à lui-même ? Serait-ce qu'il ne nous aime pas ?

472

— Et vous, monsieur, fit Grandet en s'adressant à Paradis, que pensez-vous ?

Le vieil homme tressaillit, comme un spectateur au théâtre qui se voit interpellé du haut de la scène.

— Ah, j' cré ben que vous avez raison, bégaya-t-il, en fourrant sa blague dans la poche de son pantalon. Mais le matin vient vite à ce temps-ci de l'année ! Quoique les nuits rallongent déjà. Y est temps que je me couche ! Bon ! fit-il en se levant, ben le bonsoir ! Dormez bien !

Ses pas résonnèrent un moment sur le gravier avant de s'étouffer dans l'herbe. De Meauville réprimait une immense envie de rire et semblait enfin rendu à sa bonne humeur.

— Ah oui, mes concombres ont bien donné cette année ! Mais regarde... la laitue a poussé tout en orgueil. C'est Alexis qui a fait mettre du sang et des abats dans ce coin du jardin l'automne dernier. Il avait lu que c'était bon pour les légumes. C'est bon, mais trop c'est trop !

Souriante sous son grand chapeau de paille, Céline sautait de rang en rang pour montrer son jardin à de Meauville. Elle passait rapidement sur les carottes et les oignons, si modestes de nature, vanta les choux au passage, et s'agenouilla à côté du fraisier.

— C'est des plants d'il y a deux ans, dit-elle en cherchant sous les feuilles. Tu vois les vieux pieds ? Je les ai recouverts de fumier de mouton l'hiver dernier. Alexis voulait les arracher. Mais je savais bien que mes plants donneraient encore une année. Il faut toujours cueillir les fraises à la rosée, expliqua-t-elle avec sérieux, il faut que ce soit toujours la même personne qui le fasse. Tu vois ? dit-elle en lui offrant une fraise avec un sourire de triomphe.

La fraise était sucrée, juteuse, et pourtant infiniment moins douce à de Meauville que ce sourire. Il s'agenouilla à son tour tandis qu'elle, s'asseyant sur ses talons, ramenait les mains sur le tablier avec un air de satisfaction.

473

— Tu connais bien les plantes, n'est-ce pas, Céline ?

— Quand maman est morte, je me suis promis que jamais je n'aurai de jardin. C'était trop dur. Puis en venant ici, j'y ai pris goût petit à petit. C'est Madame Paradis qui m'a montré comment faire. Chaque plante a ses goûts, ses préférences. Sans cela, ce serait trop ennuyant.

— Quel âge avais-tu en arrivant ?

— Douze ans. Au début je ne faisais pas grand-chose. Je lavais la vaisselle, je faisais les lits.

— Et aujourd'hui, tu diriges tout.

— Oui, mais ce n'est plus comme autrefois. Il y avait beaucoup plus de monde.

Un silence vint un moment les séparer, puis de dessous son chapeau Céline demanda :

— Et toi... d'où viens-tu ?

— Ma famille est originaire du Bas-Fleuve. Mon père n'avait pas le sens des affaires. Il a déménagé à Montréal, s'est acoquiné avec un faux noble écossais, a placé son argent dans un projet d'importation de bananes et a tout perdu. L'Écossais s'en est tiré indemne, nous sommes demeurés pauvres. Heureusement qu'il reste des royalistes... Les sulpiciens ne pouvaient souffrir de voir un fils de noble demeurer analphabète : ils m'ont instruit gratuitement. J'ai passé douze ans au collège, neuf ans à boire et à rimer, et maintenant je suis instituteur sur la côte nord...

Il s'interrompit, navré par le ton sarcastique qu'il prenait malgré lui lorsqu'il se voulait le plus sincère.

— Le cynisme, ajouta-t-il doucement en mine d'excuse, est le signe d'une longue instruction.

— Je te trouve chanceux. J'aurais bien voulu aller à l'école !

— A quoi bon ? On n'apprend pas à couvrir les fraises à l'école.

La jeune femme se rebiffa.

— Je voudrais connaître autre chose que mon coin de jardin ! Savoir ce qui se passe ailleurs ! Lire les journaux, les livres !

— Pourquoi ? s'obstina de Meauville. Le monde est plein de folies !

Il le regretta aussitôt. Un éclair de colère passa dans les yeux de Céline.

— Penses-tu que les habitants sont heureux d'être ignorants ? s'écria-t-elle. Ils élisent des hommes qui les volent et leur mentent à tout bout de champ. Ils le savent, mais que veux-tu qu'ils fassent ? Ils ne savent pas parler en public, ne connaissent pas les lois, ne peuvent pas écrire des lettres. Ils préfèrent se taire même lorsqu'ils savent qu'ils ont raison. Ah ! ils prétendent dédaigner les gens lettrés, oui, mais crois-tu vraiment qu'ils ne les envient pas ? Ils ont peur du plus petit instituteur, du moindre employé de bureau !

De Meauville rentrait la tête comme sous une douche froide.

— J'aimerais recevoir des lettres de mes amis ! s'exclama Céline. Lire l'Évangile par moi-même. Mais c'est à peine si je peux comprendre quelques recettes... Il n'y a pas que les fraises dans la vie !

Pauvre de Meauville ! Il avait pris l'habitude de dénigrer son éducation pour mieux louer la vie simple des paysans. Il avait tout le radicalisme d'un converti : son passé lui semblait mauvais, sa réincarnation n'avait que du bon. Revenir à une vision plus nuancée allait être déplaisant. Reconnaître qu'on a été, après tout, choyé par la vie entraîne certaines responsabilités.

— Excuse-moi, Céline. Je me comporte comme un enfant gâté. Tu as raison. J'ai eu beaucoup de chance.

— Il faudrait travailler un peu, dit Céline en se levant. Avant que Rosalie ne nous tombe dessus.

— A vos ordres.

— D'abord, enroule ce chiffon autour de tes genoux, tu auras moins mal. Voici ton panier. Prends ce rang-ci, dit-elle en désignant une longue rangée de fèves, et moi celui d'à côté.

Il y avait autour du jardin une petite haie qui attirait des oiseaux, et une clôture pour écarter les vaches. Grandet vint s'accoter à cette clôture, un journal plié

475

sous le bras. Il portait toujours le même costume beige fripé, car, si sa fortune naissante lui autorisait l'élégance, elle ne lui permettait pas encore la variété.

A quatre pattes dans les fèves, de Meauville lui cria :

— Tu devrais te joindre à nous, Grandet. Cela te fera du bien !

— Quel bien dois-je attendre de cet exercice ? demanda l'autre avec une lassitude polie.

Céline ne put s'empêcher de rire.

— Combien de fois as-tu lu ce journal depuis notre arrivée ? lui lança de Meauville. Cinq, six fois ?

Grandet garda un silence digne. Comment expliquer que ce journal était le seul lien qui l'unissait encore à son monde. Ces trois jours à la campagne lui semblaient une éternité. Pas une idée, pas la moindre petite alarme stimulante. Il était tombé dans un vide parfait. Les paysages l'assommaient. Les campagnards le désolaient par leur lenteur. Même cette jeune femme, cette Céline, le désespérait. Plaisante, oui. A sa façon. Mais cette jupe de grosse toile, ces doigts courts et égratignés, et ce chapeau de paille ! Elle n'était pas laide, ce qui se pardonne, mais ordinaire. Et à la campagne, on se contente de l'ordinaire. Dans trente ans, pensa Grandet, cette femme s'habillera toujours de la même manière et cueillera encore des fèves.

Ce qu'il en faut du temps pour remplir un seau de fèves ! Grandet rageait en dedans de lui-même. Quand Céline se leva enfin pour apporter les légumes à la cuisine, l'avocat dut faire un effort héroïque pour ne pas se jeter sur son ami. Au lieu de cela, il plia son journal, le serra sous le bras, et traversa correctement le jardin en prenant soin de ne pas fouler les plantes, puisqu'on y tenait.

— Je veux partir, dit-il sans ambages.

— Comment ? Tu ne te plais pas ici ?

— Mon cher de Meauville, je m'ennuie *to death*.

— Pourtant, la maison t'impressionnait !

— Elle est moins grande que je ne croyais d'abord. En rase campagne, toute bicoque a de l'importance. En fait, c'est une petite maison prétentieuse. Sans goût véritable. Nous avions l'intention de rester quelques jours. C'est fait. Nous nous proposions de rendre une brève visite à notre ami Mercredi : c'est accompli. Et pour vous parler franchement, il n'a pas l'air enchanté de notre présence.

— C'est vrai, il est plutôt distant.

— Distant ! Il a passé la journée d'hier aux champs. Et aujourd'hui ?

— Il est au village, je crois. Il prend livraison d'une nouvelle machine.

— Il nous évite, grand Dieu !

— Il nous fuit. Je ne crois pas qu'il se soit parfaitement résigné à vivre ici. Notre présence l'oblige à tout remettre en question. Au fond, il vous envie, Grandet.

— Moi ? fit Grandet en cachant mal son plaisir.

— Oui, ou plutôt le genre de vie que vous menez.

— Donc, c'est entendu ? Départ demain à la première lueur ?

La tête penchée, l'air indécis, de Meauville regardait le panier que Céline avait laissé sur le sol, entre deux rangées, pour marquer sa place.

— C'est bon, dit-il. Nous partirons demain. Nous l'annoncerons à Alexis au souper.

Ils l'attendirent longtemps. Les vaches étaient remises au pacage, les faucheurs de retour des champs, et toujours pas d'Askik. Un garçon courait de temps à autre jusqu'au chemin, mettait la main en visière et criait solennellement : « J' le vois pas ! »

Céline mit le dîner au four et s'en alla rejoindre de Meauville dans la grande allée devant la maison. Grandet avait repris sa place sous l'orme. Il entendit son ami annoncer à Céline qu'il partait le lendemain. Les deux jeunes gens s'éloignèrent en parlant bas. Grandet reconnut à leurs tons graves qu'ils brûlaient les étapes. Gêné, Grandet alla vérifier une centième fois si ses chemises étaient pliées et son sac bouclé.

La lune s'élevait dans les champs encore verts lorsqu'ils entendirent, de très loin, le plus curieux tintamarre imaginable : des grincements, des chocs et des claquements, de bois, de fer et de toile mêlés. Les chevaux entrèrent dans la cour, les naseaux grands ouverts, les yeux exorbités, les oreilles couchées. Derrière eux, cahotant et geignant, un assemblage hirsute qui ressemblait à un grand oiseau brisé par les vents.

— Ça parle au sorcier..., jura doucement Paradis. Sa femme ne dépassa pas le seuil de la maison. Les engagés approchèrent avec des visages empreints de méfiance. Même Grandet vint examiner la machine, l'air moyennement amusé.

Askik suivait sur le grand bai. Il sauta pieds joints de la selle, en souriant d'oreille en oreille.

— Qu'est-ce que vous en dites ? C'est la première au Québec, peut-être au Canada ! Il nous a fallu toute la journée pour la mettre en état de marche, ajouta-t-il en éclatant de rire. Vous comprenez, sur les chemins il faut tourner la table de manière à ne pas prendre trop de place. Dans les champs, elle marche à angle droit. Vous voyez cette roue ? dit-il en se penchant sous la machine. Elle se pose et s'enlève. Mais le temps qu'on comprenne cela, hou la la ! Notre maréchal-ferrant s'en gratte encore la tête. Ha ! Mais pour le reste, c'est la simplicité même ! Le grain est coupé, roulé, ficelé et lancé dans le champ !

Et, de nouveau, Askik partit de rire. Qu'une machine pût s'amuser à lancer des gerbes lui paraissait tout à fait charmant.

Difficile d'imaginer contraste plus saisissant que celui qui se peignait sur les visages autour de la machine. Les jeunes gens — de Meauville, Grandet, Céline et les garçons d'étable — s'étaient laissé gagner par l'enthousiasme d'Askik. Ils palpaient la machine, riaient, ou s'exclamaient devant la merveilleuse complexité des engrenages. Les engagés avaient l'air sombre et mauvais. Leurs traits durs et plissés retenaient l'ombre du soir et n'en paraissaient que plus noirs. Paradis laissait courir la main sur les fragiles pales de bois, puis, s'approchant d'Askik, lui dit tout bas :

478

— Faites ranger la machine contre ma maison. J'
dors pas beaucoup. J' la surveillerai. Demain, je renverrai les engagés. Mais pour cette nuit, vaut mieux être
prudent.

Suivant son habitude, Paradis n'attendit pas de
réponse mais, calmant les chevaux énervés, les dirigea
lentement vers sa demeure.

— Eh bien, frère Mercredi, dit Grandet, vous avez
drôlement retardé la dernière cène.

— Comment ? Vous partez ?

— Hélas, oui. Je ne gagne pas ma vie à lire le journal
au jardin.

Askik ne se montra pas mécontent de la nouvelle.
Peut-être la joie d'acquérir une nouvelle machine
l'occupait-elle tout entier, peut-être ce départ l'arran-
geait-il. Les trois amis retrouvèrent leurs places à la cuisine d'été.

Mis en verve par son achat, Askik fit rire ses invités un
bon quart d'heure en imitant les mines des villageois tout
décontenancés par sa grande machine. Le vin aidant,
Askik sentit se dissiper cette gêne qui l'avait un moment
séparé de ses amis. Tout était comme autrefois. Mieux,
puisque Askik se découvrait une grande affection pour
Grandet, qu'il n'avait jamais beaucoup aimé. Et pourtant, tout en s'attendrissant sur ses amis, Askik ne pouvait s'empêcher de penser qu'un jour il les dépasserait.

« Toi, de Meauville, se disait-il, tu seras heureux. Je
te vois dans trente ans, professeur, aimable vieux garçon, légèrement excentrique mais chéri de ta petite
ville. Grandet, tu te démènes et t'agites, tu parles
anglais et cours les soirées, mais je ne crois pas que tu
atteindras ton but, que je sens glorieux. Tu seras un
avocat prospère, sans rien de plus ; un gros pêcheur de
petits poissons. Pour aller plus haut, pour percer vraiment, il faut innover, savoir acheter une moissonneuse-
lieuse, créer des besoins et les imposer. »

Quand Céline entra avec les plats, Askik lui proposa
de dîner avec eux, mais elle, évitant son regard, s'en
retourna précipitamment à la cuisine.

— A la compagnie ! cria Grandet en levant son verre. La perspective de retrouver le lendemain des nouvelles fraîches l'avait tout émoustillé. Son visage ravi rayonnait d'amitié. « Quel merveilleux garçon, se dit Askik. Comment se fait-il que je ne m'en sois jamais rendu compte ? »

Une conversation caracolante s'engagea entre les deux hommes. Ils parlèrent porcs et Boers, meurtriers et fumier. Ils devisaient à perte de vue sur leurs marottes et s'offraient des brassées de conseils. Pendant ce temps, de Meauville gardait le silence, l'air étriqué, mal à l'aise. Les deux autres, tout à leur joie, ne s'en aperçurent pas.

Quand les lumières s'éteignirent dans la grande maison, quand l'engoulevent eut fini de chanter pour la nuit, Grandet repêcha sa montre d'or, actionna le couvercle à ressort, et poussa une exclamation de surprise.

— Minuit trente ! *Good Heaven !* Et nous qui devons être sur pied dans quelques heures !

— Alors ce n'est pas la peine de vous coucher ! lança Askik. Ouvrons une autre bouteille ! Veillons jusqu'au matin !

— Ah non, non ! protesta Grandet. Vous voyez dans quel état je serais demain soir au Richelieu ? Non, je vais me coucher !

Il saisit la main d'Askik entre les siennes et, les yeux mouillés, proféra :

— Je ne me souviens pas d'avoir passé soirée plus agréable. Merci, mon ami, de nous avoir reçus. Un charmant séjour que je n'oublierai pas de sitôt. Merci !

Mettant de côté sa réserve anglaise, il embrassa Askik gauchement avant de sortir en titubant. Puis, se retournant sur lui-même dans la noirceur, s'écria :

— Mais c'est ici que je couche ! C'est vous, Mercredi, qui devez partir !

Askik souhaita une bonne nuit à ses amis et sortit dans la cour. Il n'avait pas envie de dormir. La seule idée de s'enfermer dans sa petite chambre le faisait frissonner. Il avait besoin d'étoiles et de vent pour épancher son surplus de bonheur. Blottie contre la maison de Paradis, la moissonneuse-lieuse le regardait amoureusement, ses pales de beau bois blanc reluisant doucement au clair de lune. « Qu'un seul engagé y porte la main, jura Askik, et je le tue ! »

Un homme grand, puissant émergea de la nuit.

— De Meauville ! fit Askik après un moment de surprise. Que faites-vous là ? Vous ne vous couchez pas ?

Askik pouvait à peine lui voir le visage, mais le devinait empreint de gravité ou de tristesse.

— Je voulais te parler, Alexis. Sa voix tranquille avait une résonance curieuse. Éloignons-nous de la maison, si tu veux.

— Allons dans la grande allée.

— Non, pas là. Qu'est-ce qui se trouve de ce côté ?

— Le pacage.

— Allons-y.

Ils enfourchèrent une clôture de perches et se mirent à faire les cent pas dans le pâturage. Les vaches couchées ruminaient paisiblement, leurs robes soyeuses bleutées par la lumière de la lune et des étoiles.

— Quand j'étais tout petit, dit Askik, j'aimais voir les vaches la nuit. Elles me rassuraient.

— Alexis, il y a à peine quelques jours que je suis ici...

— C'est trop court. Toi du moins, qui as l'habitude de la campagne, tu devrais rester un peu. Je comprends que Grandet veuille partir, il ne respire pas en dehors de la ville. Mais toi, rien ne te presse.

De Meauville soupira.

— Dans quelques minutes, dit-il, c'est toi qui me demanderas de partir.

— Impossible !

— Il s'est passé quelque chose que je n'avais pas prévu. Autrement, je ne serais pas venu. J'étais heureux, je ne demandais rien de plus.

— Mais voyons, de Meauville, que racontes-tu ?

La vague de bons sentiments qui avait engouffré Askik commençait à se retirer, en découvrant une méfiance qu'il ne nommait pas encore. De Meauville cherchait ses mots.

— Le pire, vois-tu, c'est que rien n'est certain. Comme tu dis, notre séjour a été trop court. Je vais saccager ton bonheur pour quelque chose qui n'aboutira peut-être pas.

— Mon bonheur? (Askik eut un petit rire nerveux.) Je ne m'inquiète pas beaucoup de mon bonheur. J'ai d'autres chats à fouetter.

— Mais moi je m'en inquiète, soupira de Meauville. Je sais que tu as souffert d'être sans famille, sans attaches — mais non, pourquoi le nier? J'avais espéré, en venant ici, te trouver heureux, fixé. Et c'est moi qui vais tout défaire. Et pourtant, Alexis, je te jure, si je pouvais y renoncer, si je pouvais l'abandonner avec la certitude que tout s'arrangerait entre vous...

— Céline...

Askik avait murmuré son nom avant même d'y avoir pensé. Ce n'était pas une question, c'était un constat : il était trahi.

De Meauville ne s'excusa pas. A quoi bon? Ce malheur l'accablait, mais il n'en était pas l'auteur. Il pouvait maudire le sort qui arrangeait si mal les choses, mais il ne pouvait y résister. Ni lui ni Céline n'étaient maîtres de leurs sentiments. Aux premières paroles, au premier regard échangés, ils avaient reconnu l'un dans l'autre une attente ignorée. Lui, qui n'espérait plus rien de la vie parce qu'il s'en croyait comblé, apprenait avec effarement qu'il lui restait un immense bonheur à assimiler, et que cela se ferait aux dépens de son meilleur ami. Comment demander pardon pour une injustice qu'on n'a pas l'intention de réparer?

Askik ne ressentait ni colère ni rancœur. Avait-il perdu quelque chose, était-il plus seul qu'avant? Il se sentait confus, indécis, comme au début d'une nouvelle dérive. Il avait cru trouver un port sûr : on lui coupait les amarres. Voilà tout. Il éprouvait un peu de dépit, de la lassitude et au fond, peut-être, l'amère satisfaction de s'apitoyer sur soi-même. Les larmes lui piquaient les yeux, signe qu'une partie de son être souffrait déjà sous l'engourdissement, et que le mal se propagerait vite.

Askik se détourna de son ami, et rentra à la maison.

Une pluie fine et têtue donnait la chair de poule au Saint-Laurent. Une petite foule s'entassait avec ses valises dans un abri au pied du quai. Askik et Céline étaient demeurés dans la calèche, sous la capote dégoulinante. Elle portait un chapeau de paille noir et une pèlerine grise qui lui donnaient l'allure d'une petite vieille. Une valise jaune attendait à ses pieds. Ses yeux fixaient le haut du fleuve.

Ce regard sauvait tout dans l'esprit d'Askik. Il y avait un tel éclat, tant d'espoir et d'amour à peine contenus, que l'inélégance de la mise, la pauvreté des moyens s'évanouissaient tout entier.

— Ne t'inquiète pas, lui dit Askik, il sera bientôt là.

Elle lui lança un sourire distrait et reprit son guet. Le cheval tentait de mordiller l'herbe à travers le mors : Askik descendit de voiture et lui enleva la bride. La pluie murmurait agréablement sur le chemin. De grosses gouttes perlaient sur la robe huileuse du cheval.

— Le v'là ! cria une voix enfantine.

Le bateau sortait des embruns, tout emmailloté de sa propre vapeur. Céline tordait nerveusement ses gants.

— Je ne suis jamais montée sur l'eau, dit-elle en riant faiblement.

— On ne sent rien du tout. Et c'est très sûr.

— Oui, mais comment sait-on quand descendre ?

— On te l'annoncera, ne crains rien.

Le calme revint parmi les voyageurs : le bateau était encore loin. Un enfant malade gisait sur une civière, au milieu des valises. Ses bras grêles s'agitaient au-dessus des couvertures, sa tête allait et venait sur l'oreiller. La mère chicanait les enfants plus âgés, criblait de questions son mari, remplissait l'air autour d'elle de craintes et d'exhortations.

— On l'envoie à l'hospice de Sainte-Anne, dit Céline

483

en regardant l'enfant. Je n'aurai pas le courage de travailler avec ces malades.

— Mais cet emploi qu'a trouvé pour toi de Meauville est bien dans un hôpital ?

— Un hôpital, pas un hospice. Et de toute manière, ajouta-t-elle avec embarras, je n'y serai peut-être pas longtemps.

Le bateau approchait. On voyait une poignée de passagers qui bravaient la pluie sur le gaillard d'avant. Des paysans.

— Tu sais, dit Céline en rougissant un peu plus, il ne faut pas croire que...

— Comment ?

— ... que je ne t'aime pas.

— Tu m'avais donné l'impression de m'aimer. Un peu.

— Nous étions trop seuls à Vieilleterre. On ne voyait personne.

— Tant qu'il n'y avait personne, je pouvais t'intéresser ?

Céline soupira d'agacement.

— Tu es si dur, Alexis. Pourquoi veux-tu que tout se fasse tel que tu l'imagines ? Il faut bien que Dieu ait son mot à dire de temps à autre.

— Non, il faut savoir ce qu'on veut.

— Et cet enfant-là, dit Céline en tournant les yeux vers l'abri, il ne sait pas ce qu'il veut, lui ? Qu'est-ce que ça change ?

Askik se tut, irrité. Toutes ces paroles, en attendant la dernière. Les enfants criaient de joie en voyant approcher le steamer. Les grandes roues s'immobilisèrent, créant un silence encore plus impressionnant que le brassage des eaux. La fumée tourbillonnait autour de la cheminée et jusqu'à l'abri où s'agitaient les voyageurs. Un bébé pleurait à fendre l'air. Céline tourna un regard désespéré vers Askik.

— Alexis, dit-elle, ne te rends pas malheureux. Écris-nous. Viens nous voir. Ne reste pas seul !

— Vous me manquerez, fit-il simplement.

— Oh toi aussi, Alexis, tu nous manqueras !

Elle l'embrassa en sanglotant. Askik sentit contre sa joue ses cheveux humides et lourds et pour la première fois, s'attrista vraiment à la pensée qu'il ne verrait plus cette jeune femme. Il était enfin libre de regretter pleinement Céline, sans se soucier de ses appétits frustrés, ou de son orgueil bafoué.

— Il faut monter, lui dit-il doucement. Elle se détacha de lui en portant les gants à ses yeux. Il prit la valise jaune et l'accompagna jusqu'au quai. Il s'apprêtait à lui faire ses derniers souhaits, quand les événements se mirent de nouveau dans son chemin.

On faisait monter la civière. L'enfant se tordait plus que jamais en voulant ramener les yeux sur la foule. Au pied de la passerelle, la mère parlait de plus en plus vite, au bord de l'hystérie.

— On a essayé de le garder, vous savez, disait-elle en jetant les yeux à la ronde. On a voulu le garder à la maison ! Mais c'est si difficile ! Y se salit tout le temps. Et puis j'ai d'autres petits. Mais y est tout aussi fin que les autres, mon bébé. Y est tout aussi bon, vous savez !

— Ça va, sa mère, dit tranquillement le mari. Ça va.

Mais elle, levant un visage furibond, se mit à hurler d'une voix cassée.

— C'est pas une vie pour un p'tit à l'hospice ! Parmi les vieux. C'est pas une vie !

Le mari se rembrunit et pencha la tête. Céline toucha la mère à l'épaule ; la femme lui jeta un regard éperdu, à moitié fou.

— Ne vous inquiétez pas, madame. J'aurai soin de votre petit jusqu'à Sainte-Anne.

La mère empoigna sa main avec une énergie terrifiante.

— Oh, comme vous êtes bonne, mademoiselle ! Vous du moins, vous avez compris ! C'est pas un animal. Il a toute sa tête. J'ai voulu le garder à la maison. Mais comment voulez-vous ? La Vierge vous le revaudra, mademoiselle ! Oh, que vous êtes fine !

La civière avait atteint le haut de la passerelle. Les

matelots la faisaient tourner maladroitement dans le passage étroit. L'enfant poussa une plainte gutturale, de peur et d'étonnement, en perdant de vue le quai. Céline monta rapidement à sa suite et s'engouffra dans le navire. Askik resta au pied de la passerelle, un mot d'adieu sur les lèvres.

Il remit le mors à sa bête, remonta la berge, et s'arrêta dans la prairie, sur les hauteurs, à la sortie du village. Le bateau avait atteint le milieu du fleuve. Il n'y avait personne sur le pont.

— Elle s'occupera de cet enfant toute la journée, se dit Askik, et ne verra rien de son premier voyage sur l'eau.

Mais au lieu de s'en irriter, il eut plutôt envie de rire. Quelle forte tête que cette Céline !

L'herbe était lavée, la poussière du chemin bien tassée ; la petite pluie n'en continuait pas moins de tomber, par simple obstination. Le cheval renâcla : Askik le remit en marche.

XVI

Les engagés étaient partis avec la mine de chiens battus qui guettent leur revanche. Beaudry s'était installé à la taverne du village et tenait audience du matin jusqu'au soir. Il éventait toujours les mêmes rancœurs, et ne manquait jamais d'auditeurs. Les habitants apprenaient quelques jours avant la moisson qu'il n'y aurait pas de travail cette année-là à Vieilleterre et, partant, pas d'argent liquide pour l'hiver. Pour ceux qui vivaient de peu, la perte était grave.

— Sancy père avait-il besoin d'une machine pour faire la moisson ? braillait Beaudry. Le grain aura-t-il meilleur goût ? Ben alors, à quoi sert la machine ? A épargner de l'argent ? Pensez-vous que le Métis a payé sa machine moins cher qu'il vous payait ?

— Non ! firent deux ou trois hommes en serrant leurs pipes dans les dents.

— Oui ! cria Beaudry en déroutant ses auditeurs. Oui, sa machine lui coûte moins cher ! Parce que c'est vous aut' qui allez la payer ! Une fois les récoltes faites à Vieilleterre, le Métis va vous la louer pour faire vos champs à vous.

— Qu'il l'amène seulement sa machine, j' vais lui en faire voére !

— Jamais, comprenez-vous, jamais y mettra le pied sur ma terre !

— Parlez pas trop vite, le père ! cria Beaudry en désignant du doigt le dernier intervenant. Vous dites que le Métis ne mettra jamais le pied chez vous ? Y a déjà acheté la terre des Dubois. La vôt' est à côté, pas vrâ ?

Un air d'inquiétude passa sur le visage de l'habitant, un homme puissant aux moustaches en crocs.

— Pi après ? demanda-t-il. Y peut toujours pas me forcer à vendre.

— Mais vous vivrez de quoi, mon bon monsieur ?

Beaudry promena un regard railleur sur l'assistance avant de poursuivre.

— Plus de travail à Vieilleterre, donc plus d'argent. Qu'allez-vous faire ? Vendre du lait ? du bœuf ? du blé ? Le Métis en a dix fois plus que vous. Pensez-vous lui faire concurrence ? Non-non-non, chantonna Beaudry en ramenant le regard sur l'habitant, y aura ta terre, bonhomme. Y en aura tant qu'y en voudra.

Les pions cessèrent de claquer sur les damiers, les crachoirs ne sonnaient plus. La lampe à pétrole du tenancier illuminait des visages durs aux plis sombres, des chemises rugueuses, des mains sales.

— Ça se fera pas comme ça.

— Il y a deux cents ans qu'on est ici !

— Y a pourtant moyen de vivre chacun sur sa terre. Suffit que personne n'ambitionne.

— En tout cas, les choses allaient autrement mieux quand Sancy s'occupait lui-même de ses terres.

— Son pétit Métis a tout mis à l'envers.

— Même Auguste Paradis a perdu sa place ! cria un autre. Vous le savez pas ? Le Métis l'a mis dehors ! Y devra partir au printemps !

Un vent de colère passa sur les hommes.

— C'est pas correct ça ! On est chez nous icitte !

— C'est au Métis de s'en aller !

— A l'entendre parler, y a que lui qui sait travailler la terre.

— Y a voulu me dire comment faire mes labours !

— Le Métis ne labourait pas que la terre, ricana Beaudry d'un air fin. Vous ne m'avez pas dit que Céline est partie pour la côte nord ? Évidemment, là-bas, un bébé brun de plus ou de moins...

Un rire entendu courut parmi ces hommes qui tous, à un moment ou un autre, avaient déshabillé des yeux l'appétissante servante de Vieilleterre.

— T'as beau l'envoyer à l'école, un sauvage reste sauvage. Je le voudrais pas autour de mes filles.

— Quand ils peuvent mettre la main sur une Blanche...

— Y cherchent que ça !

— Les blâmes-tu ? Leurs sauvagesses se lavent pas souvent !

— D'autant plus que la Céline remplissait ben une robe ! cria un petit homme éméché.

— Ben maintenant qu'elle est partie, ce sera au tour de la grosse de se faire monter, beugla un autre.

Les hommes s'esclaffèrent de rire, oubliant un moment qu'ils craignaient pour leurs terres. Les regards allumés, les lèvres en rictus, ils poussaient Beaudry à leur raconter, lui qui se vantait d'avoir couché avec des Indiennes, s'il était vrai qu'elles se transformaient au premier attouchement d'un Blanc en bêtes déchaînées et sensuelles. De tous les mythes nés de la rencontre des deux races, il n'y en a pas de plus tenaces que celui-là. Mais comme il est admis, avec le même degré de certitude, qu'aucune femme blanche ne peut être attirée par un Indien, on se demandait quel plaisir Céline avait pu prendre avec son Métis. On ne pouvait exclure, dans ce cas, l'hypothèse d'un viol.

— Bon, ben tout ça, conclut Beaudry, ne règle pas vot' problème.

— Le tien non plus, lança une voix sarcastique.

— Je propose, dit un cultivateur mieux habillé que les autres, qu'on aille voir Monsieur le curé. Il connaît Sancy. Il lui écrira à Ottawa. Nous sommes de bons paroissiens, de bons fils de l'Église, je pense que notre curé nous doit ça.

— Ben parlé !

— En plein ça !

Le lendemain était dimanche. On fit parvenir de bonne heure une note au presbytère. Après la messe, pendant que les paroissiens attendaient sur les marches de l'église en affichant le sérieux qu'exige une démarche aussi grave, leurs délégués entraient à la sacristie, en grattant leurs souliers et se raclant la gorge. Monsieur le curé les attendait.

L'été tenait le jour, mais la nuit appartenait déjà à l'automne. Un froid sec tombait des étoiles frissonnantes. La campagne sentait le gel.

Ne tenant plus dans la grande maison silencieuse, Askik s'était enfui vers les champs. Il avait allumé un petit feu dans le pacage haut et, le dos contre un piquet de clôture, contemplait la campagne qui se déroulait sous la demi-lune, en bois et en champs, jusqu'au fleuve lointain et invisible. Par moments, Askik croyait entendre le mugissement du Saint-Laurent glissant entre ses berges géantes, ce qui, bien entendu, était impossible. Il suivait en esprit le cours des eaux, passait devant des villages et des fermes, s'accrochait aux quais, faisait ballotter les barques, et coulait jusqu'aux lointaines terres où ne brille aucune lumière, où les loups et les ours vivent seuls dans leurs forêts noires.

Une ombre grise remontait la pente. A sa démarche cassée, à sa manière de prendre appui sur la clôture, Askik reconnut Paradis. Le vieil homme avait aperçu la lumière du feu et, craignant un mauvais coup des engagés, venait enquêter. Il ne témoigna aucune surprise en voyant Askik.

489

— Qu'est-ce que vous brûlez ? demanda-t-il.

— Du bois. Et du fumier sec.

— Me semblait que ça sentait drôle.

Paradis se donna la peine de s'asseoir dans l'herbe humide, ce qui lui demandait un effort considérable, et le mettait dans la fâcheuse position d'avoir à se relever un peu plus tard.

— Autrefois, expliqua Askik, les Métis se chauffaient presque toujours de fumier de bison.

— Y préféraient ça au bois ?

— Il n'y a pas de bois dans les plaines.

Paradis demeura un moment songeur. Il essaya d'imaginer la vallée du Saint-Laurent sans arbres. Il y laissa les prés, les villages et les brumes, mais rasa jusqu'au dernier arbuste. La plaine, conclut-il, devait être désolante à mourir. Il était trop poli pour le dire.

— Pour moé, y va geler cette nuit.

— Êtes-vous déjà sorti du bas Canada, Paradis ?

— Moé, monsieur ? Jamais.

— Ça ne vous tentait pas ?

— Ça m'a tenté par bouttes... Les jours d'engagement, quand la Compagnie recrutait ses voyageurs.

Et après un moment, il ajouta cet aveu :

— J' me serais ennuyé dans les terres d'En Haut, loin du pays.

La lune revêtait le clocher de l'église d'une lumière argentée. Un chien, au loin, aboya une fois, deux fois, et se tut, intimidé par le silence glacé qui lui répondait. Askik frissonna sous son manteau.

« Le pays, pensa-t-il, le voilà. Le vieux Canada. La Nouvelle-France pleurée et chérie. Les forêts vierges, les haies de pierre, les filets sur les grèves, les cimetières pleins d'ancêtres. Mes ancêtres. Joseph et Baptiste pour l'éternité, entêtés et silencieux, aussi canadiens que la citrouille. Tout ce que j'aime du fond du cœur, et qui ne voudra jamais de moi. »

Askik ne prononça pas ses paroles, Paradis ne les entendit pas. Il fumait sereinement la pipe, ayant appris à savourer les plaisirs qui passent. Ses vieux yeux erraient sur la campagne : chaque îlot de bois, chaque clos, chaque ferme aux fenêtres éteintes évoquait un souvenir. Pas tous bons, il s'en fallait de beaucoup. Aux souvenirs de noces et de jours de l'an se mêlaient des spectres de disettes et de choléra, les fantômes de voyageurs gelés et de bébés morts de colique.

Askik jeta les dernières branches au feu : une cascade d'étincelles fusa vers les étoiles. Le vieux Paradis en fut tout auréolé.

« Tu es béni, Paradis, pensa Askik. Tu appartiens à cette terre et à nulle autre. Tu connais si bien ta place que tu n'as jamais songé à la quitter. Mais moi, où est ma place ? Ici ? Il suffit que je dérange un peu pour qu'on se souvienne que je suis moitié sauvage. Dans le Nord-Ouest ? J'ai des goûts et des exigences de Blanc. Mes félicitations, mes pères. Bravo, mes maîtres. On peut dire que vous m'avez réussi ! »

« Le plus bête, se disait Paradis en poursuivant ses méditations, c'est qu'à recommencer, je referais les mêmes erreurs. Je t'aime bien maintenant, Dubois, mais si tu revenais, on finirait encore par se chamailler. Toé pi tes torrieuses de vaches ! »

« Est-il possible que je n'aie rien à faire dans ce monde ? se demandait Askik. Pas de place, pas de mission, pas de destinée ? Alors tout cela a été une farce lugubre ? Il n'y avait donc pas de raison pour que je naisse métis. C'est un pur hasard qui m'a mené chez les Sancy. Il n'y aura pas d'aboutissement, parce que du départ le voyage n'a aucun sens. »

Le crottin de vache ne donnait plus qu'une mince flamme bleue. Paradis poussa un grognement étonné. Pendant qu'il rêvassait, le froid s'était glissé par l'encolure de sa chemise et le mordait entre les épaules. Ses jambes glacées se déplièrent en grinçant. Enfin, presque. Il dut s'accrocher aux perches de la clôture pour se hisser debout.

— Garçon, si tu peux éviter de vieillir, ronchonnat-il.

Mais Askik restait assis, pelotonné sur lui-même.

— Monsieur Mercredi, y est temps de se coucher. Si vous voulez commencer le blé demain pour ensuite louer la machine...

— Ils ne veulent pas de la machine, fit Askik d'une voix morne. J'ai fait le tour des fermes. Personne ne veut la louer.

— Bande de caves! maugréa Paradis en se massant les reins. Ça sent le Beaudry, ça. Mais ils finiront bien par voir que vous avez raison.

— Non, je me suis trompé.

— Comment ça! Ces bétails se laisseraient mourir de faim avant de changer de routine! Vous faites bien de leur faire sentir l'aiguillon de temps en temps!

— Vous ne me comprenez pas, fit Askik avec une voix lasse. Les habitants auraient accepté ces changements de vous. Pas de moi. Tant que je me comporterai avec gratitude, tant que je leur raconterai des histoires pittoresques, ils seront heureux de moi. Mais que j'essaie seulement de prendre un peu d'ascendant, et ils me détestent. Des médiocres et des fourbes peuvent prétendre aux positions d'autorité, pas moi. Il n'y a pas un seul ivrogne du Québec qui ne me soit supérieur. Je suis, et je serai toujours, pour les Canadiens, un sauvage.

Paradis cligna des deux yeux à la fois, maugréant intérieurement contre sa vue faiblissante. Les flammes s'éteignaient, il ne voyait plus le visage de son intendant.

— Mais qu'est-ce que ça peut bien faire? demanda le vieillard.

— Je ne suis pas des vôtres, se plaignit Askik. Je n'appartiens pas à ce pays.

— Si tous ceux qui ont du sang indien parlaient comme vous, le bas Canada se viderait.

— Mais je ne suis pas du bas Canada!

— Ben vous y êtes maintenant! trancha Paradis en se retournant vers sa maison et son lit. Certains hommes, en vieillissant, trouvent attendrissants les gémissements de la jeunesse. Pas Paradis.

Un moment plus tard, Askik leva la tête, un sourire ironique aux lèvres.

— Tiens, c'est drôle, fit-il, j'ai déjà entendu ça. Vous n'avez pas un vieux Sioux dans la famille, Paradis ?

Trop tard. Le contremaître descendait lourdement la pente et n'écoutait plus que ses propres geignements. Askik écrasa les tisons du pied et s'en alla le rejoindre.

Les prochains jours furent les meilleurs que connut Askik à Vieilleterre. Il vivait du matin jusqu'au soir sur la moissonneuse-lieuse. Lorsqu'un attelage s'éreintait, il en faisait venir un second, et poussait jusqu'à la noirceur. Il apprenait une nouvelle forme de fatigue toute liée à la machine. Le siège métallique installé sur une latte pliante lui mettait les reins en compote. Le dos criait de demeurer des heures sans appui. Les vibrations qui le traversaient des orteils jusqu'aux cheveux usaient sournoisement ses forces.

Habituer les chevaux à marcher toujours du même pas, pour ne pas bloquer la faux, les accoutumer au bruit infernal des rouages avait demandé tout un avant-midi. Mais quelle merveille que cette machine ! Elle abattait dix fois, vingt fois plus de besogne en une journée que toute une corvée de faucheurs, lieurs et chargeurs. Paradis et les garçons d'étable n'avaient qu'à suivre à pied, et charger des gerbes toutes faites, solidement liées, qui ne se défaisaient jamais dans le chariot.

Le chemin municipal, normalement désert, grouillait de voitures. Des équipages passaient sans cesse, comme par hasard. N'osant pas s'arrêter, les conducteurs diminuaient l'allure de leurs bêtes, se retournaient sur leurs sièges, étudiaient longuement le merveilleux engin qui découpait de larges tranches dans le blé doré. Chacun, en arrivant au village, faisait rapport.

— Ils ont fini le champ de la Souricière.

— C'est pas possible ! J' suis passé hier, y commençaient à peine !

— C'est fait, j' te dis !

Des arguments éclataient, on se traitait de menteur ou de gobe-tout. La plupart maintenaient, faute d'argument plus concret, qu'un bienfait n'est jamais sans rançon. La machine allait vite, oui, mais comment les pales et les rouleaux ne brutaliseraient-ils pas les épis ?

Pour en avoir le cœur net, un petit groupe envahit la Souricière à la brunante. Ils se penchaient sur le chaume, grattaient le sol entre les tiges, cueillaient ici et là des grains perdus. Ils parcoururent le champ de bout en bout jusqu'à ce que l'aîné les mette devant l'évidence.

— Y a pas de quoi faire manger une poule.

C'était vrai. La machine cueillait net et bien. Les hommes s'en retournèrent à la noirceur, calculant en silence ce qu'ils épargneraient en temps et efforts en faisant moissonner leurs champs par la machine.

Le lendemain, ils arrivèrent l'un après l'autre à Vieilleterre, toujours seuls, toujours pressés. Ils demandaient Paradis, et s'entendaient avec lui sur les termes de la location. Ils partaient par les chemins de traverse, en évitant le village. Ceux qui avaient récolté leur blé vert s'en mordaient les pouces.

Malgré leur petit nombre, Paradis, les garçons d'étable et Askik fêtèrent très convenablement la dernière gerbe. Ils la saluèrent au champ d'un coup de rhum, l'affublèrent d'un chapeau de paille et d'un fichu de couleur, l'intronisèrent au sommet de la charge, et rentrèrent à la maison en poussant des cris perçants. Après avoir engrangé cette dernière charge, ils s'attablèrent en pleine cour.

Leur table était un assemblage de grosses planches et de tréteaux ; leurs chaises, des caisses et des barils. Dans les bols devant eux ils trouvèrent du poulet farci à l'aneth, des pommes de terre, des épis de maïs, des petits pois et des navets. Ils noyèrent le tout d'une sauce épaisse et, les mains sales, les visages poussiéreux, firent un joyeux hommage à l'excellente chère. Rayonnante de fierté, Rosalie courait sans cesse de la table à la cuisine. La sauce était lisse, le pain mou, la poule juteuse. Depuis le départ de Céline, Rosalie se découvrait une compétence et un talent qu'elle-même n'avait jamais soupçonnés. Il avait suffi qu'elle se retrouve seule et responsable pour prendre goût à son travail.

Le ciel s'était recouvert de gros nuages gris. Le vent tournait au froid.

— Y était temps de finir! déclara Paradis avec satisfaction. Y va certainement mouiller.

— Pourvu qu'il ne pleuve pas trop, enchaîna Askik, que j'aie le temps de faire les champs de nos voisins.

— Pendant ce temps, annonça Paradis, moé pi les ti-gars on va déterrer les pétaques.

Un silence gêné vint interrompre la conversation. Madame Paradis se pencha vers son mari et lui souffla quelques mots à l'oreille.

— Hein? fit le vieil homme, l'air confus. Mais qu'est-ce que je dis là? C'est ben trop vrâ! Y en a pu de pétaques! Tu radotes, le père, tu radotes!

Il en rit lui-même de si bon cœur que les garçons ne purent s'empêcher de l'imiter. Askik eut un pincement de cœur en s'apercevant que son vieux compagnon commençait à divaguer. Mais Madame Paradis s'était remise à son repas comme si de rien n'était. Quand un homme s'use toute une vie au travail, semblait-elle dire, il n'y a pas de honte à ce que la fatigue lui dévoye un peu les idées.

Ils en étaient à la poutine aux framboises lorsqu'ils aperçurent une voiture, au loin, qui venait du village.

— Encore un client pour la machine, prédit Askik. Je ferais peut-être mieux de me cacher.

— Non! firent les garçons qui s'étaient levés debout pour mieux voir. Y a un cocher! clamèrent-ils, tout excités. Personne au village n'avait un cocher, pas même monsieur le curé.

Un instant plus tard, une élégante victoria tirée par deux chevaux de race fit irruption dans la cour. Un homme en haut-de-forme et costume était assis très droit à l'arrière, les mains pliées sur le pommeau d'une

495

canne qu'il tenait entre ses genoux. Il ouvrit lui-même la portière et descendit d'un pas engourdi, mais impérial.

— C'est monsieur Hubert ! s'écria Rosalie, qui perdit en un clin d'œil toute son assurance.

Sans un seul regard pour les personnes assises dans la cour, le cousin Hubert escalada le grand perron et entra dans la maison. Madame Paradis et Rosalie s'envolèrent vers la cuisine en emportant le thé et les beignets aux pommes qu'elles venaient de poser sur la table. Les hommes restèrent seuls devant leurs assiettes, vaguement humiliés.

Quelques minutes plus tard, Askik était convoqué au salon. Le thé avait été transvasé dans une théière d'argent, les beignes occupaient une corbeille de fine porcelaine. L'un d'eux, à demi consommé, reposait sur une serviette empesée. Le cousin Hubert avait posé sa canne et ses gants sur le divan à côté de lui. Il n'avait pas permis qu'on emporte son manteau mais l'avait jeté lui-même sur le dossier d'une causeuse. De toute évidence, il ne restait pas. Il avait l'air fatigué et contrarié. En voyant entrer Askik, il fit une légère grimace et posa sa tasse.

— Je vous inviterais à vous asseoir, dit-il sans se lever, mais habillé comme vous l'êtes, je crains pour les meubles de ma tante.

— Je peux rester debout.

— Tant mieux, ce sera moins long. Vous avez fait un beau gâchis, Mercredi. La moitié du comté est en révolte contre vous. Savez-vous combien d'électeurs il y a dans cette seule paroisse ?

— Ils me détestent, mais ils me donnent raison.

— Les dépenses atteignent des proportions jamais vues.

— Les recettes aussi.

— Vous organisez des petites fêtes pour vos amis. Cette servante — comment s'appelle-t-elle encore ?

— Céline.

— S'est fait engrosser par un de vos visiteurs.

496

— C'est faux.

— Elle est partie ?

— Oui.

— Cela, ma tante ne vous le pardonnera pas.

Hubert laissa planer un bref silence. Ses yeux dédaigneux ajoutaient : « Est-il besoin que je vous le dise ? » Mais Askik l'en épargna d'une voix indifférente.

— Je suis congédié ?

— Oui.

— Je partirai demain.

— Vous partirez aujourd'hui. Mon oncle, dit Hubert en lui tendant une enveloppe, me charge de vous remettre ce cachet. Faites-moi la grâce de l'accepter et de nous éviter, à l'un et à l'autre, une scène d'honneur.

Askik prit l'enveloppe sans mot dire.

— Vous devez comprendre, poursuivit Hubert, d'une voix lasse, que ceci met fin aux relations entre les Sancy et vous. Mon oncle, pour des raisons que je ne questionne pas, vous a offert une éducation et une situation. Vous en avez abusé. N'espérez rien de plus. Est-ce bien compris ?

Askik ne répondit pas.

— C'est tout, fit Hubert en ramassant sa canne et ses gants.

En sortant, Askik se heurta à Beaudry qui ricanait, les bras croisés, près de la calèche.

— C'est votre nouvel intendant ? demanda Askik, qui avait bien envie de rire lui aussi.

— Monsieur Beaudry, répondit le cousin Hubert, veillera au bon fonctionnement de la ferme en attendant le nouvel intendant.

Un humour noir, irrésistible, surprit Askik. Puisqu'il n'était qu'un vulgaire Métis...

— Je peux monter avec vous jusqu'au village ? demanda-t-il avec une servilité exagérée. Je peux m'asseoir avec le cocher...

— Désolé, Mercredi, fit le cousin Hubert en refermant derrière lui la portière de la calèche. Vous m'avez fait faire un assez long détour comme ça.

497

— Alors, un dernier mot, dit Askik, devenu grave. Paradis s'est acheté une terre de l'autre côté de la montagne. Il n'a pas la force de la cultiver. En lui vendant quelques vaches et du foin bon marché...

Hubert se pencha légèrement, très légèrement, vers lui.

— Vous prenez-vous pour le seul être charitable au monde, Mercredi ? Monsieur Paradis a servi notre famille honorablement pendant de longues années. Mon oncle pourvoira à ses besoins.

— Merci.

— Ne me remerciez pas, vous n'y êtes pour rien. En avant !

La calèche s'envola en jetant des gravats et du sable. Askik et Beaudry se retrouvèrent face à face.

— J'imagine, ironisa Askik, que ce n'est pas la peine de te demander une voiture pour me mener jusqu'au village.

Beaudry, pour toute réponse ricana du nez, et cracha du tabac.

En sortant de la cour, son sac à la main, un manteau jeté par-dessus l'épaule, Askik ne se retourna pas une seule fois sur la grande maison. Il gardait les yeux fixés sur l'horizon qu'il entrevoyait au bout de l'allée. Il avait envie de voyager, de filer des milles et des milles sans jamais arriver nulle part.

— Comme papa, pensa-t-il, tout juste comme papa.

Au bout de la grande allée, caché par les arbres, Paradis l'attendait. Le vieillard lui donna sa main décharnée.

— Faut pas s'en faire, monhomme, dit-il. Tout finit par s'arranger.

— De toute manière, comme vous dites, ça n'a pas d'importance.

Un sourire édenté traversa le vieux visage.

— Ben, à peu près, reconnut l'ancêtre.

— Nous avons eu une belle fête aujourd'hui.

— Une belle récolte, ben belle ! Je m'en souviendrai le restant de mes jours.

Askik serra contre lui le petit corps osseux. Lorsqu'ils se séparèrent, Paradis baissa la tête pour cacher ses yeux mouillés.

— Adieu, Paradis. Je ne crois pas que nous nous reverrons.

— On se verra plus vite que vous ne pensez, fit le vieillard en s'éclaircissant la voix. Vous n'êtes pas immortel, vous non plus.

Askik atteignit le fleuve à la nuit tombante. La diligence ne passait qu'au matin. Il s'installa sur le perron d'une vieille fille qui, tout horrifiée de voir un sauvage sur ses marches, ne dormit pas plus que lui de la nuit.

Le jour se leva gris, venteux et froid. Des grains s'écrasaient par endroits sur le fleuve.

La diligence était sale et mal suspendue. Chaque fois qu'Askik s'assoupissait, le carrosse lui assenait une tape énorme à l'arrière de la tête. Il en prit son parti et se réveilla tout à fait.

Une note roussie épinglée à la paroi annonçait à mesdames et messieurs les voyageurs que des journaux avaient été prévus pour leur confort et leur plaisir. En fouillant sous les banquettes, Askik exhuma des lambeaux de papier jauni, vieux de plusieurs mois. La voiture atteignait les abords de Montréal lorsqu'il lut, au bas d'un éditorial dans un grand journal : « Étienne Prosy, rédacteur en chef. » Mais plus rien ne l'étonnait.

Quatrième partie

LA PLAINE

I

Grandet croyait à peine à son bonheur. Il enleva précipitamment son manteau, jeta ses gants et son foulard, arracha ses bottes, sans jamais perdre de vue le paquet qu'il avait posé sur la table.

— Les ciseaux! Les ciseaux!

Il se jeta à son bureau, un joli meuble doté d'une bonne vingtaine de tiroirs et de tablettes. Mais où étaient les ciseaux? Il claquait des tiroirs, brassait leur contenu, éparpillait des papiers soigneusement classés par nom, échéance, ou crime.

— Ah! l'ouvre-lettre!

Une jolie dague portant les armoiries de la famille royale, mais guère plus affilée qu'un couteau à beurre. Grandet dut scier longtemps, frénétiquement, avant de venir à bout de la ficelle du paquet. Mais triomphe! c'était fait.

L'avocat s'imposa un moment de calme. Son cœur battait dur, sa bouche était sèche. Les doigts tremblants, il défit l'emballage puis, retenant son souffle, écarta le papier.

Il n'avait pas rêvé. C'était vrai. Une joie chaude, enivrante, une joie comme jamais il n'en avait ressenti l'enveloppa tout entier. Dans le paquet, sur un fond de tissu noir, reluisait une croix de Malte en émail blanc surmontée de la Couronne et portant en caractères hardis le chiffre soixante-cinq. Comme un père qui soulève craintivement son premier-né, Grandet déplia l'écharpe et l'étendit respectueusement sur le divan. Puis la tunique, noire comme charbon, traversée de cordons en volutes, avec le haut col dont il rêvait depuis toujours. Le pantalon très digne. Et au fond du paquet — ô merveille ! — des bottes en cuir fin, noir et chatoyant.

Grandet se déshabilla, laissa tomber sans égards ses frusques coûteuses, et revêtit avec gravité ses nouveaux habits. Comme une mariée qui passe sa robe blanche. Car, à la vérité, Grandet changeait d'état. Quand tout fut prêt, le col agrafé, la ceinture bouclée, la bandoulière bien tendue, Grandet ouvrit un carton à chapeau et en retira un képi à plumet. Puis, retenant son souffle, il passa devant le miroir.

Il manqua défaillir. Elzéar Grandet, l'avocat, n'était plus. A sa place se tenait un militaire aux épaules carrées, au torse bombé, au maintien puissant et impérial. Le tailleur avait fait du bon travail.

— Enfin ! Enfin ! Enfin ! murmurait Grandet. Je savais que j'étais fait pour les armes !

Il y a des moments privilégiés dans la vie lorsqu'un homme entend le destin l'appeler par son nom. Alors, tout ce qu'il a souffert trouve un sens et une fin. Comment, dans ces moments-là, ne pas verser une larme ou deux ?

La joie fit place à la panique. Il restait trois grosses heures avant le dîner du régiment — n'avait-il pas fripé son pantalon ? En jurant contre sa témérité, Grandet se dévêtit à nouveau, enfila une robe de chambre, et tira le cordon de la sonnette. Une chambrière se présenta aussitôt à la porte, une gamine de douze ans, fille du propriétaire.

— Faites repasser cet uniforme, commanda Grandet. Attendez ! Ce n'est pas vous, du moins, qui faites le repassage ?

— Oh non, monsieur, répondit la fillette. C'est Madame Trudel.

— Elle a quel âge ?

— Elle est très vieille, monsieur.

— Alors elle doit s'y connaître. A moins qu'elle ne soit gâteuse ? Voit-elle encore clair ? Bon, emportez. Mais dites-lui de faire attention ! cria Grandet en fausset. Il me faut cet uniforme pour une soirée très, très importante !

Grandet sentait son estomac se nouer de nervosité.

— Et faites-moi monter du vin. Non, du brandy !

Son énervement se communiqua à la chambrière qui sortit en courant. Grandet s'affala sur le divan.

— Je ne survivrai pas ! Je mourrai sûrement avant sept heures !

Mais il vécut. Il le fallait bien. Ce grade de sous-lieutenant lui avait coûté les yeux de la tête ! Grandet avait versé une généreuse contribution à la caisse électorale du parti conservateur, avait fait une cour assidue aux officiers du bataillon, avait même couru les thés de leurs dames. Il ne comptait plus les déjeuners à l'Ethier qu'il avait payés au commandant du bataillon. Et encore n'avait-il récolté qu'une piètre sous-lieutenance ! Ces militaires pouvaient être fermés en diable !

Mais c'était fait. Il était entré. Et ce n'était pas trop tôt. Dans quelques semaines, pensait Grandet, les bureaux de recrutement seraient pris d'assaut. Et alors, adieu les grades ! Les journaux annonçaient une déclaration de guerre imminente entre l'Angleterre et la Russie. Les hostilités ne pouvaient tarder. Grandet avait fouillé toutes les librairies, pillé tous les cabinets de lecture, et avait amoncelé sur le conflit futur un amas de renseignements qu'il était sûrement le seul à posséder à Montréal. Il connaissait par cœur les rivières et les cordillères de l'Afghanistan, s'était même exercé, sur une carte blanche, à localiser les villes et villages. Faute de renseignements sur les méthodes de combat des montagnards musulmans, Grandet avait dû inventer lui-même des tactiques d'infanterie adaptées aux rochers et oueds de la région. Il reviendrait général ou ne reviendrait pas.

Dans la carriole ouverte qui le menait au régiment, Grandet était assis droit comme une baïonnette. Son haleine lui revenait en pleine face ; ses lunettes étaient givrées, il ne voyait rien. Ses pommettes violacées gelaient dur, ses oreilles, laissées à découvert par le coquet képi, lui faisaient souffrir le martyre. N'en pouvant plus, Grandet plongea son visage sous le siège du conducteur. Le cocher, un ours tout en poil et en laine, se retourna avec un gros sourire.

— Avez-vous frette, mon pauv' monsieur ?

Les officiers dînaient au Richelieu. Le fusil à l'épaule, deux miliciens tapaient des pieds sur le perron de l'hôtel. En apercevant le plumet de Grandet ils se raidirent et saluèrent. Ravissant ! Grandet se dégela un moment dans une antichambre tandis que le personnel de l'hôtel débarbouillait ses verres et remettait un peu d'ordre dans ses plumes. Puis, dignement, le képi pressé contre le cœur, Grandet entra dans la salle. En reconnaissant les étendards du bataillon — *Nunquam retrorsum* — il voulut pleurer d'attendrissement.

— Ah ! voici notre nouveau ! cria le colonel Ouimet.

— Bravo !

Les officiers prenaient un dernier verre avant de se mettre à table. Le commandant du bataillon, le colonel Aldéric Ouimet, riche propriétaire, avocat distingué, député à la Chambre des communes, vint prendre Grandet par le bras et le présenta à ses frères d'armes.

— Capitaine Giroux, le sous-lieutenant Grandet.

— Capitaine...

— Sous-lieutenant...

— Lieutenant Destroimaisons, sous-lieutenant Grandet.

— Lieutenant...

— Sous-lieutenant...

Grandet échangeait des poignées de main viriles et des œillades fraternelles. L'affection spontanée que lui témoignaient ses co-officiers le bouleversait. Il évoluait dans une nuée de fumée de cigare, voyait défiler devant lui des tuniques noires et des favoris en côtelette, et désespérait de retenir tous ces noms. Aussi fut-il étonné de se trouver soudain devant un jeune homme pâle, blond, à l'uniforme vert bouteille, qui tranchait désagréablement sur l'assemblée.

— Voici un invité ! expliqua le colonel Ouimet. Le lieutenant Robert Simpson du Queen's Own Rifles de Toronto.

— Enchanté, fit Grandet, piqué de ne pas être le seul à l'honneur.

— Nous nous sommes déjà vus, je crois, fit aimablement le jeune Anglais. Vous êtes un ami d'Alexis Mercredi, n'est-ce pas ?

— A vrai dire, je ne le vois plus souvent...

— A tout à l'heure, j'espère...

Le majordome de l'hôtel passait parmi les officiers en les invitant discrètement à prendre place. Le colonel Ouimet sortit, les hommes se mirent au garde-à-vous derrière les chaises. Quand le silence fut entier, le colonel rentra, prit sa place à la tête de la table, se signa, et prononça le bénédicité. Puis, levant son verre, il ajouta :

— Messieurs, la reine !

— La reine ! clamèrent les convives.

Grandet eut le désagrément de se retrouver face au lieutenant Simpson. Non pas qu'il eût quelque chose à lui reprocher. Mais Grandet ressentait comme une intrusion tout rappel de sa vie passée. Il voulait s'immerger complètement dans son nouvel état de militaire. Or, Simpson s'obstinait à l'en ressortir.

— Il y a longtemps que vous êtes dans la milice ? demanda-t-il.

— C'est plutôt... récent...

— Ah... vous ne me faisiez pas l'effet d'un militaire.

Grandet fut froissé jusqu'à la moelle.

— Évidemment, hors d'uniforme..., bafouilla-t-il.

— Ne vous fâchez pas, fit Simpson, conciliant. On peut se trouver sous les armes sans en avoir véritablement le goût.

— C'est votre cas ? riposta Grandet qui se sentait devenir méchant.

Simpson sourit amicalement.

— Ma famille, dit-il, est d'humeur belliqueuse. La vie militaire est chez nous une tradition. Et une exigence, ajouta-t-il avec une petite grimace. Il se pencha vers Grandet et chuchota :

— Je croyais avoir trouvé un confrère galérien, mais je vois que vous êtes soldat dans l'âme. Excusez-moi.

Grandet ne trouva rien à répondre et se pencha sur son turbot à la sauce mousseline. Après un moment, voyant que les voisins de Grandet ne s'intéressaient pas à lui, Simpson reprit poliment la conversation.

— Êtes-vous depuis longtemps sans nouvelles de votre ami Mercredi ?

— Assez longtemps, oui.

— Je ne le vois plus au palais de justice.

— Il ne plaide plus.

— Alors, comment vit-il ?

— Il a peut-être des placements.

— Un garçon remarquable, ne trouvez-vous pas ?

Grandet hésita. Qu'y a-t-il de remarquable à gâcher toutes ses chances de succès ? Mais l'heure était aux amabilités.

— Oui, très remarquable.

Simpson sentit sa réticence. Il allait se taire quand un capitaine l'interpella de l'autre bout de la table.

— Alors, lieutenant, les Queen's Own sont-ils prêts à défendre l'honneur du pays ?

Simpson eut un sourire distrait.

— L'honneur du pays est-il menacé ?

Le capitaine demeura un moment interloqué, le couteau et la fourchette en suspens. Il poussa un « Ha ! » tonitruant, et, prenant ses voisins à témoin, s'exclama :

— Et l'Afghanistan ?

— Je ne vois pas en quoi, monsieur, ce conflit engage notre honneur

Le capitaine non plus, à vrai dire. Il n'était jamais allé plus loin que les manchettes en se renseignant sur ce sujet. Cet interminable échange de notes diplomatiques entre Londres et Saint-Pétersbourg l'assommait.

Mais il émit un grognement superbe et, avec une emphase toute française, déclama :

— Il ne revient pas à nous soldats, monsieur, de juger quand l'honneur est engagé. Il nous revient de le sauver.

Approbation générale. Grandet rayonnait de fierté.

— Je reviens à ma question, fit le gros capitaine, très fier de son effet. Les Queen's Own sont-ils prêts, oui ou non, à se battre pour l'honneur du pays ?

Simpson souriait de plus en plus aimablement.

— Les Queen's Own sont toujours prêts à se battre. *Honor, or no honor.*

La majorité des convives ne comprenaient pas l'anglais et tinrent la réponse pour satisfaisante. La conversation prit le chemin de l'Afghanistan et Grandet crut voir sa chance de briller. Mais horreur ! La majorité de ses collègues ne croyaient pas à une intervention canadienne en Afghanistan. Non, il était plus probable, disaient-ils, que la milice canadienne serait appelée, en cas de guerre, à relever des troupes britanniques régulières. En Jamaïque, par exemple. Voilà ce qui réduisait à néant les projets de Grandet. Comment devenir général dans une paisible colonie de rhum ? Il eut le mauvais goût d'insister.

— Excusez-moi, dit-il, mais j'ai un peu lu sur ce sujet. L'armée des Indes est puissante, j'en conviens, mais l'Afghanistan est un pays difficile à tenir. Nous ne serons pas de trop là-bas. Rappelez-vous la retraite de Khaboul : une armée de seize mille âmes : un seul survivant. Il ne faut pas sous-estimer la férocité des tribus montagnardes. Rappelez-vous comme les diaboliques Gilzhai ont dépecé les prisonniers anglais pour promener les bouts de corps sur des piquets !

Un certain nombre de convives avaient changé de mine. Ils étaient boutiquiers, armateurs, ou avocats ; pères de famille pour la plupart. Aller à l'exercice, porter l'étendard à l'église le jour de Saint-Michel, dîner une fois par mois au régiment, était assez plaisant. Mais se battre contre les diaboliques choses n'entrait pas dans leur programme. Ils se jetaient des coups d'œil inquiets. Était-il possible qu'on les appelât en service actif ? Et puis, d'où venait cet horrible gringalet ? Qui l'avait admis au bataillon ?

On ramena la conversation sur un terrain neutre. Les Français mangeaient une volée au Tonkin. Voilà du moins ce qui n'engageait pas l'honneur du pays. Le repas se termina par des vins liquoreux à discrétion. Grandet n'en usa point. Vers le milieu de la soirée, il dut rendre une partie de son dîner d'initiation. Il se sentait nauséeux et déchu, dégoûté de ce bataillon qui ne voulait pas mourir. En sortant des cabinets, il s'aperçut du coin de l'œil dans un miroir.

C'est lorsqu'on se découvre, par accident, dans une glace inconnue ou dans une vitrine de magasin qu'on se voit tel qu'on est. Grandet vit un grand flandrin, aux cheveux clairsemés, au visage décoloré. Les épaules étaient minuscules, malgré le rembourrage ; le torse paraissait enfantin. Il faillit pleurer de frustration. On n'offre pas le commandement aux chétifs. Dieu avait mis une âme de conquérant dans un épouvantail.

En sortant des toilettes il faillit se heurter à Simpson. Le jeune Anglais le regardait avec une sollicitude inquiète.

— Vous ne vous sentez pas bien ? demanda-t-il ; je peux vous reconduire à la maison...

Un flambée de colère réchauffa Grandet.

— C'est inutile, répliqua-t-il sèchement.

— Où est Mercredi ? Le savez-vous ?

— Encore ! Vous vous intéressez beaucoup à ce pauvre Mercredi, fit Grandet d'un ton railleur. (Il s'appuyait contre le mur, le teint cendreux.) Pourquoi le cherchez-vous ?

— Je n'aime pas les disparitions. Je suis allé chez son ancienne logeuse rue Saint-Paul. Il n'y est pas retourné. A son bureau, non plus. J'ai cru qu'il demanderait de l'emploi à son ancien instituteur, monsieur Prosy : il ne l'a pas vu. Alors, où est-il ?

— Je l'ignore. Aux Muses peut-être.

510

Voyant que Simpson levait les sourcils, Grandet expliqua :

— C'est une taverne du port. Un conseil, si vous allez aux Muses, changez d'habit. Les militaires ne sont pas les bienvenus. Surtout pas les militaires anglais.

— Vous connaissez les habitués de ce débit ? Vous pouvez me donner des noms ?

— Pensez-vous ! siffla Grandet avec mépris. Puis, levant des yeux où se disputaient la nausée et la méfiance, il demanda encore :

— Pourquoi le cherchez-vous ?

— Je suis riche, plaisanta Simpson. J'ai tout le temps voulu pour m'occuper de mes amis. Et puis, dit-il en revenant à un ton plus sérieux, je ne suis pas le seul à le chercher.

— Ah ! nous y voilà ! susurra Grandet. Un créancier ?

— Bien sûr que non. Rien d'une telle importance.

— Alors, qui ?

— Chut ! souffla Simpson en riant des yeux. Secret professionnel... Grandet avait la mine de plus en plus piteuse. Il avait posé une fesse dans un cendrier à pied, ce qui l'empêcha de glisser jusqu'au plancher.

— En fait, dit-il, si vous passez par la rue Sherbrooke, j'accepterais bien... Ces huîtres, comprenez-vous...

— N'ont rien à envier aux Gilzhais *I know*. Je les évite comme la peste, mon cher. Comme la peste !

II

Askik n'était pas loin. Il s'était installé, en amont du fleuve, à Verdun, chez Ernest Mathieu « charretier, briquetier, négociant en foin et en matériaux de construction ». La propriété de Mathieu occupait trois arpents en bordure de l'eau. Sa cour énorme était prise de meules de foin et de fumier, de chariots, de tas de briques et de planches. C'était du matin jusqu'au soir un va-et-vient incessant de lourds convois, et de carrosses de contracteurs.

Le père Mathieu n'avait qu'une seule passion, les percherons ; une seule haine, la comptabilité. Pour se faciliter la première et se délivrer de la seconde, il accepta de louer son grenier à Askik qui, en échange, se chargeait de la paperasse. Mathieu hésita d'abord à confier ses comptes à un Métis : mais le nouveau venu s'occupait si bien de la tâche, et demandait si peu d'argent qu'on vit bientôt arriver les autres entrepreneurs du voisinage, registres en main. Ce Métis avait plus d'un tour dans son sac : on apprit vite qu'il connaissait la loi, qu'il pouvait dresser des contrats et des requêtes, mieux encore, qu'il savait à l'occasion esquiver une taxe.

Malheureusement, il travaillait peu. Lui faire accepter une cause n'était pas facile. Le Métis, semblait-il, préférait se promener. On le voyait passer à pied, en pleine matinée, se dirigeant vers la montagne dont il ne revenait qu'à la nuit tombante. D'autres fois, on le voyait sur le fleuve. Il cachait un canot derrière les tas de gravier du père. Il pouvait s'embarquer à toute heure, sans prévenir, et ne revenir que le lendemain. On croyait savoir qu'il passait la nuit dans les bois de l'autre côté du fleuve, passé Sainte-Anne. Il avait déjà perdu deux canots dans les rapides mais, habile comme une loutre, s'en était tiré indemne. Le dimanche, on le retrouvait à la réserve Caughnawaga, aux parties de lacrosse des Indiens. Mais personne, semble-t-il, ne l'avait encore vu en ville. Il parlait peu, se tenait à l'écart, et décourageait les avances des curieux. Le père Mathieu le laissait tranquille et le village finit par l'imiter.

Le grenier du père Mathieu était vaste et, comme tout le reste de la maison, empestait le cheval. L'odeur des percherons imprégnait les meubles, les vêtements, les rideaux, et jusqu'aux murs. Askik y devint très vite insensible. Son grenier contenait une table de travail, un lit de bois, une chaise (en crin de cheval), et un poêle en tôle qui chauffait rouge. Les coins de la pièce étaient accaparés par des pagaies et des cordes, une hache, trois fusils de chasse, des lignes de pêche, un filet, et une collection hétéroclite d'outils empoussiérés. Des fourrures de lièvres et de renards pendaient aux entraits. Le grenier prenait jour au sud, par deux lucarnes : les fenêtres donnaient sur l'écurie.

C'est dans cette pièce qu'Askik passa l'hiver. Il se levait après le soleil, s'occupait des comptes de ses clients en matinée, puis sortait s'étirer les jambes. Le soir, il lisait des romans en s'éclairant d'une lampe à pétrole.

Lorsqu'il se lassait de ses lectures, il partait. Jusqu'à Québec en train, jusqu'à Sherbrooke en diligence. Mais le plus souvent, il louait une méchante carriole et parcourait seul les chemins des Laurentides et de l'Outaouais. Il aimait les forêts d'épinettes, les relais en bois rond, les chemins enneigés qui débouchaient sur de rudes villages de colonisation. Leur simplicité lui reposait l'esprit. Il dormait sur les bancs des tavernes, ou sur les planchers des colons. Il n'avait qu'à frapper aux portes pour se faire admettre : les colons désargentés ne manquaient jamais l'occasion de louer leur table et leur gîte. Les enfants, élevés dans un pays sauvage sans jamais voir d'Indien, ouvraient de grands yeux sur Askik Mercredi. Le maître de la maison se levait plusieurs fois par nuit, sous prétexte de mettre du bois au poêle, pour s'assurer en fait que le Métis ne s'envolait pas avec la vaisselle. Dans une demeure de la Petite-Nation, on répandit autour de sa paillasse un mince filet de chaux, parce que les sauvages, c'est connu, sont infestés de poux. Dans une autre maison, le propriétaire se renferma dans sa chambre à coucher avec une hache. On s'étonnait partout de cette odeur de cheval que trimbalait l'inconnu.

Pourtant, lorsque le gros temps l'obligeait à passer quelques jours dans un même endroit, les habitants se faisaient vite au visiteur. Une créature étonnante que ce

Métis ! Il parlait un français instruit, pouvait aider les enfants avec leurs abécédaires, et rédiger des lettres que lui dictaient les parents. Il donnait de bons conseils sur le défrichage et l'élevage. Il réussit même à guérir une vache ou deux ! Le soir, il divertissait la moitié du village avec des menteries époustouflantes tirées pour la plupart des pays d'En-Haut. Des colons offraient de le prendre comme engagé, un curé voulut le retenir comme instituteur, mais le Métis partait comme il était venu. Personne ne s'en étonnait. Les sauvages, c'est bien connu, ont la bougeotte dans le corps.

Askik ignorait lui-même ce que signifiait ce formidable égrenage de lieux et d'êtres. Il voyageait sans raison, pour le seul plaisir de repartir tous les jours. Il ne regardait ni aux dépenses ni au danger. Il perdit un cheval dans une tourmente et dut passer la nuit dans un banc de neige. La jument morte lui coûta cher : son petit capital déjà fort entamé en prit un nouveau coup. Mais Askik s'en absolvait par un retour d'ironie : les sauvages, c'est connu, ne savent pas épargner.

Lorsque arriva le printemps, sa bourse était à sec. Il ne s'en inquiétait pas outre mesure, mais songeait à prendre un petit emploi pour se payer un nouveau canot. En attendant que la débâcle ouvre le fleuve, et que les routes redeviennent praticables, il reprit ses excursions sur la montagne.

Il avait plu durant la nuit. La neige était recouverte d'une croûte dure et poreuse. Des rigoles invisibles réveillaient l'humus, sapaient les congères, et formaient dans les pentes des ruisseaux bruyants et besogneux. Des troupeaux de mésanges progressaient de tige en tige en menant leur chahut habituel, seuls maîtres de la forêt. Pourtant, le merle, la grive et le viréo, ne devaient plus être loin. Déjà les outardes déroulaient leurs longs chapelets au-dessus du Mont-Royal.

Askik soufflait dur en arrivant au sommet de la montagne. Un hiver passé à lire des romans et voyager en carriole vous ramollit un homme.

Les nuages étaient demeurés stationnaires toute la

nuit. Puis, au matin, comme un régiment qui a reçu l'ordre d'avancer, ils couraient à l'est, sombres et gris en dessous, brillants au-dessus. Des salves de vent faisaient des trouées de bleu qui donnaient dans la ville des éclaircies d'un moment. Des faisceaux de soleil fusaient entre les nuages ou s'écrasaient dans les quartiers. Les rues grises étaient pleines de passants qui vaquaient à leurs affaires et ne voyaient pas l'héroïque charge tout juste au-dessus de leurs têtes.

Pas de meilleures vacances que celles où l'on prend congé de soi-même. La charpente du collégien appliqué, si patiemment érigée en Askik — discipline, renoncement, culpabilisation, prévoyance — s'était effondrée sous l'échec. Son dressage n'avait pas donné les résultats promis : ni position ni prestige. Ses habitudes et convictions s'étant avérées nulles, elles étaient tombées d'elles-mêmes. Pour la première fois de sa vie, Askik était libre de ne rien faire, parce que l'avenir ne lui faisait plus signe. Il passait des heures entières à écouter le crépitement de la pluie, le roulement du tonnerre printanier, le bruissement du vent dans les branches. Il ne faisait rien de la journée et rentrait le soir, fatigué, satisfait, rassasié. En vingt ans de précipitation et d'efforts, cela ne lui était jamais arrivé.

Sa tranquillité n'était pas totale : une part de lui-même s'obstinait à chercher de l'ordre, un sens, un but. Des remords cuisants lui reprochaient parfois la fuite des jours, mais comme plus rien en lui ne donnait raison à ces peurs, elles passaient comme des balles perdues, en sifflant un peu et ne blessant pas.

Le beau temps rendait guillerets les écureuils. Ils couraient de leurs gîtes à leurs caches en ne s'occupant de rien ni de personne. Askik ne se lassait pas de les voir. Les écureuils lui rappelaient Numéo, qui admirait leur audace, et encore, en remontant plus loin dans sa mémoire, la chasse aux tamias qu'il avait pratiquée en bordure des camps d'été. Bizarre. Ces mêmes souvenirs d'enfance, qui pendant de longues années lui avaient paru fantasques et improbables, lui revenaient maintenant avec une netteté indiscutable. La nuit, en dormant, Askik retrouvait les visages et les manières de ses anciens compagnons de jeu. Il les voyait sans complaisance, ne les regrettait aucunement, mais les retrouvait tels qu'il les avait laissés. Comme si les longues années d'études et d'esseulement s'étaient volatilisées. Comme s'il n'y avait rien eu depuis son enfance. Askik s'était remis à rêver. Non plus des songes nerveux et disjoints d'employés de bureau, mais des rêves lourds et longs qu'il retenait au réveil et qui le suivaient une partie de la journée.

Il rentra tard des bois. Le père Mathieu était au lit. La seule lumière, dans la cuisine, provenait d'une fente dans le poêle à bois. En tendant la main pour la bougie qu'il gardait près de la porte, Askik sentit du papier se chiffonner sous ses doigts. Il fit du feu, approcha l'enveloppe de la flamme et lut : « Alexis Mercredi, avocat, chez M. Ernest Mathieu à Verdun. » Une voix graveleuse érupta de la noirceur.

— Avez-vous vu vot' lettre ?

Le père Mathieu arrivait en traînant les savates. L'odeur de percheron, déjà forte dans la pièce, redoubla. Le bonhomme se pencha sans vergogne sur la note que dépliait Askik et lut avec lui : « Venez me voir au journal. Urgent. J'ai quelque chose à vous proposer. Prosy. »

— Y est pas bavard, bouda le père Mathieu, déçu. Et après un moment il ajouta en levant ses gros yeux roublards :

— Comme ça, vous êtes avocâ...

— Je l'étais.

— Cré-taque ! souffla le père en balançant lentement la tête. Impossible de dire s'il tenait ce geste de ses chevaux, ou si c'est lui qui le leur avait appris.

— Quel journal ? demanda-t-il encore.

— *L'Époque.*

— Ah non, celui-là, j' le lis pas. Pas de bonnes histoères.

Le père Mathieu était grand amateur de feuilletons.

Il les préférait sirupeux. Un bon récit, selon lui, réunissait forcément une marquise française, un château, et une enfant martyre. Il avait suivi tout l'hiver *Le Supplice d'une femme* dans la presse et le tenait pour un chef-d'œuvre. Sa seule autre activité culturelle était de parcourir en ricanant la rubrique des « Difficultés commerciales ».

Le père Mathieu avait atteint le seuil de sa chambre à coucher lorsqu'il se retourna vers Askik.

— M'avez-vous ramené des perdrix ?

— Non, je n'ai pas chassé.

— Dommage, bougonna le père, en reprenant le chemin de son lit. J'aime gros la v'laille le dimanche.

— C'est dimanche demain ? fit Askik en empochant la lettre ? Alors, le journal sera fermé.

— P't être ben que non. Ces temps-ci, tout est à l'envers en ville.

— Qu'est-ce qui se passe ?

Askik entendit les sangles du lit grincer sous le poids du propriétaire.

— Oh, j' sais pas trop, gémit la grosse voix. Y a d' la guerre, j' cré.

Puis, se retournant sur lui-même, le père Mathieu s'ébroua longuement. Un avocat, crétaque !

III

Askik entra de bonne heure à Montréal. A n'en pas douter, le pays était en guerre. On eût dit qu'une pluie de Union Jacks était tombée pendant la nuit. Il y en avait aux mâts, aux fenêtres et aux réverbères. Les marchands exposaient dans leurs vitrines des gravures de la reine Victoria et du prince de Galles. D'autres exhibaient le portrait d'un jeune homme triste, l'air angélique à la Walter Scott, dans un cadre ourlé de crêpe noir. Celui-là, de toute évidence, était un regretté disparu. Les églises étaient pavoisées de couleurs régimentales ; des fanfares empanachées dressaient le camp sur les parvis et se préparaient à effarer les petites vieilles qui viendraient à la première messe.

Askik renonça à son déjeuner et poussa jusqu'aux bureaux de *L'Époque*. Ce tapage le dégoûtait. Il voulait regagner au plus vite les pistes solitaires de sa montagne.

Le journal était sur le pied de guerre. Des typographes arpentaient les couloirs en attendant de la copie, des reporters rentraient en coup de vent, des garçons-estafettes détalaient à travers les rues vers le télégraphe. Un rédacteur mit une tête harassée hors d'un bureau et hurla à pleins poumons dans une salle pourtant assez silencieuse :

— Le 65e a-t-il reçu l'ordre de partir ?

— Pas encore, vint une voix anonyme sans que personne ait daigné lever la tête.

Le rédacteur se précipita à son bureau et, la tête dans les mains, se mit à gruger son crayon avec une énergie effrayante.

— Pouvez-vous m'indiquer le bureau d'Étienne Prosy ? lui demanda Askik.

— Hein ? cria le rédacteur en sursautant.

— Étienne Prosy...

— Là-bas !

Prosy occupait un bureau tout envitré au fond de la salle. Il vit Askik et leva les bras dans un geste d'exaspération.

— Enfin ! Entre !

C'était un commandement plutôt qu'une invitation. Askik se souvint du temps où Prosy lui tirait les oreilles. Le directeur avait les yeux rouges, la peau grise. Un tic nerveux lui agitait la paupière droite. Sa chemise n'était plus très fraîche.

— Vous avez l'air à bout de forces, commenta Askik.

— Je ne dors plus depuis vendredi, expliqua Prosy en se renversant dans sa chaise.

— Vendredi ?

— Lorsque est tombé l'ordre de mobilisation.

518

L'appel en service actif du 65e peut arriver d'un moment à l'autre. Je vous ai appelé...

Une sonnerie retentit dans la pièce. Prosy leva deux pieds dans les airs comme si un puissant ressort venait de se détendre sous son siège. Il arracha un tube noir à une grosse boîte vissée au mur et, se rapprochant le visage d'un trou dans la boîte, hurla : « Oui, allô ! » Il hocha la tête une fois ou deux, beugla « Non ! » et reposa le tube.

— Qu'est-ce que c'est ? demanda Askik.

— Un téléphone. Écoute bien. Nous couvrons l'ordinaire : cérémonies, messes, discours, tout le tralala. Mais ça, tous les journaux l'auront. Je veux plus. Je me suis arrangé pour faire suivre un volontaire, le jour du départ, par un de nos correspondants. Tu vois ce que ça sera : le dernier repas en famille, les sœurs qui pleurent, le père qui embrasse son unique fils en réprimant ses larmes, les déchirements à la gare... J'intitulerai : « Les Adieux d'une mère. » Qu'est-ce que t'en penses ? J'aurai trois artistes — trois ! — à la gare. Croquis sur le vif ! Pas d'imaginé !

Il s'interrompit et alluma nerveusement un petit rouleau blanc.

— Qu'est-ce que c'est ?

— Une cigarette. Maintenant, écoute-moi. Nous aurons les dépêches télégraphiques durant la campagne. Comme tout le monde. Première page. Tous les jours. Heure par heure... Quoi ? Qu'est-ce que c'est ?

Un grand jeune homme aux allures nonchalantes frappait à la vitre. Il passa la tête dans la pièce et annonça d'un ton moqueur :

— Le tailleur du régiment dit que ça ne sera pas avant mardi.

— Le tailleur ! s'indigna Prosy. Mais c'est tout de même pas le tailleur qui va donner l'ordre du départ !

— Peuvent pas partir sans leurs culottes, fit remarquer le reporter avec un sarcasme tranquille.

— Bon, fais-moi un entrefilet. On le glissera bien quelque part.

Prosy se promenait dans son bureau comme un rat en cage, les mains sur les tempes, le regard désespéré.

— Pourvu que l'ordre ne vienne pas cette nuit. Mon papier de demain serait raté. Pas cette nuit ! hurla-t-il au plafond.

Askik avait de plus en plus envie de partir.

— Où en étais-je ? reprit Prosy. Ah oui ! les dépêches télégraphiques ! Non ! Alors quoi ? Le correspondant ! Voilà... (Il se percha sur le coin de son bureau, face à Askik.) Nous dépêcherons un correspondant, expliqua-t-il, Lemercier, mon meilleur. Mais je ne veux pas qu'il m'envoie la popote habituelle : le général-ci, le major-ça... Oui, bien sûr, nous aurons tout cela, mais je veux plus ! De la couleur ! Des coutumes locales, des interviews, des anecdotes, tu me suis ? Tous les journaux envoient des correspondants : ils vont s'attacher à l'état-major et ne pas le quitter d'une semelle. Que veux-tu qu'ils fassent ? Ils ne connaissent pas le pays, ils ont une peur bleue de l'ennemi. Mais le correspondant de *L'Époque*... ah ! le correspondant de *L'Époque,* fit Prosy d'un air inspiré, sera différent ! Il parcourra le pays seul. Il s'entretiendra avec les habitants. Dans leur langue. Parce que, de tous les journaux, *L'Époque* sera le seul à fournir un guide à son correspondant. Parfaitement, un guide !

Le rédacteur au crayon entra sans frapper, une dépêche à la main, les traits bouleversés.

— Les Royal Grenadiers partent demain, annonça-t-il.

— Et le 65e ?

— Toujours rien.

Une syncope n'aurait pas eu plus grand effet sur Prosy. Les mains lui tombèrent, sa tête se renversa, une voix sépulcrale passa ses lèvres blêmes.

— Alors le *Toronto Globe* sera le premier sur les lieux.

— C'en a tout l'air, fit le rédacteur avec une profonde commisération. Il ajouta charitablement, sans trop y croire :

— On pourrait envoyer notre correspondant à Toronto suivre le 2e bataillon.

Prosy se laissa choir dans sa chaise.

— Notre public ne nous le pardonnerait pas. Se ranimant un peu, il dit encore : Nous arrangerons quelque chose. Merci...

Un silence lourd remplit la pièce. Prosy fixait rêveusement les vitres du bureau.

— Bien entendu, marmottait-il, Ottawa n'allait pas laisser partir un régiment canadien français en premier. Bon, fit-il en se redressant dans son fauteuil. Rassure-toi, dit-il à Askik, notre plan tient toujours. Nous ne serons pas les premiers, mais nous irons en profondeur. Je disais... le matin du départ, je mettrai le roman-feuilleton en troisième page. Risqué, je l'admets. Mais l'événement doit l'emporter. En deuxième page, dit-il en levant les mains en carreau, j'aurai les portraits du correspondant, et du guide. Biographie de chacun. Les lecteurs comprendront dès le début que nous sommes les mieux équipés pour couvrir la campagne. Notre tirage montera en flèche. Garanti !

Prosy s'interrompit, coula un regard chaleureux et tendre à son ancien élève.

— Et toi, dit-il, tu seras célèbre.

Askik sourcilla.

— Moi ?

Un air d'horreur passa sur les traits de Prosy.

— Un autre journal t'a déjà approché ? Tu ne t'es pas engagé, j'espère ! Je paierai plus ! Combien veux-tu ?

— Merci, je...

— Tu ne vas pas te mettre aux enchères ! Tenir à rançon ton ancien instituteur !

— Je ne veux pas être guide, trancha Askik en se levant. C'est ce que vous alliez me proposer, n'est-ce pas ? C'est une idée ridicule. Je ne vois pas de quelle utilité je serais là-bas.

Prosy comprit que son projet était sauf, que les autres journaux n'avaient pas encore pensé à Askik. Il en ressentit une joie si forte qu'il se mit à rire doucement, presque à sangloter de soulagement. Dans ces jours sombres, quand les périls et les menaces s'accumulaient sur le pays comme autant de nuées noires, les hommes de cœur vivaient intensément et vite.

— Comment ? fit-il en haletant d'hilarité. De quelle utilité ? Mais vous êtes tout désigné pour ce travail, mon cher. Vous êtes idéal. Vos connaissances du terrain, des coutumes, de la langue...

La vérité fondit sur Askik comme un éclair. Il se tapa le front et s'exclama :

— Ah ! Je vois ! Il y a erreur. Vous me confondez avec un autre. C'est mon ami Grandet qui est grand expert sur l'Afghanistan. Pas moi.

— L'Afghanistan ? Mais je vous parle du Nord-Ouest, mon ami.

Prosy s'arrêta court, frappé par l'air de stupéfaction qui se répandait sur les traits d'Askik.

— Mais voyons, dit Prosy en riant d'incrédulité, est-ce possible ?

Son incrédulité tourna court. Il se pencha par-dessus le bureau, émerveillé.

— Mais... c'est incroyable, dit-il doucement. Où diable vous teniez-vous ? Verdun n'est pas la lune. Comment pouvez-vous ne pas savoir ?

Askik ne disait rien. Il se voulait impassible, mais de puissantes émotions travaillaient son visage de l'intérieur. Ses yeux imploraient des éclaircissements, même si sa bouche demeurait résolument fermée. Prosy savourait au maximum ce petit drame inespéré.

— Les Métis sont entrés en rébellion, mon vieux ! Le Nord-Ouest est à feu et à sang !

Le journaliste plongea sous son bureau, fouilla frénétiquement dans un tas de papiers, et retira le journal du samedi. Il le fourra sous le nez d'Askik.

— Voyez ! Lisez ! La police montée a été défaite au lac aux Canards. Battleford est assiégé ! Les Cris et les Sioux sont sur la piste de guerre. Riel est à la tête des insurgés ! Tout le Canada est sous les armes ! Mais vous, pendant ce temps... Prosy s'arrêta, estomaqué. Ne parlez-vous à personne ? s'écria-t-il enfin.

Askik se penchait sur le journal. Sa vue s'était brouillée, il ne déchiffrait qu'un titre : « Insurrection du Nord-Ouest. » De toute manière, il n'avait pas envie de lire. En quoi cette insurrection le regardait-il ? Il était demeuré sans nouvelles du Nord-Ouest pendant quinze ans. Une poignée de Métis avaient tué des policiers à la rivière Saskatchewan ? Et alors ? Il ne connaissait même pas cette région. Craignait-il pour ses parents ? Il dut s'avouer que non. Non, ce qui le choquait n'était pas la nouvelle de l'insurrection, mais la perspective, répugnante pour lui, de retourner dans le Nord-Ouest. Car il savait, au fond de lui-même, qu'il finirait par accepter l'offre de Prosy. C'était le fond du calice, l'échec ultime, la reddition dans la honte. Il allait tirer un trait sur quinze années d'efforts et rentrer chez lui comme il en était parti : sans position, et sans argent.

Bizarre. Askik sentait remuer en lui un sursaut d'orgueil. Après tant d'humiliations, une partie de son être se rebiffait encore. Au fond de lui-même, dans quelque obscur repli de son être, le grand homme se préparait à livrer une dernière bataille désespérée. Mais il était perdu. Askik ne lui donnait aucune chance de succès. Les vieux rêves étaient battus en brèche ; il était temps de baisser pavillon. Askik allait rentrer chez lui. Parce qu'il avait la nostalgie du pays, mais surtout, parce qu'il était battu et que ce n'était pas la peine d'insister. Sauvage un jour, sauvage toujours.

— Je vais y réfléchir, dit-il à Prosy en se levant.

— Tu n'y penses pas ! s'écria Prosy, horrifié. Le bataillon peut recevoir l'ordre du départ dans dix minutes, au cours de la nuit, demain ! Non, non, non ! Voici ce que tu vas faire ! Tu rentres à Verdun. Tu fais ton balluchon, règles tes comptes, ct cetera. A deux heures tu te rends à la salle Bonsecours rencontrer Lemercier : il couvre l'exercice. Et ensuite, tu ne le quittes plus. Tu dormiras ici : je fais monter des lits de camp. Salle Bonsecours, deux heures ! Tu as une mon-

tre ? Prends la mienne. Rends-la-moi avant de partir.
Askik avait la main sur le bouton de porte.

— Qui est l'homme qu'on voit dans les vitrines de
magasins ? Dans les cadres de deuil ?

Prosy ricana.

— Thomas Scott. Riel l'a fait fusiller en 69.

— Je crois me souvenir de Scott. Il n'avait pas cet
air-là.

— Il n'était pas encore martyr. C'était un vaurien,
méprisé de ses propres gens. Mais il était blanc et pro-
testant, et Riel est métis et catholique. Je te laisse tirer
les conclusions.

Le père Mathieu reçut la démission de son comptable sans mot dire. Askik pensait l'incommoder par son
départ, lui offrit même un fusil de chasse en compensa-
tion, mais le père refusa.

— Que veux-tu que j'en fasse ? J' voé pas clair !

Le père s'en retourna dorloter ses percherons tandis
qu'Askik rassemblait ses affaires. En quittant son grenier, il jeta un dernier regard aux livres et aux fourrures. Il ressentit un pincement de cœur. C'était donc
ainsi que cela se terminait ? Pauvre grenier ! si humble,
si rude. « Et pourtant, pensa Askik, j'ai failli y être heureux. Le père va sans doute refermer cette pièce. Dans
trente ans, je repasserai peut-être et tout sera encore
là. Bah ! dit-il en dégringolant l'escalier, je deviens
sentimental ! »

Il sortit dans la cour, son sac et son manteau d'hiver
sur les épaules. Le dégel avait transformé les abords de
la maison en marais : Askik pataugea jusqu'à l'étable.

— Au revoir, le père ! cria-t-il en passant la tête par
la porte entrouverte.

— Tu t'en vas en guerre, mon garçon ? vint une voix
de la tasserie.

— Je vais dans le Nord-Ouest, cria Askik.

— Ben tues-en deux ou trois pour moé !

— Deux ou trois quoi ?

— Comment? On est pas en guerre contre les Anglâ?

Montréal ne rêvait que de gloire. Dans les magasins, les buvettes et les écoles, on parlait fusiliers, grenadiers, carabiniers, et gare à celui qui donnait signe de ne pas s'y retrouver. Aller à l'exercice des miliciens était devenu une preuve indiscutée de patriotisme. Heureux l'homme qui affichait le matin une mine hagarde et qui pouvait dire : « Ouf! J'ai passé la soirée à l'exercice! »

Bien entendu, il y avait des voix discordantes. Une cinquantaine de citoyens s'étaient réunis à l'hôtel Rivard, rue Saint-Gabriel, pour manifester leur appui aux Métis. Certains journaux aussi laissaient entendre que les Métis avaient — peut-être — des griefs valables. Mais on s'empressait d'ajouter que rien ne justifie le recours aux armes.

Le Québec n'avait pas la conscience tout à fait claire en s'embarquant dans cette campagne, mais le plaisir d'avoir enfin sa guerre à soi dépassait de loin les désagréments d'ordre moral. L'Angleterre avait l'Inde, l'Allemagne avait l'Afrique orientale, la France avait le Tonkin. Partout dans le monde les chrétiens faisaient briller la gloire de leurs armes. Il était juste que le Canada ait son Nord-Ouest.

Une foule énorme engorgeait la rue Saint-Paul et les abords du marché. On s'écrasait aux portes de la salle Bonsecours où des militaires effarés tentaient d'endiguer la masse de curieux. A l'intérieur, les miliciens avaient du mal à manœuvrer, tant il y avait de monde. Désespérant de se faire entendre des gardes, Askik attendit une poussée de la foule, et passa sous les fusils comme tout le monde.

Il le regretta aussitôt. L'entrée de la salle était comme un goulot de hachoir à viande. Une fois engagé, Askik ne put reculer. Pourtant, plus il avançait, plus on l'écrasait. Il était serré si fort contre ses voisins qu'il avait du mal à respirer. Des protestations fusaient à l'avant.

— Y a plus de place!

— On va étouffer!

525

— Fermez les portes !

Et pourtant, cette foule compacte absorba encore les nouveaux venus. Un brouillard de fumée de tabac assombrissait la salle, malgré les grandes fenêtres. Askik pouvait voir des canons de fusils se déplaçant en formation. Il voulut pousser jusqu'aux premières rangées mais des visages enragés se tournèrent aussitôt contre lui, crocs à l'air.

— Recule, baptême !

— Pour qui tu te prends ?

— On était icitte en premier !

Un militaire approcha, l'air suprêmement agacé.

— L'Époque ? cria-t-il, en entendant les explications d'Askik. Alors pourquoi n'êtes-vous pas avec les journalistes ? Suivez-moi ! Il fendait la foule avec des « Place ! Place ! » impérieux. Les assistants, énamourés d'uniformes cette semaine-là, s'écrasaient les uns contre les autres avec un zèle touchant. Certains mettaient même les bras en croix pour mieux comprimer leurs voisins. Que ne ferait-on pas pour son pays ?

Askik se retrouva sur l'aire d'exercice, parmi un petit groupe de privilégiés qu'on ne bousculait pas. Certains portaient de beaux habits : c'étaient des notables. D'autres étaient armés de carnets et de crayons : c'étaient les reporters. On retrouve rarement les uns sans les autres.

Cette collection de manteaux sombres et de blocs-notes contenait pourtant une extravagance. Askik remarqua aussitôt un reporter au visage poupin qui dépassait de la tête et des épaules tout ce qui l'entourait. Ce géant ne prenait pas de notes ; l'exercice ne semblait pas l'intéresser. Il s'entretenait volubilement avec son voisin, qui n'osait pas lui dire de se taire. Cet ours aux manières de ballerine portait un pardessus en serge clair, un délicieux fédora brun, et de fines lunettes. Il était, de toute l'assemblée, l'élément le plus fantasque, le savait, et le savourait. Son regard croisa celui d'Askik : il fonça sur lui en tendant une patte de bœuf.

— Maître Mercredi ? En-chan-té ! Arthur Lemercier, à votre service !

— Non, répondit Askik en souriant malgré lui, si j'ai bien compris Prosy, c'est plutôt moi qui dois vous servir.

— Je n'accepte pas de subalternes ! déclara le journaliste avec panache. Rien que des partenaires ! Nous serons collègues ou rien !

— Collègues, donc.

— Je peux vous appeler Alexis ?

— Askik.

Lemercier ouvrit de grands yeux.

— Char-mant ! Ra-vis-sant ! s'écria-t-il d'une voix haut perchée. Ah, je sens que nous ferons du bon travail ensemble ! Grâce au Ciel, la Belette vous a trouvé !

— La Belette ?

— Oh ! (Lemercier posa les doigts sur la bouche.) Je n'aurais pas dû... Prosy est votre ami, je crois ? Je ne vous ai pas vexé ?

— Non, non. La Belette lui convient parfaitement. C'est une bête très fine, très féroce.

Lemercier lui abattit la main sur l'épaule et, se renversant vers l'arrière, éclata d'un rire aigu.

— Ah ! je sens que nous allons nous amuser ! Nous sommes si dis-sem-blables !

Un courant d'air froid balaya l'assistance. La fumée de tabac tourbillonna au-dessus des têtes. On venait d'ouvrir les grandes portes. Les soldats du 65e se rangèrent au garde-à-vous, d'un côté de l'aire de manœuvre. Un bruit de fanfare se fit entendre dans la rue. L'Harmonie de Montréal érupta dans la salle, tous cuivres dehors, suivie de trois cents tuniques rouges. La foule hurlait de joie.

— Les carabiniers de Victoria ! cria Lemercier.

Les deux bataillons, le rouge et le noir, étaient face à face. Les commandants se saluèrent, puis échangèrent une poignée de main. Nouveaux hourras ! Les yeux se mouillaient à voir ces deux régiments, anglais et français, se donner la main dans une lutte commune.

Un podium bas, pavoisé de rouge et de noir, avait été dressé à un bout de la salle. Son Honneur le maire Beaugrand y monta, et attendit le silence.

— Citoyens ! Permettez-moi d'exprimer la satisfaction que j'éprouve à voir ainsi sympathiser compatriotes anglais et français...

Des applaudissements déchaînés, frénétiques, accueillirent ces paroles, comme si les assistants espéraient prolonger le nouvel accord à force de battements de mains.

— Dignes et vaillants descendants de Montcalm et de Wolfe, de Brock et de Salaberry, vous réunissez l'élan français et la ténacité anglaise !

L'enthousiasme de la foule n'avait plus de bornes. Certains essuyaient des larmes, d'autres se mouchaient. Les Canadiens anglais et français aiment beaucoup se faire don de leurs vertus nationales. Le maire leva les mains et reprit son discours.

— Vous allez recevoir le baptême du feu. Revenez-nous couverts de gloire. Salut, les braves !

Après les sentiments, l'ordre. Le vice-adjudant général de la région, le colonel Harwood, montait à la tribune. La foule devint sobre et résolue. Le colonel Harwood rappela aux volontaires qu'ils étaient en service actif, donc sujets aux *Queen's Regulations,* donc passibles de peines sévères pour tout manquement à la discipline. Il cita Lamartine : « Une armée qui discute est comme une main qui voudrait penser. »

Dans les rangs, les recrues serraient leurs mâchoires imberbes et juraient de marcher à la mort plutôt que de discuter la moindre directive. Ils étaient étudiants et commis, fils de bonnes familles. La plupart n'avaient jamais découché : ils imaginaient avec délices les blessures qu'ils rapporteraient de la guerre. Dans les dernières rangées, 8e compagnie, Grandet se tenait aussi raide que possible. Ses muscles le faisaient souffrir : il refusait de les détendre. Son corps, son âme, sa vie appartenaient désormais au pays. Il ne se reconnaissait plus le droit de se plaindre, ni de se prendre en pitié. Il était un homme de guerre, au service entier de sa nation. Elzéar Grandet n'existait plus pour lui-même. Il endurait les petites peines pour se préparer aux grandes souffrances. Il était enfin heureux de lui-même.

Le colonel Harwood, pour avoir été trop pratique, n'eut pas le succès du maire. Il monta un peu la flamme vers la fin du discours.

— Dans la vie militaire, cria-t-il, il faut des sacrifices sans nombre. S'il vous est donné de rencontrer l'ennemi, je suis convaincu que vous direz avec toute la force de vos poumons : « A la guerre comme à la guerre », et « Vive la Canadienne ! »

Le colonel fut gratifié sur-le-champ d'un bel exemple de force pulmonaire. Il descendit, écrasé par les vivats, et tomba dans les bras du maire Beaugrand qui ne manquait jamais une occasion.

La foule commença à se disperser. Lemercier prit Askik par le bras.

— Allons voir si les recettes ont été bonnes ! dit-il.

Ils entrèrent dans un petit bureau où une demi-douzaine de militaires compulsaient des dossiers ou rangeaient des vêtements.

— Dix-huit aujourd'hui ! dit un officier en voyant approcher le reporter.

— En comptant ces deux-là ? Lemercier montrait du doigt deux garçons en voie d'enrôlement.

— C'est ça.

Les adolescents soulevaient à bras-le-corps leur accoutrement : bottes, mocassins, gamelles, ustensiles, paletots cirés, sac à balles, couvertes, peigne et savon. La rupture était totale : ils ne devaient plus rien à leur vie passée. Jusqu'au dernier bouton leur venait maintenant du gouvernement.

— C'est tout pour aujourd'hui, annonça Lemercier en se retournant vers Askik. Mes cales sont pleines ! Retour au port !

— Qu'allez-vous écrire ? demanda Askik tandis que les deux hommes quittaient le marché au pas de charge.

— Que les troupes manœuvrent mieux. Rangées plus serrées. Soldats plus alertes. Bon œil, bon pied. Quelques bribes de discours. Enfin, je verrai...

Le géant Lemercier contournait les flaques d'eau en

étendant les bras comme un patineur. Il marchait si vite qu'il dépassait les charrettes dans la rue.

— Sont-ils prêts à se battre ? demanda Askik qui revoyait en esprit les deux recrues.

Lemercier s'arrêta abruptement, et le dévisagea d'un air d'instituteur ravi.

— Ex-cel-lente question ! Savez-vous, personne ne le sait !

Il repartit de son train d'enfer.

— L'ennui, dit-il, c'est que personne au Canada ne sait se battre. Pas d'armée ! Une poignée de militaires de carrière qui n'ont jamais vu le feu, des officiers britanniques en sinécure, et des miliciens qui n'ont pas encore fini l'école.

— Sont-ils bien armés ?

— Ah non, non. De vieux Snider : des fusils à percussion convertis. Lourds, longs. Une balle énorme. Très efficaces à bout portant. Autrement...

— Mais alors, dit Askik en s'arrêtant en pleine rue, ce sera un désastre !

Lemercier continuait à marcher, les bras loin du corps, la tête légèrement renversée pour mieux humer le parfum du dégel.

— Un désastre ? lança-t-il gaiement. Peut-être ! Mais cela m'étonnerait. La vie n'a pas votre sens du dramatique.

— Je me souviens pourtant, dit Askik en le rattrapant, de deux ou trois incidents de mon enfance que je pourrais qualifier de dramatiques.

— Vous allez me ra-con-ter cela ! fit Lemercier d'un ton gourmand.

Le Richelieu avait été transformé en caserne. Des lits de camp obstruaient les passages. Des soldats en petite tenue ciraient des bottes, ou lisaient des journaux. Dans une petite pièce autrefois réservée aux soirées intimes, des notaires offraient gratuitement leurs services aux officiers qui voulaient faire leur testament. C'est là qu'Askik rencontra Grandet. Le sous-lieutenant avait une nouvelle manière d'agir, brusque et virile, qui ne lui convenait pas.

— Enchanté de vous voir, Mercredi.

Ce n'était pas vrai. En voyant Askik, Grandet avait

eu pour premier réflexe de l'éviter. Cette rencontre le gênait. Comme il avait hâte d'être loin de toutes ses anciennes connaissances !

— Vous étiez à l'exercice ? demanda Grandet pour meubler la conversation. Le bataillon prend l'allure d'une vieille garde, ne trouvez-vous pas ?

— On dit que vous êtes mal armés.

— Tut ! Tut ! Le gouvernement a passé commande en Angleterre pour dix mille Martini-Henry et quinze millions de cartouches. Quinze millions, mon ami !

— C'est beaucoup pour dix mille Métis, reconnut Askik.

Grandet rougit un peu.

— Il y a aussi... les Indiens, bafouilla Grandet, et puis le gouvernement veut certainement mettre des munitions en réserve en cas, euh, d'incidents futurs... Mais à ce sujet, est-ce vrai que les Métis sont armés de Winchester à répétition ?

— Je ne sais pas. Ils n'en avaient pas il y a vingt ans.

— Personne n'en avait il y a vingt ans.

— Évidemment, s'ils ont des Winchester...

— Eh oui... Grandet eut le regard perdu pendant un moment. Ses mains parcouraient instinctivement sa maigre poitrine.

— Avez-vous des nouvelles de de Meauville ? demanda Askik pour le tirer de ses pensées funestes.

Le visage de Grandet s'empourpra. Ses doigts se refermèrent convulsivement sur ses boutons brodés.

— De Meauville ? Il a cherché effectivement à vous prévenir, mais c'est que... nous ne savions pas où vous étiez, n'est-ce pas ? Et l'hiver, vous comprenez...

— Il s'est marié ?

Grandet soupira de soulagement.

— Pas encore. Le mois prochain.

— Ils sont heureux ?

— Plus que nous ne le serons jamais.

— C'est aussi mon avis.

— Vous dînez avec nous ? demanda Grandet avec sollicitude. Je peux obtenir l'autorisation.

— Merci, je rentre au journal. Je suis attaché à *L'Époque*.

— Je sais. On me l'a appris. Oh ! Mercredi ! avant que vous ne partiez : vous vous souvenez de l'avocat Robert Simpson ? Il est parti rejoindre le 2e bataillon. Il vous a laissé une lettre, mais je regrette... elle est chez moi.

— Nous avons tout notre temps. Vous me la donnerez une autre fois. Au départ peut-être.

— Ah oui, au départ ! s'exclama Grandet, tout enjoué par cette perspective. Ça ne tardera sûrement pas ! cria-t-il.

IV

En fait, ils attendirent encore deux jours. Ils manquaient de casques et de bottes. Pendant ce temps, Askik arpentait les couloirs de *L'Époque*. Il était en proie à un abattement nerveux, ne voulait plus lire ni sortir, et ne mangeait qu'à contrecœur. Il avait peur de ne pas partir. Les dépêches télégraphiques laissaient entendre que la rébellion était sur le point de s'essouffler, le 65e bataillon serait peut-être démobilisé. Askik guettait chaque arrivée d'estafette, chaque coup de téléphone. Il s'était résigné à rentrer au Nord-Ouest et ne voulait pas se retrouver dans la nécessité de choisir un avenir.

Et puis soudain, l'ordre de départ fut donné : jeudi, dix heures, gare du Pacifique. Les boulangers Viau et frères reçurent l'ordre de préparer mille livres de pain ; le traiteur Napoléon Bourassa promit huit cents livres de jambon et de rôtis. Les casques et les bottes furent enfin distribués. On découvrit quarante-cinq tentes et mille couvertures dans un entrepôt de Sainte-Hélène. Un train de colonisation, vidé de ses immigrants, stationnait en gare, sa benne à charbon remplie à ras bord.

A *L'Époque* aussi, le dispositif était en place. Prosy

tint un dernier conseil de guerre la veille du départ. Il était blême, tremblait de fatigue et, pourtant, n'avait jamais été plus fort. Il distribuait les directives comme des gifles. Les reporters se raidissaient sous l'averse et ne discutaient pas. Même les plus vieux se surprenaient à respecter cette méchante Belette qui les forçait à faire du neuf, du jamais-vu. Les manches roulées, le grand corps plié sur ses papiers, Prosy martelait la table de son poing anguleux.

— La couleur ! La couleur ! La couleur ! Du vrai ! Du chaud !

Une fois la réunion terminée, Prosy s'affala dans sa chaise. Il avait joué ses cartes et n'avait plus qu'à attendre que le destin abatte les siennes.

Askik et Lemercier passèrent chez le comptable toucher leur avance. Lemercier dansait de joie. Il dépensait par simple réflexe et se trouvait toujours à court.

— Tu viens au Richelieu ? demanda-t-il. Le maire offre un punch d'honneur aux officiers ! Oh oui, viens ! Je t'en supplie ! Alors tu me rejoins ? C'est promis. A tout à l'heure, mon cher !

Prosy, demeuré seul dans la salle de rédaction, frottait ses yeux injectés de sang.

— Alors, Askik, dit-il en replaçant ses verres, nous y revoilà de nouveau. Cela doit être dit que je présiderai toujours à tes départs. Étonnant tout de même ce bout de chemin que nous avons fait. Qui eût dit, il y a vingt ans, que je deviendrais directeur de journal, et que toi...

Il hésita, ne sachant trop quelle position accorder à Askik sur le grand échiquier du destin. Le Métis le fixait de ses yeux impassibles et profonds. « C'est tout de même étrange, pensa Prosy, que vingt ans de vie parmi nous ne l'aient pas débarrassé de ce regard... animal. On dirait un chevreuil qui guette votre prochain geste. Il y a de la défiance, ce qui suppose la peur, mais aussi une espèce d'indifférence. De fatalisme. Que pense-t-il en ce moment ? Est-il heureux ? Malheureux ? Ou l'ignore-t-il lui-même, comme ces enfants-loups qu'on trouve dans la jungle et qui n'ont pas connaissance d'eux-mêmes ? Mon Dieu ! L'âme indienne serait-elle si difficile à rescaper ? Alors, nous n'avons pas fini notre travail auprès de ces pauvres gens... »

Il se leva et serra chaleureusement la main de son ancien élève.

— Bon voyage, Askik. Que Dieu te garde. N'oublie pas tout ce que tu as appris chez nous.

« Ah, voilà ! Il souriait enfin. Ils sont touchants à leur manière », pensa Prosy.

— Au revoir, monsieur, dit Askik. Non, je n'oublierai rien. Comptez sur moi.

Prosy avait la larme facile ces jours-là. Il faillit être emporté par l'émotion. « C'est dommage, pensa-t-il, en voyant sortir Askik. Si peu de gens savent reconnaître les qualités simples mais belles de ces braves Métis. Il y a tellement de racistes ! » Il résolut d'en faire un éditorial un jour. Pourquoi pas un livre ? *Ma vie chez les Métis...*

C'était la fête au Richelieu. On buvait santé sur santé. Les notables et officiers partageaient un goûter et un punch, tandis que les simples soldats se promenaient de pièce en pièce, les regards ravis, un verre de limonade à la main. Certains vivaient leur première nuit hors du foyer paternel. Ils n'en revenaient pas de déambuler en maîtres dans les salles brillamment illuminées de l'hôtel.

— Mercredi ! Mercredi ! Youhou ! Grandet agitait son grand bras en s'élevant sur la pointe des pieds. Il traversa la pièce en trois bonds et rattrapa Askik. Il avait trop bu et rigolait comme une écolière.

— Comme je suis heureux de te voir ! Quelle magnifique soirée ! *Of course,* il manque les dames. Mais quelle importance pour de vieux célibataires comme nous, n'est-ce pas ? C'est un moment rare dans nos vies, Mercredi. Un moment précieux ! Je n'ai jamais connu un meilleur groupe d'hommes. *Stout lads ! Good lads !* Nos commandants sont comme des pères pour nous. Je mourrais pour eux !

La joie de l'immolation le faisait rayonner.

— Mais j'allais oublier de nouveau ! s'écria-t-il en succombant à une nouvelle crise de gloussements. (Il fouillait ses poches.) Oh ! la la ! Où l'ai-je mise ? Aha ! Voici, enfin !

Il tira une enveloppe plissée et la remit à Askik.

— C'est la lettre de Simpson, expliqua Grandet. *Better late than never !* Je vous sers ?

Askik décacheta l'enveloppe pendant que Grandet lui cherchait à boire. Le sous-lieutenant avait dû verser du punch sur son uniforme : un coin de la lettre était mouillé et embaumait le rhum. L'écriture demeurait néanmoins lisible.

« Cher Mercredi,

Je confie cette lettre à votre ami Grandet en espérant qu'il vous revoie d'ici peu.

Vous m'excuserez de m'immiscer dans vos affaires personnelles ; quelques mots vous feront tout comprendre.

Notre étude accepte à l'occasion de mener des poursuites pour la Couronne. Je préparais le procès d'un commerçant accusé de recel. Je dus, au cours de cette enquête, me rendre à la prison municipale interroger le témoin à charge. Ce témoin, Charles Delorme, dit Bidou, est lui-même détenu pour vol par effraction.

J'avais terminé mon interrogatoire lorsque, à ma grande surprise, ce Bidou m'a demandé si je vous connaissais. Il dit vous avoir rencontré il y a seize ans : vous arriviez du Nord-Ouest, il était charretier et vous a conduit de Lachine à Montréal. Il dit qu'il a cherché à vous rencontrer l'hiver dernier, qu'il vous a fixé un rendez-vous, mais qu'il a été repéré par la police et arrêté en vous attendant.

Ce Bidou prétend connaître un de vos anciens bienfaiteurs, un ami à lui, tombé dans l'indigence. Aux dernières nouvelles, votre bienfaiteur habitait une taverne, la Jolie Pinte, près du port. Il se nomme Urbain Lafortune.

J'allais vérifier l'authenticité de ces faits lorsque mon régiment a été mobilisé. Je vous conseille la plus grande

535

prudence. Ce Bidou est une fripouille : je ne doute pas que son ami Lafortune ne le soit aussi.

Cordialement,
Robert Simpson. »

Grandet retraversait la foule d'un pas mal assuré, un verre dans chaque main.

— Je propose, dit-il, la santé d'amis... mais que faites-vous ?

Askik s'était emparé des verres, et les plaçait sur un rebord de fenêtre.

— Pouvez-vous vous absenter pendant quelques heures ? demanda-t-il en serrant le bras de Grandet. J'aurai peut-être besoin de votre uniforme. Allez prendre votre manteau ! Je trouve une calèche !

Quelques instants plus tard ils filaient à travers les rues de Montréal. Les immeubles de pierre firent place aux entrepôts, les entrepôts aux maisons de bois, les maisons aux cabanes. Le cocher était inquiet et, malgré l'interdiction municipale, faisait avancer son cheval au grand trot. Il tira les rênes devant une taverne basse et sinistre qui n'avait pas d'enseigne. Mercredi sauta par terre ; Grandet, que l'air vif avait dégrisé, suivit avec plus d'hésitation.

— Attendez-nous ici ! fit Askik au cocher.

— Non, môssieur, répondit l'autre. J'attendrai certainement pas icitte ! Payez-moé que j' m'en aille !

Il reçut l'argent avec méfiance. Ces débauchés élégants qui descendent dans les bouges le dégoûtaient. Montréal avait tout de même de meilleurs endroits pour courir les filles !

— Fais l'homme, dit Askik en poussant la porte de la taverne. Un silence hostile les accueillit. Ils devinèrent deux douzaines d'hommes et de femmes dans une pièce basse, fumeuse, et mal éclairée. Ce qui frappait surtout à la Jolie Pinte, c'était l'odeur, un mélange de toilette et de viande grillée. Grandet crut qu'il allait vomir l'excellent punch du maire Beaugrand : mais il sentit qu'on le lui ferait payer cher, et se retint.

— Je cherche Urbain Lafortune, dit Askik au tenancier, un animal aux bras gros comme des cuisses. L'homme posa un regard mauvais sur l'uniforme : Grandet se sentit rapetisser.

— Vous le voulez pourquoi ? fit le tenancier d'un air railleur.

— C'est un vieil ami, on me dit qu'il est dans la misère.

— Ça doit aller mal dans la police, fit quelqu'un dans la salle, s'ils sont obligés d'embaucher des tapettes pi des Sauvages !

Un rire surfait, provocant, éclata parmi les buveurs. Grandet sentit ses joues chauffer. Il en voulait terriblement à Mercredi de l'avoir traîné dans ce lieu : il ne souffrait pas d'être ridiculisé !

— De toute manière, grogna le tenancier, Lafortune est pu icitte.

— Y l'ont amené à l'hospice ! cria sa femme avec un geste de la main qui ajoutait : « Maintenant, débarrassez ! »

— Quel hospice ?

— Que veux-tu que ça me sacre ! jura le tenancier, qui perdait patience. Y est probablement mort à l'heure qu'y est !

Ils durent retraverser le quartier à pied, prendre des renseignements d'une demi-douzaine de cochers réunis autour d'un brasero, et repartir en calèche vers l'hospice le plus proche. Les flaques d'eau gelaient, les roues dérapaient sur des plaques de neige durcie. Il était minuit passé lorsqu'ils arrivèrent devant un haut immeuble en brique jaune, entouré d'une grille.

— Mercredi ! implora Grandet, il est plus que temps que je rentre. Nous partons demain !

— Une minute encore. On ne voudra pas m'ouvrir à cette heure. Tu expliqueras. Ouvre ton manteau pour qu'on voie bien l'uniforme.

Malgré l'heure tardive, une religieuse répondit presque aussitôt. C'était une femme minuscule qui les épiait par la porte entrouverte. Grandet se fit chevaleresque.

— Bonsoir, ma sœur. Désolé de vous déranger à cette heure. Je suis le major Elzéar Grandet, 8e compagnie, 65e bataillon du Mont-Royal. Cet homme est... un interprète attaché à notre régiment. Il part dans quelques heures pour le Nord-Ouest et ne reviendra peut-être jamais dans notre ville. Il veut faire un dernier adieu à un vieil ami, monsieur Urbain Lafortune.

— Pourquoi n'est-il pas venu durant les heures de visite ? demanda la religieuse avec cette voix de souris que prennent les postulantes en entrant dans les ordres.

— C'est aujourd'hui seulement qu'il a appris que ce vieil ami était encore vivant.

La religieuse hésitait ; Grandet en remit.

— Sœur, cet homme part en guerre. Il met sa vie en péril pour la nation.

— Mais vous dites qu'il est interprète.

— Il est métis. Donc, aux yeux des siens, un traître. S'il est capturé, il subira le même sort que nos saints pères Brébeuf et Jogues.

La religieuse ouvrit de grands yeux : il y avait justement à la chapelle une image des saints jésuites au poteau de torture.

— Entrez, dit-elle, en s'écartant.

Askik entra, Grandet s'envola. La religieuse lui fit traverser le parloir, et s'engagea dans un escalier étroit.

— C'est l'escalier des sœurs, souffla-t-elle.

Ils débouchèrent au troisième, dans une grande salle à colonnes de fer. Askik devina quatre rangées de lits et des corps ensevelis sous des couvertures blanches. Pour la seconde fois cette nuit, il fut pris à la gorge par une odeur suffocante. Autant un seul dormeur peut rendre l'air d'une chambre fétide par ses exhalaisons, autant cinquante femmes, vieilles, incontinentes, rongées par la maladie, peuvent remplir l'air de leur misère. Le gros savon à désinfectant qu'on utilisait sur le plancher, les pots de chambre, les remèdes et les draps moites créaient une touffeur irrespirable.

Les planches craquaient sous leurs pieds. Un voix plaignarde sortit d'un coin sombre.

— Sœur !... Sœur !...

La religieuse marchait tout droit, à pas silencieux mais rapides, ne répandant à son passage qu'un peu de lumière et le bruissement de son chapelet. Le cercle lumineux de sa lampe éclairait des malades par fractions de seconde. Certains corps, minuscules, s'abîmaient dans les sommiers. D'autres levaient des bras grêles et crochus. De temps en temps, un regard blessé et surpris émergeait de la noirceur. Une femme sanglotait dans un lit à barreaux, répétant inlassablement « J'ai mal... j'ai mal... » comme si elle n'en revenait pas de souffrir. Quand elle vit la sœur se pencher sur son lit, elle beugla d'une voix étouffée : « J' veux pas mourir ! J' veux pas mourir ! »

La religieuse ouvrit une porte et fit passer Askik dans un couloir. Dans la pharmacie faiblement éclairée, une vieille religieuse se berçait en récitant son chapelet. Elle adressa un sourire respectueux à Askik.

— Par ici, fit la sœur en ouvrant encore une porte, c'est la salle des hommes.

Un second dortoir, plus silencieux que le premier. Le souffle rauque des dormeurs s'élevait de tous les côtés. Parfois, l'un d'eux marmonnait un nom, une protestation. Revoyaient-ils en rêve leurs femmes, leurs enfants, leurs maisons ? Ils n'avaient plus qu'un petit pas à faire pour devenir revenants à temps plein.

La religieuse le mena à l'extrémité de la salle, près des grandes fenêtres.

— Il aime beaucoup voir le fleuve, expliqua-t-elle, c'est pour cela que nous l'avons placé là.

Elle alluma une chandelle, la plaça sur la table de chevet.

— Je ne mets pas le gaz, dit-elle, pour ne pas réveiller les autres. Si vous avez besoin de quelque chose, demandez à la pharmacie.

Elle lui offrit une chaise et disparut.

Askik reconnut sans mal l'ancien voyageur. Il n'avait pas beaucoup changé. La peau ressemblait à du frêle parchemin, des veinules bleues striaient les joues

539

creuses, mais le bec d'aigle et le grand front avaient résisté. Lafortune dormait en tressaillant. Ses lèvres et ses paupières tremblotaient ; ses mains osseuses, fortement veinées, empoignaient la couverture sous le menton. Pour ne pas le déranger, Askik souffla la chandelle.

Il vit mieux sans la lumière. Les lits semblaient s'étirer jusqu'à l'infini, comme un reflet pris entre deux miroirs. Les travées de fenêtres traçaient des croix sur les dormeurs. De temps en temps, une ombre de religieuse volait entre les lits.

C'était vers le milieu de la nuit, quand les dormeurs sombrent au fond d'eux-mêmes, quand ils se débattent dans les songes et vivent sans étonnement le dessous de leurs vies. Askik, qui veillait, n'avait droit qu'aux souvenirs de la vie consciente. Le dortoir lui rappelait son collège. Il voyait les élèves revenant de congés avec des foulards tricotés par leurs mères, des boîtes de friandises, et des livres tout neufs. Lui, recevait au printemps et à l'automne des vêtements achetés bon marché par les pères, acquittés à Vieilleterre. On l'habillait de teintes sombres parce que les Sauvages, c'est bien connu, sont portés aux couleurs criardes. Les autres enfants réclamaient à leurs parents des patins, des houppes, et des luges ; lui, ne pouvait rien demander parce que tout ce qu'il recevait était déjà de trop. Il se souvenait des longues nuits de dortoir à côté de petits Blancs choyés, lorsque le moindre souvenir de la Rivière Rouge l'étouffait de douleur. Et puis, petit à petit, il s'y était fait. La routine l'avait apprivoisé. Il avait fini par croire aux promesses de ses professeurs. Travaillez et vous réussirez ; brillez et vous serez acceptés. Mais il y avait eu erreur sur la personne, comme disent les juristes. Les promesses étaient adressées à ses camarades, pas à lui. Le sort qu'on lui réservait était tout autre. On le voyait retourner dans le Nord-Ouest pour seconder l'œuvre des civilisateurs. Personne n'avait envisagé qu'il pût percer au Québec. On peut réchauffer un indigent sous son toit, on ne lui donne

540

pas les clefs de la maison. Le Canadien français peut se pencher avec sollicitude sur ses pittoresques cousins métis, mais il aime que la frontière demeure nette entre bienfaiteur et assisté. Que le protégé apprenne à subvenir à ses besoins, bien. Mais qu'il se contente de peu, qu'il n'aille surtout pas concurrencer ses sauveurs. Tout cela se savait sans se dire. Askik avait été le dernier à comprendre, voilà tout.

« C'est bête, pensa-t-il. J'aurai passé ma première et ma dernière nuit à Montréal à veiller. Et je crois que j'ai dormi sans arrêt entre les deux. »

Askik fixait des yeux le menu corps sur le lit : une hanche pointue perçait le drap. Les images venaient d'elles-mêmes : Lafortune bâtissant son canot dans une cabane trop petite... Lafortune dans la boue et les moustiques du Portage Savane... Lafortune riant de joie en semant le colonel anglais... Et pourtant, ce n'était qu'une tranche infime de sa vie. Qu'avait été le reste ?

Des chuchotements à la pharmacie réveillèrent Askik. Le jour allait se lever ; il neigeait. Le ciel bas s'étendait sans brisure jusqu'à Longeuil : au-delà, on ne voyait rien. Les feux du port brûlaient d'un bleu vif absurde ; Askik n'aimait déjà pas l'électricité.

« Qu'est-ce qui t'est arrivé, Lafortune ? murmurait Askik. Tu avais si hâte de revenir au Canada. Tu avais des économies : qui te les a arrachées ? Le vieux qui t'a recueilli le premier soir ? Bidou ? Ah ! si nous avions su que cela se terminerait ainsi, nous serions demeurés à Saint-Boniface. J'avais bien raison ce dernier matin de notre voyage : il aurait fallu rentrer avec Numéo. Mais toi et moi, nous avons le don de nous rendre malheureux. Tu chassais le passé, moi l'avenir. Quelle lubie ! Quels chasseurs ! »

Une lumière livide se répandait dans la pièce. Askik vit apparaître, à l'autre bout de la salle, un grand crucifix portant le voile du carême. C'est Jeudi saint, pensa-t-il machinalement, le jour des adieux.

Les malades se réveillaient. Certains le fixaient d'un regard morne en attendant le gruau. D'autres repre-

541

naient leur contemplation muette du plafond, interrompue depuis la veille. Un plafond de tôle ouvrée, à motifs compliqués, où l'esprit pouvait se perdre un temps.

La religieuse vieillissante qu'il avait entrevue à la pharmacie marchait pesamment vers lui.

— Il est sept heures, mon bon monsieur, dit-elle d'une voix plaisante. Votre régiment part dans quelques heures, je crois.

Askik s'étonnait que la nouvelle de la rébellion eût filtré dans un endroit pareil. La surprise devait se lire dans ses yeux.

— Nos patients lisent les journaux, expliqua la religieuse en souriant.

Puis, baissant les yeux sur Lafortune, elle ajouta :

— Il ne se réveillera pas. Il y a déjà un mois qu'il est sans connaissance. Il n'en a plus pour longtemps.

— Qu'est-ce qui lui est arrivé, avant d'entrer ici ?

— Oh, il parlait déjà bien peu en arrivant, monsieur. En entrant dans cette salle, il a tout de suite réclamé de voir le fleuve. Et c'est à peu près tout. Il laissait entendre, parfois, qu'il espérait remonter le Saint-Laurent, pour aller je ne sais où. Mais c'était trop tard, bien trop tard...

« Moi, je sais où il voulait aller », pensa Askik. La religieuse avait posé la main sur le crâne dégarni du vieux voyageur et le regardait avec une tendresse de sœur aînée. Pour elle aussi, il commençait à se faire tard. Elle avait les manières et le parler des anciennes familles canadiennes. Fille de seigneur, peut-être, trop peu jolie pour trouver un mari, et qui avait acquis dans les ordres une beauté inaltérable. Lafortune laissa couler un peu de morve sur l'oreiller ; la religieuse l'épongea avec son mouchoir. Askik fut horrifié. « Comment peut-elle vivre parmi tant de misère ? » se demandait-il.

Il se souvint de l'avance touchée le soir précédent aux bureaux de *L'Époque,* plongea la main dans la poche, et plaqua un rouleau de billets dans les mains de la religieuse étonnée.

542

— Pour vous et vos malades ! balbutia-t-il.

La religieuse lui referma la main. Ses doigts étaient mous et forts.

— Gardez votre argent, jeune homme. Votre ami n'en a plus besoin. Ce que vous avez vu cette nuit vous trouble ? Dites-vous bien qu'ici est la vraie vie ; c'est quand vous êtes dehors à courir après vos appétits que vous rêvez. Ceux qui ont rêvé toute leur vie s'éveillent ici.

— En tout cas, bredouilla Askik, ridicule, vous êtes bien bonne de vous occuper de ces malades !

La bonne mère dut-elle réprimer un mouvement d'agacement ? Il n'en parut rien. Ses yeux jaunis ne laissaient paraître qu'une douceur et une patience aux limites inlassablement refoulées.

Après un moment elle ajouta :

— Vous allez à la guerre, n'est-ce pas ? Tâchez de ne tuer personne.

Elle s'éloigna d'un pas lourd, son chapelet battant une vieille mesure.

En traversant le parloir, Askik rencontra la petite religieuse qui lui avait ouvert la nuit précédente. Elle s'avérait, à la lumière du jour, étonnamment jeune, quoiqu'elle eût les traits tirés par la fatigue.

— Nous prierons pour vous, monsieur, dit-elle de sa voix fluette.

V

Dix mille personnes les attendaient à la gare du Pacifique. Le régiment eut du mal à se rendre jusqu'au quai. A plus d'une reprise, les soldats se trouvèrent séparés les uns des autres par une poussée de la foule. Ils s'alignèrent enfin devant les wagons ornés de Union Jacks. Le colonel Harwood monta à l'estrade et réclama le silence : la foule se tut. Le respect des officiers était à la mode. On n'entendait plus que les échappées de vapeur de la locomotive.

— Soldats ! cria l'adjudant général de son bel accent anglais. La guerre civile sévit aujourd'hui dans notre Canada. Il est permis à chacun de nous d'avoir une opinion quelconque sur les droits des Métis. Il est permis à chacun de nous demander le redressement de leurs griefs, mais cela n'implique pas la guerre civile et c'est votre devoir d'aller combattre ceux qui fomentent la révolte...

Pendant ce temps, on faisait monter les correspondants à l'arrière du train. Lemercier était resplendissant : grand manteau de raton laveur, bonnet de fourrure, bottes d'équitation.

— Vous ne craignez pas d'avoir chaud ? demanda un correspondant français en clignant de l'œil aux autres reporters.

— Et pourquoi donc ? pouffa le grand Lemercier.

— Mais les plaines ont un climat continental ! s'écria le Français, gouailleur. Les étés sont torrides, mon vieux ! Vous voyez bien que vos collègues sont habillés plus légèrement !

Un petit rire obligeant passa dans le groupe ; les correspondants étaient occupés à ranger leurs sacs et leurs foulards. Le gros Lemercier se tourna vers son guide, l'air déçu.

— Garde ton manteau, lui conseilla Askik.

Le Parisien enleva sa jolie gabardine à carreaux verts, lança dans le porte-bagages son melon de tweed et, dépliant un journal, s'acagnarda du mieux qu'il put entre les bancs de bois.

— Ah ben dis-don', c'est pas le luxe !

— Officiers ! Soldats du 65e ! lançait le colonel Harwood, je vous dis au revoir ! Revenez bientôt au milieu de nous couverts de lauriers, et vous ferez honneur à votre pays et à votre nationalité !

Entendre ça d'un *Angliche,* quelle joie ! Un tonnerre de hourras dispersa les pigeons venus s'abriter sous le toit de la gare. Les soldats montaient dans le train. Un coup de sifflet. Une explosion de vapeur. Le claquement des attelages. Deux ou trois jeunes femmes, élé-

544

gamment vêtues, bien en vue dans les premières rangées, choisirent le même moment pour s'évanouir. Des bras pleins de sollicitude les recueillirent, des mains finement gantées tendirent des sels. A l'arrière de la foule, près des portes, une jeune lingère s'écroula au sol en se meurtrissant le front. On la sortit aussitôt ; elle se ranima en pleurant sur les marches de la gare.

Le train prenait de la vitesse. Les officiers allaient de wagon en wagon en distribuant des cigares et des claques amicales.

— Enfin, on respire ! disaient les soldats, un peu las, malgré tout, de leurs admirateurs. Ils entonnèrent les chansons de circonstance et virent à peine passer le fleuve qui fuyait sous les roues. Ils avaient quitté l'île de Montréal. Les soldats excités se pressaient aux vitres pour voir défiler des villages et des fermes enneigés. Tout leur paraissait mémorable et neuf.

La neige et la nuit leur fermèrent bientôt la vue. On alluma les lampes, on chauffa les petits poêles, les wagons de colonisation prirent l'allure de gentils clubs ballottants remplis d'une jeunesse dorée. Les journalistes s'étaient éparpillés dans le train, se présentaient aux soldats, recevaient des confidences, prenaient des notes.

— Je suis né à Varennes. Mon père est notaire. Il s'est présenté aux dernières élections. Vous le connaissez peut-être...

— Je suis en rhétorique au collège de Montréal. Je songe à entrer au séminaire, à me consacrer à Dieu. Mais auparavant, je veux rendre ce service à mon pays...

Les jeunes sont si intimement persuadés de leur importance qu'il parut tout naturel à ces miliciens de raconter leur vie à des journalistes. Les reporters notaient avec un empressement flatteur leur passé, leurs rêves, et leurs ambitions. Au cas où l'un de ces vantards se ferait tuer. Vivant, un adolescent épris de lui-même est ennuyeux ; mort, il est sublime.

Encore une fois, Lemercier faisait exception à la

règle : il jouait au poker avec les officiers et perdait coup sur coup. Il allait abattre un jeu particulièrement débile lorsque les roues du train poussèrent un cri déchirant, ralentirent et s'immobilisèrent. Les soldats, les provisions, et grand merci ! les cartes, furent projetés vers l'avant. Lemercier reçut un paie-maître sur le ventre et en profita pour lâcher son jeu.

Les soldats se relevaient en défroissant leurs tuniques.

— Qu'est-ce qui se passe ?
— Allez demander dans le char d'en avant.
— Il y a peut-être quelque chose sur la voie.
— Une vache...
— Ou un ours !

On ne savait rien dans les autres chars. L'arrêt se prolongeait. Ça ne pouvait être un ours, ou alors il avait du cran à revendre. On entendit des voix à l'extérieur.

— Chut ! Éteignez les lampes qu'on puisse voir un peu dehors !

Le wagon fut plongé dans l'obscurité. Les soldats se jetèrent aux fenêtres. Ils virent apparaître une forêt grise, d'énormes sapins aux bras tendus de neige, des officiers qui marchaient le long de la voie en s'entretenant d'un air préoccupé. La neige tombait dru ; le vent s'élevait. Un frisson délicieux parcourait les volontaires. Était-ce déjà le temps de se battre ?

Ils virent des ombres sortant des bois à l'arrière du train.

— Hé les gars ! beugla une recrue en rentrant d'un autre wagon. Le bataillon est rappelé ! La rébellion est terminée !

— Espèce de benêt ! C'est pour cela qu'ils se promènent dans les bois ?

— Taisez-vous ! qu'on entende ce qu'ils racontent !

Mais ils n'attrapaient que des bribes. Les officiers en passant levaient sur eux des regards vides et semblaient s'étonner de l'excitation des troupes. La locomotive siffla, le train démarra. Les volontaires déçus reprirent leurs places.

On envoya des reporters aux nouvelles : ils revinrent dix minutes plus tard en riant aux éclats.

— C'est à peine croyable ! Une désertion !

La nouvelle déclencha une tempête dans le wagon. Tous les soldats étaient sur pied, criant d'indignation ; tous voulaient connaître le nom du lâche.

— Attendez ! Vous ne savez pas le meilleur ! En voyant passer le dernier village, notre héros met son manteau et son képi, pose son havresac sur la tête, et fonce tête première à travers la vitre.

— C'est pas vrai ! Un brave !

— En voilà de l'élan !

— Les officiers dans le wagon sont demeurés si bêtes qu'ils ont mis une bonne minute à lancer l'alerte. On a retrouvé ses traces dans la neige, mais notre lièvre avait filé. De toute manière, on croit savoir qu'il a de la parenté sur l'autre rive. On le retrouvera sans difficulté.

— Bon débarras.

— C'est son officier qui va passer à la caisse ! ajouta le journaliste. Le sous-lieutenant Grandet, s'il vous plaît, ayant un peu trop fêté la nuit dernière, se trouvait aujourd'hui dans un état diminué et n'a pu prévenir l'évasion. Bien entendu, ajouta le reporter en sous-main, il n'y pouvait rien. Mais faut bien que quelqu'un écope !

Un rire généreux approuva ce jugement.

— Couvre-feu, messieurs ! lança un officier en entrant dans le wagon. Éteignez, je vous prie ! Le voyage sera long. Prenez des forces.

Mais comment dormir dans ces wagons brimbalants aux bancs de bois spécialement étudiés pour pulvériser des coccyx ? Un milicien découvrit dans le porte-bagages un dépliant froissé : on y voyait un paquebot de luxe voguant sur de grands caractères bizarres.

— On dirait du grec, chuchota son voisin de banquette.

— C'est de l'arabe ! observa un milicien sûr de lui.

— Mais non, souffla un finissant de collège, le ton méprisant. C'est l'alphabet cyrillique. Du russe ou de l'ukrainien. C'est un prospectus d'immigration. Vous n'êtes jamais allés au port de Québec? Il en rentre plein les portes des gens comme ça. Les Canadiens ne feront plus longtemps loi chez eux, j' vous le promets.

— En tout cas, fit le partisan de l'arabe, s'ils ont traversé l'océan pour venir jusqu'ici, ce wagon a dû les décevoir.

— On en a pour longtemps comme ça? C'est interminable!

— Dix jours, mon ami!

Askik s'éveilla en sursaut, l'esprit confus, le dos meurtri par la banquette. Le train freinait. Des lumières de gare l'éblouissaient. Il eut l'horrible pressentiment qu'ils avaient fait demi-tour et rentraient à Montréal. Il entendit des voix derrière lui.

— Où sommes-nous?

— Ottawa.

« Elisabeth! » pensa Askik avec une rapidité qui l'étonna. Il ne pensait jamais à elle, pourtant.

Il était une heure du matin. Malgré une tempête de neige, un petit groupe de Canadiens français s'étaient massés à la gare et agitaient bravement des drapeaux.

— Vive le 65e! Vive Montréal!

Les soldats forçaient sur les vitres engivrées : on leur tendait du thé chaud et des friandises.

— Le voyage n'a pas été trop dur?

— Ça s'endure, madame.

— Vaillants garçons!

Askik parcourait la foule des yeux, le cœur battant. Serait-elle là? Soudain, il aperçut Eugène Sancy, donnant la main au colonel Ouimet. Son cœur se serra : Elisabeth... Mais il ne la voyait nulle part. Le ministre Sancy — car son prédécesseur avait enfin rendu l'âme durant l'hiver — monta sur une petite tribune tendue de drapeaux. Rien à dire, pensa Askik, c'est un bel homme. Un peu court, mais juste ce qu'il faut de corpulence, une crinière d'argent, des traits sobres, des gestes puissants. Il ira loin, le père Sancy, s'il peut ne pas trop biaiser.

Sancy sentait que le vent était incertain, que la question métisse pouvait leur revenir en pleine face. Il se préparait une petite chaloupe, en cas de naufrage.

Il avait à peine commencé son panégyrique des troupes canadiennes lorsque la locomotive lança un hmmf! retentissant, et sortit de gare.

— Comment! s'étonnaient les soldats, on ne descend pas?

— Mais ils ont oublié le colonel Ouimet!

Vingt minutes plus tard, on serrait de nouveau les freins.

— Riel aura le temps de mourir sénile, observa Lemercier.

— Tout le monde descend! criait un cheminot en passant dehors. Le souper est servi!

— Comment s'appelle ce bled? demanda Lemercier en croisant le cheminot sur la voie.

— Carleton, monsieur. Nos bonnes dames d'Ottawa vous ont préparé un goûter!

Les troupes s'engouffrèrent dans une petite salle où de bonnes bourgeoises armées de louches faisaient le piquet derrière des chaudrons fumants. Averti par quelque pressentiment, Askik demeura dans l'ombre près de la porte. Il coula un regard oblique dans la salle et, comme de fait, Elisabeth y était. La fille du ministre Sancy pouvait difficilement renoncer à pareille occasion. Elle passait entre les tables, théière en main, s'arrêtant çà et là pour faire un brin de causette avec les troupes.

Il y avait d'autres jeunes femmes qui faisaient le service, mais les hommes ne voyaient qu'Elisabeth. On eût dit une reine s'amusant à servir. Ses fréquentations aristocratiques l'avaient habituée à d'autres goûts, d'autres manières. Elle avait délaissé les toilettes trop voyantes à rubans et résilles dont s'était entiché Askik. Sur toute autre femme de son âge, la robe mordorée qu'elle portait eût paru sévère : chez elle la sobriété de la coupe mettait en éclat la sensualité du corps et du visage. Ses cheveux dorés montaient dans une très douce torsade.

Un diamant solitaire semblait avoir été piqué à la dernière minute au-dessus de l'oreille gauche. Il y avait dans sa beauté assez de naturel pour autoriser les espoirs, assez de majesté pour couper les souffles. Elle avait la manière facile et bonne des femmes suprêmement belles, et donc suprêmement puissantes.

Askik allait-il traverser la salle dans ses grosses bottes, son vieux manteau, ses cheveux coupés au couteau, et lui tendre une main brune ? Il en aurait été aussi gêné qu'elle. Le cheminot entrait derrière lui en cognant ses bottines contre le seuil pour faire tomber la neige.

— Ça souffle ! Ça souffle ! s'écria-t-il. Puis en voyant Askik : Comment, vous n'entrez pas manger ? Allez ! Allez !

— Merci, je n'ai pas faim...

— Ben voyons don', entrez j' vous dis !

Sa bruyante bonhomie attirait des regards. Elisabeth comprit qu'un volontaire était demeuré à la porte, trop timide pour entrer. Ces recrues étaient si jeunes ! Elle se porta aussitôt à son secours. C'était précisément le genre de situation dans laquelle brillait Elisabeth. Elle irait quérir ce jeune timide, le prendrait très doucement par le bras, et le ferait avancer sous le regard envieux de ses compagnons.

Askik s'était retourné dans la porte entrouverte ; il avait un pied dans la neige, le cheminot lui tenait encore la manche. Elisabeth prit à plein son regard, sans se détourner, sans donner signe de le reconnaître. C'est à peine si Askik put lire sur son visage une ombre de sévérité amusée, comme une mère qui se demande quelle nouvelle frasque a pu commettre son petit. Ses yeux légèrement grondeurs semblaient dire : « Tu sais bien que tu n'as rien à faire ici. »

Askik sortit.

La tempête s'essoufflait. De petits bancs de neige, poudreux comme du sucre, barraient les rues. Des flocons fins et durs tournoyaient autour des lampes à gaz. La gare semblait abandonnée. La locomotive chuintait paisiblement au bout de sa voie de garage : les employés se chauffaient dans le bureau du chef de gare, près du poêle. Askik ne voyait qu'une seule petite ombre qui marchait le long du train : c'était Grandet. Le sous-lieutenant tournait sur lui-même, les mains dans les poches, et donnait de furieux coups de botte aux morceaux de charbon tombés du tender. Askik eut pitié de lui.

— Cette désertion vous a causé des ennuis, n'est-ce pas ?

— Hmmf !

— Vous ne pouviez rien faire, pourtant...

— Bien sûr que non ! s'écria Grandet, qui se contenait à peine. Et maintenant, il y a un malade à bord. Toujours dans ma compagnie ! J'imagine qu'on me tiendra rigueur pour cet imbécile aussi !

— Que voulez-vous, quand on est officier...

— Officier ? Ha ! Grandet visa une escarbille grosse comme une noix et lui fit faire une embardée de plusieurs pieds. Tu en connais beaucoup de sous-lieutenants dans ce bataillon ? cria-t-il exaspéré. On a créé ce grade spécialement pour moi ! J'avais payé trop cher pour qu'on me laisse simple soldat, mais messieurs les officiers ne pouvaient souffrir un nouveau venu dans leur auguste club. Mais on verra bien, lorsque viendra l'heure de l'épreuve, lequel d'entre nous a l'étoffe d'officier !

La locomotive crachait des flammèches. C'est plutôt Grandet, songea Askik, qui devrait souffler du feu. Dans son état actuel, il se jetterait avec plaisir devant les fusils.

— Entrons dans le char, voulez-vous ? proposa Askik qui avait faim et froid. Il reste certainement des sandwichs de cet après-midi.

— Tu as de la chance, marmotta Grandet qui réservait le tutoiement aux heures de grande dépression. Tu rentres chez toi. Tu vas retrouver les tiens. C'est beau... Plus d'embêtements, une vie paisible, loin de tous ces tracas. Il m'arrive parfois de vouloir t'imiter. De trouver comme de Meauville un village tranquille, une petite ville lointaine.

— Qu'est-ce qui t'en empêche ? demanda Askik, qui se doutait bien de la réponse.

— Hélas, ce n'est pas donné à tous les hommes. Dieu est le bras, le hasard est la fronde, l'homme est le caillou. Résistez donc une fois lancé ! Puis Grandet ajouta, un peu gêné : c'est du Victor Hugo.

— La complainte des élus, oui je connais. Le malheur d'être choisi par le destin. Mais c'est faux. Il n'y a pas d'appelés. Rien que des vaniteux qui se poussent jusqu'aux premières places. Nous leur devons justement cette petite guerre obscène.

Ils étaient entrés dans le wagon des correspondants. Askik ranima le feu, Grandet dénicha un carton de provisions.

— Écoutez, Mercredi. Vous voulez un gouvernement de personnes humbles, sans ambitions ? Où les prendrez-vous ? Pas dans le peuple, j'espère. Ma chambrière a douze ans et se prend déjà pour une autre ! N'oubliez pas la parabole des talents. Ce ne sont pas les pauvres qui font rouler l'économie, ni les benêts qui font marcher le gouvernement. Alors qu'allez-vous faire ? Interdire aux gens habiles de tirer fierté de leur compétence ? J'aime mieux un Sancy ouvertement fanfaron qu'un hypocrite qui joue l'humble-et-bonne-bête-du-peuple.

— Alors que doivent faire les meilleurs d'entre nous, comme de Meauville ? Ceux qui n'ont pas d'ambition ? Fuir ? S'exiler ?

— Vous dites de Meauville, mais vous pensez à vous-même. Oui, de Meauville peut se cacher, aimer sa femme, travailler son jardin. Ça ne durera pas. Qu'il le veuille ou non, il finira directeur de son collège, ou maire, ou député. Parce qu'il en a le talent, et qu'on n'échappe jamais entièrement à ses responsabilités. Vous confondez paix et lâcheté.

— Mais c'est vous, tout à l'heure, qui soupiriez après une vie paisible !

— Je sais, dit Grandet en soupirant de nouveau. Je me laisse parfois tenter. Mais je sais bien que cette voie m'est fermée. Je ne tiendrais pas trois jours sans ambition. Je mourrais d'ennui.

— Et quelles sont vos ambitions ? Osez-vous seulement les prononcer devant un autre ?

Une grimace amère tordit les lèvres de Grandet.

— Tout est affaire de naissance, Mercredi, dit-il durement. Si j'étais britannique, et grand, et beau, je serais Wellington, ou je serais mort. Tous les espoirs me seraient autorisés. Mais je suis canadien français, et maigre, et laid. Donc, mes ambitions sont loufoques.

Il pencha le front sur la vitre en jetant un regard absent à l'extérieur. Le cheminot revenait de la salle à dîner, petit homme rondelet en salopette. Il entra chez le chef de gare en poussant un grand éclat de rire. A l'intérieur, des hommes se chauffaient et fumaient. Ils tournèrent vers l'intrus des regards dédaigneux, mais tolérants.

— Tiens, regarde ton cheminot, dit Grandet. Des histoires grivoises plein la bouche et du gros gin dans les poches. Son accent fait rire tout le monde, donc il en remet. C'est le fou de la gare. Et c'est à ce titre que l'admettent les employés anglais. Je parie qu'il se vante même de leur amitié à ses enfants.

— Nous sommes un peuple conquis...

— Nous sommes un peuple dégénéré. Remettez du charbon, je gèle. Voilà nos braves volontaires qui reviennent les panses pleines. Nous verrons bien ce dont ils sont capables !

VI

Le voyage se poursuivit sans interruption jusqu'au matin. Contrairement à ses voisins, Askik dormit sans difficulté : il dut même faire un effort, huit heures plus tard, pour se réveiller. Ses yeux s'ouvrirent sur des visages blafards et envieux.

— Vieux truc de Sauvage, expliqua-t-il.

Le mercure baissait toujours. A Mattawa, les soldats achetèrent des bas de laine. Le correspondant français, prenant conseil d'Askik, fila s'acheter un bon parka à capuchon. Il fut déçu de ne pas trouver de manteau de cuir avec franges et motifs perlés mais fut néanmoins très heureux de son acquisition : un capot de la Compagnie de la baie d'Hudson, blanc crémeux avec rayures de couleur. Il compléta l'ensemble par une tuque et une ceinture de voyageur. N'eussent été ses fines bottes vernies, il passait pour un trappeur prospère.

Cette journée fut interminable. La petite locomotive se tordait entre les rochers, ahanait dans les côtes, labourait une trace dans la neige profonde. Ils passaient de rares villages, juchés sur des berges rocheuses au-dessus de lacs englacés, le dos tourné à la forêt boréale qui semblait vouloir pousser toutes ces baraques à l'eau. Entre les villages, l'ennui. Des heures et des heures d'épinettes et de pins, de rochers et de lacs. Des lacs à vous en écœurer pour le restant de vos jours. Il y en avait même dans les pentes, superposés les uns sur les autres, en escalier, comme s'il avait fallu aménager spécialement le pays pour les contenir tous. Cette monotonie hallucinante jouait sur les nerfs des miliciens. Plus ils avançaient, plus leur entrain sombrait. C'était ça le Canada ? Était-ce vraiment la peine de se battre pour des terres pareilles ?

Les conversations s'étaient taries, les miliciens tâchaient de s'éviter, dans la mesure où soixante hommes entassés dans un wagon peuvent s'éviter. Ils lisaient, écrivaient des lettres, ou regardaient baisser le jour en se sentant le cœur à l'étau. Ils songeaient pour la première fois peut-être qu'ils ne reviendraient pas, qu'ils ne reverraient jamais des églises de pierre, des prés verts, et des maisons québécoises ; qu'ils allaient mourir loin, loin, loin, dans un pays détestable, dans une affaire qui ne les regardait pas.

Le train roula toute la nuit. Sa lanterne illuminait dans la forêt des yeux verts étonnés. Des ombres de chevreuils traversaient parfois la voie sans que le mécanicien pût dire s'ils étaient vrais ou s'il les avait rêvés. La lune naviguait dans son hublot droit. Il se retourna vers son chauffeur.

— Y va faire frette ! aboya-t-il. Les loups vont chanter !

Le chauffeur se contenta de sourire à travers son emplâtre de charbon. Il avait hâte d'atteindre Biscotasing et de se coucher.

Le jour se leva sur la même forêt grise et verte. Mais on se fait à tout, même à l'ennui. Les soldats passèrent une journée plus paisible.

Lemercier jouait whist sur whist et perdait avec une régularité qui devenait elle-même irritante. Dégoûtés les uns des autres, les journalistes se plongeaient dans des lectures ou rêvaient qu'ils étaient ailleurs. Leur petite troupe était divisée en deux : ceux qui dormaient à peu près, ceux qui n'avaient pas fermé l'œil depuis Montréal. Ces derniers étaient au bord de la panique car la fin du tronçon approchait, il n'était pas dit quand le bataillon aurait de nouveau l'occasion de dormir à couvert. Les non-dormeurs avaient trente-six heures d'énervement dans le corps, et pas le moindre répit en perspective.

— Nous ferons comme les Esquimaux, leur beuglait Lemercier. Quand vous ne pourrez vraiment plus nous suivre — mais pas avant, j'insiste ! — nous vous abandonnerons avec un peu de nourriture et une allumette ou deux. Comme ça vous aurez le choix de mourir de froid, ou mourir de faim. Hi hi hi !

Il se forma un troisième camp : ceux qui ne pouvaient plus endurer le rire de Lemercier.

— Quelques heures encore, les gars ! lançaient des officiers en passant. Mais le matin s'écoula, l'après-midi céda au soir, le soir se laissa aller, selon sa détestable habitude, à la nuit. Le train avançait à pas de chenille : la nouvelle voie, hâtivement complétée, n'était pas stable. Les hommes ne tenaient plus en place, se lançaient des regards courroucés pour un rien, ne se

555

parlaient pas pour éviter la chicane. Et puis enfin, quand personne n'y croyait plus, ils entendirent diminuer la cadence de la locomotive. Les nez se pressèrent aux fenêtres, mais des bancs de neige haute comme les wagons coupaient la vue.

— Ça y est !

Les freins grinçaient. D'énormes feux de bois flambaient vingt mètres plus bas, au pied d'une pente. Le train s'immobilisa. Un silence étrange se répandit un moment dans les wagons.

— Descente dans l'ordre ! N'oubliez rien ! En rangs au bas du remblai !

— 3e compagnie, aux chevaux !

Les soldats dévalaient la pente en glissant et courant, bruyants comme des écoliers à la sortie de classe. Même les officiers riaient de leurs culbutes. En moins de deux, les volontaires étaient en rangs, souriants et gais, la fatigue et l'ennui oubliés. Ils découvraient enfin le Nord-Ouest des livres de contes. Ces énormes feux de bois d'épinette qui craquaient et crachaient des étincelles, les étoiles sur la forêt noire, ces rudes trappeurs et coureurs de bois en habits pittoresques qui les dévisageaient à travers les flammes ! Certains avaient même le teint foncé !

Les chevaux descendaient des chars en s'ébrouant et caracolant : eux aussi avaient souffert du long emprisonnement.

— 1re compagnie, avancez !

Les soldats s'entassaient dans de rudes caisses de bois sur patins, une dizaine d'hommes par traîneau, havresacs aux pieds. Ils se couvraient les oreilles des mains, remontaient leurs cols. Les plus prévoyants s'enrubannaient de foulards. Ils étaient partis de Montréal en avril, ils retombaient en plein janvier.

— Coudon ! C'est l'hiver à l'année longue icitte ?

Les chevaux s'élancèrent. Il ne manquait que les grelots pour faire de la promenade une partie de plaisir. Les volontaires chantaient, s'envoyaient des défis musicaux de traîneau en traîneau, couraient dans les traces de lisses pour se réchauffer les pieds. Après trois heures de route, ils débouchèrent sur un camp du Canadien Pacifique. Les soldats, gelés de bout en bout, s'apprêtaient joyeusement à remonter dans le train, croyant avoir atteint la prochaine tête de ligne. On les invita plutôt à se réchauffer et à manger.

Les miliciens se pressaient autour des bûchers, giguaient un peu pour se dégeler les pieds, picotaient des conserves de bœuf salé dont ils n'avaient pas l'habitude.

— Ce n'est pas ici que la voie reprend ?

— Demande au lieutenant...

— Le lieutenant, mon vieux, n'en sait pas plus long que nous.

— Hé Théberge ! Tu parles anglais, demande combien de temps encore avant de rejoindre le prochain train !

— Et à qui veux-tu que je le demande ?

— Ben, au Sauvage là.

— Parce que tu crois qu'il parle anglais !

— Alors les cheminots là-bas, dans la tente !

Théberge s'éloigna à regret du feu et fonça à toutes jambes vers la tente. Il revint plus lentement, l'air abasourdi.

— Huit heures, dit-il.

— Comment ? s'écriaient les volontaires en riant nerveusement. Huit heures de traîneau ? Mais nous allons geler ! Tu plaisantes ?

Mais Théberge s'était approché le plus près possible des flammes et, ouvrant son manteau, faisait provision de chaleur.

— Ils vont nous tuer !

— J'ai encore les pieds tout gelés, se plaignit un adolescent blême.

— Déchausse-toi, lui dit Askik. Place tes pieds près du feu : tu ne peux pas te réchauffer à travers tes bottes. Vous avez des mocassins : mettez-les. Avez-vous des tuques ?

— Pas encore, mais ça vient, nous dit-on. Belle organisation, j' te jure !

— Mets-toi quelque chose sur la tête, une couverture, une serviette, n'importe quoi. Quand la tête a chaud, le corps se porte mieux.

On suivit ses conseils. Le bataillon eut bientôt l'air d'une troupe de Bédouins. Les officiers songèrent à protester, et laissèrent tomber.

— En route !

Serrés les uns contre les autres dans les caissons ballottants, les soldats somnolaient ou tapaient des pieds. Ceux qui entamaient une troisième nuit de veille repassaient en mémoire leurs courtes vies. Le chemin, une rude trace où passerait bientôt le chemin de fer, était parsemé de trous et de buttes. Les têtes s'entrechoquaient, une dizaine d'hommes furent renversés dans la neige. La forêt profonde et silencieuse pesait sur eux comme une malédiction. Ils revoyaient en esprit des bouts de rues, de belles impasses toutes délimitées de pierre, de sages jardins où chaque arbuste avait sa place. Pour ces citadins qui avaient passé toute leur vie en ne voyant jamais plus loin que le prochain immeuble, ce dévergondage d'arbres et de rochers avait quelque chose d'obscène. Quand ils voyaient un feu de camp dans les bois, ils se rappelaient qu'en ce moment même au Québec les fidèles allumaient les cierges de la veillée pascale.

Le soleil s'était levé depuis un bon moment déjà lorsqu'ils atteignirent la tête de ligne, au lac Chien. Les hommes du Queen's Own, passés la semaine précédente, avaient baptisé ce lieu Camp Désolation. Les Montréalais élevèrent deux énormes tentes, mais passèrent la journée dehors, près des feux, à grommeler.

— Qu'est-ce qu'on attend ?

— Le colonel Ouimet. Il est resté à Algoma.

— Alors ce n'était pas la peine de marcher toute la nuit ?

— Faut croire que non.

— Et ce soir ?

— Nous repartons dès qu'arrivera le colonel.

— C'est bien la milice ! On flâne le jour lorsqu'il fait beau ; on voyage la nuit lorsque ça gèle !

Les craintes des miliciens se vérifièrent. Le colonel entra au camp en fin d'après-midi, distribua des tuques et des couvertures, et ordonna l'embarquement immédiat. Ils montèrent sur des wagons plats auxquels on avait cloué des murs en planches rudes. Les soldats se roulèrent dans leurs couvertures et se couchèrent dans la paille. Ils n'étaient pas en route vingt minutes qu'ils durent se relever, gelés, et se presser les uns contre les autres. Leur calvaire commençait. Affaiblis par le jeûne et la fatigue, les corps ne généraient pas assez de chaleur pour imprégner les vêtements. Le correspondant français était accroupi dans la paille, le visage contorsionné de douleur, les mains pressant en vain le bout de ses bottes. Il leva tout de même des yeux moqueurs quand Askik s'agenouilla à côté de lui.

— Eh bien, mon pote, fit le Parisien, ça me fera une allure toute particulière sur les Champs-Élysées. Sans mes orteils, je vais tanguer comme une vieille barque !

— Vos bottes sont trop serrées. Enlevez-les. J'ai d'autres mocassins, fit Askik en fouillant dans son sac. Tenez : bourrez-les de paille.

— Dites-don', vous êtes un vrai marchand de chaussures !

— Quand j'étais petit, on ne voyageait jamais l'hiver sans deux ou trois paires de mocassins.

— Savez-vous, dit le journaliste en réprimant une grimace et en se battant les mains, je n'aurais jamais cru que je pourrais avoir si mal.

— Tant que vous avez mal, le sang circule.

— Vous êtes un dur, vous !

— Non, nous sommes des mous. Les Indiens et les trappeurs vivent au froid à longueur d'hiver et s'en trouvent bien.

Lemercier sautillait en jurant de toute son âme. La colère lui faisait autant de bien que l'exercice.

— Quand je pense que l'équipement se promène bien au chaud aux États-Unis... Pourquoi ces yeux de hibous ? Vous ne le saviez pas ? La plupart des munitions ont été acheminées par les États-Unis. Il n'y a pas de trous dans le réseau ferroviaire là-bas.

— Et nous alors, s'indigna le correspondant français. Ils auraient pas pu nous envoyer avec les cartouches, non ?

— Quelle naïveté ! hoqueta Lemercier en exécutant des pas de rigodons. Bien entendu que cela aurait pu se faire. Les États-Unis n'y soulevaient aucune objection. Mais notre Canadien Pacifique est en faillite : ce chemin de fer l'a ruiné. Le gouvernement ne peut pas lui verser de subsides sans rameuter le public. Alors il lui paie le transport des troupes. Quoi de plus naturel ?

— Mais c'est un pays de dingues ! hurla le reporter français en se recroquevillant sur lui-même.

— C'est mieux, Paris, en avril ? demanda Lemercier.

Le soleil se levait, pâle et fluide, quand le train atteignit les berges du lac Supérieur. Les hommes descendirent raidement des plates-formes. L'assistant-chirurgien comptait les doigts, les oreilles, et les nez gelés. Après une rasade de rhum et un déjeuner de porc salé pris au chaud, les hommes se retrouvèrent de nouveau les pieds dans la neige.

— Position de marche ! En avant !

Ils découvrirent pour la première fois le Grand Lac des Ojibwés. La croûte étincelante de glace et de neige filait plane comme une table pendant dix milles environ, puis disparaissait dans le brouillard. De lourdes volutes de vapeur s'élevaient au milieu du lac, où l'eau ne gèle pas. Le bataillon marchait sur la glace, en suivant la berge rocheuse. Les rocs gigantesques se recouvraient d'un lustre mouillé, leurs chapeaux de neige ayant commencé à fondre. Les hommes desserraient leurs foulards, déboutonnaient leurs manteaux.

— Ah ! J'aime déjà mieux ça ! disait le Français.

Ils parcoururent vingt-cinq milles en dix heures, ne s'arrêtant qu'une seule fois pour avaler de la galette et du fromage. Cette galette, trempée, n'est pas désagréable ; sèche, elle étouffe.

Un train les attendait au bout du parcours. Encore des plates-formes, mais cette fois, sans parois. Les soldats durent s'asseoir dans la paille, à découvert. Une heure après le départ, il pleuvait à boire debout. Une averse gelante qui hésitait entre la pluie et le grésil. Et pourtant, quel miracle en descendant de train ! A la baie du Brochet, ils purent s'étendre dans des hangars chauffés et dormir toute une nuit sur un sol sec, près des poêles. Des conditions qu'ils auraient jugées à peine supportables quatre jours plus tôt leur semblaient maintenant d'un luxe inouï.

On les réveilla bien avant l'aube. La pluie avait cessé. Bébonne avait repris le dessus. La marche pouvait reprendre. La neige mouillée s'était blindée d'une couche de glace cassante. Un vent cinglant arrivait de la forêt. Le bataillon, ce jour-là, fit cent cinquante milles en traîneau, à pied, en wagons plats, et de nouveau à pied. De quatre heures du matin à minuit les hommes ne cessèrent de se faire aller les jambes ou de battre les bras.

Ils dévalèrent les berges rocheuses du lac à la nuit tombante, firent douze milles à pied en pleine noirceur sur la baie du Tonnerre, et entrèrent en chantant à Red Rock. En montant dans le train, les miliciens poussèrent des cris et des rires d'incrédulité. On leur avait envoyé des wagons Pullman. Rideaux de damas, velours moelleux, glaces sombres, bois clairs : ces fils de bourgeois ne savaient plus que faire de ces douceurs. Ils s'avachirent dans les fauteuils et, sans cérémonie aucune, se mirent à ronfler comme des pompes à vapeur.

Ils firent encore trente-six heures de train, mais sans plus quitter leurs petits palais roulants. Plus personne ne se plaignait du paysage, qui n'avait pas changé. A Port Arthur, une foule enthousiaste les attendait à la gare, drapeaux en main.

— Ça se civilise ! Ça se civilise ! disaient les soldats, ravis. Les officiers furent emmenés pour un déjeuner officiel avec le maire et les échevins. Les journalistes se livrèrent une course à pied jusqu'au bureau du télégraphe. Askik, qui ne portait ni calepin ni uniforme, n'intéressait personne. Il put se promener tranquillement dans les rues du village.

Le vent était tout imprégné d'eau. La neige avait ce

miroitement humide qui annonce la fonte. L'air demeurait froid, mais les surfaces exposées au soleil étaient tièdes. Deux oiseaux noirs traversaient la baie : corbeaux ou corneilles ? Les premiers passent l'hiver, les seconds ne reviennent qu'après les froids. Askik tendit l'oreille : corneilles.

Lemercier arriva à grands pas, le manteau ouvert, les cheveux au vent, l'air prodigieusement satisfait de lui-même.

— *L'Époque* est servie ! déclara-t-il. Quelle magnifique journée ! Quelle jolie bourgade ! La montagne d'un côté, la baie de l'autre. Je vivrais bien ici — une journée ou deux. Es-tu déjà venu, Askik ?

— Il y a seize ans. La rivière Kaministiquia se jette dans la baie près d'ici. C'est là que nous avons rencontré les troupes de Wolseley.

— Mais, c'est une grande journée pour toi, Askik ! C'est la dernière étape avant la Rivière Rouge ! Sacrédié ! Rentrer chez soi après une si longue absence ! Mais dis don', fit Lemercier en pausant, ça n'a pas l'air de t'exciter plus qu'il faut.

— Les Métis de la Rivière Rouge se sont dispersés. Je ne m'attends pas à retrouver les miens.

— Mais revoir les lieux de ton enfance ?

— Quand je suis parti, il y avait un vieux fort et quelques baraques. Aujourd'hui, il y a une ville. Je ne m'y reconnaîtrai pas plus que toi.

En entrant à la gare une heure plus tard, ils trouvèrent le bataillon dans un état de fièvre. Les officiers couraient de part et d'autre, les soldats vérifiaient leur fourniment ou discutaient en petits groupes. Askik saisit au vol le regard du sous-lieutenant Grandet qui se jeta sur lui comme une buse sur une souris.

— Vous savez ce qui se passe ? La nouvelle est arrivée d'Ottawa par télégraphe. Un massacre ! Dans le nord de la Saskatchewan ! Les Cris ont annihilé tout un village de Blancs ! Ils ont tué deux missionnaires ! Ils ont emporté deux femmes ! Dieu sait ce qui est arrivé à ces pauvres créatures !

On eût dit que Grandet allait éclater en sanglots tant le sort de ces malheureuses créatures lui semblait atroce.

— De *jeunes* femmes, ajouta le vieux garçon en frémissant.

Reprenant son souffle, Grandet ajouta gravement :

— Nous avons reçu nos ordres. Nous poussons jusqu'à Calgary. Nous prendrons en poursuite ces Cris monstrueux, et nous leur infligerons une correction dont ils garderont longtemps le souvenir.

Grandet s'envola, un billet de réquisition à la main : les officiers manquaient de miel pour leur thé.

— Que vous en semble, mon bon Chingachgook, demanda Lemercier, croyez-vous que nos jeunes touristes puissent rattraper les monstrueux Cris ?

— Non. Ou alors, ce sont les Cris qui les trouveront.

— C'est bien ce que je croyais. Et, bien entendu, si on envoie le 65e à Calgary, c'est pour l'éloigner des Métis et du véritable théâtre des opérations. Le gouvernement ne fait pas plus confiance aux Canadiens français qu'aux Sauvages. Hmmm... Il va falloir repenser à nos affaires, Askik. Un changement de direction s'impose...

Ils roulèrent toute cette journée, et toute la nuit. Un calme inhabituel régnait dans les wagons. Devant des maires bedonnants ou des matrones chargées de petits gâteaux à glaçage, les volontaires pouvaient fanfaronner. Mais ils savaient que l'heure des épreuves approchait. Le père aumônier passait dans les allées et entendait les confessions de Pâques.

Le soleil se leva dans un marécage enneigé, grand comme une mer. C'était à perte de vue des roseaux, des saules, des bosquets de trembles. Rarement, un îlot de conifères. La forêt boréale se dissolvait : la prairie prenait son élan. Pour la première fois depuis sept jours, les hommes voyaient autre chose que des bois. Ils se sentirent soulagés, comme un homme qui se déboutonne et respire mieux. Vers sept heures, ils virent les premières maisons de Winnipeg. Askik, désorienté, ne reconnaissait rien. Ils franchirent la Rouge et entrèrent en gare.

Les soldats descendirent dans les acclamations, sourires aux lèvres, comme de vieux routiers de la scène. Askik s'échappa.

« J'avais raison, pensa-t-il en sortant dans la rue. Je ne reconnais rien. » De grands immeubles de pierre flanquaient un boulevard large, très large, vestige des temps anciens lorsque les chars à bœuf prenaient beaucoup de place pour éviter les bourbiers. A présent, des carrosses légers, des wagons de fret et des tramways à chevaux se disputaient un pavé net, sec et dur.

Comme un champignon qui n'était pas la veille, et qui étonne au matin, Winnipeg était né en une nuit. Engendré par le chemin de fer, allaité par la spéculation, nourri par l'immigration. On y parlait une cinquantaine de langues. Le Canada voulait peupler au plus vite son arrière-pays, pour l'interdire aux États-Unis. Des milliers de Scandinaves, d'Allemands, de Russes, d'Irlandais, de Hollandais, d'Italiens, de Polonais et même d'Américains affluaient vers les prairies canadiennes. On acceptait de tout, à condition que cela fût blanc. Les Chinois, importés en masse pour aider à la construction du chemin de fer, étaient redevenus des indésirables.

Pourtant, l'Ouest demeurait à peu près vide. Le ministère de l'Intérieur n'avait pas encore percé le gigantesque réservoir d'humanité souffrante qu'était l'Europe de l'Est. Ruthéniens, Roumains et Ukrainiens vivotaient durement dans leurs villages ancestraux, songeaient parfois à s'exiler en Amérique du Sud, et ne se doutaient pas encore de l'effarante aventure qui allait les jeter dans des plaines aussi glacées que leurs steppes. Aguichées par une publicité savante, des familles entières allaient franchir l'Atlantique.

Mais au moment où Askik quittait la gare de Winnipeg, le recrutement de nouveaux Canadiens n'avait pas encore atteint ce degré de raffinement. La plupart des immigrants étaient des célibataires mâles venus chercher fortune. Il arriva ce qui doit arriver : cinq fois plus de bordels que d'églises. Les temps n'étaient plus loin où les gens de race propre exigeraient la prohibition de l'alcool et l'interdiction de vote pour ces étrangers qui ne savaient pas se contenir, et qui se multipliaient comme rats au grenier.

Les gens de race propre vivaient aux antipodes de la gare, dans des maisons de pierre ou de brique, un luxe dans les plaines. Des calèches élégantes franchissaient des grilles de fer forgé et perturbaient un moment le silence impressionnant de ce quartier. Au bout de la rue, ridicule et risible, se cachait le vieux fort en ruine. Askik dut sourire malgré lui devant ces palissades croulantes et ces meurtrières si déplacées dans un quartier de luxe.

Le traversier qui reliait Winnipeg et Saint-Boniface était toujours aussi mauvais. Les deux communautés, anglaise et française, ne sentaient évidemment pas le besoin d'être reliées par un pont.

La rive française était demeurée, comme le bac, fidèle à son passé. Les maisons de planches avaient remplacé les cabanes en bois rond. On voyait au loin de grands immeubles à chapiteaux et dômes, collèges ou couvents. Mais tout le reste y était : le couvent des Sœurs grises, l'évêché et l'humble cathédrale surmontée à présent d'un clocher sans distinction. Askik n'en revenait pas de la voir si petite, si minable. Pourtant, il avait beau retracer ses pas d'autrefois sur le chemin du Roy, entendre de nouveau la clochette des Sœurs, passer devant le même cimetière, il ne ressentait rien.

Un autre boulevard coupait vers l'intérieur des terres, reprenant à peu près la vieille piste qu'avait suivie Askik entre l'école et la maison. Les petites fermes avaient été chassées par de grandes maisons de planches, aux pignons ornés de dentelures de bois. Des lilas et des rosiers dormaient sous des abris de jute et de paille.

— Mon oncle Raoul doit vivre ici, se dit Askik.

Un petit pont franchissait désormais la Seine. La

565

cabane de Lafortune avait disparu, transformée en bois de chauffage. Askik traversa rapidement le petit bois qui longe la rivière, et se trouva dans les champs.

La plaine d'autrefois n'existait plus. Il y avait la même terre rase, les mêmes étendues. Mais c'était un sol noir, labouré, étrillé, qui perçait entre les plaques de neige fondante. Les grandes herbes folichonnes avaient été renversées et enterrées. On ne pouvait imaginer un wetiko se promenant dans ces terres à blé. Ni de Métis.

Voilà ce qui manquait. De l'ancienne colonie métisse, française, il ne restait plus que le caractère français, renforcé par l'arrivée de colons québécois. L'élément métis s'était envolé en emportant ses *tchipayuk*. Le pays avait désormais la mine sage, besogneuse, et un peu pâle de ses nouveaux maîtres.

Askik coupa à travers champs en évitant les mares de boue, franchit une petite coulée (le redoutable ravin d'autrefois?), et poussa jusqu'à son ancienne demeure. Il la retrouva sans difficulté.

La cabane des Mercredi était demeurée intacte, trop loin, trop pourrie pour qu'on se donnât la peine de la servir aux poêles à bois. Ce que les hommes dédaignaient, la terre reprenait. La petite cabane enfonçait de guingois dans la prairie, au rythme lent des gels et dégels. La neige avait crevé la toiture, la porte se désintégrait quelque part sous les herbes. Et pourtant, la maison avait une allure curieusement sympathique, comme une vieillarde à la mémoire ensoleillée qui rit tendrement de tout.

Askik riait aussi en voyant les corniches effritées où les esprits pleureurs avaient tant chialé les nuits de gros temps. Il s'attendait presque à voir le wetiko sortir de sa coulée, l'air penaud, les bras ballants, gros bonhomme, bon enfant, venu quêter son pardon. « Tu sais, les soirs où je te courais après, c'était pour rire, voyons. »

Des cumulus brillamment illuminés arrivaient du sud, chassés par les vents chauds et les oies sauvages. Le soleil essayait un peu partout ses rayons neufs. La neige ruisselait de diamants liquides. En traversant la mince bande de peupliers qui entourait la maison, Askik découvrit un pan d'anémones bleu ciel qui fleurissaient à cœur joie dans la vieille neige. Les longs mois de grisaille chavirèrent : Askik se sentit envahi par une joie si jeune, si intense, qu'il manqua de pousser un « Hai ! » à réveiller son vieux *mouchoum*. Un don de jeunesse de sa vieille terre : quoi de plus inattendu ? Peut-être en effet avait-il eu tort de quitter les plaines. Mais il ne regretta rien.

Il continua sa route en courant et s'essoufflant, cherchant avidement les traces des siens. En longeant la Seine, Askik repérait des abris en ruine, des bouts de clôture, des chemins descendant à l'eau. Il vit bientôt le toit de l'ancienne maison de Mona à travers les branches de chêne. Il ralentit son allure, éreinté par les paquets de boue qui se collaient à ses bottes. En débouchant dans la petite cour, il sentit son cœur se gripper : la maison était habitée. Une piste sèche menait jusqu'à la porte. Il y avait des vitres aux fenêtres, le toit était entretenu.

Askik n'osait plus avancer. Il vit sortir de derrière la maison une petite fille en pèlerine bleue, un fagot de branches dans les bras, les joues sales, les yeux grands de curiosité. Il croyait voir s'ouvrir la porte, s'attendait à retrouver Mona sur le seuil, grandie, devenue femme et mère, entourée de marmots à son tour. Oh ! comme ils auraient de merveilleuses histoires à se raconter ! Comme elle rirait à ses déboires ! Mais la porte demeura fermée. Il n'y eut pas de fillette à pèlerine bleue. Pas de fagots de branches. Pas de recommencements. Rien que le chuchotement compatissant des chênes. Askik frappa à la porte. Ses coups retentissaient à l'intérieur et n'amenaient personne. Il regarda par la fenêtre, vit une table, une chaise, quelques livres, et des outils de jardinage. Une remise, plutôt qu'une demeure. Le repaire de quelque vieux garçon épris de légumes frais. Askik retraça ses pas à travers la cour, ni triste ni déçu, un tantinet amoureux d'une fillette qui n'existait plus.

VII

On broyait du noir dans les tavernes de Winnipeg. Les miliciens avaient profité de l'escale pour renouveler leurs stocks de journaux. Grand mal leur en prit. Les journaux anglophones se répandaient en calomnies sur le 65ᵉ : les miliciens canadiens français désertaient en foule, se jetaient sous les locomotives plutôt que de se battre, pleuraient comme des bébés les nuits de gel et, bien entendu, buvaient quotidiennement jusqu'à l'abrutissement.

— *Oh dear,* fit Lemercier. Nous avons fait une rechute dans l'estime de nos compatriotes.

— Moi, je vous dis qu'il faut changer d'ennemi ! marmottait le capitaine Provost, celui-là même qui ne souffrait pas de discussion sur l'honneur.

— C'est un malentendu ! insistait Grandet, blême comme sa croix d'émail. Nous luttons dans la même cause ! C'est une guerre fraternelle !

Le gros capitaine poussa un ricanement méprisant.

— Des malentendus, émit Lemercier en parcourant cette fois un journal francophone, il y en a gros comme le bras.

— Qu'est-ce qui se passe encore ?

— Il se passe que l'opinion à Montréal change de camp. Une centaine de manifestants... des lettres à l'éditeur... Pas grand-chose encore, conclut Lemercier en levant la tête, les banderoles sont toujours en place, mais faites confiance au flair d'un vieux reporter : le public change d'avis. Il se range du côté des Métis.

— Ben, bout de la marde ! grogna Provost en vidant un fond de bière écumeux.

— Hého ! fit le Français, soudain enjoué. S'il éclatait une guerre civile, une vraie j'entends, franco-anglo, vous auriez belle mine, mes enfants, enfoncés jusqu'aux oreilles parmi les Angliches !

Il eut droit à une fusillade de regards noirs.

— Chingachgook! hurla Lemercier en voyant entrer Askik. Vous nous avez retrouvés!

— Ce n'était pas difficile, répondit Askik en grimaçant. Suffisait de trouver la taverne qui vous ferait perdre le moins de pas depuis la gare.

— Chef parle droit. Vous yeux d'aigle! entonna Lemercier en s'accompagnant de gestes d'opérette. Chef pas se fâcher! Chef voir ça! dit-il en ouvrant le journal devant Askik.

— *L'Époque?* Arrivé avant nous?

— Papier venir tchou-tchou américain. Vite comme diable. Cher comme toutte.

— Menteur comme toi, murmura Askik en parcourant la seconde page.

Là, face à face, se dévisageant à travers leurs cadres, les portraits d'Arthur Lemercier, correspondant de guerre, et d'Askik Mercredi, guide métis. Lemercier avait la mâchoire forte et les yeux perçants des grands bouledogues du reportage. Askik était encore plus impressionnant. Des cheveux légèrement bouclés lui tombaient sur les épaules, il avait le teint plus foncé que son manteau (à franges et perles de verre). Il portait un bonnet de loup et une bandoulière à travers la poitrine qui pouvait aussi bien supporter un tomahawk qu'un bidon d'eau.

— C'est un manteau comme celui-là que je cherchais, précisa le Français.

Dans le précis biographique qui accompagnait le dessin, Askik apprit qu'il était né d'un seigneur canadien et d'une mère siouse, qu'il avait reçu une éducation hors pair à Saint-Boniface, et avait passé sa vie à se battre contre les Indiens et à lire *L'Époque*.

— Ça va se vendre? demanda-t-il en refermant le journal.

— Comme du ti-blanc le dimanche! hurla Lemercier qui se dissolva aussitôt dans un rire larmoyant et ridicule.

A trois heures trente, les fiers-à-bras du bataillon

569

vidèrent les tavernes. On nota avec satisfaction que deux soldats seulement étaient trop ivres pour marcher. Le train sortit d'une gare à peu près vide.

Les soldats furent déçus par la plaine. Ils virent quelques rares maisons, près des rivières. Et puis rien. Une terre rase, blanche, vide, sans arbres ni demeures, déployait sa démesure jusqu'au firmament. Les soldats voyaient pour la première fois de leur vie la courbe parfaite de la planète. On eût dit une grosse boule de billard. Les nuages émergeaient directement de l'horizon, le ciel bleu-noir montait à n'en plus finir. Il n'y avait, en fait, plus de terre, rien qu'une plate-forme pour observer le ciel qui formait ici les quatre cinquièmes du paysage.

— C'est la plaine du Cheval Blanc! lança Askik, debout à la fenêtre, le visage ravi. Comme il respirait! Comme l'esprit et le cœur se dilatent dans ces espaces étourdissants! Comme on a envie de voyager, de se laisser emporter par le vent! Ce sont les hommes des plaines, peut-être, qui approchent le plus la vertigineuse liberté des oiseaux.

Askik voyait les amarantes brassées par le vent, des poules de prairie s'envoler en éventail, des ronds de plaine, poilus et bruns comme de vieux bisons, percer à travers la neige fondante. Les soldats ne voyaient que du vide. Même cultivé, même quadrillé de chemins et de clôtures, ce pays demeurerait mortellement ennuyant. Ils remerciaient Dieu de les avoir fait naître ailleurs.

Le train roulait plus vite. Le chemin de fer, flambant neuf, s'étirait droit comme une flèche, ce qui acheva d'écœurer les hommes. Ils s'endormirent, les estomacs pleins de bière et de gaz.

Lemercier saisit Askik par l'épaule et l'agita doucement.

— Prépare-toi à descendre, chuchota-t-il. Doucement, pour que nos collègues ne se doutent de rien.

Askik rassembla silencieusement ses effets, tout en jetant des coups d'œil à l'extérieur. Il ne faisait pas tout à fait jour. Une lune crayeuse s'éteignait au-dessus de la plaine roulante.

— Suis-moi, souffla Lemercier.

Ils s'installèrent à l'arrière du wagon, hors de vue de leurs collègues, près de la portière.

— Ils croiront que nous sommes dans les autres chars, expliqua Lemercier à voix basse.

— Où allons-nous ?

— Nous descendons à Qu'Appelle. J'ai pris des renseignements à Winnipeg. Notre expédition n'aboutira à rien. C'est de la comédie légère pour les bourgeois de Calgary, rien de plus. L'état-major enverrait le 65e sur Mars s'il le pouvait, pour s'en débarrasser. Pendant ce temps, Middleton marche sur Batoche. C'est là que tout va se passer ! Les Royal Grenadiers sont à Qu'Appelle. Ils vont rejoindre Middleton : nous les suivrons.

— As-tu l'autorisation ?

— Apprends, mon cher Askik, que les administrations sont régies par la loi du moindre risque. Accorder une autorisation entraîne une responsabilité, la refuser n'en comporte aucune. *Ergo,* l'autorisation serait refusée.

Le train ralentissait. Des cabanes de planches grises filaient devant le hublot, le wagon tressautait sur un aiguillage. Lemercier actionna la poignée de la portière pendant que les freins criaient.

— Maintenant, murmura-t-il. Ils descendirent sur la voie, refermèrent délicatement la portière et, pliés en deux, coururent jusqu'à l'arrière du train. Puis, étouffant des fous rires, ils s'élancèrent à travers un espace ouvert et se plaquèrent contre le mur arrière d'un hangar. Lemercier était à moitié étranglé par le rire et l'effort.

— Hi hi hi ! Je donnerais cher pour voir leurs visages dans une demi-heure !

La plaine s'effondrait dans une vallée très large, obstruée de bois, criblée de coulées. La neige sur les pla-

teaux virait à l'orange vif sous le soleil levant. Un pluvier criait tu-uit ! tu-uit ! en parcourant les mares encore
gelées.

— Est-ce qu'ils s'apprêtent à repartir ? demanda
Lemercier.

— Pas encore : ils chargent le tender.

— Il faut apprendre où sont campés les grenadiers.
Et puis, j'ai une faim de loup, pas toi ?

Ils filèrent comme des chats entre deux entrepôts de
charbon.

— Ça doit être les bureaux de l'immigration, dit
Lemercier en désignant un hangar à fenêtres. Pas de
fonctionnaires en vue ? En avant !

Un homme en casquette et bottes était assis sur le
perron des bureaux et les suivait d'un regard plaisant.
Lemercier marcha droit sur lui.

— *Excuse-mi sèr, ouère arre dé soljères ?*

L'autre le fixait de ses yeux aimables et ne disait rien.

— Parlez-vous français alors ? reprit Lemercier.
Comment, pas plus ? Mais que diable parlez-vous ?

L'étranger laissa couler quelques politesses dans une
langue remplie de trilles et de chuintements.

— C'est incroyable ! pouffa Lemercier. On ne leur
apprend ni l'anglais ni le français avant de les envoyer
ici ? Ça sera beau tout à l'heure, j' vous jure !

Les cheminots rangeaient le tuyau d'eau et dégringo-
laient du tender.

— *Ho ! Mistère !* cria Lemercier en voyant un vieil
homme se diriger vers des écuries. *Ouère arre dé Gréna-
dires, plisse ?*

La locomotive fit monter une nuée bruyante. Le vieillard tourna vers Lemercier un visage empreint de
confusion. Le reporter laissa tomber les bras.

— Mais il n'y a que des immigrants ici !

— Non, mossieur ! s'exclama le vieux Métis. Si vous
m'aviez parlé en français je vous aurâ compris !

La locomotive poussa un premier ahan sonore. Les
bielles s'activèrent. Les attelages sonnaient en succession rapide.

— Mon bon monsieur! criait Lemercier, devenu radieux en pensant à ses collègues floués. Pouvez-vous nous dire, s'il vous plaît, où sont campés les Royal Grenadiers?

— C'est lesquels ceux-là? Les Rouges ou les Noères?

— Les Rouges.

— Partis!

— Hein? Le sourire se figea sur le visage du gros reporter.

— Avant-hier, précisa le Métis.

— Askik! hurla Lemercier. Le train!

Qui n'a jamais vu un ours, gros, balourd, apparemment apathique, foncer à travers les bois avec une rapidité d'oiseau, ne peut pas se faire une idée de Lemercier courant après un train. Les cheminots virent arriver une espèce de bison en poil de chat, et s'écartèrent instinctivement. Lemercier attrapa d'une main la passerelle du dernier wagon, lança son sac sur la plateforme, et ne sut plus que faire. Les traverses filaient sous ses pieds à une vitesse étourdissante, le train allait déjà trop vite pour qu'il pût sauter à bord.

Pendant ce temps, Askik rattrapait le wagon de l'autre côté de la voie. Jetant son sac avant lui, il se pendit de tout son poids sur la rampe et se hissa à bord. Il traversa la plate-forme sur le ventre. Le train prenait de la vitesse. Lemercier, cramoisi, les jambes en éventail, le regardait de ses grands yeux, mine de dire : « Fais que'qu' chose! »

— Mets l'autre main sur la barre! lui cria Askik.

— Pas... capable! hoqueta Lemercier.

Askik le saisit par le collet de fourrure et, tirant de tous ses muscles, l'embarqua comme une grosse morue. Les deux s'écrasèrent sur le plancher du wagon. « Voilà, pensa Askik. Un effort comme celui-là, on n'en fait qu'une fois dans sa vie. La prochaine fois, je me déchirerai tous les muscles. »

Lemercier, les mains sur les côtes, avalait de l'air en sifflant.

— Que faisons-nous maintenant ? demanda Askik.

— Nous rejoignons les Queen's Own. Swift Current.

Ils laissèrent là manteaux et sacs et regagnèrent leurs places. Personne n'avait remarqué leur absence.

— Nous approchons Régina, capitale des territoires du Nord-Ouest ! annonça le correspondant français en secouant une grande carte. Lemercier s'assit derrière lui, étira le cou et compta silencieusement les arrêts qui le séparaient de sa destination.

Grande-Coulée, Pense, Belle-Plaine, Pasqua, Mâchoire-d'orignal : à chaque station, Lemercier écornait une page de son livre. Vers la fin de l'après-midi, il fit un discret recomptage et, captant le regard d'Askik, hocha gravement la tête. Askik reprit sa faction à l'arrière du wagon. Cinq minutes plus tard, feignant d'avoir les jambes engourdies, Lemercier vint le rejoindre.

Ils descendirent sans se presser, récupérèrent leurs effets, et franchirent tranquillement la clôture de la gare. Cette fois, il n'y avait pas à s'y tromper. Une cinquantaine de tentes avaient été dressées dans la plaine. Un Union Jack géant claquait au vent. Les deux cent cinquante soldats s'étaient massés à l'extérieur du camp et formaient une tache verte dans la prairie brune. Ils se taisaient ou murmuraient entre eux : on eût dit un enterrement.

En approchant le groupe, ils virent un canon court, la gueule tournée vers un étang. La mare était à moitié prise par la glace. Un canard patrouillait nerveusement les eaux libres en serrant de près la berge opposée. Un calme absolu se fit dans le groupe. Un homme en uniforme bleu posa lentement la main sur une manivelle près de la culasse et, le regard plein de confiance, l'actionna soudain.

Une décharge terrible fit sursauter les soldats, un rideau d'eau jaillit de la mare. Le canard sortit des embruns comme une pierre hors d'une fronde, et fonça à travers la plaine en rasant le sol.

— *Son of a gun !* fit le soldat américain. Raté !

On s'étonnait de l'entendre au-dessus du feu roulant qui se prolongeait dans les oreilles.

— Faut régler le viseur, expliqua l'Américain avec un sourire bon enfant.

Les miliciens répondirent par des ricanements nerveux. Quelle arme inhumaine ! Quelle chance de l'avoir de leur côté !

— Trois hourras pour le lieutenant Howard !

Le conseiller technique esquissa une petite révérence modeste et leva les mains.

— Tout est dans la conception, messieurs. Mille deux cents coups à la minute, à condition de pouvoir actionner assez vite !

Les soldats se pressaient autour de la Gatling en levant des regards amicaux vers son maître. Le lieutenant Arthur L. Howard, 2e régiment, Connecticut National Guard, était déjà très populaire parmi les troupes canadiennes. Il est vrai qu'un Américain a peu d'efforts à fournir pour soulever l'admiration de ses voisins du Nord. Les Canadiens tiennent beaucoup à l'amitié des États-Unis. Cela les console de ne pas en faire partie.

— *Ow manie gonnes dou you 'ave lak dis ?* beugla Lemercier avec un sans-gêne spectaculaire. Les miliciens grimacèrent d'embarras. Fallait-il que les Frenchies viennent leur faire honte jusqu'ici ? Mais le lieutenant Howard répondit avec sérieux et courtoisie, pour ne pas embarrasser ses collègues canadiens. Un gentleman, un vrai.

Askik n'avait pas fait dix pas vers le camp qu'il se heurta au regard stupéfait de Simpson.

— *Good Lord !* s'exclama le jeune Anglais. *What are you...* Je ne savais pas que vous veniez !

— *Mee needère,* répondit Askik en souriant de toutes ses dents. Cet uniforme vous sied, Simpson.

— *Nonsense.* J'ai l'air d'un haricot. Mercredi ! Avez-vous perdu la tête ? (Simpson le prit par le bras et l'éloigna du camp.) Nous sommes en guerre contre les Métis, chuchota-t-il, et c'est le moment que vous choisissez pour revenir chez vous ?

— Mais je n'ai pas l'air d'un Métis, objecta Askik en déboutonnant son pardessus d'avocat. Regardez !

Il avait mis un col et une cravate. Une cravate un peu maigre, un peu élimée, mais pas moins cravate pour autant. Simpson éclata de rire.

— Fou à lier ! Avez-vous une tente, une charrette, comment allez-vous nous suivre ? *Well, never mind.* Nous trouverons bien quelque chose. Grandet vous a-t-il remis ma lettre ? En passant, comment va notre sous-lieutenant ?

— Il est dans ce train, fit Askik en désignant le plumet de vapeur qui s'éloignait dans la plaine.

— *Oh dear.* Quelle histoire ! Avez-vous rencontré ce Lafortune ? Non, pas maintenant. Vous me raconterez cela ce soir. Je dois retrouver ma compagnie. Nous partons à l'aube.

Simpson s'arrêta et fixa Askik d'un regard perplexe. Le vent soulevait une mèche de cheveux blonds. Il avait les yeux d'un bleu porcelaine si frappant qu'Askik ne songea même pas à les lui envier.

— C'est tout de même fantastique que vous soyez là, Mercredi. Je ne sais pas ce que ça signifie. J'ai comme un pressentiment.

— Ça ne signifie rien. *Not-ting !*

Lemercier revenait en compulsant un carnet où il avait noté les caractéristiques de tir du fusil Gatling.

— Ah Mercredi, vous voilà, dit Lemercier, d'un air préoccupé. Qu'avez-vous appris de votre côté ?

— Le bataillon part demain. A l'aube. Nous aurons peut-être une place dans les charrettes.

— Excellent, dit le reporter. Vous vous tirez bien d'affaire pour un débutant. Voici, de mon côté, ce que j'ai pu glaner. Nous marchons sur Battleford qui est assiégé par les Cris du Faiseur d'enclos. Nous marchons, car je vous le précise en passant, il n'y a pas de charrettes. Si la rivière Saskatchewan est haute, nous ferons les trois quarts du trajet en bateau. Si elle est basse, nous voyagerons sur nos semelles. Et j'ajoute, à regret, que les coups de feu tirés cet après-midi seront peut-être les seuls qu'il nous sera donné d'entendre. Les Cris ne donnent pas signe de se battre : ils n'ont fait aucun effort valable pour prendre Battleford.

Ce soir-là, Simpson écouta attentivement l'histoire d'Urbain Lafortune. Il posa de minutieuses questions sur les mœurs des voyageurs, sans se soucier de ses frères d'armes qui geignaient et grommelaient d'entendre parler le français.

Le vent souffla toute la nuit en distribuant de lourds flocons de neige. Les sentinelles inexpérimentées sursautaient pour un rien : un buisson situé en bordure du camp manqua d'être fusillé à chaque relève. Au matin, les troupes dépitées le déracinèrent.

Ils levèrent le camp au petit jour. Vingt-quatre milles les séparaient de la rivière Saskatchewan. Le bataillon traversait un pays monotone, désertique. A peine quelques arbustes pour reposer la vue. Rien que la terre hachée, pelée. Les soldats foulaient du gravier sous la neige. Parfois, l'un d'eux courait jusqu'au faîte d'un coteau, en espérant un changement de paysage. Il revenait plus découragé que jamais, n'ayant vu qu'une suite ininterrompue de collines à demi enneigées.

En fin de journée, en abordant la Saskatchewan, la colonne descendit dans un défilé profond, flanqué de bois. Le soleil allongeait des ombres fantasques. Endroit rêvé pour une embuscade.

— Comme des rats dans une cuvette, marmotta une recrue.

— Bon Dieu ! Qu'est-ce que c'est ?

Des pierres, des cendres, des bouts de bois calcinés. Les soldats frissonnaient d'excitation. Les restes d'un camp indien ! Un cadavre d'enfant, emmitouflé de couvertures et placé dans un arbre fit sensation. Les cheveux se dressaient sur les nuques : chaque volontaire entendait dans son âme le coup fatal qui partait des sous-bois et l'atteignait en pleine poitrine. Mais le bataillon put atteindre sans incident le poste de police situé sur la rive sud de la Saskatchewan. Les miliciens y arrivèrent fourbus, souffrant des pieds, assez fiers de

577

leur aventure dans le ravin, pleins de mépris pour les Sauvages qui rataient de si belles occasions de les massacrer.

Le lendemain fut brumeux et froid. La rivière était basse, un seul vapeur avait pu se frayer un chemin à travers les hauts fonds. Le bateau faisait péniblement la navette entre les deux rives, passant le matériel et les provisions sur la côte nord. Les troupes feraient à pied les deux cent quarante milles qui les séparaient encore de Battleford.

Les troupes désœuvrées lavaient leur linge ou parcouraient les berges à la recherche de bois pétrifié. D'autres tiraient à coups de revolver sur les crânes de bisons qui jonchaient le sol. Les coups de feu avaient un son mat et bref, vite emporté par le vent.

Vers la fin de l'avant-midi, un combat de corneilles et de vautours survola le camp. Les corneilles tenaient le dessus. Plus petites, plus agiles, elles plongeaient et roulaient, en assenant des coups de bec à leurs rivaux géants. Les vautours rentraient la tête, se berçaient maladroitement de leurs grandes ailes raides, et encaissaient les coups. Simpson et Mercredi se promenaient dans la plaine en attendant l'heure de traverser la rivière. Ils suivaient le combat aérien, les mains en visière.

— C'est peut-être un présage, dit Simpson. Qu'est-ce que vous en dites ? Nous ressemblons beaucoup à ces vautours, non ? Nous sommes pesants, lents, malhabiles. Nos adversaires sont agiles et rapides. Voilà qui augure mal pour nous.

— Ça m'étonnerait, dit Askik. Les corneilles se démènent, mais les vautours n'en continuent pas moins d'avancer. Et s'ils trouvent de la charogne, ce sont les vautours, pas les corneilles, qui vont s'emplir la panse. Une fois au sol, le rapport des forces est inversé. Si c'est un présage, il est plutôt mauvais pour les Métis.

— Dommage, fit Simpson, en laissant tomber la main.

— Vous souhaitez la défaite ? dit Askik en riant.

Simpson tourna vers lui des yeux bleu faïence graves.

— Ne trouvez-vous pas, Mercredi, que les défaites nous ramènent aux choses essentielles, tandis que les succès ne font que nous en éloigner ? C'est vrai pour les individus, et c'est de même, je crois, pour les nations.

— C'est une idée très originale.

— Oh, très originale. Nous ne sommes certainement pas plus de deux ou trois millions à y avoir pensé. Je ne crois pas qu'il soit dans l'intérêt du Canada de gagner cette guerre. Vous voyez ce qui se passe dans le pays, cette orgie de suffisance ? Nous sommes infectés de nous-mêmes, Mercredi et ce sera pire encore si nous remportons une victoire. Nous deviendrons des racistes endurcis, parce que couronnés par la Providence. Le Canada en perdra la vue pendant cent ans. Sa vraie mission sera enfouie, oubliée.

— Et quelle est cette mission ? demanda Askik d'un ton légèrement railleur.

— D'être un abri, un refuge pour toutes les races de la terre.

Askik fit la moue, mais garda le silence.

— *I know, I know,* reprit Simpson. Tout cela est presque indécent venant de moi. Je suis du camp des privilégiés, tandis que le vôtre est doublement maudit parce qu'il est à la fois français et indien. Je sais que j'ai la partie belle et que ces nobles sentiments ne me coûtent pas cher. Mais que voulez-vous que j'y fasse, Mercredi ? Je ne peux pas vivre en croyant que rien ne changera jamais. J'aime mon pays. Je crois que ce sera un grand et doux pays.

Cette fois, Askik ne put réprimer un sourire narquois.

— Mais qui voudra de votre pays, Simpson ? Les Indiens ? Ils regrettent la venue des Blancs et rêvent du temps où ils étaient seuls. Les Français auraient préféré que les Anglais ne viennent pas. Les Anglais méprisent les Indiens et les Français, et ressentent les immigrants comme une souillure. Toutes ces races se détestent solennellement et voudraient être seules au pays. Alors, dites-moi, Simpson, qui sont vos compatriotes ?

— Les gens de bonne volonté, répondit Simpson sans l'ombre d'un sourire. Ceux qui voudront bien m'accepter comme un des leurs.

Askik éclata de rire.

— C'est ta définition d'un Canadien ? Un homme de bonne volonté ?

— Quel autre lien y a-t-il entre vous et moi, à part cette terre ?

— De quel droit vous arrogez-vous cette terre ? La tenez-vous des Indiens ?

— De qui les Indiens la tiennent-ils ? Ne m'avez-vous pas dit que les Cris et Sauteaux ont chassé d'autres tribus qui se trouvaient ici avant eux ? Et je ne dis rien des Métis...

— Mes ancêtres indiens occupent cette terre depuis des milliers d'années !

— Et vous depuis vingt-cinq ans à peine. Comme moi. Je n'ai pas choisi de naître anglais, ni vous métis. Avez-vous plus de droits à faire valoir sur cette planète que moi ?

— Comment se fait-il que j'en aie moins ?

— Ah ! Voilà le mal. Il est présent. Actuel. Pas historique. Nous sommes deux êtres humains qui avons droit aux mêmes égards. Voilà notre droit ancestral. Il est le même pour tous.

— Excusez-moi, Simpson. Mais quand un gaillard entre de force dans votre maison en disant : « La terre n'appartient à personne, j'ai autant droit à cette maison que toi », lui faites-vous une place ? Quand bien même vos descendants vivraient ici mille ans, ils seront toujours des intrus, du point de vue indien.

— Alors peut-être devons-nous demander refuge aux Indiens.

— Ce n'est pas la peine. Voilà la requête qui part...

Askik fit un coup de tête vers la rivière où les soldats chargeaient les canons et mitrailleuses dans le vapeur.

— Voilà comment les Poilus demandent l'hospitalité.

— Je sais que tout plaide contre moi, Mercredi, dit

Simpson d'un air triste. Mais je suis persuadé qu'un jour nous aurons tous les mêmes ancêtres, nous aurons tous du sang français, métis, anglais et indien. On ne pourra attaquer personne sans frapper une partie de soi-même.

— Nous formerons un seul peuple canadien ?

— Il n'y aura plus de peuples.

— Vous avez raison. Il faudra bien cent ans pour qu'on voie les choses de votre façon.

— J'espère que non, dit Simpson. J'aimerais vivre un peu dans un pays tolérant. Rien que pour voir...

— Vous entendez les soldats jurer lorsque nous parlons français ? Croyez-vous qu'ils changeront d'attitude de leur vivant ?

— C'est de l'ignorance. L'ignorance se répare.

— C'est de la haine, corrigea Askik. La haine meurt avec son homme.

— Alors, d'après vous il n'y a pas d'espoir ?

— Pas pour les corneilles.

— Je ne peux pas vivre ainsi.

— Parce que vous avez mauvaise conscience, fit Askik. Si vous vous trouviez du côté des opprimés, vous finiriez par accepter.

— Comment pouvez-vous prendre ces choses à la légère ?

— Force d'habitude. Regardez, ils arriment le bateau au quai. Trop de vent. Nous allons dormir avec nos canons.

— J'espère qu'on se fera massacrer...

— Réflexe d'oppresseur, Simpson. Et d'ailleurs, ce serait trop juste.

VIII

Ils demeurèrent deux jours encore sur la Saskatchewan, cloués sur place par le vent. Écœurés par l'ordinaire de bines et de galette, les soldats grognaient contre les officiers qui se régalaient de langue et de jambon en boîte. La nuit, pendant que les troupes frissonnaient dans leurs tentes, les messieurs trinquaient discrètement dans la leur, malgré la prohibition en vigueur dans tout le Nord-Ouest.

Le matin du départ, les soldats s'éveillèrent sous une nouvelle couche de neige. Les seaux d'eau étaient recouverts de glace.

Le moral revint un temps de l'autre côté de la Saskatchewan. On était en territoire ennemi. Plus de concerts le soir, plus de promenades solitaires en plaine. La nuit, les wagons étaient disposés en zaréba. Monter la garde devenait une aventure. Les sentinelles se lançaient toute la nuit des « *All's well !* » vibrants et tendus. Au matin, ils s'étonnaient de se retrouver tous vivants.

Cet enthousiasme passa : la plaine en vint à bout. On trouvait la marche ennuyante et pénible. Le sol était assez sec, mais les coulées débordaient d'eau et de neige. De vrais pièges. Les soldats enfonçaient jusqu'aux mollets dans les marais salants. Ils étaient horriblement déçus. Dans les contes de leur enfance, les plaines étaient de vastes mers recouvertes de gibier, truffées de sauvages. Or, ils n'avaient vu ni bison, ni cabri, ni élan. Rien que des chiens de prairie et ces interminables processions d'oies sauvages qui trompetaient jour et nuit. Askik lui-même s'étonnait de l'absence de gibier, même s'il savait qu'autrefois aussi on pouvait marcher plusieurs jours de suite sans en voir.

Askik avait appris la disparition du bison par les journaux. Mais les chroniqueurs se donnaient rarement la peine de détailler les séquelles. Ne trouvant plus de bison, les chasseurs avaient vite décimé les élans et cabris. Les loups n'y avaient pas résisté. Privés de leur source d'alimentation première, ils avaient essaimé en nombre alarmant autour des colonies humaines, avant de disparaître à leur tour. Ces années avaient été très dures pour les rongeurs qui avaient dû supporter seuls la méchante humeur des loups et coyotes. Mais à présent, débarrassés de leurs ennemis, les chiens de prairie et spermophiles prenaient une revanche magnifique. Ils avaient transformé la plaine en passoire. Les chevaux et les hommes mettaient sans cesse le pied dans leurs terriers. Les petits chiens aboyaient crânement au passage des troupes, sans se douter que d'autres bipèdes allaient bientôt s'installer sur leurs terres et les empoisonner tous.

Finalement, il restait peu de chose de la plaine ancienne : des blocs erratiques polis par des milliers de bisons chatouilleux, les cuvettes de sable où *Moustous* prenait ses bains de poussière, des os et des cornes semés un peu partout dans l'herbe brune. Et même ces vestiges disparaissaient. N'ayant plus le bison pour les nourrir et les vêtir, les familles métisses et indiennes cueillaient les ossements pour les manufactures d'engrais des États-Unis.

Mais au juste, où étaient les Indiens ? Non pas qu'on s'attendît à les voir. On n'imagine pas un Sauvage debout, en pleine vue, mais toujours tapi, caché, invisible, guettant l'occasion de vous décocher une flèche entre les côtes. On ne voit pas un Indien ; on en meurt. Qu'aucun des leurs ne fût encore mort inquiétait vaguement les miliciens. Une armée qui revient sans morts revient sans preuves.

Onze jours plus tard, ils arrivèrent en face de Battleford. La basse ville avait été dévastée, le poste de traite aplati. De l'autre côté de la rivière Bataille, six cents hommes, femmes et enfants vivaient depuis un mois et demi dans un enclos indéfendable. La nourriture était distribuée à la cuillerée. Le seul moyen d'obtenir de l'eau était de descendre à la rivière en jouant les cartons pour les tireurs cris. Heureusement, les Sauvages ne comprenaient rien aux télécommunications : il ne leur était pas venu à l'esprit de couper le fil télégraphique qui passait à cet endroit. Les citoyens de Battleford avaient meublé leurs heures de captivité en arrosant le pays de dépêches implorantes. Ils avaient importuné le Premier ministre, le gouverneur, et les journaux. Il devenait pressant de les libérer, ne serait-ce que pour les faire taire.

Voir brûler sa maison et rôtir son bétail, attendre pendant quarante jours et quarante nuits l'attaque qu'on ne pourra repousser vous met dans un état de nervosité dangereux. Comme un chat battu par une souris, les habitants de Battleford avaient hâte de rétablir l'ordre naturel des choses. La vermine brune allait goûter à la technologie blanche. A la rigueur, les braves citoyens se seraient contentés des mitrailleuses du lieutenant Howard. Les miliciens étaient de trop. Et ce commandant ! Au lieu de se mettre immédiatement en campagne, le lieutenant-colonel William Otter s'installa à Battleford comme s'il devait y passer le restant de ses jours, et se mit à jouer, lui aussi, du télégraphe. Il voulait des précisions de l'état-major. Il avait pour ordre de libérer Battleford : cela l'autorisait-il à faire une sortie punitive contre les Indiens ? Les citoyens n'en revenaient pas. Demander une autorisation pour administrer une correction aux Sauvages ? L'Empire devait être bien mal en point !

En attendant le moment de sévir, les citoyens libérés de Battleford faisaient rougir les oreilles de leurs sauveurs. Ils avaient appris de belles horreurs pendant leur internement. D'abord, disaient-ils, Middleton avait été battu. Bêtement, platement battu. On se demandait seulement ce qu'attendaient les Métis pour annihiler cette armée de pique-niqueurs. *Secundo,* le fort Pitt était tombé aux mains du Gros-Ours. Le détachement de la police montée s'était enfui, en radeau s'il vous plaît. *Tertio,* les Sauvages se comportaient comme des brutes. Les délicieuses sœurs MacLean du fort Pitt avaient disparu (leur imbécile de père avait suggéré qu'elles se constituent prisonnières du Gros-Ours). Les chères anges avaient été mises à nu, liées aux poignets et aux chevilles. Les brutes leur avaient ensuite disloqué les hanches, pour mieux les ravir. Les hommes se communiquaient ces récits à voix basse et émue, loin des femmes qui n'étaient pas de force à les supporter et qui d'ailleurs en faisaient circuler de bien meilleurs.

Askik trouva ces histoires improbables, et le dit. On le fusilla de regards haineux. Pas besoin d'écarquiller les yeux pour voir de quel côté penchait ce prétendu guide. Deux semaines au plein air l'avaient encore bruni : Askik faisait l'effet d'un bison parmi des agneaux. Des regards malveillants le suivaient dans la rue, des lèvres s'entrouvraient sur des jurements sonores. Askik sortit du village et n'y remit plus les pieds. Il demeurait en bordure du camp, et attendait que Lemercier vienne à lui. Il ne se promenait pas : un accident de chasse est vite arrivé. Il allait apprendre, beaucoup plus tard, que les sœurs MacLean avaient été retrouvées saines et sauves après la rébellion, les Cris les ayant pour ainsi dire adoptées.

Le lieutenant-colonel Otter était un brave. Il avait essuyé le feu des Féniens et ne craignait pas celui des Cris. L'irrésolution de l'état-major l'exaspérait, mais il n'osait agir sans autorisation. Il décochait télégramme sur télégramme. Enfin, il reçut une réponse à peu près convenable. Le major général Middleton lui suggérait d'envoyer des patrouilles de reconnaissance dans les environs de Battleford. Otter ne demandait pas mieux. Des scouts avaient repéré un camp de deux cents Cris et Assiniboines à l'Anse-au-couteau. En marchant toute la nuit, Otter pouvait les surprendre à l'aube.

Le jour baissait déjà lorsque la petite expédition s'engagea dans la plaine, fanions au vent, comme un cuirassé gagnant le large. Askik et Lemercier se glissèrent parmi les charretiers qui formaient l'arrière-garde de la colonne.

Ils marchèrent quatre heures d'un trait, mais durent s'arrêter la nuit venue. Tout espoir de surprendre les Indiens s'était évaporé : des feux d'alarme brûlaient sur les coteaux lointains.

A onze heures trente, une demi-lune fade émergea de la plaine. Il y avait de la brume au ciel et sur terre. Le détachement reprit quand même sa marche, avançant péniblement, presque à l'aveuglette. Quand le chemin piquait dans un ravin ou fendait un bosquet, la colonne s'immobilisait, le colonel ordonnait une reconnaissance. Intimidés par la nuit et l'extinction, au loin, des feux de sentinelle, les scouts multipliaient les précautions, avançaient au millimètre, et perdaient un temps précieux. Lorsque le détachement atteignit enfin le ruisseau du Couteau coupé, le jour se levait.

Ils découvrirent les restes d'un vaste camp, abandonné à la hâte puisque des perches de tipis avaient été laissées debout. Morts de fatigue, dégoûtés de cette aventure qui finissait en queue de poisson, les hommes s'échouèrent un peu partout dans le camp. Les éclaireurs, pendant ce temps, battaient les sous-bois de l'autre côté de la coulée.

Lemercier se laissa choir avec force près d'un squelette de tipi.

— J'ai raté mon coup, fit-il d'une voix blanche de désespoir. Je me croyais plus fin que les autres, mais j'ai tout gâché. Si j'étais resté avec le 65ᵉ, j'aurais tout au moins des nouvelles du régiment. Mais à présent...

Il cria soudain, en levant les poings au ciel.

— Mais qu'est-ce qui m'a fait croire que cette bande de collégiens pouvait rattraper des Indiens ? Qu'est-ce que je vais écrire, Askik ? C'est l'occasion d'une vie, et je l'ai ratée !

Il était inconsolable. Pelotonné sur lui-même dans son gros manteau de fourrure, la tête dans les mains, il avait l'air d'un grizzli venu se fourrer au milieu du détachement. Saisi de compassion, Askik cherchait le moyen de lui redonner courage.

— Nous pouvons encore rejoindre Middleton, suggéra-t-il. Il y a vingt ans, il aurait fallu un vrai guide. Mais aujourd'hui, avec ces chemins...

— Merci, mon ami, râla Lemercier, mais c'est trop tard. Il y a déjà huit jours que Middleton a livré bataille. A l'heure qu'il est, tout est joué. Je suis un homme ruiné, perdu. Je devrai me lancer dans l'enseignement.

— Tiens, c'est étrange, murmura Askik en mettant les doigts dans les cendres d'un vieux feu de camp.

Lemercier dut sourire malgré lui.

— Qu'est-ce que c'est, mon bon Chingachgook, les cendres sont chaudes, l'ennemi n'est pas loin? En te collant l'oreille au sol, tu pourrais peut-être...

— Les cendres sont mouillées, interrompit Askik. Il n'a pas plu depuis trois jours. Les Cris ont abandonné le camp bien avant que nous quittions Battleford.

— Et ces fats qui se targuent de les avoir manqués de justesse! Attendez mon prochain papier, mes agneaux!

— Mais rien ne pressait les Cris il y a trois jours. Pourquoi ont-ils laissé ici leurs perches de tipis? Ces perches sont difficiles à remplacer.

— Ils comptent peut-être revenir les chercher?

— Alors ils sont peut-être tout proches.

— Non, les éclaireurs reviennent. Ils n'ont rien vu de l'autre côté du ruisseau. Sais-tu, dit Lemercier d'une voix lasse, je commence à aimer un peu ce pays. Il y a quelque chose ici de dépouillé, d'essentiel. Cette colline en face de nous, par exemple, couverte d'herbe rêche, qui monte au ciel entre deux coulées boisées. C'est... net, sec. Le ciel, la terre. Une ligne noire entre les deux. Un point, c'est tout. Comme ça, sous le soleil levant, ce n'est pas à proprement parler attachant, mais c'est... grisant. Oui, enivrant.

— Nous partons. Le colonel veut déjeuner sur ta colline enivrante.

Robert Simpson arrivait à grands pas, le fusil à l'épaule, le visage rayonnant.

— Askik! te voilà enfin! *It's incredible!* J'ai fait un peu le tour. Il y avait deux cents tentes ici. Regarde! dit-il en montrant des bouts de flèches cassées, j'ai trouvé cela là-bas!

Simpson trépignait de plaisir, comme un garçon qu'on amène pour la première fois à la foire.

— C'est incroyable, Askik, éblouissant! Vivre de cette manière aujourd'hui, en faisant fi de tout ce qui

587

fait notre bonheur à nous! Quelle indépendance! Quelle force de caractère! Comme je voudrais rencontrer ces hommes!

— Moi aussi, observa laconiquement Lemercier. C'est peut-être encore possible?

— Oh, ça m'étonnerait, répondit Simpson en riant. Nous allons déjeuner sur la colline, nous ferons un petit tour de l'autre côté, et nous allons rentrer. Les hommes sont épuisés.

Une piste indienne descendait jusqu'au ruisseau; un tronc d'arbre servait de pont. Les soldats faisaient la queue pour traverser; personne ne voulait se tremper les pieds dans l'eau glacée. Les arbres près de l'eau bourgeonnaient. Un pic tambourinait au loin. Une sittelle descendait un tronc d'arbre, tête première. Les soldats désabusés songeaient à leurs maisons.

— Elle n'est pas belle ma colline? dit Lemercier en sortant des bois. Un vent doux faisait chuinter les herbes sèches. Des cumulus brillants sortaient de la crête du coteau. Le détachement s'étirait paresseusement devant eux, les soldats marchant à deux ou à trois. Un troupeau de bœufs paissait sur une colline lointaine.

Les premiers coups de feu eurent un effet risible, guère plus impressionnant que le toc-toc du pic. Même la mitrailleuse, faisant feu à plein régime, n'arrivait pas à secouer les esprits. Lemercier tourna vers Askik un regard empreint de confusion. Les balles sifflaient autour d'eux. Askik se retrouva face contre terre avant même de l'avoir voulu. Il s'étonnait d'entendre encore chanter les oiseaux. Sa première pensée, allez savoir pourquoi, fut pour les petits gâteaux de Rosalie. La coulée à leur gauche s'était remplie d'une mince gaze de fumée. Les Queen's Own rampaient jusqu'au bord de la coulée et répondaient de manière décousue au feu des Indiens. Un premier cri d' « Ambulance! » se fit entendre dans la cohue. Mais le tout avait si peu l'air d'une bataille, était si désorganisé, qu'Askik eut envie de s'en aller. Il y avait même des moments de silence quand les combattants ne savaient plus trop que faire. En levant prudemment la tête, Askik voyait des guerriers cris et assiniboines qui traversaient à la course des clairières, pour prendre position dans les coulées boisées. Les Indiens ne semblaient guère mieux préparés que les soldats. Et pourtant, ces feux d'alarme la nuit précédente ?

Les wagons avaient été rangés en laager dans une dépression au centre de la colline. Les canons entraient en activité, mais sur quoi pouvait-on tirer ?

— Allons jeter un coup d'œil sur la batterie, suggéra Lemercier d'une voix à peu près normale.

En se tenant au centre de la colline, loin des coulées qui la flanquaient, les deux amis purent traverser tête haute le champ de bataille. Les Indiens, embusqués au fond des ravins, voyaient les troupes exposées sur les flancs, mais ne pouvaient rien contre ceux qui se tenaient au milieu du plateau. En passant par le laager, Askik et Lemercier virent trois blessés proprement rangés l'un à côté de l'autre.

La batterie B de Québec tenait le haut de la colline. La plupart des hommes francophones étaient assis à l'écart tandis que des officiers anglais s'affairaient autour de deux minuscules pièces.

— Qu'est-ce qui se passe ? demanda Lemercier à un sergent d'artillerie, qui cracha de dégoût.

— Nos fusils valent pas de la marde ! Des huit livres de la police montée. Le bois des affûts est pourri. Des canons de parure, tu comprends. Y ont dû les laisser à la pluie, à côté de leur drapeau.

Le commandant de la batterie, le capitaine Rutherford, s'ingéniait malgré tout à charger les petits howitzers.

— Mais sur quoi tirez-vous ? demanda Lemercier. Le sergent se leva à demi de sa caisse et, en étendant le bras, leur montra des perches de tipis, derrière un bois, trois mille pieds plus loin. On devinait un village énorme, ouvert en demi-cercle.

— Comment ! s'exclama Lemercier. Mais d'où sort ce camp ? Les éclaireurs ne l'ont pas vu ?

Pour toute réponse, le sergent projeta un globule noirâtre de salive et de tabac. Le canon cracha du feu en s'arrachant à son affût. Un tipi, au loin, vola en éclats, mais le camp avait été évacué. Les officiers récupérèrent le canon et, au moyen de fortes cordes, le ligotèrent comme ils purent au bâti croulant.

— C'est se donner ben de la peine pour faire sauter une tente, observa le sergent. Calice d'Anglâ !

— Vous étiez à la tête de la colonne, insista Lemercier en mouillant la pointe de son crayon, personne n'a flairé le piège ?

— Un piège ? Y a pas eu de piège ! On est arrivés au haut de la colline. On les a vus. Y nous ont vus. On s'est tiré dessus. Mettez donc ça dans vot' journal, voère si on vous créra !

Le lieutenant-colonel Otter et ses aides se tenaient à cheval, derrière la batterie. Le colonel avait l'air froid, mais inquiet. Ses troupes étaient encerclées. L'ennemi remontait les pentes vers ses lignes de tir. La configuration des lieux, l'heure, la soudaineté de l'attaque, tout cela rappelait étrangement la bataille du Little Big Horn. Le colonel Otter avait tout prévu, sauf de devenir le Custer canadien. Mais quoi faire ? Avancer était impossible. Reculer était périlleux à cause de cette damnée coulée qui leur barrait le chemin.

Le soleil montait, montait. Il faisait étonnamment chaud sur ce plateau, même si la terre demeurait gelée. Les blessés affluaient toujours vers le laager, quoique en plus petit nombre qu'au début de l'engagement. Les volontaires avaient vite appris à ne pas se lever pour tirer sur des couvertures ou des chapeaux brandis au bout d'un bâton. Mais ces sacrés Sauvages demeuraient imprévisibles. Un milicien pouvait passer une demi-heure couché à plat ventre derrière une roche, sans être dérangé. Puis il se tournait pour répondre à son voisin, et recevait une balle dans la tempe. Ça n'avait ni queue ni tête. Les volontaires salaient les bois de leurs balles, visaient au jugé, mais n'apercevaient jamais l'ennemi, ne voyaient jamais le fruit de leurs œuvres.

Vers le milieu de l'avant-midi, les fusiliers de Battleford et les Queen's Own donnèrent l'assaut pour libérer le flanc gauche arrière. Ils chassèrent les Cris hors du ravin, virent enfin quelques cadavres ennemis, mais durent battre la retraite en ramenant un mort. Le capitaine Rutherford faillit les massacrer tous par sa canonnade d'appui. Il était temps de partir.

On ramena d'abord les canons et les malades. Puis, lentement, précautionneusement, on entama la retraite. Le détachement se refermait sur lui-même comme un mouron sous la pluie. Un canon juché sur un coteau de la rive opposée couvrait plus ou moins la manœuvre. Arrivés au bord de l'eau, les soldats firent encore la queue devant le tronc d'arbre, répugnant même à cette heure à se mouiller les pieds.

— Midi déjà, constata Lemercier en sortant sa montre.

— Un long déjeuner, fit Askik en riant.

Il vit tout juste le visage hargneux qui se retournait vers lui mais n'aperçut pas la crosse du fusil qui lui défonça les côtes. Askik se retrouva de nouveau par terre, le nez dans des feuilles pourries. Ses yeux se remplissaient de noirceur, il étouffait. Un coup de pied l'atteignait au côté droit, il entendit de très, très loin, un homme furieux crier : « *Fucking breeds!* » et nota encore les éclats de voix de Lemercier. Askik s'éteignit doucement en songeant au troupeau de bœufs qui paissait sur la colline.

Il reprit conscience quelques minutes plus tard, un goût de vomissure à la bouche. Il était adossé à un arbre, en bordure d'un pré. Un silence délicieux régnait sur le monde.

— Le voilà qui revient, dit Lemercier, tout en sueur.

Il avait porté Askik plus d'un quart de mille : le détachement battait une retraite précipitée vers Battleford.

— Tu as un méchant bleu sur les côtes, ajouta Lemercier, mais rien n'est cassé, que je sache.

— Askik, dit Simpson, tu dois éviter les soldats. Ils ne se contiennent pas. Ne rentre pas à Battleford. Nous

591

te cacherons loin du village. Pendant quelques jours, tout au moins.

— Nous ne pouvons demeurer ici, dit le reporter. Les Cris rôdent partout.

— Comment ? ricana Simpson, pourtant peu porté à l'ironie. Nous ne les avons pas frappés de terreur ?

— Ils nous ont laissé partir, haleta Lemercier en aidant Askik à se relever. Sans cela nos carcasses engraissaient ce coteau. J'ai hâte de voir de quelle manière nos braves officiers vont travestir ce fiasco.

Les soldats exténués avaient repris sans entrain la longue marche du retour. Quoique assez heureux d'avoir connu le feu, ils avaient du mal à se faire une idée précise de ce qui leur était arrivé. Le lieutenant-colonel Otter lui-même tâchait de mettre un peu d'ordre dans les événements du matin. Il s'était laissé surprendre, soit. Mais le détachement était sauvé. Il ramenait six morts, deux agonisants et une dizaine de blessés. Mais le nombre d'ennemis tués devait être considérable, vu le nombre de cartouches brûlées. Bref, plus le colonel y pensait, plus le bilan lui paraissait positif. Ses recrues inexpérimentées avaient été prises en embuscade, avaient tenu les Sauvages en échec pendant sept heures, et s'étaient retirées sans désordre après avoir infligé suffisamment de pertes à l'ennemi pour qu'il renonce à les suivre. En somme, une modeste victoire.

Cette thèse allait durer jusqu'au procès des insurgés. On verrait alors apparaître une autre version de la bataille. Il n'y avait pas eu d'embuscade. Par négligence, ou par dédain pour leurs adversaires, les Indiens avaient omis de poster des guetteurs aux abords du camp. C'est un vieillard, se promenant seul avant l'aube, qui avait repéré les soldats traversant la coulée. Se croyant attaqués, les guerriers cris et assiniboines s'étaient aussitôt précipités dans les bois pour arrêter l'ennemi, et permettre aux femmes et enfants de s'enfuir.

Les soldats avaient fait une première surprise aux

Indiens en prenant position sur la colline nue. Un malentendu culturel. Les militaires blancs aiment s'installer sur les hauteurs et tirer en bas : les Indiens préfèrent s'installer dans les bas-fonds et tenir l'ennemi à contre-jour.

Quand les soldats s'étaient mis à reculer, les Indiens avaient eu pour premier réflexe de leur couper la retraite. C'était si facile dans ce ravin broussailleux. Mais le Faiseur-d'enclos les en avait dissuadés. Le village, avait-il dit, était sauf, l'ennemi repoussé : cela suffisait. Peut-être le chef cri pensait-il lui aussi à la bataille du Little Big Horn, et aux terribles représailles infligées aux Sioux victorieux. Les Indiens laissèrent partir les soldats, et demeurèrent seuls maîtres du terrain. En termes amérindiens, cela équivalait à une victoire complète. Ils comptaient six morts et trois blessés.

Loin de décourager les tribus voisines, la nouvelle de la bataille les électrisa. Les soldats canadiens avaient encaissé deux défaites d'affilée. Peut-être le temps était-il enfin venu de chasser les arrogants Visages pâles. Des prophètes du Sud avaient annoncé une époque de renouvellement. La Terre, disaient-ils, allait s'enrouler comme un tapis, emportant comme autant de souillures les Blancs, leurs machines et leurs maladies. Kitché-Manitou allait rétablir le monde d'antan. Les Indiens morts de la picotte reviendraient du Pays des Âmes, le bison et l'élan envahiraient de nouveau la plaine, et les Blancs ne seraient plus qu'un mauvais souvenir à raconter aux enfants, les nuits d'hiver.

Au moment même où le colonel Otter se félicitait d'avoir mis hors de combat son adversaire cri, des jeunes hommes du Faiseur-d'Enclos couraient vers Batoche, le cœur enflammé d'espoir et de haine. C'est à Batoche, croyait-on, qu'aurait lieu le prochain engagement.

Askik passa la nuit dans un bosquet, à la sortie de Battleford. Lemercier lui prêta son manteau de fourrure, en guise de tente, de matelas et de couverture. Askik s'éveilla vers la fin de la nuit, transi de froid. Sa litière d'herbe sèche avait sucé l'humidité du sol ; les flaques d'eau se recouvraient d'un vernis de glace. N'osant pas allumer un feu pour ne pas rameuter toute la contrée, Askik regarda se lever le jour. Il avait mal partout. Ses meurtrissures à l'estomac et aux côtes avaient fait tache d'huile durant la nuit, la douleur irradiait des jambes jusqu'à la nuque. Chaque mouvement lui coûtait un effort : un avant-goût de la vieillesse. Et pourtant, tout en frissonnant et grimaçant, Askik ne pouvait s'empêcher de rire un peu.

« Je peux dire que j'ai mené ma vie de main de maître, se disait-il. J'ai vingt-cinq ans, pas un sou, je dors dans les fossés, et tout le monde veut me battre. Oh ! maman, tu serais fière de ton garçon ! »

Traître boutade : elle devait le faire rire, elle lui serra le cœur. Où était sa famille ? Pendant son exil, Askik avait imaginé les siens heureux, parce que cela l'arrangeait. Mais comment savoir s'ils avaient échappé au mépris des nouveaux venus ?

Un soleil pâle, inamical, se levait dans la plaine parfaitement vide. Plus de Pieds-Noirs tapis dans les ravins, plus de Métis fonçant dans des mers de bisons, plus de porteuses d'eau riant sur le chemin du retour. Les tambours s'étaient tus. On récoltait les os des bisons, on laissait ceux des pestiférés. En attendant la charrue. Faut-il que l'homme blanc tue tout ce qu'il touche ?

Lemercier arriva vers midi, l'air furibond.

— Tu peux marcher ? demanda-t-il à brûle-pourpoint. Parfait ! Nous partons demain pour Batoche. Je ferai tout le trajet à pied s'il le faut ! Tu n'imagines pas ce qui m'est arrivé ? Ils ont refusé d'envoyer ma dépêche ! Ils disent qu'ils ont mieux à faire que de télégraphier des mensonges à un journal français. Des mensonges !

Le gros reporter respirait avec peine, étranglé par l'injure.

594

— Je ne sais pas ce qui m'a retenu. J'ai failli écrabouiller cet imbécile de télégraphiste. Un nain pâle. Mais d'une suffisance ! Ils ne perdent rien pour attendre, ça non ! Lis ! dit-il en tendant une liasse de papiers.

— C'est ton article ? Le titre est bon.

— *Un pique-nique calamiteux,* récita Lemercier, *ou la nécessité de bien choisir son site pour un déjeuner sur l'herbe.* Oui, j'en suis assez satisfait. Tu peux le garder, ça te fera passer le temps. Voici des provisions. Je rentre. J'essaie de dégoter des chevaux. Départ à l'aube ! Ah, et surtout ne te fais pas voir : nos voisins sont susceptibles.

Simpson vint lui serrer la main en fin d'après-midi. Il avait l'air las et triste mais le cachait sous un dehors d'affabilité. Il était de ces hommes parfaitement élevés qui croient manquer de charité en affichant une mine grise.

— J'attendrai de tes nouvelles, dit-il à Askik. Je sens que je vais m'ennuyer ici.

— Vous ne prenez pas les Cris en poursuite ?

— Nous attendons. Middleton marche sur Batoche. S'il défait les Métis, la rébellion sera brisée.

— Tu as l'air épuisé.

— Deux hommes sont morts durant la nuit. Blessés à la tête.

Ils gardèrent un long silence, trop fatigués pour réunir leurs pensées et tenter une nouvelle conversation, désolés pourtant de ne pouvoir se témoigner un peu d'amitié avant de se séparer. En face d'eux se dressait un jeune peuplier tout auréolé d'un vert tendre et vif. Les deux hommes le fixaient muettement, intensément, comme s'ils espéraient en tirer une force secrète.

— J'ai honte de ce que nous faisons ici, dit enfin Simpson. Nous aurions pu entrer dans ce pays en amis, les mains ouvertes.

— Les Indiens vous auraient chassés.

— Non. Par certains côtés, ils sont plus chrétiens que nous.

— Les hommes sont les hommes, Simpson, tu es avocat, tu es payé pour le savoir.

Le jeune Anglais haussa les épaules.

— Pas plus avocat que militaire, je crains. Et il ajouta, parce qu'Askik tournait vers lui un regard interrogateur : J'abandonne le droit. Je ne plaiderai plus. C'est une bonté à faire à mes clients, ne crois-tu pas ?

— Que vas-tu faire ?

Simpson eut un regard amusé. Il fixait Askik avec curiosité, pour voir quel effet aurait son aveu.

— Je nourris depuis toujours l'ambition d'être... historien. Je veux écrire l'histoire des peuples du Canada.

— De là ces questions sur Lafortune.

— Je n'ai pas été très honnête, je le reconnais.

— Et cet ouvrage va rapprocher les peuples de *ton grand et doux pays* ?

— Les préjugés sont comme les chauves-souris. Il suffit d'y jeter un peu de lumière, pour qu'elles s'envolent.

Askik partit d'un rire si joyeux qu'il eut des élancements dans chacune de ses côtes.

— Tu te connais peut-être en préjugés, Simpson, mais les chauves-souris ne sont pas ton fort.

— Dommage, je comptais beaucoup sur cette analogie.

— Je t'admire. Après tout ce que tu as vu ici, tu crois encore à ton Canada ?

— Ce qui se passe ici est horrible. Oh, en termes mondiaux, c'est insignifiant. Quelques dizaines de morts ; à peine un incident. On tue beaucoup mieux en Inde ou en Crimée. Mais la haine, Askik, le mépris qui se sont enracinés ici ! Ce refus malveillant, inconditionnel de l'autre... Et chez des gens si ordinaires, si humains à tout autre égard...

Simpson frissonna très légèrement. Il demeura un moment rêveur, la bouche entrouverte. Askik comprit qu'il était aux prises avec un vieil adversaire et ne le dérangea pas.

— On va remarquer ton absence, lui dit-il enfin.

— C'est vrai, je dois partir.

Mais il ne donnait pas signe de se lever.

596

— Sais-tu, Askik, il a fallu que je vienne ici pour croire au Démon. La médiocrité méchante, je crois, est sa marque. Nous détestes-tu pour ce que nous avons fait ?

— J'ai souvent haï les Anglais. En groupe. Individuellement, c'est plus difficile.

— Alors, c'est ainsi que nous bâtirons notre pays. En recrutant une personne à la fois.

— Ce sera long.

— Nous sommes déjà deux, dit Simpson en riant. C'est un bon début. Il se leva en s'époussetant le fond de culotte, et rajusta sa casquette.

— Écris-moi, dit-il à Askik en lui serrant la main. Nous ne sommes plus très sorteux, depuis hier.

IX

— Enfin, un peu de chaleur ! s'écria Lemercier en allongeant le pas.

Ils marchaient entre les traces du chemin, où le sol était à peu près sec. Les mares étaient ouvertes. De vieux bancs de neige s'éternisaient à l'ombre des bosquets, mais la plaine était entièrement dégagée. Un vent chaud, embaumé de terre et d'herbe, soufflait du sud.

Le chemin reliait une demi-douzaine de réserves indiennes, nouvellement arpentées. Ils passaient devant de méchantes huttes grises à billots équarris. Des jardins minuscules, clôturés de perches, attendaient la semence. Parfois, un *cayousse* tout en côtes les regardait passer en mâchouillant de l'herbe sèche. Ils voyaient plus rarement des enfants, une femme ou des vieillards.

Lemercier était déçu. Lui-même, par son habit, faisait plus indien que ces Indiens. Où étaient les tipis gracieux et barbares, les vêtements à franges, les peaux de daim bariolées de billes de verre ? Les Indiens portaient des habits de Blancs pauvres, sans pittoresque aucun. Des pantalons à bretelles qui finissaient à mi-jambe, des chemises flottantes, des couleurs discordantes. Les femmes chaussaient des bottines grossières, les vieillards portaient de vieux hauts-de-forme emplumés. C'était pathétique et ridicule. Lemercier avait honte pour eux.

— Ont-ils déjà oublié leurs arts traditionnels ?

— Ils n'ont plus de peaux pour confectionner leurs vêtements, expliqua Askik.

— Mais ces maisons...

— Pas de bison, pas de tipis. Il y a de la toile, mais ça coûte cher.

— Tout de même, je comprends qu'ils changent de vie, mais ils pourraient se renipper un peu ! Chauler une maison, ça ne coûte pas les yeux de la tête !

Askik renonça. Il n'était pas certain de saisir lui-même le plein effarement de ces gens. Quand on a été nomade pendant quarante mille ans, se disait Askik, quand on a chassé le bison et fui ses déchets au rythme des saisons, se trouver soudain rivé à un lopin de terre doit être déroutant à l'extrême. Cela devait être très très dur, croyait Askik. Et pourtant, il se trompait en partie.

Dans les réserves qui bénéficiaient de chefs prévoyants et d'une terre à peu près arable, les Indiens s'étaient convertis avec rapidité à l'agriculture. Le Faiseur-d'Enclos lui-même avait tenu des champs de patates qui faisaient l'envie des visiteurs blancs. Mais l'équipement manquait. Les Indiens ne géraient pas eux-mêmes leurs terres mais devaient s'en remettre pour toutes choses à un instructeur qui, lui, avait un budget, des directives, des supérieurs. Des compressions budgétaires et une réglementation tâtillonne avaient coupé les ailes aux agriculteurs autochtones, au moment même où il fallait des fonds et de la souplesse. Les plus heureux encore étaient ces Indiens qui échappaient à la surveillance paternelle du gouvernement, tels les Dakotas du lac des Chênes. Parce qu'ils étaient d'origine américaine, les Dakotas n'avaient pas droit aux services d'un instructeur agricole. Ils en avaient profité pour créer une ferme modèle, fortement mécanisée, très productive, axée sur l'exportation. Malheureusement, cela contrevenait à la politique étapiste du ministère des Affaires indiennes qui avait décidé que les indigènes commenceraient par une agriculture de subsistance. Les fonctionnaires allaient vite remettre de l'ordre dans les affaires des Dakotas et on allait vérifier de nouveau, après de nombreuses années d'efforts bureaucratiques, que les Indiens ne sont, après tout, que de grands indolents, trop heureux de vivre des largesses de l'État.

Ils mirent sept jours à se rendre de Battleford à Batoche, ce qui est loin d'être un exploit. Ils n'avaient pas prévu que la plupart des maisons, le long de leur route, seraient abandonnées. Les habitants blancs s'étaient enfuis vers les places fortes, les Indiens vers les plaines. Les deux voyageurs trouvaient des abris et du bois de chauffage à volonté, mais devaient faire de grands détours pour manger. De toute manière, plus les jours passaient, moins Lemercier se pressait. La rébellion était terminée, il avait raté les principaux engagements, et n'avait à peu près rien envoyé à son journal. Sa carrière de reporter, disait-il, venait de faire patate. Il s'y résignait, semblait même s'en délecter. Se retrouver à zéro lui rendait sa jeunesse. Ce long voyage à pied à travers un pays désert, ces nuits passées dans des granges et des étables l'enchantaient. Il se sentait libre et paresseux.

Aussi fut-il un peu déçu, le 10 mai au soir, en arrivant à la Traverse-à-Gabriel, quand il entendit au loin des salves décousues de fusils et de canons.

Le major-général aimait ses aises. Sexagénaire, gras, la moustache retombante, il avait l'air d'un morse satisfait de lui. Frederick Dobson Middleton était soldat depuis quarante-trois ans. Il s'était battu contre les Sipahis, et avait manqué à deux reprises de décrocher la croix de Victoria. Il aimait les marmelades et les viandes fines, dormait à la maison comme en campagne sur un sommier à ressorts, et ne s'en excusait pas. Le matin, il se promenait en tenue de combat, inspectait les tranchées, commandait les manœuvres. L'après-midi, en se relevant de son somme, il passait un uniforme d'apparat et ne faisait plus rien jusqu'au lendemain. Ses officiers le jugeaient pompeux, retors et voleur. Il était cependant très courageux, et aimait s'exposer inutilement au feu de l'ennemi. A l'Anse-au-poisson, son bonnet d'astrakan avait été emporté par une balle métisse et deux aides de camp avaient été blessés à ses côtés.

Et pourtant, Middleton hésitait. Son premier contact avec les Métis à l'Anse-au-poisson l'avait traumatisé. Il avait cru que les rebelles s'envoleraient au premier contact : ils étaient restés, et l'avaient battu. A présent, Middleton croyait les Métis deux fois plus nombreux et dix fois plus féroces qu'ils ne l'étaient vraiment. Ses propres troupes le remplissaient de mépris : des soldats de salon, de petits bonshommes à maman venus sentir la poudre avant de retrouver leurs comptoirs de magasin. Il n'y avait que les volontaires de l'Ouest qui savaient un peu se battre, et ceux-là ne savaient pas obéir. Des plans pour se faire annihiler. C'est pourquoi Middleton était demeuré deux semaines à l'Anse-au-poisson, alors que la capitale métisse se trouvait à une journée de marche. C'est pourquoi le major-général campait depuis deux jours sur le seuil de Batoche, sans vraiment engager la bataille. L'adjoint du général, Lord Melgund était rentré mystérieusement à Ottawa : on disait qu'il allait implorer l'envoi de réguliers britanniques.

— C'est ça, Batoche ? s'exclama Lemercier. C'est ça la capitale rebelle ?

Il avait imaginé quelque chose de barbare et de fantasque, une redoute cruelle, une ville débraillée. Au lieu de cela, il voyait un village propret, derrière des champs labourés, entouré d'une jolie rivière. De l'autre côté, c'est vrai, les Cris et Assiniboines avaient dressé des tipis, ce qui sauvait un peu les apparences, mais cela faisait si peu champ de bataille que les artilleurs

600

mêmes se comportaient avec nonchalance. De longues minutes pouvaient s'écouler entre chaque coup de feu. On s'étonnait de ne pas voir de semeurs aux champs ou de ménagères dans leurs jardins.

Le général avait fait construire un camp retranché sur les hauteurs, à l'ouest du village. Un carré bourbeux, bondé d'hommes et de chevaux.

Les Canadiens étaient de mauvaise humeur. Ils ne voyaient jamais l'ennemi et devinaient à peine où étaient situées les fosses de tir dans les bosquets et ravins qui défendaient l'approche du village. Ainsi, ils avaient tiré tout un après-midi sur une masse noire, à moitié dissimulée dans les bois, et qui pouvait être une redoute. Ils apprirent au cours d'une sortie subséquente que leur cible n'était qu'un cheval d'artillerie, tué le premier jour du combat.

C'était une guerre ingrate. Les Canadiens perdaient des hommes à chaque sortie, et ne voyaient jamais mourir de Métis. Les soldats se faisaient canarder de jour et subissaient la nuit un feu plus narguant que dangereux. Jamais la moindre occasion de se fouetter le sang, jamais le plaisir de voir son coup porter. Les nerfs s'usaient, on discutait les ordres, pis, on levait le nez sur l'ordinaire. Quand un Canadien s'inquiète de ce qu'il mange, c'est que les choses vont vraiment très mal.

Askik tomba dans ce chaudron de bile comme une souris dans une meute de chats. Il n'avait pas mis le pied dans le camp qu'une demi-douzaine d'uniformes se précipitèrent pour le saisir au collet. Lemercier avait beau protester, son accent français ne faisait qu'empirer les choses. Le reporter crut sincèrement, un moment, que son guide allait être fusillé. Au lieu de cela, on le traîna devant un sergent, qui le refila à un lieutenant, qui en référa à un capitaine. Askik monta rapidement en grade et se retrouva, pour la deuxième fois de sa vie, devant un commandant britannique.

Et quel commandant! Uniforme bleu marine à cordons d'argent, bottes miroitantes, une serviette empesée, immaculée, sous un généreux menton.

— Désolé d'interrompre votre repas, général, fit timidement le dernier colonel à écoper d'Askik. Les hommes ont arrêté un espion métis.

Le major-général leva une main indulgente.

— Général, implora Lemercier, *dère ize a bigue mistèque. Verré bigue.*

Il expliqua tant bien que mal qu'il était reporter, que Mercredi était son guide, que c'était un bon Métis qui n'avait encore tué personne. Tout en plaidant la cause de son ami, Lemercier contemplait tendrement le steak énorme que dépeçait le général. La vue de cette juteuse immolation donnait plus de pathétique à sa voix : quelques officiers furent émus.

Le major-général dînait seul, sur une table pliante. Une carafe de vin se tenait à sa disposition. Des bols de cornichons, de pommes de terre, de légumes et de fruits en conserve serraient de près son assiette. Depuis quarante ans qu'il était sous les armes, le major-général ne se souvenait pas d'avoir si bien mangé en campagne. Il le devait à un pillage systématique des fermes métisses des deux côtés de la Saskatchewan. Le major-général leva un regard de bonhomie sur le prisonnier.

— *My wife is French, you know.* Mon beau-frère, M. Doucet, nous servira d'interprète.

Suivit un interrogatoire incohérent que le général semblait exécuter pour la forme. Avaient-ils vu des bandes indiennes en chemin ? Des vapeurs sur la Saskatchewan ? Comment se portait ce bon vieux Ouimet ?

— Ils n'ont pas l'air très dangereux, colonel. Faites-les garder cette nuit. Ça ne sera plus long.

Askik et Lemercier passèrent la nuit dans une tranchée pompeusement baptisée fort Malakoff. On les avait rangés contre un mur d'enfilade. Leurs deux gardiens, des volontaires du 10e bataillon, avaient l'air complètement désabusés, et ne leur prêtaient aucune attention. Les Métis aussi semblaient blasés : il n'y eut pas un coup de feu de la nuit. Un ciel magnifiquement étoilé surplombait les remparts. Les sentinelles pouvaient tout juste voir les toits du village au loin.

602

— Paraît que nous donnerons l'assaut demain.

— Hmmmf !

— Qu'est-ce qu'on attend pour leur rentrer dedans ?

— Que Son Excellence ait fini de manger.

Ces récriminations couraient dans toutes les tranchées. Elles faisaient de bouche à oreille le tour du camp, revenaient grossies à leur point de départ, et repartaient chargées d'un supplément d'indignation. On en avait assez de jouer les pigeons d'argile. Il était temps de cribler des peaux. Que diable attendait ce général anglais ? Il avait demandé des troupes britanniques, disaient les uns. Il négociait un armistice avec le papiste Riel, disaient les autres. C'était un goutteux, un ivrogne, un sympathisant canadien français, enfin tout sauf un commandant comme il en fallait à de bons et braves Canadiens.

Assis dans son trou derrière le canon, le général Middleton sentait l'agitation monter autour de lui. Il s'en moquait bien. Ah ! ces touristes voulaient se battre ? Ils se prenaient pour des soldats ? Eh bien, pourquoi pas ? Le général avait tiré un plan de bataille. Il ne se faisait pas d'illusions sur ses chances de succès. Mais après tout, les miliciens avaient peut-être besoin de se faire roussir le nez, rien que pour apprendre la différence entre un major-général vétéran de la mutinerie indienne, et un commis de bureau. De toute manière, le général voulait tâter les défenses métisses à l'est du village ; c'était là, pensait-il, le ventre mou de la bête.

Le lendemain, les troupes déjeunèrent fébrilement. Il y avait du neuf. L'air avait changé. Comme de fait, les unités de cavalerie reçurent l'ordre de se mettre en selle.

— On y va ! criaient les soldats en se bourrant les poches de galettes.

Les cavaliers paradaient fièrement en bordure du camp. Le major-général prenait le salut en se disant intérieurement : « Vous n'auriez pas fait dix minutes contre les Maoris, mes agneaux. »

Les cavaliers sortirent vers le nord, en emportant un

canon et une mitrailleuse. L'infanterie se massait sur la droite de l'ennemi et avait pour mission d'exécuter un vaste crochet qui l'amènerait à l'arrière du village : en plein dans le ventre mou. Le plan était simple : l'artillerie et les cavaliers ouvriraient le feu en premier. Les Métis, se croyant attaqués de la gauche, dégarniraient leur droite, ouvrant ainsi la voie à l'infanterie.

Malheureusement, le vent soufflait du sud. Le bruit de l'artillerie ne parvint pas jusqu'à l'infanterie, qui ne bougea pas de la matinée. Les unités montées attirèrent le plein feu des Métis, et subirent de lourdes pertes. Dégoûté, le major-général fit sonner le cessez-le-feu, et rentra déjeuner.

Il y avait des côtelettes de porc au menu, et un bocal de chutney anglais fraîchement arrivé d'Ottawa. Chère Eugénie ! Le major-général s'attabla avec un mélange de satisfaction et de nostalgie. Avait-il besoin de s'user dans des campagnes aussi insipides lorsqu'il y avait tant de bonnes choses à la maison ? Peut-être le temps était-il venu de prendre sa retraite. Vrai, la rente serait modique, mais la vie est si bon marché au Canada. Et quelles économes que ces Canadiennes françaises ! De vraies Normandes. Alors, la retraite ? Il en discuterait avec son beau-frère. Mais d'abord, la sieste.

Le major-général rêvait qu'il était un gentleman farmer, en tweed et velours côtelé, dans un canton du Québec, sur une rivière poissonneuse, lorsque le son d'une fusillade le réveilla cruellement. Un jeune artilleur était juché sur l'affût du canon.

— Que se passe-t-il ? lui cria le général.

— Nous chargeons, *sir*.

— *Charging ?* hurla le général. De quel droit ?

La fusillade avait commencé sur la gauche. Un franctireur métis avait blessé un Midlander. Excédés, les miliciens avaient contre-attaqué. Le mouvement s'était communiqué aux grenadiers et aux unités voisines. Un feu roulant éclata sur toute la ligne. Les soldats chargeaient, baïonnettes au canon, entraînés par leurs officiers qui avaient préparé la chose en secret.

Une confusion monstrueuse régnait dans le camp sur la colline. Le major-général sortit au grand galop. Les hommes sautaient les remparts : Midlanders, Grenadiers, Rifles, Scouts couraient au combat, toutes couleurs confondues. Que diable avait-on besoin d'officiers ?

Les deux volontaires qui gardaient Askik et Lemercier jetaient des coups d'œil désespérés hors du camp. Être venu si loin et rater la bataille ultime ? Que diraient-ils à leurs parents : je ne me suis pas battu, je gardais un Canadien français obèse et un Métis qui ne clignaient pas les yeux deux fois par heure ? Les deux gardes se consultèrent du regard et, d'un commun accord, sautèrent le parapet.

— Ouf ! dit Lemercier. J'ai cru qu'ils nous abattraient, rien que pour se libérer de nous.

Les Métis fuyaient. Ils étaient à bout de munitions. Ils chargeaient leurs vieux fusils de clous et de boutons. Lorsqu'une balle canadienne s'enfonçait dans le sol près d'eux, les Métis la déterraient et s'en servaient à leur tour. Tout cela prend du temps : ils n'en avaient plus. Arrivés au village, les soldats se tapirent d'instinct derrière les bâtiments. On put croire un moment que la charge allait s'essouffler. Mais un officier irlandais, une tête brûlée du nom de Jack French, se jeta au-devant de l'ennemi, déclenchant une nouvelle charge. French défonça la porte d'une maison, monta à l'étage pour tirer de la fenêtre, et tomba raide mort, une balle dans le cœur.

Les troupes s'enlisaient à nouveau lorsqu'on amena de l'arrière la mitrailleuse et les canons. Aux premières salves, les Métis s'éparpillèrent : ils n'avaient plus que du gravier à mettre dans leurs fusils. La bataille de Batoche venait de prendre fin.

— On n'écrira jamais de romans là-dessus, dit Lemercier en descendant vers le village.

Erreur. La petite bataille était déjà en voie de devenir

une grande victoire. Après le staccato des balles, le feu roulant des dépêches. Les fils télégraphiques arrosaient la nouvelle du triomphe dans toute la Puissance du Canada. A Batoche même, les vainqueurs fêteraient volubilement la défaite de l'ennemi. Mais d'abord, quel ennemi ? La plupart des soldats n'avaient encore vu que des ombres fugitives, des silhouettes d'hommes, déformés par les bois, grossis par l'imagination. C'est en visitant les morts qu'ils découvrirent ce qu'était un Métis.

Les fosses et les maisons leur réservaient plus d'une surprise : des garçons imberbes, nu-pieds, jonchant les fonds de tranchées, gisant à côté de vieux fusils à pierre : Joseph Ouellette, quatre-vingt-treize ans, Joseph Vandale, soixante-quinze ans, morts à leurs postes ; une fillette de quatorze ans, couchée dans un cercueil dans la maison de ses parents, le corps raidi par une robe brodée, victime d'un éclat d'obus. Des morts aux teints sombres ou clairs, aux cheveux coupés court ou en tresses indiennes, aux vêtements noirs ou à carreaux éclatants.

Lemercier télégraphia comme les autres un récit détaillé de cette sordide petite tuerie. Mais cela ne lui suffisait pas. Pendant trois jours, sous une pluie battante, Askik et Lemercier fouillèrent les rives de la Saskatchewan à la recherche de réfugiés. Lemercier voulait comprendre. Il se trouvait devant un mal ignoble et avait la prétention de mettre le doigt sur la plaie, de tout expliquer à des lecteurs qui liraient ses articles en mangeant des tartines après le dîner.

Des femmes et des enfants métis s'entassaient dans des cavernes humides, à quelques pieds de la rivière. Les enfants toussaient. Dans toutes les grottes, les femmes en deuil récitaient le rosaire tandis que des aînées marmonnaient les chants funèbres des Cris.

L'apparition des deux hommes provoquait d'abord la frayeur. Mais ces femmes avaient un tel besoin d'être réconfortées qu'elles acceptaient sans discuter les rassurances d'Askik. Elles voulaient croire que le monde entier ne cherchait pas leur mort, et se seraient jetées dans n'importe quel piège, sur la foi d'une main tendue. Lentement, timidement, les questions venaient. Les soldats étaient-ils partis ? Les maisons avaient-elles été brûlées ? Le pape les avaient-ils excommuniés ? Askik retrouvait avec émotion les regards métis, baissés par politesse, les manières lentes et posées, le parler chantonnant des femmes de sa race. Il désespérait de les comprendre si mal. Il apprenait soudain que si le dialecte des Métis fait de larges emprunts au français, sa logique et son rythme sont intimement indiens. Or, non seulement Askik ne parlait plus le cri, mais il avait perdu cette fluidité d'esprit qui met de l'intuition dans l'ordre, et du goût dans la règle. Autant le français lui avait paru tatillon par sa rigidité, autant sa langue maternelle lui semblait maintenant évanescente et floue.

Dans chaque grotte, Askik demandait où étaient ses parents : personne ne se souvenait d'eux. Il revint abasourdi de la première rencontre avec les siens.

— Je ne suis vraiment plus rien du tout, souffla-t-il en remontant les berges de la Saskatchewan. Des nuages sales et bas grattaient la plaine ou s'accrochaient aux arbres noirs des berges. Ces berges qui renfermaient des femmes et des enfants. C'est le pays le plus triste du monde, pensa Askik.

Au cours des prochains jours, les familles de Batoche revinrent presque toutes au village. Les hommes rendaient leurs vieux fusils en jurant avoir agi sous la contrainte. Les chefs étaient arrêtés, les autres retournaient à leurs charrues. Seuls quelques enragés rôdaient encore dans les ravins, la main sur le couteau, l'humiliation au cœur. On les craignait beaucoup, mais on en rencontrait peu.

Ainsi, quand Askik se retrouva, au détour d'une piste, face à face avec un tireur métis solidement armé, il crut sa dernière heure venue. Lemercier avait pris le bateau-vapeur jusqu'au poste de télégraphe. La berge était déserte. Askik était seul. L'autre pouvait l'abattre, et disparaître. Pourtant, quelque chose clochait dans le regard de l'inconnu : on eût dit de la timidité, ou même, de l'amour. C'était un jeune homme, guère plus qu'un adolescent, un peu maigre, mais grand. Il portait une chemise de toile, des mocassins, un vieux manteau de laine usée.

— *Tansé, Askik ? Kékiskinimin na ?*

— *Mouats, kin... si... to... ta... tin,* répondit Askik en cherchant ses mots.

— Mikiki ! fit l'autre, tout étonné de ne pas être reconnu. Ton frère à toi, ajouta-t-il, dans un français non moins laborieux que le cri d'Askik.

Ils n'eurent pas le temps de marcher l'un vers l'autre qu'ils s'embrassaient déjà. Mikiki, ce jeune colosse ? Askik, cet élégant endimanché ? Mais le frère cadet se déprit abruptement.

— *Astam outa,* dit-il, en entraînant Askik vers la rivière. Mikiki jetait des regards anxieux derrière lui, craignant de voir accourir des soldats. Les Canadiens tiraient mal, mais ils tiraient beaucoup. Il mena Askik à une petite clairière qui ne se voyait ni de la plaine ni de la rivière. Arrivé là, Mikiki accota son fusil contre un bouleau et alluma un feu de brindilles. Le bois, l'eau et le thé avaient été préparés d'avance. Pourtant, il ne s'agissait pas d'un camp véritable : Mikiki devait coucher ailleurs.

— Où est maman, demanda Askik, *tandé* ?

— A Saint-Laurent.

— Mais c'est tout proche ! s'exclama Askik.

— Non, l'autre Saint-Laurent, lui fit comprendre Mikiki. Sur le lac Manitoba.

Les deux frères établirent rapidement un code fait de cri, de français, de gestes et de dessins au sol. Askik apprit que son père gérait un petit comptoir de fourrures dans le Nord, l'avènement du télégraphe ayant à peu près enrayé son ancienne profession de courrier. Découragée par la vie dans l'Athabaska, et regrettant les siens, Anita était redescendue dans le Sud. Elle travaillait comme ménagère pour des religieuses dans une mission indienne. Mikiki lui-même avait été élevé dans l'Athabaska où il avait oublié le français au profit du dené. A quinze ans, il s'était fait batelier pour la Compagnie, puis simple bête de halage dans les rapides. Après avoir traîné quelques centaines de chaloupes à la cordelle, le long d'une piste marécageuse, Mikiki avait compris qu'il ne vivrait pas vieux dans le métier, et s'était enfui. Il était descendu dans les villages métis de la Saskatchewan dans l'espoir de trouver une femme et une terre.

Il avait trouvé Louis Riel, le prophète de la Nouvelle Nation métisse. Un chef inspiré, fondateur d'une église purifiée, qui rêvait à un empire métis et amérindien. En entendant parler le prophète, Mikiki avait senti s'ouvrir en lui une plaie profonde, purulente. Tout ce qu'il avait reçu des Blancs — condescendance, paternalisme, mépris — tout ce qu'il pensait avoir avalé et oublié lui remontait soudain à la gorge. Ah ! rabattre la morgue de ces faux bienfaiteurs ! Leur apprendre que le Métis est un homme libre, responsable ! Après la bataille, Mikiki s'était réfugié dans le fond d'une coulée et avait pleuré longuement en faisant gicler la vase de ses poings serrés. Pourquoi les balles devaient-elles manquer aux Métis qui avaient du cœur et du courage en abondance ? Pourquoi fallait-il que les orgueilleux Blancs triomphent toujours avec leurs machines obscènes ?

En parcourant les grottes de la Saskatchewan, en distribuant des lièvres et des écureuils aux femmes et aux enfants terrifiés, Mikiki avait entendu parler d'un jeune Métis venu du Canada avec les soldats. Averti par un pressentiment, il avait épié les allées et venues autour du camp et n'avait eu aucun mal à reconnaître son frère. A l'instar des autres Métis, Mikiki ne lui faisait aucun reproche, ne s'offusquait pas de le voir parmi l'ennemi. Le destin peut conduire un homme dans bien des camps, les lois de l'amitié peuvent le lier à bien des partis.

Mikiki termina ses explications en exprimant le souhait qu'Askik demeurerait dans le Nord-Ouest, et qu'ils formeraient enfin une famille. Cela lui avait manqué.

Le petit feu fumait et pouvait les trahir. Mikiki l'éclaircit du bout des doigts, ne laissant que les tiges sèches qui donnaient une flamme claire, sans boucane. Ses doigts calleux et intelligents chassaient les tisons mouillés, redressaient des brindilles, éventaient les flammes. Il offrit à son frère une gamelle fumante et éteignit le feu. Parfois, lorsqu'il entendait un craquement équivoque, lorsqu'un oiseau passait trop près, Mikiki étirait discrètement le cou et parcourait des yeux la crête de la berge. Il était alerte et calme tout ensemble, comme les chevreuils qui vivent et se reposent au milieu du danger.

— *Kina ?* demanda-t-il, toi *coutanne ?*

— Suis-je heureux ? répéta Askik.

— *Kéwi kitsona ?*

— Non, pas marié.

Mikiki eut l'air choqué. Pas marié ?

— *Tché ! Kikawi kihkow !* dit-il d'un air grondeur. Tu es pourtant vieux, mon frère !

Une perdrix s'élança dans une pétarade de battements d'ailes. Mikiki se figea, les yeux fixes, la main s'étirant vers le fusil. Askik se fâcha. Il n'avait pas aussitôt retrouvé son frère qu'il risquait de le perdre aux soldats. Les Canadiens voyaient d'un mauvais œil ces jeunes braves qui couraient les bois au lieu de se rendre. Askik n'était pas homme à s'en remettre à la bienveillance des Blancs.

— Ne reste pas ici, dit-il à Mikiki. *Awasse !* Éloigne-toi ! Va au Montana, tu ne seras pas seul. Je t'appellerai à l'automne. Tiens, prends ceci. *Outsina !*

Askik lui remit le restant de son argent. Mikiki l'accepta, croyant que son frère était riche, comme tous les Canadiens. Le jeune homme voulait s'attarder mais Askik, devenu autoritaire, le pressait de partir. Enfin, Mikiki reprit son fusil, embrassa son aîné et, en lui faisant un sourire amical, disparut dans les bois.

X

Les éclaireurs signalaient un petit groupe de Métis et de Cris marchant vers le nord. Des femmes et des enfants, quelques vieillards, s'en allant rejoindre leurs hommes en forêt, sans doute. Le major-général Middleton ne crut pas utile d'intervenir. Mais Lemercier voulait voir. Il loua deux chevaux, pour son guide et lui.

Ils chevauchèrent tout un avant-midi, sans retrouver la trace des fugitifs. N'importe. L'air était frais, les anémones fumaient au bord des bois, le soleil était radieux. Satisfait de sa sortie, Lemercier était prêt à rentrer. Il avait trouvé près de Batoche une Métisse roublarde qui lui faisait payer à prix d'or ses œufs et ses fromages cachés. Lemercier rêvait justement d'une omelette juteuse. Mais quel obsédé que ce Chingachgook ! Il s'était piqué au jeu. On eût dit qu'il cherchait la piste de ses propres parents !

— Askik ! lui criait Lemercier. J'ex-pire de faim. Au nom de la charité, ren-trons !

Mais Askik enfonçait déjà les bottes dans le ventre de sa monture.

— Demandons d'abord dans cette ferme, dit-il en s'envolant.

Une petite maison à billots glaisés, une étable en planches debout. Pas une poule, pas un cochonnet. Le général Middleton continuait à faire bonne chère.

Un homme sortit de la maison, l'air méchant. En voyant devant lui un autre Métis trop bien habillé, trop bien monté, l'habitant crut avoir affaire à l'un de ces jeunes ambitieux qui jouent aux caniches pour les Blancs. Un traître. Le sang lui monta aux yeux, le bonhomme grinça silencieusement des dents. C'était un homme puissant, ventru, à la barbe grisonnante. Il avait remis aux soldats sa vieille carabine à percussion, mais avait gardé pour lui la Winchester. Mais comment la quérir sans effaroucher ces deux oiseaux ?

611

— Avez-vous vu passer un groupe de femmes et d'enfants ? lui demanda le caniche.

— Ça se pourrait, grogna l'habitant.

— Dans quelle direction marchaient-ils ?

— Que leur voulez-vous ?

— Les voir. Leur parler. Mon ami est journaliste...

Un air d'extase illumina soudain les traits foncés du Métis.

— Un journaliste ! s'écria-t-il. Ben cré maudit ! C't' un bel honneur ! Descendez, descendez donc, mes jeunes messieurs ! Allez-vous mettre mon nom dans le papier ? Vous mangerez ben une petite perdrix ?

— Ah pour ça, oui ! répondit Lemercier en mettant le pied à terre. Voilà comment on doit accueillir la presse !

— Asseyez-vous là, au soleil, dit le bonhomme en les alignant sur un gros tronc d'arbre couché dans la cour. Je reviens tout de suite. Prendrez-vous de la confiture avec votre pain ? Parfait !

— Quel charmant homme ! dit Lemercier quand il fut parti. Les gens de ce pays ont conservé le sens de l'hospitalité. On se dirait au Québec.

Pendant ce temps, au fond de son caveau à légumes, le charmant homme creusait à pleines mains dans le sable fin où il gardait les carottes, les navets, et la Winchester. Il exhuma tendrement son arme, toute ensevelie de graisse et de chiffons. La gredine avait pincé plus d'un Canadien à Batoche : il était temps de la tirer de son somme.

En refermant doucement la trappe du caveau l'habitant entendit le gros journaliste, dehors, qui déclamait sur l'humanité primaire des gens de la Saskatchewan.

Soudain, le journaliste se tut. L'habitant se figea, craignant de voir fuir le gibier : ses cartouches étaient encore enfouies dans la farine. Il souffrit une éternité d'angoisse, puis retrouva son rictus en entendant Lemercier s'exclamer :

— Voilà le cheval le plus vieux qu'il m'ait jamais été donné de voir !

Une jument pie, qui portait la barbiche et un restant de queue, boitillait lentement vers l'étable. Le poil lui manquait tout à fait aux épaules, les hanches dépassaient le dos, les côtes faisaient de l'ombre entre elles, les genoux étaient blindés de cals. L'animal ne portait ni licou ni entrave et semblait libre de se traîner où bon lui semblait. Ce qui ne pouvait être loin. Se sentant observé, le cheval s'arrêta vers le milieu de la cour et tourna vers les visiteurs de grands yeux inexpressifs. Askik ne put s'empêcher de rire.

— On dirait le cheval Choquette ! dit-il.

— Comment ! hurla le gros fermier à deux pas derrière eux, t'es le garçon de Jérôme Mercredi ?

Askik et Lemercier levèrent d'un pied. Le cœur battant de terreur Lemercier se retourna, exaspéré.

— Mais a-t-on idée de faire peur aux gens comme...

Le gros reporter blanchit d'un coup en voyant la gueule huileuse de la Winchester. Le fermier, tout honteux, rabattit son arme et tendit brusquement une grosse main vers Askik.

— Ormidas Choquette, bredouilla-t-il. J'ai connu votre père.

Lemercier semblait sur le point de s'évanouir.

— Mais il allait..., murmura-t-il.

— S'cusez-moé, marmonna le fermier, tête basse. J' pouvais pas savoère.

Askik pouffa de rire et le fermier s'esclaffa à son tour, riant haut et gras, tenant son ventre d'une main et le fusil de l'autre. Le cheval Choquette reprit lentement sa marche vers l'étable. Oui, il avait reconnu le petit Mercredi. Et après ?

— Je parie qu'il n'y a même pas de perdrix ! dit Lemercier en s'échauffant.

— Ah, vous avez ben trop raison, reconnut le fermier en rigolant encore.

— Avez-vous vu passer un groupe de femmes et d'enfants ? reprit Askik.

— Hier après-midi, hoqueta l'habitant en chassant les larmes de sa moustache.

613

— Ils marchent au nord ?

— A l'ouest. Y ont fait un détour pour éviter les soldats. Y vont passer par la traverse à Gariépy. Tiens, ça vous intéressera peut-être, y a des gens de la Fourche là-dedans. Mes respects à vot' père !

Askik était déjà en selle.

— C'est quoi la Fourche ? cria Lemercier en sortant de la cour à bride abattue.

— La Rivière Rouge ! répondit Askik. C'est mon monde !

Lemercier gémit. L'estomac lui tiraillait, il avait le derrière et l'échine en compote.

— Askik ! Je n'en peux plus ! Je rentre !

— A ce soir ! cria Askik sans se retourner.

Il continua seul, recourbé sur sa monture, les genoux montés jusqu'au garrot de la bête. Les coups de sabot se mêlaient aux battements de son cœur, ses yeux s'habituaient à la fuite brouillée des herbes. Dieu merci, les Métis avaient hérité de leurs pères canadiens français la passion du cheval ! C'était une bonne bête, une monture puissante, quoique un peu molle après un hiver de paresse. Arrivés à la rivière, cheval et cavalier virèrent vers le nord. Une demi-heure plus tard, ils tombèrent sur un chemin, qui descendait vers l'eau.

— Ça se couv', dit le passeur en descendant vers le bac. *Wikimwan.* Y va mouiller. Y passe plus grand monde depuis les troub'.

— Hier pourtant, vous avez fait traverser un groupe de Métis et de Cris. Quelle direction ont-ils prise ?

— Ben, à l'ouest. Demandez-moé pas où ils vont. *Mouats nikiskenten. Tché !* Z'avaient même pas d'argent pour me payer. C'est pas la peine de crever vot' animal, missieur. Y vont pas vite. Z'ont des malades. Ahi ! *Nisikhats,* missieur, doucement !

Peine perdue. Le bac n'avait pas aussitôt accosté qu'Askik lançait son cheval à la même allure forcenée. Il se sentait enfiévré, tendu comme le câble du bac.

Le passeur avait dit vrai. Les fugitifs n'avaient pas fait longue route. Askik vit bientôt apparaître des pignons de tipis parmi les arbres. La plaine, en cet endroit, formait une petite baie dans un bosquet : c'est là qu'ils s'étaient installés.

Le camp avait si piteuse allure qu'Askik mit instinctivement son cheval au pas. Il avait envie de rebrousser chemin. Des tipis de toile sale fumaient sous un ciel gris. Il y avait même des tentes rectangulaires achetées chez les Blancs. Des wagons et des travois traînaient un peu partout. Des cayousses étiques broutaient les nouvelles pousses.

En passant devant les tentes, Askik apercevait des femmes et des enfants qui l'épiaient par les toiles entrouvertes. Parfois, rarement, il entrevoyait un homme assis près du feu, lui tournant le dos. Il y avait du feu dans toutes les tentes, mais il n'y avait pas la moindre odeur de cuisson. Un silence parfait régnait dans le camp, signe que tous et chacun étaient sensibles à la présence d'Askik. Il était mal à l'aise. Chaque pas du cheval, chaque grincement de la selle lui semblait une injure de plus à ces gens démunis. Que venait-il faire ici ? Il ne reconnaissait personne. Il retourna doucement le nez de sa monture et se dirigea de nouveau vers la plaine. Il avait eu tort de venir.

Askik s'éloignait du camp lorsqu'un garçonnet de trois ou quatre ans sortit en courant des bois et, apercevant soudain le cheval, se figea. Le garçon dévisageait Askik avec cet air de bravade mêlée de crainte que réservent les tout petits enfants aux étrangers. C'était un gros petit bonhomme, au visage rond, aux membres bien pris. Le menton buté laissait prévoir un casse-cou de premier ordre.

— Il s'appelle Ovide, dit une femme en approchant.

Askik n'eut même pas à se retourner pour reconnaître Mona. La voix n'avait pas changé. Elle avait toujours cette même tranquillité presque irréelle qui disait à chaque inflexion : « Voilà comment sont les choses. Et c'est ainsi qu'elles doivent être. »

— *Tansé*, Askik ? lui dit-elle en souriant.

— Tu ne souriais pas quand tu étais jeune, répondit Askik en descendant de cheval.

La jeune femme se mit à rire.

— Hai ! Et toi, tu ne montais pas si bien.

Ils s'arrêtèrent gauchement l'un en face de l'autre.

— Savais-tu que je venais ? demanda Askik.

— Voyons !

— Autrefois tu pouvais prédire les choses.

— Un peu, pendant un temps. Ça s'est passé.

Elle était plus grande qu'il ne l'avait cru. Plus forte aussi, et plus belle. Le visage plutôt large, les cheveux rassemblés dans deux lourdes tresses tiraient au brun, les yeux légèrement inclinés avaient acquis au cours des années un éclat d'humour. Elle tenait dans ses bras un deuxième bébé âgé d'un an tout au plus, et qui fixait Askik de ses grands yeux bruns.

— Celui-ci est Mathias, dit-elle en le soulevant un peu. Il porte le nom de son père. Tu te souviens de Mathias Gauthier, celui qui t'a perdu en plaine ?

— C'est ton mari ?

— Il l'était. Il est mort.

Askik repassait en mémoire tous les cadavres qu'il avait vus à Batoche. Était-ce possible qu'il eût passé sur Mathias Gauthier sans le reconnaître ? Mais la jeune femme, devinant son erreur, précisa :

— Il est mort le printemps dernier. De consomption.

Le bébé poussa un gargouillis joyeux, comme pour réfuter les dires de sa mère.

Un silence embarrassé s'installa entre eux. Ou plutôt, c'est Askik qui ressentait de l'embarras. Mona semblait toujours aussi sereine, aussi sûre d'elle. Et, comme d'habitude, c'est elle qui rompit le silence.

— Et toi, Askik ? demanda-t-elle. Es-tu devenu un grand homme ?

— Non. Mon cheval m'a jeté. Mon fusil a éclaté.

Mona partit à rire, mais d'un rire si bon, si doux, qu'Askik aurait gaiement raté dix autres vies, rien que pour l'entendre.

— Tu n'avais pas ce sens de l'humour en partant, dit-elle.

— Depuis ce temps, crois-moi, j'ai fait rire bien des gens.

— Et maintenant ?

Askik haussa les épaules. Sa main remontait inconsciemment vers le pommeau de la selle, ses yeux vérifiaient la position de l'étrier. Les mains de Mona
étaient brunes, veinées et fortes. Ses vêtements étaient
rugueux. Elle sentait le feu de bois et l'humus. Pourrait-
il vivre ainsi ? Askik leva un regard coupable sur sa
compagne. Comme elle avait les yeux bons et patients !

— Nous allons à Saint-Paul, dit-elle. Il y a beaucoup
de Métis là-bas. Il y aura peut-être même une école
pour les petits, si nous trouvons un enseignant.

— Je dois repartir, dit Askik. Un ami m'attend à
Batoche.

Il remonta en selle, puis demanda :

— C'est vrai que tu ne peux plus prédire l'avenir ?

— Quand j'étais petite et malheureuse, il me semblait parfois voir des choses. Plus maintenant.

Askik cherchait les mots pour prendre congé de la
jeune femme. Elle le tira encore une fois d'embarras.

— Je suis contente que t'es revenu, Askik.

— Oh, je suis pas certain de rester, protesta Askik.

— Je sais. Je suis contente quand même.

La plaine était froide, et grise, et pluvieuse. Comme ce
jour, dix-sept ans plus tôt, lorsque Mona l'avait pris par
la main pour le conduire à un squelette de bison. Pour la
première fois depuis son retour, Askik voyait la plaine
sans attendrissement. Il la voyait telle qu'elle était, avec
ses chasseurs démoralisés, ses enfants illettrés, ses tipis
crasseux, ses peuplades trébuchant au seuil d'un avenir
malveillant. Askik songeait à son frère en fuite, si fier de
sa force et de son adresse, et qui ne se doutait pas d'être
désarmé. Il revoyait les enfants de Mona avec leurs
grands yeux indiens. Que leur réservait l'avenir des
Blancs : la tuberculose, l'alcool, les emplois sordides ?

Askik fouettait rageusement son cheval. La pluie se
mêlait aux larmes qu'il désavouait intérieurement. Lui
qui avait appris à marcher dans le monde des Poilus,
allait-il tendre la main à Mona, à ses enfants, à tous ses
frères de race ? Leur misère l'effrayait.

XI

Les soldats du 65e se pressaient aux rambardes du navire, écoutaient en silence les éclats de la bataille qui leur provenaient des hauteurs. Le claquement des fusils, le grondement des canons, les détonations, plus sourdes encore, des obus soulevaient en eux des émotions troubles. Ni de la peur, ni de l'exaltation. Rien que de vagues pressentiments. Des regrets confus. Ils avaient attendu si longtemps. Pendant des semaines et des semaines, le bataillon avait tourné en rond tandis que les éclaireurs cherchaient fébrilement les guerriers du Gros-Ours. A présent, ils les tenaient. L'avant-garde était engagée. Les miliciens n'attendaient plus que le signal — un drapeau blanc sur la colline — pour débarquer et se joindre à la bataille.

Une ombre blanche flottait contre le ciel gris : le signal.

— Quelle heure est-il ? demanda le sergent Charles Daoust, qui préparait un récit de l'expédition.

— Trois heures moins cinq, répondit un autre.

— L'heure de la Passion, pensa Grandet en faisant la queue devant la passerelle. Le grand avocat se tâtait scrupuleusement l'âme. Avait-il peur ? Non. Avait-il l'espoir d'accomplir de grandes choses ? Non. Alors que ressentait-il ? L'indifférence. Était-ce une défense contre la peur ?

L'aumônier se tenait devant eux, son crucifix à la main.

— A genoux, mes enfants, que je vous bénisse.

Les soldats se prosternaient dans l'herbe nouvelle, képis en main, les fusils debout à leurs côtés. Grandet contemplait les lourds nuages qui bouchaient le ciel et rasaient les crêtes des collines. Pourquoi fallait-il que ce fût une journée grise ? Car cela ne pouvait être un hasard. Et ce jeune Oblat en surplis blanc et étole mauve, contre la plaine sans fin : était-il conscient du ridicule de la situation ? Quelle fin bizarre tout de même.

— Fixez baïonnettes ! En avant, marche !

Grandet ne vit pas le paysage qu'il traversait : des ravins boisés, des marais, des monticules, la panoplie habituelle des plaines. Il voyait seulement la longue file de tuniques noires qui s'étirait à n'en plus finir.

— C'est donc vrai, pensa-t-il. Je vais mourir. Je devrais prier, me confesser à Dieu. Mais à quoi bon ? Ma vie médiocre, je ne la rachèterai certainement pas dans ce cirque. Dire que j'ai pu me passionner pour ces balivernes. Des fanions, des bottes, des droite-gauche, droite-gauche. Faut-il être mouton ! Et ce grand dadais d'aumônier qui nous suit avec son air de vierge au bûcher. J'espère que les Indiens sont moins bêtes que nous.

— Compagnie halte ! Dressez le camp !

Les soldats s'interrogeaient du regard. La fusillade avait cessé. Un soldat descendu du front venait leur donner des nouvelles.

— Les Sauvages nous tendaient un piège, leur dit-il. Nous ne pouvons les prendre d'assaut. Ils sont retranchés sur une butte, de l'autre côté d'un marais. N'importe. Nos canons les ont réchauffés. Nous passons la nuit ici.

— Et demain ?

— Retour au fort Pitt.

Les soldats feignaient la déception. Certains allaient même jusqu'à la ressentir. Un officier de l'Infanterie légère de Winnipeg qui passait à ce moment-là s'étonna de voir rigoler Grandet.

— *What's so funny ?* demanda l'officier en gloussant d'avance de la plaisanterie qu'il allait entendre.

Grandet lui fit un large sourire.

— Plus gogo que moi, frère, il ne s'en est jamais fait.

Tout confus de s'entendre répondre en français, l'officier passa son chemin.

619

« Montréal
le 30 juillet, 1885

« Cher monsieur de Meauville,
Ma lettre vous étonnera peut-être. Vous ne me
connaissez pas, mais nous avons un ami commun. J'ai
cru que vous aimeriez avoir de ses nouvelles.

J'ai quitté Askik Mercredi — vous le connaissiez
sous le nom d'Alexis — il y a trois semaines à Battleford, dans la Saskatchewan. Un bateau-vapeur devait
nous transporter jusqu'aux Grands Rapides ; d'horribles chaloupes allaient ensuite nous faire descendre un
lac interminable jusqu'à Winnipeg. Ce fut un cauche-
mar ; je vous fais grâce des détails.

J'ai revu Askik la veille du départ. Retrouver les
siens, dans des conditions pénibles, avait été dur pour
lui. Mais il reprenait espoir. Il me faisait l'effet d'un
homme qui se relève d'une longue maladie, et qui
mesure mieux l'importance des choses. Tout en dînant,
il m'a fait le récit d'une vision qu'il aurait eue dans son
enfance, au sujet d'un Indien mort et d'un loup. Je le
note au cas où cela vous dirait quelque chose. Pour ma
part, je n'y ai rien compris. Il faut dire que notre ami
faisait preuve, ces derniers temps, d'un humour bien
particulier : assez sec, un peu moqueur, très métis.

Nous avons pris un dernier rhum ensemble, puis malgré l'heure tardive, il est monté en selle. Il s'est retourné
une dernière fois à la sortie du village pour me faire
signe de la main, et j'ai eu l'impression, à ce moment-là,
de voir un homme heureux. La dernière fois que je l'ai
vu, il fonçait à bride abattue vers un village du nom de
Saint-Paul, en Alberta. Dieu sait pourquoi.

Ah ! J'allais oublier ! J'ai rencontré une autre de vos
connaissances dans ce bateau : le sous-lieutenant
Elzéar Grandet. Il dit qu'il vous rendra bientôt visite
dans votre village, et tient cela, je ne sais trop pourquoi,
pour un exploit.

620

Enfin, comme on n'est jamais trop serré entre gens d'esprit, j'espère que vous n'hésiterez pas, la prochaine fois que vous serez à Montréal, à venir me voir. Peut-être aurons-nous, l'un ou l'autre, des nouvelles de notre frère Askik Mercredi.

Un ami en puissance,
Arthur Lemercier,
journaliste. »

FICHE D'IDENTITÉ

Ronald Lavallée est né en 1955 au Manitoba et a passé sa jeunesse dans une ferme, à Lasalle (à 50 km de Winnipeg), dans une famille canadienne française. Trois de ses quatre frères sont devenus pratiquement anglophones et lui-même a parlé principalement l'anglais jusqu'à vingt ans, bien qu'il ait fait la majeure partie de ses études chez les oblats et les jésuites. Après être passé par le collège Saint-Boniface et avoir obtenu son diplôme à la faculté de droit civil du Québec à Ottawa, il a été engagé comme radio-reporter à *Radio-Canada* au Manitoba, pour la radio et la télévision françaises.

Très jeune, Ronald Lavallée s'intéresse à l'histoire des métis. « On vivait sur des terres ayant appartenu aux métis, explique-t-il, on glorifiait leur passé, leur culture, leurs traditions, mais rien ne nous faisait plus honte que d'être confondus avec les métis par les anglophones. C'était l'injure suprême. Je lisais, dans les livres d'école, que les Canadiens français avaient été plus justes envers les métis et les Amérindiens, mais je voyais bien, en regardant autour de moi, que notre attitude envers nos cousins métis n'était pas plus égalitaire ni fraternelle. Il semblait y avoir une scission totale entre la manière dont on traitait les métis historiques qui étaient, semble-t-il, de grands héros, et ceux qui vivaient encore avec nous, qu'on exploitait et méprisait. Alors, tout naturellement, j'en suis venu à écrire ce livre sur les origines des rapports ambigus entre les Canadiens français, les Canadiens anglais et les métis. »

Pour écrire *Tchipayuk* (terme qui signifie « revenant »), Ronald Lavallée a mis sept ans : une année complète de recherches dans les archives ; cinq de composition et une de réécriture. Il a adressé cinq exemplaires de son manuscrit : trois à des éditeurs québécois et deux à des éditeurs français, et ce sont les éditions Albin Michel qui lui ont répondu en premier. L'éditeur a suggéré que Ronald Lavallée ampute son manuscrit de deux cents pages, ce qu'il a accepté, et en 1987 *Tchipayuk*, son premier roman, est paru en France.

« TCHIPAYUK » ET LA CRITIQUE

Un roman entraînant

« *Tchipayuk,* cette immense saga qui relate les déboires d'un métis exploité par les anglophones de la Compagnie de la baie d'Hudson et rejeté par les francophones du Québec lors de la révolte fomentée par Louis Riel, est une véritable leçon d'histoire qui en fera réfléchir plus d'un. C'est également un roman entraînant écrit dans une langue superbe. (...) La prose de Ronald Lavallée semble couler de source. On suit l'histoire d'Askik avec frénésie pour en savoir le dénouement et on s'imprègne des majestueux paysages de l'époque. Du bon travail. Ronald Lavallée a toujours été premier de classe en composition et cela se comprend à la lecture de son premier roman. »

Guy Ferland, *Le Devoir*

Comme dans un grand film

« Ronald Lavallée a un talent de metteur en scène indéniable, et il en faut pour décrire l'épopée des Indiens métis dans le Canada du XIXᵉ siècle. Son roman se veut à la fois historique, initiatique et d'aventures. Il tient ses promesses, même si le personnage principal est une sorte d'anti-héros qui rencontre l'échec en chacune de ses tentatives ou de ses tentations. Un drôle de parcours, dont chaque obstacle souligne, au-delà de l'affrontement des hommes, celui de la nature contre la civilisation. L'auteur possède une langue dont la richesse éclate dans les dialogues, rendant à chaque personnage son identité et son originalité. On entre dans ce livre comme dans un grand film. »

Moira Paraschivesco, *Le Figaro Magazine*

UN SYMBOLE DU CANADA FRANCOPHONE

« Du Manitoba à Québec, il y a plus de deux mille kilomètres et des rivières et des lacs, comme en France des hostelleries. Vous allez descendre en canoë pour conduire le petit Askik Mercredi, par les lacs, les pistes et les cours d'eau jusqu'à Montréal. Et vous allez rêver et frissonner avec les revenants, les " tchipayuk ", ces esprits rôdeurs qui font trembler le petit métis. (...) Lorsqu'il se retrouvera à Montréal, pupille de riches Blancs, Askik, doué pour l'étude, s'aperçoit vite qu'il n'est apparenté à personne, doublement assujetti, comme Indien par les Blancs catholiques, comme catholique par les Anglais protestants. Sang-mêlé écartelé entre deux cultures, il est le symbole même du Canada francophone. Et l'on quitte Askik à regret. Devenu correspondant de guerre, il finit par fuir en solitaire, à vingt-cinq ans, vers l'Alberta, province encore en dehors de la Confédération du Canada, en 1885. Mais l'on garde l'espoir de le revoir, et comme la certitude que cette saga de cinq cents pages trop courtes, mais oui, n'est que le début de l'histoire du pays de Ronald Lavallée. »

Denise Humbourg, *Le Hérisson*

TOUTE LA POÉSIE DES PIONNIERS

« De 1865 à 1885, l'histoire du métis Askik Mercredi. Né dans le lointain Nord-Ouest, élevé au carrefour de plusieurs cultures : française, indienne, anglaise, le hasard va l'envoyer faire ses études à Montréal. Il tentera en vain pendant de longues années de s'intégrer au monde des Blancs. Pour s'apercevoir enfin qu'il n'y a pas sa place, et repartir, à la faveur d'une guerre, vers les siens et l'univers de son enfance. Toute la poésie des pionniers et des grands espaces, et la langue de Ronald Lavallée qui est fort savoureuse. »

Le Figaro

V

UN MONDE PEU CONNU

« Les Indiens du Canada sont moins bien connus que ceux des États-Unis. Aussi, *Tchipayuk ou le chemin du Loup,* le roman de Ronald Lavallée, nous fait-il découvrir un monde peu connu. Nous voici au moment où un mode de vie intimement lié à la nature va bientôt disparaître devant l'arrivée de la civilisation. Et le jeune Askik Mercredi est doublement mêlé à cette transformation : il est sang-mêlé et catholique dans un pays à majorité protestante. Les souvenirs de son enfance, époque où il chassait le bison, se battait contre les ours ou dansait dans de longues fêtes, lui rendront difficile de vivre dans la " bonne société ". Il préférera retrouver les grands espaces de ses ancêtres. »

Bonne Soirée

TABLE

Aubin Imprimeur
LIGUGÉ, POITIERS

Achevé d'imprimer en janvier 1988
pour le compte de France Loisirs
123, bd de Grenelle, 75015 Paris
No d'édition 13530 / No d'impression L 26012
Dépôt légal, janvier 1988
Imprimé en France